Jürgen Ruhfus

aufwärts

Jürgen Ruhfus

aufwärts

Erlebnisse und Erinnerungen eines diplomatischen Zeitzeugen 1955 bis 1992

EOS-VERLAG
2006

1. Auflage 2006
Herstellung: EOS-Druck, Sankt Ottilien

ISBN 3-8306-7202-0

www.eos-verlag.de

für Karin,
Andrea, Maren und Antje

Inhalt

Geleitwort
von Bundeskanzler a.D. Helmut Schmidt

Die Erlebnisse und Erinnerungen von Jürgen Ruhfus erscheinen mir als interessant und lesenswert. Sie geben dem Außenstehenden an vielen Stellen Einblicke in die vielfältigen Aufgaben und Herausforderungen, die der westdeutsche diplomatische Dienst in der zweiten Hälfte des zwanzigsten Jahrhunderts zu leisten und zu bestehen hatte. Nebenher entsteht zugleich ein Überblick über die westdeutsche auswärtige Politik in dieser Zeitspanne. Für einen Leser, der selbst die Geschichte jener Epoche nur von weitem miterlebte, der aber die zeitweise schwerwiegenden außenpolitischen Debatten und Konflikte im Bonner Bundestag im Gedächtnis behalten hat, für ihn kann dieses Buch insofern eine Überraschung bieten, als es den von sechs Bundeskanzlern und von ihren Ministern zustande gebrachten Wiederaufstieg Deutschlands in die Weltpolitik als einen kontinuierlich verlaufenden, nahezu gradlinigen Prozeß erscheinen läßt. Wie weit ein solcher Eindruck mit der geschichtlichen Wahrheit übereinstimmt oder ob und wo sie tatsächlich dramatische Wendungen und Entscheidungen zu verzeichnen hat, darüber wird es wahrscheinlich noch nach Generation unter den Historikern verschiedene Interpretationen und Meinungen geben.

Ruhfus schreibt nicht als Historiker, sonder als einer, der seine Erinnerung anstrengt. Seine Erinnerung ist die eines sehr aktiv beteiligten Insiders; er hat von Brentano bis zu Kinkel unsere westdeutschen Außenminister persönlich gekannt und erlebt. Weil ich selbst über anderthalb Jahrzehnte ein Insider gewesen bin, aber die Ereignisse aus ganz anderem Blickwinkel in der Erinnerung habe, kann ich bestätigen: Jürgen Ruhfus ist ein wahrhaftiger Zeitzeuge.

Begegnet sind wir uns zunächst flüchtig, als Ruhfus Botschafter in Nairobi war und ich dort an einer Jahrestagung des Internationalen Währungsfonds (IMF) und der Weltbank teilnahm. Richtig kennengelernt haben wir uns erst 1976, als er die für Außen-, Deutschland- und Verteidigungspolitik zuständige Abteilung Zwei im Bundeskanzleramt übernahm. Ihm war Carl Werner Sanne vorausgegangen, nach vier Jahren folgte ihm zunächst Berndt von Staden und zuletzt Otto von der Gablentz. Alle diese vier Berufsdiplomaten sind nacheinander während meiner Zeit als Regierungschef meine engsten außenpolitisch-strategischen Ratgeber gewesen. Dabei war ihre jeweilige parteipolitische Neigung oder Mitgliedschaft ganz unerheblich. Vielmehr waren entscheidend ihre Urteilsfähigkeit, ihre Courage, das eigene Urteil auszusprechen, ihre Zuverlässigkeit und Loyalität – und nicht zuletzt ihre Belastbarkeit. Alle vier brachten Erfahrung und Überblick mit. In allen vier Fällen bin ich personalpolitischen Vorschlägen des Auswärtigen Amtes gefolgt – und bin damit ganz ausgezeichnet gefahren. Jeder dieser außenpolitischen Berater erscheint mir – auch im zeitlichen Abstand von mehreren Jahrzehnten – als ein Musterbeispiel für einen seinem Staat dienenden Berufsbeamten in leitender Funktion.

Formal war Ruhfus zu meiner Zeit dem hervorragenden Chef des Bundeskanzleramtes Manfred Schüler unterstellt. Tatsächlich hat er mir in mehreren entscheidend wichtigen Operationen in fast täglichem persönlichen Kontakt geholfen. Als wir den mörderischen Terrorismus der RAF abwehren mußten, hat er insbesondere bei der Befreiung des von arabischen Terroristen gekaperten Lufthansa-Flugzeugs in Mogadischu/Somalia hinter der Kulisse wirksam beigeholfen. Als die Sowjetunion mit ihrer vornehmlich auf deutsche Ziele gerichteten atomaren Mittelstreckenraketen-Rüstung sich ein gegen die Bundesrepublik gezieltes Erpressungspotential aufbaute und in Stellung brachte, hat Ruhfus umsichtig beigeholfen, trotz aller Kontroverse mit Moskau gleichwohl ein persönliches Vertrauensverhältnis zu Breschnew herzustellen und aufrechtzuerhalten. Als 1977 in den USA die Regierung Jimmy Carters die umsichtig-pragmatische Gleichgewichts-Diplomatie der Regierung Gerald Fords durch eine naiv-idealistische, im Verhältnis zu den europäischen Verbündeten überhebliche Attitüde ersetzte, hat Ruhfus meinen Zorn eingedämmt und hinter der Bühne dafür gesorgt, daß alle persönlichen Kanäle zu Washington offengehalten worden sind. Es war kein Zufall, daß er als einziger Berater 1979 in Guadeloupe dabei war, wo James Callaghan, Valéry Giscard d'Estaing und ich Jimmy Carter für den später so genannten NATO-Doppelbeschluß gewinnen konnten; bis dahin hatte Carter über die Mittelstrecken-Rüstung nicht verhandeln wollen, tatsächlich haben aber dann die von uns vorgeschlagenen Verhandlungen im Ergebnis zum ersten tatsächlichen Abrüstungsvertrag geführt.

Abgesehen von diesen besonders im Gedächtnis bleibenden Vorgängen habe ich Grund zur Dankbarkeit. Dabei schließe ich gern Frau Karin Ruhfus ein; denn die Außenwelt kann sich kaum vorstellen, wie sehr oft die

Ehefrauen – und sogar die Familien – der Diplomaten am Dienst mitwirken müssen. Ruhfus hat recht, wenn er bisweilen die Rolle seiner Ehefrau hervorhebt.
Wenn irgendwann ebenso wahrheitsgemäße Memoiren eines Diplomaten der alten DDR erscheinen sollten, so würde ich auch diese gerne lesen. Spätere Historiker würden jedenfalls die schwierige Periode der Teilung unseres Vaterlandes besser verstehen und interpretieren können, wenn ihnen auch Zeugnisse von der anderen Seite verfügbar wären. Jedenfalls aber wünsche ich dem hier vorgelegten Buch, daß es gelesen werde.

Vorwort des Verfassers

In der Familie von bodenständigen Bauern, Bergleuten, Handwerkern, Apothekern, Unternehmern und Ingenieuren im Großraum des Ruhrtals war ein Beamter, dazu noch im Auswärtigen Dienst, gleich ein doppelter Sonderfall. Niemand hat mir an der Wiege gesungen, dass ich ein Leben lang für die Außenbeziehungen unseres Landes tätig sein würde.

Die 37 Jahre waren randvolles berufliches Leben. Härten und Schwierigkeiten wechselten mit Freuden und schönen Zeiten. Bei allem Auf und Ab war die Richtung letztlich immer: aufwärts.

Bei Kriegsende war ich 14 Jahre alt. Wir waren erschüttert, als wir im Schulunterricht Filme von den millionenfachen Morden in den Konzentrationslagern sahen, als wir vom großen Ausmaß des Leides erfuhren, das in deutschem Namen mit Angriffskriegen und Zwangsverschleppungen über andere gebracht worden war. Selbstwertgefühl und Ansehen der Deutschen waren auf dem Tiefpunkt.

Ich hatte das große Glück, bald die angelsächsische Welt kennen und schätzen zu lernen. Im Auswärtigen Dienst erhielt ich die Möglichkeit, am Wandel vom verfemten Aggressor zum respektierten Mitglied der westlichen Demokratien mitzuhelfen.

Und am Ende meines beruflichen Lebens durfte ich die Wiedervereinigung unseres Landes als deutscher Botschafter in Washington erleben. Präsident Bush nannte das vereinte Deutschland »Partner in Leadership« und »Champion in Europe«. Welch ein erfolgreicher Weg in die westliche Gemeinschaft in weniger als fünf Jahrzehnten!

Der Volksmund sagt: Wer schreibt, der bleibt. Aber die Fachleute der schreibenden Zunft warnen: Es ist ein übles Vergehen, die Leser zu langweilen. Es geht mir nicht darum, eine dokumentarische Chronik der Bundesrepublik Deutschland bis zur deutschen Einheit zu versuchen. Ich möchte eine Reihe von Beobachtungen und Bewertungen nachzeichnen und einige persönliche Erlebnisse, so wie sie mir in Erinnerung sind, lebendig machen. Ich hoffe, ich kann einige Ereignisse so schildern, dass das Lesen vergnüg-

lich ist. Die detaillierte Gliederung soll helfen, die jeweils interessierenden zu finden.
Vor allem möchte ich mit diesem Buch danken.

Ich habe viel Vertrauen erfahren. Für alle Außenminister von Heinrich von Brentano bis Hans-Dietrich Genscher habe ich in direkter Nähe im »Ministerbau« gearbeitet; für Bundeskanzler Helmut Schmidt war ich außenpolitischer Berater. Sie haben mir die schönen und verantwortungsvollen Posten in Nairobi, in London und in Washington übertragen.

Mein Dank gilt all denen, die mit mir gearbeitet haben. Ich habe viele begabte, loyale Mitarbeiterinnen und Mitarbeiter gehabt. In allen Positionen habe ich größten Wert auf gute Zusammenarbeit gelegt. Teamwork im Dienste der gemeinsamen Sache war mir seit meinen frühen Erfahrungen in England und USA wichtig. Wenn wir vorankamen, dann sollte das nicht das individuelle Verdienst eines Einzelnen sein, sondern der Erfolg des Referats, der Abteilung oder der ganzen Auslandsvertretung. Ich habe hierfür viel Unterstützung gefunden.

Vor allem gilt mein Dank Karin und unseren Töchtern. Meine Familie ist oft zu kurz gekommen, aber sie hat mich immer unterstützt. Darum berichte ich von den persönlichen Erlebnissen der Familie, den sonnigen Seiten wie den Belastungen, ebenso wie von den dienstlichen Ereignissen.

Am Ende stehen die Befriedigung und das Glücksgefühl, dass wir mit unserem Einsatz einer großen Sache dienen konnten und dass wir das Ziel erleben durften: Deutschland lebt in Frieden und vereint als geachteter Partner der westlichen Gemeinschaft.

Bei der Arbeit an dem Buch habe ich vielfältige Ratschläge und Anregungen erhalten. Sie waren mir wichtig und hilfreich. Mein ganz besonderer Dank gilt Friederike Schmitz (www.prolitera.de) und Peter Bazing für ihre sachkundige, ausdauernde und ermutigende Unterstützung.

Vorfahren, Kindheit und Jugend

Um 1630 wurde der Landwirt Friedrich Ruhfus geboren. Mit ihm beginnt die Genealogie »Ruhfus, eine Hofstätte zu Rüdinghausen bei Annen, Kreis Hörde«, die die Druckerei Friedrich Wilhelm Ruhfus in der nahe gelegenen Stadt Dortmund erstellt hat.

Die Nachfahren von Friedrich Ruhfus waren in der ersten Hälfte des letzten Jahrhunderts so zahlreich, dass die Druckerei ein vier Meter breites Faltblatt benötigte, um die dann lebenden Familienmitglieder nebeneinander abzudrucken.

Die Vorfahren lebten im Umfeld des Ruhrtals. Ihre Berufe spiegelten den damaligen Arbeitsmarkt an der Ruhr: Bauern, Bergleute, Handwerker, Unternehmer, Ärzte und Apotheker. Letzteren wird die etwas komplizierte Schreibform unseres Familiennamens zugeschrieben. Ein ambitionierter Vorfahre soll im 17. Jahrhundert den Namen »Ruffot« oder »Raufuess« der damaligen Mode entsprechend in »Ruhfus« latinisiert haben.

Ich erinnere mich gut an meinen Großvater August Ruhfus, eine Unternehmerpersönlichkeit mit weißem Backenbart. Anfang des zwanzigsten Jahrhunderts gründete er das Rheinische Kleineisenwerk in Neuss, eine Fabrik, in der Lokomotiv- und Waggonfedern hergestellt wurden. Nach anfänglichen Erfolgen kam die Weltwirtschaftskrise; die Firma kämpfte ums Überleben. Im zweiten Weltkrieg wurde die Fabrik durch Bomben zerstört. Die verbliebenen Maschinen fielen der Demontage zum Opfer. Der älteste Sohn Fritz Ruhfus und dessen Söhne, zunächst Dieter und später Ulrich, steuerten das Unternehmen mit großem Einsatz durch die schweren Jahre.

Meine Großmutter Klara Ruhfus erinnere ich als eine zurückhaltende, eher herbe Frau. Sie trug hochgeschlossene Blusen und auch Anfang der dreißiger Jahre lange Röcke. Ihr Haus in Altpempelfort in Düsseldorf war kultiviert und schien mir luxuriös. Sie entstammte der Großfamilie Albert de Gruyter, die in der Gründerzeit eine Reihe von Unternehmern hervorgebracht hat. Albert de Gruyter gehörte zu den Ersten, die die Kohle im Ruhrgebiet auf Schiffe verluden, sie flussaufwärts in das Rhein-Main-Gebiet transportierten und im süddeutschen Raum mit gutem Gewinn verkauften.

Seine Kinder waren Paul de Gruyter, der als Bauunternehmer in Berlin große Bauten errichtet hat, sowie Walter de Gruyter, der den Reimer-Verlag zu einem großen wissenschaftlichen Verlag ausgebaut hat.

Großvater August Ruhfus, Gründer der Firma A. Ruhfus, Neuss, und Großmutter Klara Ruhfus, geb. de Gruyter

Die gute Aussteuer in Goldmark, die Klara meinem Großvater mit in die Ehe brachte, half ihm, die Fabrik in Neuss zu gründen. Sie haben in Düsseldorf-Pempelfort ein großes Haus gebaut, in dem wir uns als kleine Kinder zwischen Bel Etage, Hinterhaus und Ballsaal manchmal verliefen. Ich erinnere mich an dunkle Bilder von streng dreinschauenden Menschen. Als das Haus im Krieg total ausbrannte, erfuhr ich, dass es sich um alte holländische Meister gehandelt hat.

Meine Großmutter war sparsam, hatte aber Sinn für schöne Möbel und ein stilvolles Haus. Sie kaufte kurz entschlossen einen alten Teppich, wenn er ihr gefiel, aber sie hätte nie einen Brief geschickt, wenn eine Postkarte ausreichte. Eines Abends hatte meine Großmutter mir ein Brötchen zum Abendessen gemacht. Ich klappte es auf und sah, dass nur eine Seite bestrichen war. Als kleiner Dotz rief ich: »Mann, so'n großes Haus, und nichts drauf aufs Brötchen!« So bestätigte ich den Verdacht, dass meine Mutter den Enkel in Saus und Braus aufbrachte, was wahrhaftig nicht der Fall war.

Das Haus der Großeltern mütterlicherseits war das Kontrastprogramm. Der Vater meiner Mutter, Emil Rose, war ein angesehener Pfarrer. Er hatte die Kreuzkirche in der Kleverstraße in Düsseldorf aufgebaut und eine gut gestellte Gemeinde um sich versammelt, die ihn sehr schätzte.

Als Alterssitz baute er sich ein kleines, gemütliches Haus in der Nähe des Grafenberger Waldes. Das Haus war hell, mit kleinen, aber lichten Zimmern, der Garten war nicht groß, hatte aber viele bunte Blumen.

Auf den Spaziergängen im Grafenberger Wald erzählte Großvater Rose mir viele Geschichten. Seine gütige Lebensweisheit ist mir in Erinnerung, vor allem sein Lieblingsspruch: »Wenn es am schönsten ist, soll man aufhören.«

Kindheit in Bochum

Meine Eltern haben alles getan, um uns drei Kindern eine liebevolle Erziehung und eine gute Ausbildung zu geben. Doch durch die äußeren Umstände – die Härten der Wirtschaftskrise und schon bald darauf die Wirren des Krieges – waren die Jahre eines ungestörten Familienlebens viel zu kurz.

Mein Vater war ein aufrechter, idealistisch gesonnener Mann, der seinen technischen Beruf als Diplom-Ingenieur und Fachmann für die Stahlveredelung liebte. Es erforderte Zeit und Ausdauer, seine Güte hinter seiner Zurückhaltung zu entdecken.

Meine Mutter war eine lebensfrohe Frau und in jungen Jahren eine gut aussehende und gefragte Teilnehmerin des geselligen Lebens in Düsseldorf gewesen.

Als ich 1930 geboren wurde, war Bochum eine graue Industriestadt. Kohle und Stahl waren die Lebens- und Beschäftigungsgrundlage. Umweltschutz war nahezu unbekannt; ein frisches weißes Hemd hatte schon mittags einen Rand von Ruß an Kragen und Manschetten.

Eine meiner ersten Kindheitserinnerungen ist, dass meine Mutter in Tränen ausbrach, als sie mich mit dem Kinderwagen auf dem Freigrafendamm in Bochum spazieren fuhr. Sie hatte den Hausschlüssel verloren. Die Kosten für den Wechsel der gesamten Schlüsselanlage des Mietshauses waren beim kargen Gehalt und geringen Haushaltsgeld in der Depression der frühen dreißiger Jahre eine katastrophale Belastung.

Es folgten kurze Jahre, in denen die Familie am allgemeinen wirtschaftlichen Aufschwung teilhatte. Aus der Mietwohnung zogen wir in ein kleines Haus in Bochum-Ehrenfeld.

Kriegsbeginn

Den Kriegsbeginn 1939 erlebten wir während eines Ferienaufenthaltes im Thüringer Wald. Von den Sorgen, die meine Eltern sich machten, beschäftigte uns Kinder vor allem die praktische Frage: Würden wir noch genug Benzin finden, um mit dem neu gekauften DKW nach Bochum zurückzukommen?

Die Begeisterung über die Erfolge der Wehrmacht in den ersten Kriegsjahren wich bald der Bedrückung. Nach dem Einmarsch in die Sowjetunion wurde mein Vater als technischer Fachmann einberufen. Er sollte in der Ukraine das Hüttenwerk Makejiwka wieder so weit aufbauen, dass es für die Reparatur von Fahrzeugen und Panzern der Wehrmacht genutzt werden konnte. Zwar erhielt er als Sonderführer eine maßgeschneiderte Uniform, aber er blieb ein völlig unsoldatischer Techniker.

Wenn ich ihn in die Stadt begleitete, musste ich ihm während seiner ersten Ausgänge in Uniform helfen: »Dies ist ein Feldwebel, das ist ein Leutnant, die müssen dich zuerst grüßen; jener ist ein Major oder Oberst, den musst du als Erster grüßen.« Wie alle Jungen in jener Zeit war ich von Uniformen begeistert. So erfüllte es mich mit doppeltem Stolz, an der Seite meines uniformierten Vaters durch die Stadt zu gehen – und ihm helfen zu können.

1942 und 43 begannen die Luftangriffe. Bochum war ein industrielles Zentrum. Wir wohnten jetzt direkt neben dem großen, kriegswirtschaftlich wichtigen Stahlwerk des Bochumer Vereins. In unserem Haus wurde ein Keller mit Balken abgestützt und als Luftschutzraum hergerichtet. Wir erhielten Unterricht, wie man mit Sand Brandbomben löschen kann.

Der erste große Luftangriff hat sich tief in meine Erinnerung eingegraben. Das direkt an unseren Garten angrenzende Stahlwerk war eines der Hauptziele. Wir saßen im Luftschutzraum. Mutter versuchte, uns zu trösten: »Die Bomben, die ihr pfeifen hört, schlagen nicht bei uns ein.«

Als schließlich die Sirenen Entwarnung gaben, stiegen wir voller Angst aus dem Keller nach oben. In unserem Haus waren durch den Luftdruck alle Fensterscheiben zersplittert. Es roch nach Feuer und Brand. Nachbarhäuser standen in Flammen. Wir bildeten eine Kette, reichten Eimer mit Wasser weiter und löschten, wo wir konnten.

Am Morgen gingen wir in die noch schwelende Innenstadt. Später trafen wir uns in der Schule. Wir tauschten unsere Erfahrungen aus. Das Haus eines Klassenkameraden hatte einen Volltreffer erhalten. Obwohl zunächst noch Klopfzeichen aus dem Keller zu hören waren, konnte man ihn und seine Familie nicht mehr rechtzeitig aus den Trümmern bergen. Wir malten uns aus, wie es ist, wenn man lebendig unter den Trümmern begraben liegt.

Luftalarme und Luftangriffe nahmen an Häufigkeit zu. Wir gewöhnten uns daran, bei dem Sirenenton schlaftrunken in den Keller hinabzusteigen und dort weiterzuschlafen, bis Entwarnung kam. Manche Freunde fühlten sich in ihrem Haus nicht mehr sicher. Sie zogen jeden Abend in den großen Luftschutzbunker, um dort in engen Zellen die Nacht zu verbringen.

Die Belastung wurde immer größer. Schließlich waren wir froh, dass unsere Schule im Juli 1943 nach Pommern evakuiert wurde.

Kinderlandverschickung

Die Geschichte der Kinderlandverschickung muss erst noch geschrieben werden. Aus dem Ruhrgebiet wurden tausende von Schülern mit ihren Lehrern nach Osten verschickt: Es ging um den Schutz des Lebens der kommenden Generation. Gleichzeitig bot sich dem Nazi-Regime die willkommene Gelegenheit, die Jugend zu indoktrinieren, fern von zu Hause.

Mit dem Zug fuhren die Bochumer Schüler und Lehrer etwa 800 km nach Osten, in einen Teil Deutschlands, den wir noch nie kennen gelernt, von dem wir kaum Vorstellungen hatten.

Ich war zwölf Jahre alt, meine Brüder Bernd und Martin zehn und acht, als wir unsere Heimatstadt verließen.

Irgendwie lockte das Abenteuer. Ich war froh, Luftalarme und Bombenangriffe, verrußte Trümmer und das Schlangestehen vor notdürftig hergerichteten Läden hinter mir zu lassen. Aber wir stellten uns im Zug auch die bange Frage, was wir vorfinden und wie wir zurechtkommen würden. Wir würden eine lange Bahnreise von Vater und Mutter entfernt sein. Telefongespräche gab es kaum. Die Verbindung konnte nur durch Briefe aufrechterhalten werden.

Einige Klassenkameraden wurden von ihren Müttern nach Pommern begleitet. Ich habe mich später gefragt, warum unsere Mutter ihre drei Söhne, die ihr ganzer Stolz waren, alleine ziehen ließ. Sie wollte wohl ihren Mann nicht im Stich lassen in den immer schwereren Kriegstagen mit pausenlosen Luftangriffen; wir waren in relativer Sicherheit.

Unsere neue Heimat, Friedeberg/Neumark im Warthegau, war eine Kleinstadt mit wenigen tausend Einwohnern. Niedrige Häuser waren umgeben von einer fast vollständig erhaltenen Stadtmauer. Nur die Kirche, das Landratsamt und eine Oberschule überragten die geduckten Häuser. Ein größerer Kontrast zu der heimatlichen Industriestadt im Herzen des Ruhrgebiets war kaum denkbar.

In dieser ungewohnten Umgebung waren meine Brüder und ich in jungen Jahren weitgehend auf uns selbst gestellt. Halt gaben uns die Schule, die gewohnten Lehrer und vor allem die Klassenkameraden. Hinzu kamen die wöchentlichen Treffen des Jungvolkes, der Vorstufe der Hitlerjugend.

Meine Brüder und ich hatten riesiges Glück. Wir kamen zu den Schwestern Martha, Hedwig und Frieda Fiedler, drei Damen, die in einem gemütlichen Haus am Rande der Stadt Friedeberg in der Nähe des Sees wohnten. Sie waren unverheiratet; eine hatte ihren Verlobten im Ersten Weltkrieg verloren. Drei tüchtige und lebensfrohe Frauen, von denen zwei als Schneiderinnen und eine als Hutmacherin ihren Lebensunterhalt gut verdienten. Ihre handwerklichen Fähigkeiten halfen, im Tausch die Versorgung mit Lebensmitteln aus den umliegenden Gütern und Bauernhöfen zu verbessern. Ihre positive Art half uns, Selbstvertrauen zu gewinnen und früh zu lernen, dass man auch ohne den Rückhalt des Elternhauses Probleme angehen und lösen kann.

Da die Eltern weit entfernt waren, fühlte ich mich schon früh verantwortlich für meine jüngeren Brüder. Die gemeinsamen Jahre in der Ferne schufen ein Zusammengehörigkeitsgefühl, das uns auch in späterer Zeit eng verbunden hat.

Die Schwestern Fiedler mussten 1945 nach der Ankunft der russischen Truppen Friedeberg verlassen und nach Chemnitz flüchten. Sie hatten dort in ihrem Alter schwere Jahre. Es hat uns sehr belastet, dass wir ihnen unsere Dankbarkeit für die großherzige Hilfe nur durch Briefe und Hilfspakete aus dem schnell prosperierenden Westen bekunden konnten. Ein persönlicher Besuch oder eine Einladung in die Bundesrepublik waren durch die sich verschärfende Teilung des Landes unmöglich.

Ein weiterer wichtiger Halt waren die Freundschaft mit den Klassenkameraden und der gewohnte Schulbetrieb. Vor allem einige ältere Lehrer wie mein Klassenlehrer Voß und der Leiter der Schule, Oberstudienrat Lorenz, wuchsen über ihre Rolle als Vermittler von Wissen hinaus und wurden zu Erziehern, die auch ein offenes Ohr für unsere Nöte und Probleme hatten.

Mein jüngster Bruder Martin war zunächst mit seiner Volksschule in Köslin. Er hatte es so schlecht getroffen, dass Mutter ihn nach Friedeberg umschulte. Auch dort ging es ihm zu Anfang kaum besser. Er kam zu einer Familie, deren Oberhaupt ein engstirniger Sparkassenbeamter und zugleich prominenter Parteiführer der Stadt Friedeberg war. Er versuchte mit Strenge und Härte, Martin »deutsche Sauberkeit und Ordnung« beizubringen.

Als unser jüngster Bruder immer unglücklicher wurde, wandte ich mich an den Leiter der Schule, Oberstudienrat Andreas Lorenz. Er beauftragte einen jüngeren Kollegen, Studienrat Heinrich Rienhöver, mit der Familie zu sprechen. Rienhöver betonte seine Zugehörigkeit zur NSDAP. Er trug stets sein Parteiabzeichen und wurde deshalb von uns Schülern nur »PG Rienhöver« genannt.

Nach einigen bangen Tagen wurde ich zum Schulleiter gerufen. Statt der erwarteten Hilfe eröffnete Herr Lorenz mir, die Pflegeeltern hätten sich beklagt, mein Bruder sei unordentlich und unsauber. Wir sollten uns nicht beschweren, sondern dankbar sein, dass der Pflegevater sich so große Mühe gebe, Martin zu einem »echten Kerl und deutschen Mann« zu erziehen.

Hier hatte Rienhöver offenbar ein Gespräch unter Parteifreunden geführt, das keine Aussicht auf Änderung und Besserung bot. Lorenz ließ durchblicken, dass er nichts machen konnte. Dies traf mich tief. Ich fühlte mich machtlos, meinen Bruder und mich ungerecht behandelt.

Die Schwestern Fiedler waren ein weiteres Mal eine große Hilfe. Sie erklärten sich bereit, auch noch Martin in ihr Haus aufzunehmen.

Als 1946 die Schule in Bochum wieder eröffnet wurde, kam Voß, der nun der neue Leiter der Schule war, in unsere Klasse. »Heute hat sich bei mir Herr Rienhöver gemeldet. Er möchte wieder an unserer Schule unterrichten.« Eisige Ablehnung von Seiten der Klasse, was Voß offenbar erwartet und erhofft hatte.

Jungvolk

Mit 10 Jahren war ich in Bochum zum Jungvolk berufen worden. Die wöchentlichen Treffen unseres »Fähnleins« in Bochum-Stahlhausen waren eine Pflichtübung, die wir ohne große Begeisterung hinter uns brachten.

Dies wurde in Friedeberg nun anders. Alle Schüler der evakuierten Bochumer Schule waren in einem Fähnlein zusammengefasst. Der Dienst im Jungvolk – für die Älteren in der Hitlerjugend – war ständiger Teil unseres Alltags. Die Führer stammten aus den älteren Klassen. Freddy Bruhne und Piet Heiber waren intelligente Schüler, die mit Idealismus ihre Rolle als Vorbild für die Jüngeren zu erfüllen suchten.

Wie weit weg waren wir von unserem Zuhause! Da fiel der Appell: »Einer für alle, alle für einen« auf fruchtbaren Boden. Wenn wir bei der Sonnenwendfeier um das Feuer standen und gemeinsam sangen: »Heilig Vaterland, heb' zur Stunde/kühn dein Angesicht in die Runde«, waren wir bewegt.

In der kleinen Stadt Friedeberg gab es für uns praktisch keine Stimme, die uns auf den Terror und die Grausamkeiten des Nationalsozialismus hinwies. Die Erwachsenen waren entweder überzeugte Nazis oder Mitläufer oder sie trauten sich nicht, ihre Kritik vor uns Kindern zu äußern.

Das Attentat am 20. Juli 1944 stürzte mich in große Verwirrung. Angesehene, mit dem Ritterkreuz dekorierte Offiziere setzten ihr Leben ein, um den »Führer« umzubringen. Die Appelle unserer Jungvolkführer und die Behauptungen im Rundfunk, dass hier gemeine Verräter am Werk waren, die ihrer gerechten Strafe zugeführt wurden, konnten unsere Zweifel nicht ausräumen. Wir begannen, die Misserfolge an den Fronten in Russland, in Afrika und im Westen in anderem Licht zu sehen. Trotzdem war es immer wieder erstaunlich, wie gebannt die Menschen in Friedeberg an ihren Radios hingen, wenn Hitlers Reden übertragen wurden, und wie selbst in dieser immer kritischeren Zeit für einige Tage Zuversicht zurückkehrte.

Wir mussten versuchen, uns ein eigenes Bild zu machen. Wir wurden nachdenklicher. Unser Jungzugführer Peter Heiber war sportlich, kameradschaftlich und für viele von uns Jüngeren ein großes Vorbild. Er meldete sich, wie immer wieder propagiert, noch vor seinem 18. Geburtstag freiwillig für die Offizierslaufbahn. Schon wenige Wochen, nachdem er eingezogen worden war, kam die dürre Meldung »An der Ostfront gefallen für das Vaterland«. Das hat mich sehr beschäftigt.

Im Herbst 1944 hatten wir einen Schulungsabend. Ein ehemaliger Stammführer des Jungvolks, der in Russland einen Arm verloren hatte, warb weitschweifig und umständlich für den Einsatz an der Front. Der Bericht über seine persönlichen Erfahrungen war langatmig und voller belangloser Einzelheiten. Ich flüsterte meinem Nachbarn zu, ich fände die Ausführungen langweilig und nicht sonderlich intelligent. Diese Bemerkung hörte unser Fähnleinführer Günther Rohrmoser.

Nach der Veranstaltung mussten wir alle antreten. Ich wurde aus dem Glied gerufen. Rohrmoser donnerte: »Es ist ein Sack unter uns. Dieser Sack heißt Ruhfus. Er hält einen Bericht über den heldenhaften Kampf an der Ostfront für langweilig.« Mir wurden die Uniformzeichen des Hordenführers abgerissen und das Halstuch abgenommen. In den nächsten Wochen musste ich bei allen Ausmärschen hinter der Formation her marschieren. – Dies war, bei der zentralen Bedeutung, die die Gemeinschaft des Jungvolks fern von Elternhaus und Familie hatte, eine Strafe, die mich hart traf und meine keimenden Zweifel nun mit Trotz verstärkte.

Dann überstürzten sich die Ereignisse. Weihnachten 1944 waren die Eltern aus dem Ruhrgebiet nach Friedeberg gekommen. Bochum war inzwischen von ständigen Luftangriffen platt gewalzt und litt unter großen Versorgungsschwierigkeiten. Pommern hingegen schien noch eine friedliche Oase zu sein. Aber der Schein trog.

Rette sich, wer kann

Schon wenige Tage später brach die Rote Armee durch und begann ihren Ansturm auf Berlin. Mitte Januar wurden meine Klassenkameraden und ich für den Volkssturm (das letzte Aufgebot von Alten und Jugendlichen) gemustert. Uns wurde gezeigt, wie man eine Panzerfaust bedient. Aber dann wurden wir abkommandiert, Panzergräben auszuheben. Bei tief gefrorenem Boden und eisigem Ostwind eine harte Arbeit, die wir bis in die Nachtstunden hinein ausüben mussten.

Die Trecks von Flüchtlingen aus Ost- und Westpreußen wurden länger und länger. Wir wurden eingesetzt, die Flüchtlinge zu betreuen, sie mit heißen Mahlzeiten und Getränken für die Weiterreise nach Westen zu stärken. Das Flüchtlingselend ergriff uns tief. Wir mussten Menschen mit erfrorenen Gliedmaßen versorgen. Schließlich trafen Trecks mit erfrorenen Kindern ein.

Zunächst hatte es geheißen, die evakuierten Schulen aus dem Westen sollten sich keine Sorgen machen. Falls ernsthafte Gefahr käme, würden die Schüler mit Reisebussen in den Westen gefahren. Am 25. Januar hieß es dann plötzlich: Rette sich, wer kann! Jeder sollte versuchen, Friedeberg so schnell wie möglich zu verlassen. Meine beiden Brüder und ich packten unsere »Affen«, so hießen die Rucksäcke des Jungvolks. Wir nahmen schweren Abschied von den Schwestern Fiedler.

Am Morgen des 28. Januar 1945 stellten wir uns an die Ausfallstraße von Friedeberg nach Landsberg an der Warthe und Frankfurt an der Oder. Wir standen bange Stunden in der verschneiten Landschaft, dem eisigen Ostwind ausgesetzt. Die Kälte stieg in uns hoch. Außer einigen Pferdefuhrwerken mit verhärmten und erschöpften Flüchtlingen blieb die Straße leer. Wir waren sehr versucht, ins warme Haus zurückzukehren. Aber Fiedlers hatten uns eingebläut, auf keinen Fall zurückzukommen und jede Möglichkeit zu nutzen, die Stadt zu verlassen.

Schließlich erbarmten sich Landser in einem Militärlastwagen, luden die drei frierenden Kinder auf und nahmen uns mit nach Frankfurt an der Oder.

In den Abendstunden des gleichen Tages war Friedeberg von der Roten Armee umzingelt. Ein Klassenkamerad kam mit seiner Pflegefamilie auf der Flucht ums Leben. Oberstudienrat Lorenz hielt aus in der Stadt, bis alle

Schüler geborgen waren, für die er sich verantwortlich fühlte. Nach dem Einmarsch der Russen fand er ein tragisches Ende.

Frankfurt an der Oder war voll gestopft mit Flüchtlingen, die alle nach Transportmöglichkeiten in den Westen suchten. Meine Brüder und ich fanden auf dem Bahnhof hilfreiche Soldaten. Als einer der letzten Züge aus Breslau eintraf, öffneten sie die Zugtüren. Passagiere fielen uns aus dem überfüllten Abteil entgegen. Trotzdem halfen die Soldaten, dass wir drei Kinder noch hineingepresst wurden. Kurz nachdem wir in Berlin eintrafen, fiel die »Festung Breslau«.

Bei der Ankunft in unserer Heimatstadt Bochum heulten die Sirenen. Fliegeralarm. Wir mussten sofort vom Bahnhof in den nächstgelegenen Luftschutzkeller gehen. Wir hatten auf der langen Zugreise nichts zu trinken gehabt und waren ausgetrocknet. Die Wasserversorgung in Bochum war zerstört, auch im Bunker gab es nichts zu trinken. Schließlich erbarmte sich der Besitzer eines benachbarten Weinkellers und gab uns für unseren brennenden Durst etwas leichten Wein. Der stieg uns sofort in Kopf und Glieder. So kam es, dass wir nach einem Fußmarsch durch die zerstörte Stadt angeheitert vor dem ausgebrannten Haus unserer Eltern eintrafen. Ein beinahe gespenstisches Bild: drei Kinder mit ihren Rucksäcken in den Trümmern vor dem ausgebrannten Elternhaus, fröhlich singend. Beschwingt vom Wein, berichteten wir stolz von den Abenteuern unserer Flucht.

Die Eltern waren schockiert. Sie waren so erschöpft vom Kampf ums Überleben in der zerbombten Stadt, dass sie den rasanten Vormarsch der Roten Armee in Pommern nicht realisiert hatten. Sie schlossen uns überglücklich in die Arme.

Der feuchte Keller unter den rauchenden Trümmern war für unsere fünfköpfige Familie eine völlig unzureichende Unterkunft. Nach langer Suche fanden wir in einem notdürftig wieder aufgebauten Haus in der Velsstraße in Altenbochum eine Dreizimmerwohnung. Eine fürstliche Unterkunft für die damaligen Verhältnisse.

Die Amerikaner

Ende April zogen die amerikanischen Truppen in Bochum ein. Abends hatten wir uns schlafen gelegt. Es war unsicher, ob Bochum noch verteidigt werden sollte.

Am nächsten Morgen sahen wir auf unserer Straße fremde Uniformen und ungewohnte Panzer, die wir nur aus den Wochenschauen kannten.

Dies war für mich die erste Begegnung mit der angelsächsischen Welt. Eine Mischung aus verschiedenen Gefühlen: Befriedigung, dass die ständige Bedrohung durch nächtliche Luftangriffe und durch Tiefflieger am Tage vorbei war; Sorge, was nun nach dem totalen Zusammenbruch kommen würde. Wovon sollten wir leben? Womit sollten wir heizen? Dazu ein Schuss Neugierde. Wie waren diese Soldaten von einem anderen Kontinent?

Wir mussten nicht lange warten. Am zweiten Tag nach dem Einmarsch standen zwei GIs vor unserer Wohnung. Das ganze Haus wurde beschlagnahmt. Wir hatten fünf Stunden, um eine andere Bleibe zu suchen und einige wenige bewegliche Güter – vor allem unsere Betten – abzutransportieren. Wir fanden eine Notunterkunft bei Freunden.

Mit dem Einzug weiterer Truppen wurden zusätzliche Wohnungen benötigt. Zwei weitere Male mussten wir unsere Notquartiere innerhalb weniger Stunden räumen. In unserer Wohnung in der Velsstraße wurde ein Offizierscasino eingerichtet. – Bei dem überstürzten Auszug hatten wir die Holzkiste übersehen, in der die persönlichen Dokumente, einige Erinnerungsfotos und kleine Wertsachen der Familie gesammelt waren.

Meine erste Mission war es, die Kiste mit den lebensnotwendigen Unterlagen aus dem Casino zu holen. Ich sah dem Gespräch mit Bangen entgegen. Hatten die Soldaten die Kiste entdeckt und den Inhalt vernichtet? Oder die Fotos als Souvenirs an die Wände genagelt? Mit meinen wenigen englischen Brocken aus der Schulzeit musste ich mich verständlich machen. Ich wurde zum Chef des Casinos geführt und durfte schließlich die Kiste mit vollständigem Inhalt abholen.

In den folgenden Wochen hatten wir mehr Kontakte mit den Soldaten. Sie sahen unsere Not und gaben uns Reste von ihren Lebensmitteln.

Die Lebensmittelversorgung in der ausgebrannten Stadt war katastrophal. Wir mussten kilometerweit bis ins Ruhrtal laufen, um in einer nicht zerstörten Bäckerei in Bochum-Stiepel ein Brot zu ergattern. Mit dem alten Fahrrad meiner Mutter radelte ich ins Münsterland, um die letzte Stresemannhose meines Vaters gegen ein Stück Speck einzutauschen. So war die Hilfe der amerikanischen Soldaten von unersetzlichem Wert.

Im Sommer übernahmen die britischen Truppen das Ruhrgebiet. Sie behielten das Offizierscasino bei. Sie versorgten uns nicht so großzügig wie die amerikanischen Truppen – aber auch die britischen Soldaten halfen uns Kindern.

Die Eltern Heinz Ruhfus und Grete Ruhfus, geb. Rose

unten: Mutter und ihre Söhne, von links Jürgen, Grete, Bernd und Martin Ruhfus

Handlanger im Weserbergland

In einem Sommer Mitte der siebziger Jahre machte ich mit meiner Familie einen Abstecher zur Porta Westfalica. Ich hatte den Töchtern oft von den schweren Monaten erzählt, die ich direkt nach Kriegsende als 14-Jähriger auf einem Bauernhof in Nammen am Fuß der Weserberge verbracht hatte.

Das Haus war in den letzten Kriegstagen von einer Artilleriegranate getroffen worden und ausgebrannt. Ein örtlicher Maurer baute es wieder auf. Ich wurde ihm als Handlanger zugegeben. Ich erhielt keinen Lohn, durfte aber morgens und mittags am Familientisch mitessen, was in den Monaten der Hungerzeit eine große Hilfe war.

Ich hatte meinen Töchtern geschildert, wie schwer es mir gefallen war, die Ziegelsteine in die oberen Stockwerke zu tragen, den Speis zum Mauern und zum Verputzen die steile Leiter hinaufzuschleppen. Für einen ausgewachsenen Mann ein Kinderspiel, für einen 14-jährigen, von Unterernährung geschwächten, hochgeschossenen Jungen ein hartes Brot. In den Erzählungen war das Bauernhaus über die Jahre zu einer stattlichen Villa geworden.

Als wir die letzte Kurve nahmen, lag das Haus vor uns. Welche Enttäuschung! Leere Fensterhöhlen gähnten uns entgegen. Türen und Fensterrahmen standen neben dem Haus, zusammengestellt zur Entsorgung. Im Inneren sahen wir Gerüste und Malergerät: Zeichen für eine völlige Überholung des Gebäudes. Die Reaktion der Töchter: Vater hat 1945 so miserabel gearbeitet, dass das Haus schon wenige Jahrzehnte später total renoviert werden musste.

Mehr Eindruck machte ihnen ein anderes Erlebnis aus der gleichen Zeit. Meine Eltern und mein Bruder, die im Ruhrgebiet zurückgeblieben waren, litten Not. 1945/46 drohte ein Hungerwinter zu werden.

Von Nammen aus konnte man die Lagerhäuser am Mittellandkanal sehen, die die englischen Truppen von der deutschen Wehrmacht übernommen hatten. Im Morgengrauen fuhr ich mit einem alten Fahrrad zum Kanal. Die Gitterstäbe in den Kellerfenstern der Lagerhäuser waren gerade noch weit genug, dass ich durchschlüpfen konnte. Zweimal kehrte ich mit einem kleinen Sack Hafer zurück, den ich in der Mühle in Nammen gegen Haferflocken eintauschte. Als ich beim dritten Mal das Lagerhaus verlassen wollte, kam ein junger englischer Militärpolizist um die Ecke des lang gestreckten Gebäudes. Ich konnte seine Worte nicht verstehen, aber sein angelegtes Gewehr war nicht misszuverstehen. Ich ließ den Sack fallen und fuhr mit dem alten Fahrrad in den nahe gelegenen Wald, so schnell ich konnte.

Auf der Fahrt erinnerte ich mich an die Erzählungen meines damaligen Lieblingsautors Karl May: Schnellstens Deckung suchen! Ich verbarg mich und mein Fahrrad in den Büschen am Rande des Waldes. Keine zwei Minuten später brauste ein Jeep der Militärpolizei mit heulenden Sirenen in den Wald. Ich blieb still in meiner Deckung und machte mich erst einige Stunden später auf den Heimweg, als die Suchaktion offensichtlich eingestellt worden war. Angesichts der bitteren Notlage der Familie empfand ich keine Reue, aber der Schreck war mir so tief in die Glieder gefahren, dass ich nicht wieder zu den Lagerhäusern fuhr.

Die Erinnerung blieb. Sie beeinflusste meine Haltung, wenn ich später, vor allem in Senegal oder Kenia, Situationen erlebte, in denen Menschen aus Not und zum Schutz ihrer Familie mit dem Gesetz in Konflikt geraten waren.

Der Neubeginn

Mein Vater war in einer konservativen, wohlhabenden Unternehmerfamilie aufgewachsen. Er war mit Leib und Seele Eisen- und Hüttenmann. Sein Fachgebiet war die Vergütung von Spezialstählen und Gussstücken. Er hatte sich beim Bochumer Verein und später beim Klöckner-Konzern einige kleinere Erfindungen zur Verbesserung der Fertigung patentieren lassen und ein Fachbuch über Stahlveredelung veröffentlicht. Während der Kriegsjahre arbeitete er in der Produktion von Panzerplatten und Geschützrohren.

Der Weg in das Familienunternehmen in Neuss wurde ihm verbaut durch die Weltwirtschaftskrise. Die Fabrik ernährte kaum den Großvater und die Familie des älteren Bruders Fritz Ruhfus.

Die Versuche meines Vaters, 1945 und 46 nach seiner Entlassung vom Bochumer Verein einen eigenen Betrieb aufzuziehen, waren erfolglos geblieben. Deshalb war er froh, Anfang der 50er Jahre beim Klöckner-Konzern in Osnabrück als Leiter der Vergütung eingestellt zu werden.

In meiner Familie hat es keine Politiker gegeben. Auch mein Vater war kein politischer Mensch. Während seiner Studienjahre in Berlin war er Mitglied der »Gilde« geworden. Diese Gruppe von Freunden setzte sich für die Rückbesinnung auf die nationalen Werte ein und für die Überwindung der Lasten der Niederlage von 1918 und des Friedensvertrags von Versailles. Er trat 1932 in die NSDAP ein, weil er glaubte, dass die Partei einen neuen Weg für Deutschland finden würde. Er ist in der Partei nicht aktiv gewesen, das hat ihm das Entnazifizierungsverfahren bestätigt. Seine Enttäuschung 1945 war grenzenlos. Er gehörte zu dem Kreis derer, die sich ausgenutzt und missbraucht fühlten, die beim Zusammenbruch einsehen mussten, dass ihr Einsatz in den besten Jahren ihres Lebens ein großer Irrtum war.

Meine Brüder und ich haben – tief betroffen von der Dokumentation über die Nazigräuel und die Ermordung von Millionen von Juden und geprägt von unseren persönlichen Erfahrungen in England und USA – immer wieder versucht, mit Vater zu diskutieren. Seine große Intelligenz hinderte ihn, die Schwächen und die Verbrechen des Nationalsozialismus nicht zur Kenntnis zu nehmen. Aber es gab einen Punkt in unseren Gesprächen, wo die Erkenntnis, für falsche Ziele missbraucht worden zu sein, für Vater so schmerzlich wurde, dass wir nicht weiter nachbohren konnten.

Vater hat sich in den Nachkriegsjahren ganz auf seine berufliche Arbeit, auf die Familie und die Erforschung ihrer Geschichte konzentriert. Er sammelte umfangreiche Unterlagen für die Zeit nach seiner Pensionierung.

Doch sein vorzeitiger Tod noch vor dem Ruhestandsalter machte einen Strich durch alle Pläne. Es war für mich besonders schmerzlich, dass ich am Tag seiner Beerdigung mit der Delegation von Außenminister Willy Brandt am anderen Ende der Welt bei der Botschafterkonferenz in Tokio war und nicht rechtzeitig nach Osnabrück zurückfliegen konnte. Im Nachhinein habe ich mir herbe Vorwürfe gemacht.

Es bleibt eine große Hochachtung vor der idealistischen Einstellung meines Vaters, vor seiner unbestechlichen Anständigkeit und die Erinnerung an ein treu sorgendes Haupt der Familie.

Meine Mutter erinnere ich als lebensfroh und kontaktfreudig. Aus dem elterlichen Pfarrhaus war sie es gewohnt, hilfsbereit und offen zu sein. Während unserer Kindheit hat sie uns fürsorglich und liebevoll betreut.

Die Zeit der Evakuierung aber war ein tiefer Einschnitt. Wir Söhne mussten in jungen Jahren notgedrungen lernen, in Pommern auf eigenen Beinen zu stehen, während Mutter unserem Vater im zerbombten Ruhrgebiet zur Seite stand.

Als Vater sich in Neuss mühte, eine neue Existenz aufzubauen, musste ich Mutter als 15-Jähriger stützen und in der Not der Nachkriegszeit einen großen Teil von Vaters Aufgaben in Bochum übernehmen. Wir Brüder zählten mit Mutter die letzten Kartoffeln und überlegten, welche Haushaltsdinge oder Kleidungsstücke wir auf dem Schwarzen Markt oder bei Bauern im Münsterland gegen Lebensmittel eintauschen konnten. Ich übernahm die Verwaltung der Haushaltskasse. Wir berieten, in welchen Tagesstollen wir versuchen sollten, nach brennbaren Kohleresten zu graben, um im Winter wenigstens unsere Küche zu heizen.

Nicht nur Lebensmittel, auch die inflationierte Reichsmark für die Ausgaben des täglichen Lebens waren knapp.

Als Vater nach Osnabrück versetzt wurde, verkaufte er die letzten geretteten Aktien – zu Schleuderpreisen – und baute für die Familie ein kleines und bescheidenes, aber gemütliches Haus. Mutter genoss nach den aufreibenden Jahren die friedvolle neue Heimat in der Schemmannstraße in Osnabrück. Die Nachbarn waren freundlich und hielten gut zusammen.

Schule

Im Frühjahr 1946 nahm die Bismarckschule den Unterricht wieder auf. Im Zeichen des Wandels wurde der Name des Reichskanzlers ersetzt durch den der lokalen Größe »Graf Engelbert«.

Wir waren eine bunt gemischte Klasse. Einige waren noch zur Wehrmacht eingezogen worden, andere hatten als Flakhelfer gedient. Nach den Wirren des Kriegsendes und der Nachkriegszeit freuten wir uns auf den Unterricht. Oberstudiendirektor Franz Voß, unser früherer Klassenlehrer, hatte als Münsterländer Katholik mit dem Hitler-Regime nichts am Hut gehabt. Nun war er ein verständnisvoller Erzieher und zugleich ein tatkräftiger Schulleiter in den schweren Jahren des Aufbaus.

Auch mit anderen Lehrkräften hatten wir Glück. Der Deutschlehrer Dr. Ludwig Niemann vermittelte uns mit großem Engagement die Liebe zur deutschen Sprache, zu unserer Literatur und Dichtung. Er war Vorsitzender der Literarischen Gesellschaft in Bochum und wurde später Dozent an der Bergakademie. Dem Geschichtslehrer Walter Eckolt verdanke ich, dass er mir ein Referat übertrug zum Thema »Die britische Gleichgewichtspolitik«. Mich faszinierten die klugen und zielbewussten Bemühungen der Londoner Regierungen, die Kräfte auf dem Kontinent zu balancieren und sie jahrhundertelang zum Vorteil Großbritanniens zu neutralisieren. Das Referat weckte mein Interesse an den Außenbeziehungen dermaßen, dass ich Geschichte als Wahlfach für das Abitur wählte.

Es war eine Zeit großer Aufgeschlossenheit und Wissbegierde. Die Kapitulation der Wehrmacht, der Zusammenbruch der Regierung, die Trümmer und das Chaos führten uns überdeutlich vor Augen, wie sehr wir in die Irre geleitet worden waren. Die Schulklassen wurden geschlossen in Kinos geführt und sahen dort die Aufnahmen von den Leiden und Morden in den Konzentrationslagern. Meine erste eigene Erfahrung hatte ich in den letzten Kriegswochen gehabt. Ich sah in Bochum-Stahlhausen, wie jeden Tag Häftlinge in graugestreiften Anzügen unter Bewachung zum Stahlwerk geführt wurden. Mich erschütterte, dass diese ausgemergelten Gestalten die Mülltonnen durchwühlten, obwohl die Versorgung schon so knapp war, dass wir kaum noch etwas Genießbares in die Abfalleimer warfen.

Wenn ich fragte, wer diese Unglücklichen seien, erhielt ich ausweichende Antworten oder stieß auf schamhaftes Schweigen. Erst nach dem Zusammenbruch erfuhren wir die grausamen Einzelheiten über die organisierte Ermordung von Juden und über den Tod von Millionen von Menschen im Krieg, den Deutschland entfesselt hatte. Erst da erkannten wir die große moralische Last, die auf Deutschland und auf uns als der Folgegeneration lastete.

Jugendbewegung

Wir suchten nach Halt und neuen Wegen. Ich hatte das große Glück, dass ich zu einer Freizeit der evangelischen Kirche eingeladen wurde. Ich trat einem Bibelkreis in Bochum bei. Wir hörten von der Bekennenden Kirche, vom mutigen Einsatz von Pastor Niemöller. Die Briefe und Schriften von Dietrich Bonhoeffer wurden uns wichtige Wegweiser. In der evangelischen Jugend arbeiteten wir für die Una-Sancta-Bewegung, deren Ziel es war, die Beziehungen zwischen katholischen und protestantischen Christen zu verbessern. Als I-Dötzchen hatte ich in der Volksschule Bochum-Ehrenfeld, die zwei konfessionell getrennte Flügel hatte, noch erlebt, dass wir die Mitschüler »von der anderen Seite« mit Steinen bewarfen.

Der Jugendpfleger des Regierungsbezirks Arnsberg, Clemens Busch, veranstaltete Wochenendbegegnungen auf Burg Bilstein im Sauerland. Er kam aus der katholischen Jugendbewegung Quickborn. Wir erfuhren, dass es schon lange vor 1933 lebendige, traditionsreiche Jugendbewegungen gegeben hatte, die dann von der NSDAP für Jungvolk und Hitlerjugend usurpiert worden waren. Busch und andere Erzieher erzählten uns von den Wandervögeln, Pfadfindern, Falken und anderen Gruppen, die gemeinsam in den zwanziger Jahren auf dem Hohen Meißner zusammengetroffen waren unter dem Motto »aus eigener Bestimmung, vor eigener Verantwortung, mit innerer Wahrhaftigkeit das Leben gestalten«.

Die früher romantisch-idealistische Jugendbewegung wurde nun näher an die praktischen Probleme und Aufgaben der Nachkriegszeit herangeführt. Clemens Busch und andere Jugendführer betonten die Notwendigkeit, sich für das Gemeinwohl einzusetzen. Es gelte jetzt, für demokratische Strukturen und eine politische Erziehung der Bürger einzutreten und das christliche Bild des Menschen in den Mittelpunkt unserer Arbeit zu stellen. Sie waren keine brillanten Redner, aber engagierte Christen, die sich der Aufgabe stellten, ihre Erkenntnisse und Erfahrungen der jüngeren Generation zu vermitteln. Sie waren überzeugende Vorbilder.

Trampen in Deutschland

Der Schulbetrieb normalisierte sich. Die Stadt Bochum versuchte, aus den Trümmern herauszufinden. In mir wuchs der Wunsch, neben dem Ruhrgebiet auch andere Teile Deutschlands kennen zu lernen.

Nach dem Zusammenbruch gab es viel gegenseitige Unterstützung und menschliche Hilfsbereitschaft. So war das »Reisen per Anhalter« möglich – »Trampen«, wie es unter Jugendlichen hieß. Während der Ferien in den letzten 1 ½ Jahren unserer Schulzeit haben wir die Burgen am Rhein, die Schlösser Württembergs, das »Fürstenhäuschen« am Bodensee von unserer westfälischen Heimatdichterin Annette von Droste-Hülshoff gesehen. Wir bewunderten die unzerstörten historischen deutschen Städte wie Lindau und Rothenburg, besuchten als Protestanten einen katholischen Gottesdienst im historischen Bamberger Dom, bestaunten die barocke Schönheit von Vierzehnheiligen und Kloster Banz und kamen bis hinauf nach Lübeck, Schleswig (Bordesholmer Altar) und Flensburg. In Franken nahmen wir die Mitfahrt auf einem alten Traktor gern in Kauf, um die Altäre von Tilmann Riemenschneider in entlegenen Dorfkirchen zu sehen.

Meinen Freund Jürgen Stratmann und mich bestach das Abenteuer. Morgens loszufahren und nicht zu wissen, wo man abends schlafen würde! Meist kamen wir unter in Jugendherbergen, aber auch bei Bauern oder im Zelt an der holsteinischen Ostseeküste. Wir lagerten 1947 mutterseelenallein am Deich, dort, wo heute große Campingplätze sind.

Das Reisen war spannend schon auf Grund der drei Besatzungszonen. Wie unterschiedlich waren auch die Fahrzeuge! Mal mussten wir Holz nachladen für die Holzvergaser, mal Reifen wechseln und immer wieder den Vergaser reinigen.

Das Interessanteste aber waren die menschlichen Begegnungen. Vor allem nahmen uns Handwerker und Unternehmer mit sowie Vertreter, die ihr neues Verkaufsnetz aufbauten und froh waren, auf ihren langen Fahrten Unterhaltung zu haben. Wir trafen aber auch Journalisten und Politiker. Eine Ärztin rief uns zu: »Steigen Sie schnell ein, mein Patient in Überlingen wartet!«

Reisen nach England

Die Bemühungen deutscher Erzieher, uns eine neue Orientierung zu geben, wurden engagiert unterstützt von britischen Jugendoffizieren. Es sollte nicht in Vergessenheit geraten, welch positive Rolle die britische Regierung in jenen entscheidenden Jahren in ihrer Besatzungszone für den Aufbau eines demokratischen Deutschlands gespielt hat! Sie half bei der Gründung erstklassiger Zeitungen und bei der Einführung demokratischer Gemeindestrukturen, bei der Gründung angesehener Symphonieorchester und der Schaffung starker demokratischer Gewerkschaften – wobei wir aus den Fehlern der Gewerkschaftsstruktur in Großbritannien lernen konnten.

Der Austausch von Jugendlichen und Studenten, die breit gefächerte Einladung von Journalisten, Politikern, Gewerkschaftsvertretern, von Wissenschaftlern und Beamten, waren wichtige Beiträge, um weite Kreise unserer Bürger mit den gewachsenen Traditionen in Großbritannien vertraut zu machen.

Der englische Jugendoffizier Walsh hatte zwischen dem Regierungsbezirk Arnsberg im südlichen Westfalen und Yorkshire in Mittelengland ein Netz von Partnerschaften ins Leben gerufen.

Im Sommer 1948 verbrachte ich auf Einladung aus Leeds mehrere Wochen in Yorkshire und anschließend in London.

Als ich 1949 erneut eingeladen wurde, schlug ich vor, an meiner Stelle meinen besten Freund Jürgen Stratmann auszuwählen. Ich wollte auch ihm die Erfahrungen ermöglichen, die mich so beeindruckt hatten. Walsh ließ großzügig uns beide reisen.

Die Eindrücke waren überwältigend. Hier die Trümmerstädte im Ruhrgebiet, die mühsamen Anfänge des Wiederaufbaus. Dort die unzerstörten, prosperierenden Industriestädte in Yorkshire – und die Metropole London, die Hauptstadt des unbesiegten europäischen Landes, der damals reichsten und stärksten Macht in Europa.

Hier die autoritäre Befehlsstruktur, die wir in Jungvolk und Hitlerjugend, in Partei und Politik erlebt hatten, die straff auf Berlin ausgerichtete zentralistische Verwaltung. Dort die traditionsreichen demokratischen Strukturen. Bürgermeister, County-Councils, Sheriffs, die Jurys der Gerichte. Höhepunkt der Reisen war für mich eine Fragestunde im Unterhaus, in der Premierminister Clement Attlee Rede und Antwort stehen musste. Beide Besuche haben mich nachhaltig beeindruckt.

Mir gefiel, wie die viktorianische Höflichkeit den zwischenmenschlichen Umgang erleichterte. Besonders bewunderte ich das große ehrenamtliche Engagement für die Gemeinschaft. Unser Gastgeber, Prof. Harry Higginsen an der Universität Leeds, und andere Dozenten übernahmen neben ihren akademischen Aufgaben eine Fülle ehrenamtlicher Pflichten in der Jugendarbeit und im wissenschaftlichen Austausch. Welche Schulen, Universitäten, Jugendclubs, Museen und Vereine wir auch kennen lernten, stets gab es einen Ausschuss oder einen Beirat, in dem private Bürger die Einrichtung förderten und betreuten.

Wir waren begeistert von der engen Verbindung von Erziehung und Ausbildung mit dem Sport und mit anderen Formen des Clublebens. Die Schulen hatten Tennisplätze, Cricket- und Fußballanlagen. Auch die Jugendclubs in London hatten Tischtennisräume, Billard-Anlagen und anderes, wovon wir 1948 nur träumen konnten.

Kurz gesagt: Meine erste Begegnung mit der angelsächsischen Welt machte mir tiefen Eindruck. Auch wenn ich später Gelegenheit hatte, hinter die Fassade zu sehen und die Schattenseiten zu entdecken – die angelsächsische Lebensform und die politischen Errungenschaften unserer britischen Nachbarn haben mich zeitlebens beeinflusst.

Unter dem Eindruck dieser Erfahrungen gründete ich eine Jugendgruppe unseres Bibelkreises, die ich bis zum Ende meiner Oberschulzeit betreute. Und während meiner gesamten diplomatischen Laufbahn habe ich mich, wo immer ich konnte, mit allem Nachdruck für den Austausch von Jugendlichen eingesetzt.

Die berufliche Ausbildung

Volontär in der Westfalenbank

Wenige Wochen nach dem Abitur vertauschte ich die Schulbank mit einem Büroschemel in der Buchhaltungsabteilung der Westfalenbank AG in Bochum. Der Vater von Jürgen Stratmann hatte mir dank seiner geschäftlichen Verbindungen den Weg in die Bank geöffnet.

Die Kontenführer machten sich einen Spaß daraus, mich in den Buchungsvorgängen der doppelten Buchhaltung zu examinieren. Die Lehrzeit ist keine Herrenzeit. Bei Banken schon gar nicht, und noch weniger für einen Volontär. Der Zugang zur Kreditabteilung blieb mir verwehrt. Höhepunkt waren die Ausbildung in der Scheckabteilung und die Diskontierung von Wechseln.

Ich denke ohne Begeisterung an jene Monate zurück. Aber sie haben meinen späteren Weg doch stärker beeinflusst, als ich dachte. Ich lernte die Möglichkeiten von Banken zu nutzen; ich sah frühzeitig, dass man mit Geld mehr Geld machen kann als in vielen anderen Berufszweigen. Ein Kollege in der Wertpapierabteilung drückte es in einer westfälischen Weisheit aus: »Lieber mit dem kleinen Finger gehandelt als mit dem ganzen Arm gearbeitet.«

Die großen kreativen Möglichkeiten des Financial Engineering lernte ich erst viel später kennen. Aber wann immer es während der späteren Referendarzeit am Amtsgericht um Mietklagen oder geldliche Auseinandersetzungen ging, wurden die Akten mir übertragen. Ähnlich erging es mir als Attaché mit Wiedergutmachungen und finanziellen Unterstützungen von Konsularfällen. Bis in meine Zeit als Abteilungsleiter und Staatssekretär haben mich die wirtschaftlichen Vorgänge, der deutsche Außenhandel und die internationalen Finanzverbindungen besonders interessiert.

Zwei unserer Töchter bekamen noch die Nachwirkungen zu spüren. Beiden habe ich trotz meiner gemischten Erfahrungen nahe gelegt, vor ihrem Studium eine Banklehre zu machen.

Studium in München

Nach den langen Jahren der Schulzeit und den weniger anregenden Monaten eines Bankvolontärs sah ich dem freien, ungebundenen Studentenleben mit umso größeren Erwartungen entgegen. München schien diesen Wünschen am besten zu entsprechen: verhältnismäßig weit entfernt von der Ruhr, bewohnt von einem eigenwilligen Volksstamm mit großer Lebensfreude. Außerdem gab es die Familientradition. Anfang der 50er Jahre waren acht Vettern und Cousinen an der Isar immatrikuliert.

Einer der Vettern war Dieter Ruhfus. Er war in den letzten Kriegsmonaten schwer verletzt worden und hatte schon bald nach Kriegsende sein Studium in München begonnen. Dieter war AStA-Vorsitzender der TH München und Vorsitzender des Landesverbandes der Studentenvertretungen in Bayern.

Trotz seiner Belastungen zog er mit mir los, ein Studentenzimmer zu suchen – im stark zerstörten München ein schwieriges Unterfangen. Zeitungsannoncen, Bewerbungen beim Studentenwerk und in Studentenheimen waren hoffnungslos. Wir suchten in den Vororten, fragten in Läden, Restaurants und an Kiosken nach möglichen Unterkünften.

Als wir nach mehrtägiger Suche müde und entmutigt waren, erbarmte sich die Inhaberin eines kleinen Kolonialwarenladens in der Oberen Johannisstraße nahe dem Max-Weber-Platz. Als gebürtige Duisburgerin hatte sie Mitleid mit dem Landsmann aus dem Ruhrgebiet. Sie überließ mir das einzige Familienwohnzimmer. Ich wohnte in einem Raum, der ständiges Durchgangszimmer zu allen anderen Räumen war. Trotzdem war ich froh, ein Dach über dem Kopf zu haben.

Das große Angebot der Universität an Wissen und die Begegnungen mit Studenten aus allen Teilen unseres Landes waren berauschend. Die Möglichkeit, interessante Vorlesungen in verschiedenen Fakultäten zu hören, war so verlockend, dass das juristische und betriebswirtschaftliche Fachstudium zunächst zu kurz kam. Die philosophisch-theologischen Vorlesungen von Professor Romano Guardini hatten großen Zulauf. Eine hübsche Dozentin aus Argentinien verleitete mich dazu, Grundzüge der spanischen Sprache zu erlernen.

Hinzu kam eine Vielzahl akademischer Verbände und Organisationen. Mit dem akademischen Ski-Club lernte ich Skilaufen. Die Kosten waren gering, für einen 14-tägigen Skikurs in den Kitzbühler Alpen – Quartier und Essen in Bauernhöfen, Skilehrer und Unterricht inbegriffen – bezahlten wir DM 50,00. Aber das Geld war knapp.

Um die Reise zu finanzieren, meldete ich mich in Osnabrück während der Weihnachtsferien als Blutspender. Schließlich wurde ich akzeptiert. Das Blut wurde mir abgenommen. Aber mein Kreislauf war nicht stabil genug. Als ich nach Hause gehen wollte, wurde ich ohnmächtig und fiel unglücklich auf einen im Flur stehenden OP-Wagen. Ein Schneidezahn brach ab.

Das Blutspendegeld brachte DM 60,00, die Krone kostete DM 95,00. Der Traum von zwei Skiwochen schien ausgeträumt. Ich ging zur Rechtsabteilung des Stadtdirektors von Osnabrück. Meine rechtlichen Ausführungen als Erstsemester – über die Verantwortung der Stadt für die Schwester im Städtischen Krankenhaus als Erfüllungsgehilfin – überzeugten den Rechtsreferenten nicht, aber er hatte Verständnis für meine Skibegeisterung und übernahm die Kosten der Krone auf die Stadtkasse.

1950 erblühte das alte Studentenleben. Man versuchte, an alten Formen anzuknüpfen. Ich schloss mich einem Corps des Kösener SC an. Die Gemeinschaft der Corpsbrüder gefiel mir. Das Abenteuer lockte. Die damals noch verbotenen Mensuren fanden in Heizungskellern unter der Erde oder in anderen entlegenen Räumen statt.

Durch die spätere Auslandszeit bin ich dem Gedanken des Corpsstudententums entfremdet worden. Ich fand, dass alte Traditionen wie der Mensurbetrieb zu viel Zeit und Energie aufzehrten, die man besser für die Beschäftigung mit Gegenwartsproblemen einsetzen konnte.

Durch die erfolgreiche Arbeit von Vetter Dieter Ruhfus als Vorsitzender des AStA der TH München wurde ich angeregt, für die juristische Fachschaft der Universität zu kandidieren. Es war eine Überraschung, dass ich als unerfahrenes Zweitsemester gleich beim ersten Wahlgang die erforderliche Mehrheit erhielt. Plötzlich saß ich als Geschäftsführer im AStA und als Vorstandsmitglied in der Auslandskommission.

Es war eine spannende Zeit des Umbruchs und des Aufbaus. Der erste AStA-Vorsitzende war Karl Forster, Student der katholischen Theologie und späterer Generalsekretär der Katholischen Bischofskonferenz. Wir diskutierten heiß über ein Studentenparlament.

Wir kämpften für den Wiederaufbau der Universität. Der damalige bayerische Kultusminister Prof. Hundhammer wollte die kleinen Universitäten in den katholischen Bezirken der bayerischen Provinz fördern – zu Lasten der traditionsreichen Münchner Universität. Der AStA bemühte sich mit Erfolg, dass der amerikanische Hochkommissar John McCloy Gelder aus den USA für die Universität München an die Bedingung knüpfte, auch das Land Bayern müsse seinen Teil für den Wiederaufbau der Universität beitragen.

Wichtiger Teil unserer Arbeit war es, die Fachschaftsfeste zu organisieren. Meine Kollegin als zweite Fachschaftsvertreterin der Juristen war Anny Zirkel. Uns verbanden viele gemeinsame Interessen und eine große gegenseitige Zuneigung.

Das größte Fest war der jährliche Faschingsball der Juristen. Anny und ich wählten als Veranstaltungsort den Chinesischen Turm im Englischen Garten aus. Um die Kosten niedrig zu halten und vor allem die teuren

GEMA-Gebühren zu sparen, schlugen wir vor, keine Eintrittskarten zu verkaufen, sondern auf dem Ball freiwillige Beiträge einzusammeln.

Bei der knappen Finanzlage der meisten Studenten fand der Vorschlag große Zustimmung; das Fest hatte starken Zuspruch. Auf dem Höhepunkt nahmen Anny und ich jeder einen Hut und gingen sammeln.

Als Anny zu dem Strafrechtler Prof. Metzger kam, gab er ihr zuerst seinen Beitrag und fragte sodann: »Frau Kollegin, kennen Sie schon den Paragraphen 242 Strafgesetzbuch?« Anny antwortete ausweichend. Prof. Metzger fuhr fort: »Das ist der Paragraph, der Diebstahl und unerlaubte Nutzung unter Strafe stellt; der Hut, mit dem Sie sammeln, gehört mir!« Anny und ich erröteten verlegen. Prof. Metzger war eine anerkannte Koryphäe des Strafrechts und zudem ein überaus sympathischer Herr; er forderte uns auf, weiterzusammeln. Zu fortgeschrittener Stunde verkündete er, dass seine Vorlesungen am nächsten Morgen ausfallen würden. Das Fest war ein großer Erfolg.

Für die Auslandskommission habe ich Studentenreisen an die französische Riviera geleitet und Exkursionen nach Spanien organisiert.

Wir bemühten uns, als AStA an wichtigen Entscheidungen des Senats der Universität beteiligt oder wenigstens gehört zu werden. Leider ohne Erfolg.

Daher hatte ich 1968 große Sympathien für die Revolte an den Universitäten und für den Slogan »Unter den Talaren – der Muff von tausend Jahren«. Ich hielt eine größere Mitwirkung der Studenten für demokratisch berechtigt und sah darin einen großen Gewinn für die Universitäten. Leider wurde in den Folgejahren neben den beiden Säulen Lehrer und Studenten als drittes Element die Universitätsbürokratie viel zu stark entwickelt und beteiligt.

Am Ende der beiden Jahre in München wurde ich für ein Fulbright-Stipendium in den Vereinigten Staaten ausgewählt. Die Freude war riesig. Die kalte Dusche folgte. Die bayerische Landesregierung stellte fest, dass von den acht ausgewählten Stipendiaten sechs »Preißen« waren. Diese wurden kurzerhand durch bayerische Landeskinder ersetzt.

Ich hatte das große Glück, von dem für Osnabrück zuständigen amerikanischen Generalkonsulat Bremen noch einmal zu einem Auswahlwettbewerb eingeladen zu werden. Ich wurde erneut ausgewählt, diesmal endgültig.

Für meine juristische Fachausbildung brachten die zwei Jahre in München nicht besonders viel. Für die persönliche Entwicklung waren die Erfahrungen im AStA, in Auslandskommission und Studentenverbindung von großem Wert. Hinzu kam die pure Lebensfreude. Anfang der 50er Jahre waren wir erfüllt von dem Glücksgefühl, den Wirren und Schrecken der Kriegsjahre entronnen zu sein. Wir hatten ein riesiges Bedürfnis, Versäumtes nachzuholen. Und das taten wir, inmitten der ansteckenden jahrhundertealten bajuwarischen Lebenslust und Lebenskunst! Die Faschingsfeste im Haus der Kunst, in den Sälen und Kellern der großen Hotels versetzten uns im Januar und Februar in einen Taumel ausgelassener Lebensfreude. Auf einem großen Ball im Haus der Kunst war es meine Aufgabe, einen jungen Star am Himmel des italienischen Films zu betreuen. Es war gelungen, Sophia Loren zu dem Ball »Qui Qua Quu« einzuladen.

Die Lust zu feiern erfasste ganz München. Meine Vermieterin Frau Ott kam im Februar auf mich zu: »Herr Ruhfus, i muss in den beiden vor meinem Geschäft liegenden Beizen a Zech machen. Kommen's mit mir. Mei Moa hat dazu koa Lust.«

Es wurde vorher festgelegt: Wir mussten zusammen etwa 60 DM ausgeben. Es war damals gar nicht einfach, mit Maßbier, Nürnberger Würstchen, Leberkäs und Brezen das Konsumziel zu erreichen. Während wir uns tapfer bemühten, trieb die Stimmung dem Höhepunkt entgegen. Es kam zu handfesten Raufereien zwischen den örtlichen Gästen vom Max-Weber-Platz und anderen Besuchern aus der »Au«. Von dieser großen Gaudi wurde auf der östlichen Isar-Seite noch länger gesprochen.

Nach Festen und Corpsabenden am Freitag gingen wir oft am nächsten Morgen in aller Früh zum Münchner Ostbahnhof. Vor sieben Uhr gab es schon die verbilligten Wochenendkarten für Skiläufer. Nach den ersten Stürzen in den frischen Schnee war der Kater schnell überwunden.

Werkstudent

Die Finanzen waren ein ständiges Problem. Von meinen Eltern erhielt ich während der Semester monatlich hundert Mark. Den Rest musste ich dazuverdienen. Hilfsarbeiten auf dem Bau oder beim Möbeltransport waren harte Arbeit. Anny Zirkel und ich besserten unsere Finanzen auf, indem wir einem juristischen Verlag die Anschriften der Jurastudenten beschafften. Das war damals ein mühsames Unterfangen, von der Universitätsverwaltung die Anmeldezettel zu beschaffen, zu sortieren und die Anschriften zu entziffern. Heute wäre dies mit der modernen Technik ein Kinderspiel, dafür aber wohl als Verkauf von persönlichen Daten ein strafrechtliches Delikt.

Meine wichtigste finanzielle Quelle war die Arbeit als Werkstudent, zunächst beim Bochumer Verein im Stahlwerk Bochum-Weitmar und später im Siemens-Martin-Werk der Georgsmarienhütte in Osnabrück. Ich wurde den beiden Schmelzern zugeteilt, die jeweils einen Siemens-Martin-Ofen betreuten. Die Arbeit war heiß und hart, aber die gemeinsame Aufgabe und das Risiko, das sie für alle barg, schweißten zusammen. Wenn die Stahlcharge abgestochen und der Ofen für eine neue Ladung präpariert war, blieb Zeit für persönliche Gespräche. Besonders während der Nachtschicht berichteten die Schmelzer dann von ihren Erlebnissen während des Krieges an den verschiedenen Fronten in Afrika, in der Arktis und besonders an der Ostfront. So wurde mir noch einmal bewusst, welch ungeheure Last Deutsche in verschiedenen Lebensbereichen während des »Totalen Krieges« getragen hatten.

Die Gefahren des Stahlwerks bekam auch ich zu spüren. Eines Nachts wurde der Siemens-Martin-Ofen abgestochen. Der flüssige Stahl lief in die »Pfanne« – so hieß der große Behälter. Der Kranführer erwischte den falschen Hub. Er zog nicht die ganze Pfanne hoch, sondern betätigte den Kipphub zum späteren Ausleeren des Behälters. Der zweite Schmelzer und ich standen hinter dem Ofen, um den Abstich wieder zu dichten. Der flüssige Stahl lief in die Schlacke, was zu einer heftigen Schlackenexplosion führte: Die heißen Brocken flogen uns um die Ohren. Wir fielen tagelang aus, wegen schwerer Verbrennungen. Wie erleichtert war ich, als der Arzt mir schließlich mitteilen konnte, dass von den Verbrennungen im Gesicht keine Narben bleiben würden. Die Anteilnahme meiner Arbeitskollegen hat mich sehr bewegt.

Die Arbeit im Stahlwerk verbesserte meine Finanzen. Sie machte mir zudem bewusst, welch großes Vorrecht es ist, nicht in einen sich ständig wiederholenden Produktionsprozess eingebunden zu sein, sondern für konkrete, jeweils neue Vorhaben erfolgsorientiert arbeiten zu können.

USA

Im Juli 1952 brachte der Sonderflug einer Superconstellation die Fulbright-Stipendiaten in die USA.

Zwei Tage lang konnten wir New York besichtigen, ehe wir alle auf die verschiedenen Staaten verteilt wurden. Das IIE (International Institute for Education) organisierte unsere Reisen. Ein Jahr später wurden die Stipendien Fulbright-Scholarships genannt, nach dem Senator, der diesen Austausch so stark gefördert hatte. Die Kandidaten, die wie ich vom IIE betreut wurden, wurden deshalb manchmal augenzwinkernd statt »full brights« als »half brights« bezeichnet.

New York überwältigte uns mit seinen Museen, dem Rockefeller Center, den Einkaufsmöglichkeiten in der Fifth Avenue, den Hochhäusern, der Unterhaltungsindustrie am Times Square und am Broadway – und mit seiner schieren Größe.

Nach dem Besuch des Times Square ging ich abends mit einer Heidelberger Studentin durch den Central Park zu unserem Hotel auf der anderen Seite von Manhattan. Es war Mitte Juli und auch abends heiß und feucht, unser Hotel hatte keine Klimaanlage.

Wir setzten uns auf den Rasen im Park und genossen die abendliche Kulisse von New York. Plötzlich hielt ein Polizeiwagen, zwei Polizisten sprangen heraus, einer stellte sich vor uns, der andere rannte mit gezücktem Revolver in den Busch hinter uns. Er zog einen breitschultrigen Mann heraus und schubste ihn zum Wagen. Er fuhr ihn an »Leg' die Hände auf die Kühlerhaube!«, legte ihm Handschellen an und verstaute ihn auf dem hinteren Sitz des Polizeiwagens.

Jetzt wandte sich der andere Polizist an uns: »What are you doing here?« Ich antwortete: »Officer, can't you see that?« Trotz der kurzen Antwort erkannte er meinen Akzent. Auf seine Frage erzählten wir ihm, dass wir aus Heidelberg bzw. München kamen.

Seine Augen verloren ihre Härte: »Dies hier ist nicht der Englische Garten an der Isar. Den kenne ich aus meiner Zeit in München. Dies ist der Central Park in New York, der ab zehn Uhr abends geschlossen ist. Dieser Typ ...« – und er wies auf den Wagen – »... hatte alles andere als gute Absichten! Ihr hattet Glück, dass wir ihn im Scheinwerferlicht unseres Wagens sahen. Geht sofort zu euerm Hotel – and have a good time in the States!«

Das Programm des IIE war ausgezeichnet durchdacht. Erst wurden wir alle zur Eingewöhnung in eine amerikanische Familie geschickt, anschließend zur Hochschule. Für mich war eine Farm in Illinois vorgesehen und danach die Universität Denver in Colorado, am Fuße der Rocky Mountains. Ich war überglücklich.

Auf der Farm in Illinois

Clarence und Betty Ropp mit ihren beiden Söhnen waren eine typische Farmerfamilie des Mittelwestens in Normal/Illinois. Sie waren treue Mitglieder ihrer kirchlichen Gemeinde, harte Arbeiter, aber zugleich gesellige Nachbarn trotz der großen Entfernungen zu den anderen Farmen. Morgens habe ich mit Clarence Ropp und seinen Söhnen Unkraut in den Maisfeldern gejätet, abends half ich beim Melken der mehr als 50 Kühe (frühmorgens war ich als ausländischer Gast vom Melken befreit). Ich ging mit zu allen kirchlichen Veranstaltungen und Barbecues. Für meine Freizeit gab der Hausherr mir die letzten Bände von Reader's Digest. Dessen praktische Empfehlungen für eine positive Lebenseinstellung, für Hilfe gegenüber anderen und die Vorschläge zur Erweiterung der Bildung entsprachen sehr den amerikanischen Auffassungen im Westen und Mittelwesten. Hinzu kamen grundsolide wirtschaftliche Einstellungen für Unternehmertum und Marktwirtschaft.

Beide Söhne wurden für ihre Hilfe in Feld und Stall wie Farmgehilfen bezahlt. Der jüngere Sohn (6 Jahre) kaufte sich gerade sein erstes Zuchtkalb, der ältere (18 Jahre) hatte bereits drei Milchkühe im Stall seines Vaters. Für das Recht, sie einzustellen, zahlte er mit seiner Arbeit. Von den Einkünften aus der Milch konnte er einen großen Teil seiner in den USA schon damals nicht billigen Hochschulgebühren selbst bezahlen.

In diesen Wochen in Illinois wuchs meine Überzeugung, dass der Mittelwesten das Herzland der Vereinigten Staaten ist: Menschen, die bereit sind, hart zu arbeiten und unternehmerische Risiken einzugehen, die zur demokratischen Ordnung stehen und sich für die Allgemeinheit engagieren, deren moralische Überzeugungen fest im Leben der kirchlichen Gemeinde verankert sind. Deshalb konnte ich gut nachvollziehen, wie sehr sein Besuch im Maisstaat Iowa für Chruschtschow zu einem Schlüsselerlebnis geworden ist.

Mein viel kleineres Erlebnis war der Besuch im Stahlwerk der United States Steel Corporation in Gary/Indiana. Als ich die riesige Anlage mit 56 großen Siemens-Martin-Öfen sah, dachte ich zurück an den Betrieb in Osnabrück, mit vier kleinen Öfen. Mir ging durch den Kopf: Hätte man doch Hitler und den anderen Nazigrößen früher einmal Gelegenheit gegeben, die ungeheure Wirtschaftskraft der Staaten, die Dynamik, Ausdauer und Leistungsbereitschaft ihrer Menschen persönlich zu erleben, bevor sie die größenwahnsinnige Entscheidung trafen, den USA den Krieg zu erklären!

Die Menschen im Mittelwesten sind in ihrer Bodenständigkeit für mich das bewahrende Rückgrat der amerikanischen Nation.

Die Neuengland-Staaten an der Atlantikküste und die Staaten an der Westküste, allen voran Kalifornien, sind eher bereit, neue Wege zu gehen und zu experimentieren.

Der Mittelwesten aber sichert, dass die USA zu den Zielen aus dem Unabhängigkeitskrieg stehen und zu den Werten der Verfassung, von Jefferson bis Lincoln. Wenn es einmal zu einer moralischen Erneuerung der satten, selbstsüchtigen und auf den eigenen Vorteil ausgerichteten Bevölkerung der westlichen Industriestaaten kommen soll – meine Hoffnung richtet sich auf die Menschen in diesem Teil Amerikas.

In späteren Jahren habe ich mich, wo ich konnte, für die Einbeziehung des Mittelwestens in unsere politischen Bemühungen eingesetzt. Bei der Reiseplanung von Willy Brandt und Bundeskanzler Helmut Schmidt bin ich als Pressereferent und später als Sicherheitsberater dafür eingetreten, neben der Ostküste und Kalifornien stets auch Städte wie Chicago oder St. Louis einzubeziehen. Als Botschafter in Washington habe ich darum gekämpft, dass ein deutsches Center of Excellence (das auf hohem Niveau Wissen über Deutschland vermittelt) an der Universität St. Louis eingerichtet wurde, zusätzlich zu denen in Harvard, Georgetown und Stanford.

Ich habe die großen sommerlichen deutsch-amerikanischen Straßenfeste in St. Louis, in Indiana und in Wisconsin besucht und die Angehörigen der Botschaft und der Konsulate ermuntert, regelmäßig daran teilzunehmen. Die Vorsitzende des großen Vereins der Freunde des Kennedy-Centers in Washington, Chris Hunter – sie stammte aus einer angesehenen Familie in Nebraska, die unter anderem einen großen Musikverlag aufgebaut hatte – hat einmal zu mir gesagt: »Im Mittelwesten verbinden sich englisches und deutsches Erbe auf das Beste, und ich meine, dass die deutschen Tugenden dort eher noch überwiegen.«

Hitchhiking im Westen

Anfang September 1953 saßen der Fulbright-Kollege Dieter und ich im Nachtzug nach Denver. Es war meine erste und letzte Reise in dem romantischen Schlafwagen; alle späteren Reisen habe ich per Bus, PKW oder Flugzeug gemacht. Dieter und ich fuhren in Denver mit dem Taxi zur Universität.

Dort kam die große Überraschung: Die Türen waren verschlossen. Alle Professoren und Dozenten sowie der gesamte Stab der Auslandsabteilung der Universität waren in Ferien.

Nach Telefonaten mit dem Austauschbüro IIE in New York und den Auslandsberatern in ihren Urlaubsorten stellten wir fest, dass unsere Einweisungsbriefe einen Druckfehler enthielten. Wir sollten uns in Denver nicht am 3. September melden, sondern erst am 23. September. Die 2 war verloren gegangen.

So sehr wir uns auf die neue Heimat freuten; es ist deprimierend, in einer größeren Stadt zu sein, wenn man niemanden kennt und keinen Gesprächspartner finden kann. Dieter und ich beschlossen, die Zeit zu nutzen und die Rocky Mountains kennen zu lernen. In Illinois hatte ich erfahren, dass die Studenten dort wie in Deutschland per Anhalter reisen, »hitchhiking«.

Am nächsten Tag standen wir am Straßenrand des Highway 70, der zum Rocky Mountain National Park führt. Der zweite Wagen hielt. Der Fahrer, in unserem Alter, fragte: »Wohin wollt ihr?« Meine Antwort: »Zum Rocky Mountain National Park.«

»Dahin fahre ich nicht.«

»Wohin fährst du?«

»Nach Salt Lake City, San Francisco, Oregon und Seattle im Staate Washington.«

Wir konnten es kaum fassen. Das war die andere Hälfte des nordamerikanischen Kontinents!

John war Student in Neuengland gewesen, hatte gerade seinen BA abgeschlossen, wollte sein Heimatland kennen lernen und in Seattle bei der Handelsmarine anheuern. Von dem Pazifikhafen Seattle liefen die Nachschubtransporte für die amerikanischen Truppen nach Korea aus. Die Bezahlung sollte gut sein. Interessenten wurden dringend gesucht.

Als wir ihm unsere Führerscheine zeigten, sagte er: »Ihr müsst euch an den Benzinkosten und beim Fahren beteiligen.« Dieter und ich berieten zwei Minuten. Wir hatten nur meinen monatlichen Scheck aus Denver über 100 US$. Dann stimmten wir begeistert zu. Wir kauften zwei billige Zahnbürsten und einen Rasierapparat.

Es war eine unvergessliche Reise. John, Dieter und ich saugten alles in uns auf, die wilde Schönheit der Rockys, die Salzwüste in Utah, die traumhafte, glitzernde Welt von Reno, die unvergesslichen Küsten von San Francisco und Monterrey. Wir fuhren zu den Redwoods, durch die Regenwälder Oregons zwischen den schneebedeckten Vulkanen im Staate Washington, bis Seattle. Dort nahmen wir schweren Herzens Abschied. Wir wünschten John viel Glück auf dem Pazifik und in Korea, er uns eine gute Rückkehr zu unseren Universitäten.

Der Monatsscheck hatte uns bei größter Sparsamkeit mit billigen Motels, einfachen Restaurants und preiswertem Benzin bis nach Seattle gebracht. Jetzt lagen nahezu 1.500 Meilen vor uns bis Denver; wir mussten uns spätestens am 23. September bei unserer Universität einschreiben und hatten bis dahin noch neun Tage.

Am nächsten Morgen standen wir in aller Frühe am Highway 84 nach Salt Lake City. Viele Wagen hielten sofort und nahmen uns bereitwillig mit. Aber es waren alles lokale Fahrten, Bauern, die zur nächsten Kreisstadt fuhren, Handwerker, die auf den Höfen zu tun hatten, Händler oder Vertreter, die auf den Farmen kauften oder verkauften.

Oft kam gleich nach unserem Gruß die Antwort: »Oh, ihr seid aus Old Germany. Ihr müsst meine Großmutter treffen und unseren Onkel!« Die

Familien stammten aus Bayern, Westfalen und anderen deutschen Ländern.

Dieter und ich wurden fürstlich bewirtet, mussten ausführlich berichten und wurden oft sogar wieder an einen guten Platz an die Nationalstraße zurückgebracht. Nach fünf Tagen hatten wir die Schönheit der Staaten Washington und Idaho genossen, die großherzige Gastfreundschaft ihrer Bewohner kennen gelernt, aber nur 400 Meilen zurückgelegt. Unser Geld war fast vollständig ausgegeben und es gab keine Aussicht auf eine rechtzeitige Ankunft in Salt Lake City oder gar Denver.

Dieter und ich beschlossen, in der nächsten Stadt, Boise, unsere Kameras und Uhren zu einem Pfandleiher zu bringen und Fahrkarten für einen Greyhoundbus nach Salt Lake City zu kaufen. Dort wartete Dieters Monatsscheck.

Nach längerem Handeln erhielten wir gerade genug Geld, um die Buskarten zu bezahlen, zwei Hamburger zu kaufen und bis zur Abfahrt am Abend noch zwei Billigkarten für den Film »Scaramouche« zu erstehen. Jedes Mal, wenn ein Streifen der Serie »Scaramouche« im Fernsehen läuft, denke ich an unsere Stunden in Boise.

Während der Nachtfahrt durchquerten wir das Gebiet der Mormonen. Unterwegs stieg eine attraktive junge Dame ein, die Dieter und mich unbedingt zu ihrer Religion bekehren wollte und uns einlud, in Utah zu bleiben.

Am 22. September traf ich in Denver ein. Meine Mitstudenten, die Berater und Dozenten staunten nicht schlecht, dass ich bereits vor Semesterbeginn einen großen Teil des amerikanischen Westens kennen gelernt hatte.

Universität Denver

Denver University zählte nicht zu den bekannten Eliteschulen. Aber für mich war die dynamische Universität mit engagierten jüngeren Dozenten ideal. Das amerikanische Case Law war zu verschieden von unserem Rechtssystem. So konzentrierte ich mich auf Völkerrecht und Volkswirtschaft. Die Dozenten waren erfüllt von den Ideen John Maynard Keynes'. Ludwig Erhard, der in München so großen Eindruck gemacht hatte mit seinem Einsatz für freie Preise und die soziale Marktwirtschaft, war kaum bekannt.

Welch ein Unterschied zu der traditionsreichen Alma Mater München! Statt überfüllter Hörsäle mit hunderten von Studenten: kleine Klassenräume mit 30 bis 40 Kursteilnehmern. Statt einer 45-minütigen Vorlesung auf hohem, aber trockenem wissenschaftlichen Niveau: griffige, einprägsame Präsentation des Stoffes. Anschließend Vertiefung durch Fragen und

Diskussionen. Die jungen Dozenten hatten noch keine akademischen Standardwerke geschrieben. Aber sie kannten Keynes, Schumpeter, Samuelson und Hayek, und sie verstanden es, uns die Essenz von deren Werken nahe zu bringen.

Hinzu kamen ihre Verbindungen zur Praxis. Immer wieder klang durch, wie sie sich um den Gedankenaustausch mit den Praktikern in Banken, Versicherungen und Industrieunternehmen bemühten. In der Vorlesung über Verkaufsstrategie war eine der ersten Übungen für uns Kursteilnehmer, eine Marktanalyse durchzuführen. Welchen Anteil hatten die Verkäufe von Popcorn, von Getränken und Süßigkeiten etc. am Gewinn der Kinos? Wir arbeiteten gemeinsam Fragebögen aus, teilten die Stadtbezirke unter uns auf und zogen los zu Interviews in den Kinos. Nach den vier Semestern Betriebswirtschaft in München, in denen ich zwei Scheine für Buchführung und kaufmännisches Rechnen gemacht, aber sonst nur Theorie gelernt hatte, war dies eine geradezu exotische Erfahrung.

Von den amerikanischen Studentinnen und Studenten wurden wir mit offenen Armen aufgenommen. In besonders guter Erinnerung habe ich die Einladungen in die Sororities, die Verbindungen der Studentinnen. Die Damen planten ihre Abendveranstaltungen mit großer Akribie. Sie waren stilvoller und wesentlich besser organisiert als Einladungen in die Fraternities, die Studentenverbindungen, wo stattdessen der Alkoholkonsum in der Regel deutlich höher war.

Sport wurde an der Universität groß geschrieben. Skilaufen kam gerade erst in Mode.

Ein deutscher Mitstudent, Günther Kästle (er war Altphilologe und hat später jahrelang eine Frankfurter Oberschule als Direktor geleitet), ein Österreicher, Erwin Sonderegger, und ich wurden in den Denver Ski-Club aufgenommen. Wir durften sogar die junge Ski-Mannschaft der Denver University begleiten, hatten allerdings keine Chance, mit den amerikanischen Sportlern mitzuhalten.

Günter und ich brachten unseren amerikanischen Skifreunden bei, Hüttenpartys zu feiern. Die einsame Weite der Rocky Mountains war, abgesehen von Aspen, ein erst wenig entwickeltes Skiparadies. Die Wochenenden in den abgelegenen Hütten waren so unvergesslich, dass ich damals fest entschlossen war: Falls ich beim juristischen Staatsexamen in Deutschland zweimal durchfalle, kehre ich nach Colorado zurück und bewerbe mich für die Position eines Forest Rangers in den Rocky Mountains.

Hilfsarbeiter in der United States National Bank

All diese Aktivitäten kosteten Geld. Aber Denver war keine Universität für wohlhabende Studenten. Viele Kommilitonen in Denver hatten Nebentätigkeiten.

Schon bald nach Studienbeginn las ich am schwarzen Brett ein Angebot: »Nachmittagstätigkeit in der United States National Bank Denver«. Ich nahm sofort einen Bus ins Bankenzentrum in der Stadtmitte. Vor der Tür des zuständigen Managers stand eine längere Schlange. Ich wollte schon aufgeben; als Ausländer, frisch eingereist und unerfahren, sah ich keine Chance. Dann dachte ich mir, jetzt hast du den Weg in die Stadt hinter dir. Mache einen Versuch und lerne daraus. – Nach einer halben Stunde saß ich vor dem Abteilungsleiter, Chuck Smukler.

Er hörte interessiert zu, als ich ihm meine Tätigkeit in der Westfalenbank schilderte. Nach einer Viertelstunde fragte er: »Wann können Sie bei uns anfangen? Wir suchen einen Troubleshooter in unserer Buchhaltung, der jeden Nachmittag sicherstellt, dass unsere Konten und Bücher ausgeglichen und in Ordnung sind.«

Ich sagte mit Begeisterung: »Morgen Nachmittag.«

Zunächst hatte ich geglaubt, meine Erfahrungen in der Westfalenbank hätten den Ausschlag gegeben. Später, als wir Freunde wurden, erzählte mir Chuck den wahren Beweggrund. Er war während des Krieges Bomberpilot und wurde bei einem der ersten Bombenangriffe, als unsere Flakabwehr noch intakt war, über Schweinfurt abgeschossen. Er kam in ein Lager für amerikanische und britische Offiziere. Chucks Bein war schwer verletzt. Der britische Lagerarzt sagte: »Wir müssen amputieren.« Der deutsche Arzt entgegnete: »Wir werden versuchen, das Bein zu retten.« Der Brite: »Dafür kann ich die Verantwortung nicht übernehmen.« Der Deutsche beendete die Diskussion: »Wer ist hier der Chef? Wir werden es versuchen!«

Chucks Bein wurde gerettet und ich erhielt den begehrten Aushilfsjob in einer der besten Banken in Denver.

Das Gros der Kontoführerinnen und Kontoführer war nur kurzfristig angelernt worden. Es war billiger, zwei Studenten zu beschäftigen, die für einen Dollar pro Stunde nachmittags und abends die Fehler und Differenzen suchten, bis die Buchhaltung für den Tag wieder im Lot war, als die Kontenführer intensiv auszubilden.

Am nächsten Nachmittag starteten wir von neuem.

Ein Dollar = DM 4,20 war damals für uns viel Geld. Der Lohnscheck der Bank war eine unverzichtbare Hilfe für die Reisen in die Rockies, nach Mexico und Florida. In neun Monaten bin ich mit Freunden in 45 amerikanischen Staaten gewesen.

Die amerikanische Faszination

Die Faszination des weiten Landes mit seinen – wie es schien – schier unbegrenzten Möglichkeiten war für uns junge Leute sehr groß.

Als ich mein Jurastudium in Münster beendete und während meiner Referendarzeit habe ich immer wieder ernsthaft überlegt, ob ich nicht doch zurückkehren und die Einbürgerung beantragen sollte. Die United States National Bank Denver oder eine andere Bank hätte mir geholfen, meinen Bachelor of Arts zu machen.

Meine beiden jüngeren Brüder, Bernd und Martin, hatten beide Stipendien in den USA.

Martin kehrte ohne große innere Probleme zurück, ihm sagten die deutsche und europäische Theologie mehr zu als die pragmatische Praxis der Lutherischen Kirche in den Vereinigten Staaten.

Mein Vater hat versucht, auch Bernd wieder in Deutschland heimisch werden zu lassen. Bernd hatte ein Diplom als Bergingenieur der Clausthaler Universität und einen Master of Arts im Bergbau von der Colorado School for Agriculture and Mining in Boulder.

Aber Bernd hatte zu lange das ungebundene Leben eines Prospektors in den Rockies für Uran und Yellow Cake geführt. Er konnte sich in die Rolle eines Direktionsassistenten bei den konservativen Bergassessoren der Stolberger Zink AG nicht mehr eingewöhnen. Als der Direktor ihn aufforderte, die Hände aus den Taschen zu nehmen, fragte er zurück: »Arbeite ich für Sie mit meinen Händen oder mit meinem Kopf?« Das war das Ende. Wenige Tage später kehrte er endgültig in die Vereinigten Staaten zurück. Er hatte eine sehr erfolgreiche Laufbahn bei Philipps Brothers und Pioneer International, die ihn bis zum Posten des Vizepräsidenten dieser texanischen Erdgas- und Uranfabrik in Amarillo/Texas führte.

Er ist, viel zu früh, an einem bösartigen Kopftumor gestorben, mit 49 Jahren. Seine Familie ist in Amarillo geblieben. Seine Kinder sind überzeugte Texaner.

Die Reaktion der Familie auf »die Amerikanische Faszination« war nicht einheitlich. Außer Martin und mir hat es auch unsere Vettern Dieter Ruhfus und Rolf Ruhfus letztlich wieder nach Deutschland zurückgezogen, trotz großer Erfolge in den USA. Rolf Ruhfus hat in kurzer Zeit unter anderem zwei amerikanische Hotelketten aufgebaut.

In der Bank hat mich der kollegiale Umgang unter den Mitarbeitern beeindruckt. Natürlich gab es auch hier Hierarchien. Wer die geforderte Leistung nicht brachte, dem wurde schnell und kurzfristig gekündigt. Aber der Umgang war entspannter. Schon der Gebrauch der Vornamen machte den Kontakt ungezwungener.

Wenn ich bei der Westfalenbank einen Direktor hatte sprechen wollen, ging dies selbstverständlich nur über die Anmeldung bei der Sekretärin im Vorzimmer. Chuck Smukler und die Chefs der United States National Bank betonten, ihre Türe stehe für die Mitarbeiter stets offen.

In Denver wie in Normal Illinois beeindruckte mich die vielfältige ehrenamtliche Tätigkeit der amerikanischen Gastgeber.

Vater Ropp war im Bauernverband und im Rat seiner Gemeinde tätig. Die Söhne wuchsen im Four-H-Club, der Jugendorganisation des Bundes der Landwirte auf. Viele meiner Kommilitonen waren gleich in mehreren studentischen Organisationen tätig. Dozenten und auch die Angehörigen der Bank baten uns, vor Vereinigungen und Gemeinschaften, denen sie angehörten, Vorträge zu halten. In Denver wurden wir Auslandsstipendiaten immer wieder eingeladen, in allen möglichen Clubs über das Leben und die Probleme unseres Landes zu berichten: vor Studentenkreisen, in kirchlichen Gemeinden, vor beruflichen Zirkeln, vor Rotary Clubs, Kiwanis oder Lions.

Die Kenntnisse in Illinois und in Colorado über die Nachkriegsentwicklung in Deutschland waren beschränkt. Aber das Interesse war lebhaft.

Wir erhielten einen starken Eindruck davon, wie sehr das politische und gesellschaftliche Geflecht in den USA auf demokratischen Strukturen und auf Selbstverwaltung aufgebaut ist.

Wir lernten die Eigenständigkeit der jungen Universität kennen und schätzen. In München wurden die Gelder der Universität jedes Jahr vom Land Bayern zugeteilt. In Denver waren viele Dozenten bemüht, Mittel der Wirtschaft und Industrie jeweils für ihre Fachbereiche einzuwerben. Und für den Präsidenten der Universität waren Managerqualitäten und eine Begabung fürs Fund-Raising unverzichtbare Voraussetzungen, neben seinen akademischen Verdiensten.

Dem Dozenten in Volkswirtschaft verdanke ich die Anregung, eine Arbeit über die »Gesetzgebung zur Integration der Afroamerikaner« zu schreiben. In Denver waren die Minoritäten 1952 noch kein akutes Problem. Asiaten sah man fast überhaupt nicht. Auch Afroamerikaner gab es nur wenige. Latinos waren noch nicht von Texas und Arizona bis Denver vorgedrungen.

Gleichwohl sahen vorausschauende Persönlichkeiten, dass ein brennendes Problem auf die Gesellschaft zukam. Die Arbeit gab mir Einblick in die historische Entwicklung, die den Afroamerikanern unter Lincoln zwar die politische Befreiung gebracht, aber die wirtschaftliche Gleichstellung bisher nicht verwirklicht hatte. Man spürte förmlich in der Literatur, wie die Lage sich zuspitzte und dass die Diskriminierung zu Eruptionen führen würde, wenn nicht bald Abhilfe geschaffen wurde.

Rückkehr nach Deutschland

Erfüllt und beeindruckt von den ungeheuren Möglichkeiten in den USA, von der freundlichen Aufnahme durch die Amerikaner und von der Weite und Größe des Landes, kehrte ich im Juli 1953 nach Deutschland zurück. Alles kam mir eng und unbeweglich vor, zu sehr der Vergangenheit zugewandt, zu risikoscheu und auch etwas langweilig.

Meine Eltern hatten dies verständnisvoll erahnt und gefühlt. Sie luden mich zu gemeinsamen Ferien in Bad Reichenhall ein. Vater hatte ein neues DKW-Kabrio gekauft. Die Fahrten bei herrlichem bayerischem Sommerwetter in die Berge, zum Chiemsee und nach München sollten mir die glücklichen Zeiten meines Studiums in Deutschland in Erinnerung rufen. Es waren mit die schönsten Tage, die ich mit meinen Eltern verbracht habe. Sie drangen nicht in mich, aber sie hörten mit großer Aufmerksamkeit meinen begeisterten Schilderungen der USA zu.

Die Wochen halfen mir, Gedanken und Pläne zu klären. Ich hatte drei Jahre studiert, aber keinen Abschluss, weder in den USA noch in Deutschland. In Amerika würde ich mindestens ein Jahr zum Bachelor of Arts und dann ein bis zwei Jahre zum Master's-Abschluss benötigen; als Werkstudent eher noch länger.

Dies legte die Entscheidung nahe, zunächst mit aller Kraft die erste juristische Staatsprüfung in Deutschland anzustreben.

Das war leichter gedacht als getan. Während der zwei Jahre in München hatte ich zwar die Vorlesungen belegt und auch die meisten zum Referendar-Examen erforderlichen Scheine der Juristischen Fakultät recht und schlecht geschafft. Aber meine rechtlichen Kenntnisse waren neben AStA, Auslandskommission und dem Verbindungsleben ohnehin zu kurz gekommen und dann durch das Studium der Volkswirtschaft in den USA noch zurückgedrängt worden.

Es folgte ein Jahr Klausur in meinem Elternhaus in Osnabrück. Jede Woche ein voller Tag Besuch beim Repetitor in Münster, ansonsten Vorbereitung mit schriftlichen Repetitorien zu Hause.

Im Herbst 1954 meldete ich mich zum Staatsexamen beim Oberlandesgericht Hamm. Im Januar hatte ich die Prüfung bestanden. Die Note »voll befriedigend« erschien mir nach nur 12 Monaten Vorbereitung nicht schlecht.

Der Staatsrechtler Prof. Friedrich Klein, der meine Sechswochen-Arbeit im Staatsrecht benotet hatte, bot mir nach der mündlichen Prüfung an: »Wenn ich Ihnen helfen kann, kommen Sie zu mir.« Drei Tage später stand ich in seinem Büro. »Ich möchte gerne bei Ihnen über ein Thema des Grundgesetzes promovieren.«

Prof. Klein lächelte. Er überarbeitete den angesehenen Kommentar von Mangold-Klein zum Grundgesetz. Daher war er an wissenschaftlichen Beiträgen/Dissertationen zu Spezialthemen unserer Verfassung interessiert. Wegen meiner Neigung zu Wirtschafts- und Finanzfragen einigten wir uns auf ein Thema aus dem Kapitel des Grundgesetzes Finanzen und Steuern, auf »Die verfassungsrechtliche Stellung des Bundesrechnungshofes«.

Referendar in Melle

Im Frühjahr 1955 wurde ich als Referendar beim Landgericht in Osnabrück vereidigt. Ich hatte damals keine Ahnung, dass ich bis zum Ruhestand im Staatsdienst bleiben würde. Jeden Vormittag fuhr ich mit der Bahn zum Amtsgericht nach Melle, eine Kleinstadt an den Hängen des Teutoburger Waldes mit Kleinindustrie, Handels- und Handwerksbetrieben und zugleich regionales Zentrum für die umliegende Landwirtschaft.

Das Amtsgericht war eine angesehene lokale Einrichtung. Amtsrichter Kuhlmann war ein fähiger Jurist und für die beiden Referendare ein überaus verständnisvoller Vorgesetzter. Mit dem anderen Referendar, Walter Hunger, entwickelte sich eine Freundschaft, die ein Leben lang anhielt. Jahrzehnte später, im Jahr 1993, schlug er mich zum »Grünkohlkönig« der Stadt Osnabrück vor.

Das Amtsgericht war ein guter Seismograph für die alltäglichen Probleme in der Kleinstadt. Die großen Prozesse gingen direkt ans Landgericht in Osnabrück. Wir behandelten die einfachen Strafsachen und Zivilrechtsstreitigkeiten.

Außerdem mussten Walter Hunger und ich die Rechtshilfeersuchen des Landgerichts Osnabrück bearbeiten. Das vorgesetzte Gericht hatte die verständliche Tendenz, sich das Leben zu erleichtern, indem es möglichst viele Beweisaufnahmen an das örtlich zuständige Amtsgericht verwies. Bisweilen wurden wir jungen Referendare hierbei von den aus Osnabrück angereisten erfahrenen Anwälten kräftig in die Zange genommen.

Später im Leben habe ich viele Sitzungen verschiedener Gremien leiten müssen. Die Erfahrung, wie wichtig es ist, dass der Vorsitzende die Verhandlungen ruhig und freundlich führt, aber stets mit klarer und fester Hand und mit möglichst guter Kenntnis der Prozessakten und der Rechtslage, war mir eine große Lehre. Sie sollte mir schon bald auf meinem ersten Posten in Afrika zustatten kommen.

Die Arbeit am Amtsgericht begann mir zu gefallen. Die Anwendung des Rechts im Umgang mit Menschen machte mir viel mehr Freude als das Studium der Paragraphen und hehrer Rechtstheorien.

Im Sommer besuchte mich Joachim Schlaich. Wir hatten in München zusammen in der Auslandskommission gearbeitet. Er hatte inzwischen die Attaché-Ausbildung durchlaufen und stand vor der Ausreise zu seiner ersten Auslandsverwendung in Südamerika.

Es wurde ein langer Abend. Joachim Schlaich schilderte die Ausbildung, damals noch in der Ausbildungsstätte in Speyer, in glänzendsten Farben. Gemeinsam malten wir uns sein Leben und seine ersten Abenteuer in Südamerika aus. Joachim redete mir eindringlich zu: »Die Arbeit und Ausbildung sind abwechslungsreich und interessant, und die Auslandsbezahlung ist attraktiv. Du bringst mit deinen Kenntnissen in Jura, Volkswirtschaft und Geschichte, mit deinen Auslandserfahrungen und Sprachkenntnissen viel mit für eine aussichtsreiche Bewerbung!«

Tags darauf habe ich mit dem Ausbildungsreferat des Auswärtigen Amts telefoniert. Ich erhielt einen Termin für die kommende Woche bei Legationsrat Hans Albert Reinkemeyer. Er wurde schon bald darauf in die Politische Abteilung versetzt und war dort bis zu seinem viel zu frühen Tod ein angesehener Fachmann für die Sowjetunion.

Als ich im Auswärtigen Amt eintraf, war ich nervös und meiner Courage nicht mehr ganz so sicher. Aber Herr Reinkemeyer führte das Gespräch freundlich und locker. Er tastete systematisch den Umfang meiner Vorkenntnisse ab. Ich hatte den Eindruck, dass ich die meisten seiner Fragen zufrieden stellend beantworten konnte. Nur als ich auf seine Erkundigung: »Welche Vorstellungen verbinden Sie mit Locarno?« frisch heraus antwortete: »Das war eines der Vertragswerke, mit der die Weimarer Republik den Ausgleich des Deutschen Reichs mit Russland erzielte«, lächelte er. »Das war Rapallo. In Locarno erzielte Stresemann den Ausgleich mit den Westmächten.« Er meinte, »in der Geschichte müssen Sie sich wohl noch besser vorbereiten«, aber ansonsten machte er mir Mut und lud mich zum Auswahlwettbewerb ein.

Die Teilnahme am Wettbewerb war spannend, da alle Kandidaten wussten, die Durchfallquote würde erheblich sein. Aber die eigentliche Prüfung war nicht unangenehm, da es dem Ausschuss nicht so sehr darauf ankam, dem Kandidaten seine Lücken zu zeigen, als in den drei Tagen die Breite der Basis von Wissen und Erfahrung der einzelnen Bewerber genauer kennen zu lernen.

Sicher war ich meiner Sache nicht, aber ich hatte kein schlechtes Gefühl, als ich nach Osnabrück zurückfuhr.

Später berichtete mir der damalige Leiter des Ausbildungsreferats Rolf Ramisch – er hatte den Wettbewerb im Frühjahr 1955 organisiert –, der Ausbildungschef des eidgenössischen Außenministeriums in Bern habe an dem Auswahlwettbewerb teilgenommen, um das deutsche Auswahlsystem kennen zu lernen. Nach meiner mündlichen Prüfung habe er scherzhalber zu Ramisch gesagt: »Wenn Sie den nicht wollen, nehmen wir ihn für den eidgenössischen Dienst.«

Mit der Einberufung zum Vorbereitungsdienst in das Auswärtige Amt im Herbst 1955 waren die Weichen gestellt. Die Entscheidung zwischen einer Laufbahn in einer der heimatlichen Banken oder im Auslandsdienst war gefallen. Auch die Frage, ob ich nicht erst das Assessorexamen machen wollte, um eine Rückfallposition als Volljurist – sei es im Innendienst oder als Rechtsanwalt – zu haben, war entschieden. Mit 25 Jahren war ich einer der jüngsten Attachés in unserem Lehrgang.

Ich habe die Entscheidung nie bereut. Später habe ich zu jüngeren Interessenten gesagt, wenn sie den Auswärtigen Dienst als Lebensberuf wählten, dann in möglichst jungen Jahren, um früh in die Karriere hineinzuwachsen.

Auch eine Laufbahn in der Politik hätte mich sehr gereizt. Aber dazu hätte ich früher in einer der Jugendorganisationen und Studentenverbände der Parteien aktiv werden müssen, um die übliche Ochsentour der deutschen Berufspolitiker zu durchlaufen. Die Möglichkeit, als Seiteneinsteiger in die Politik zu gehen, die ich in London und in Washington immer wieder beobachtet habe, war bei uns wenig entwickelt.

Attaché

Am 1. Oktober 1955 begann der 10. Ausbildungslehrgang für den höheren Auswärtigen Dienst mit einer halbjährigen theoretischen Ausbildung.

Durch Vorlesungen angesehener Wissenschaftler sollten die Kenntnisse in Jura, Volkswirtschaft, Politik und Geschichte im Eilverfahren auf ein möglichst breites, gemeinsames Niveau angehoben werden. Mit regelmäßigem Sprachunterricht sollten Schwächen in der englischen und französischen Sprache ausgebügelt werden. Wir waren der erste Lehrgang, der nicht in Speyer, sondern am Rhein direkt neben dem Auswärtigen Amt untergebracht wurde, teils in einer alten Villa und teils in einem Behelfsbau.

Die Vortragsreihen haben mir sehr zugesagt. Sie verbanden das hohe Niveau deutscher Spitzenwissenschaftler mit den Vorzügen des amerikanischen Systems; kleine Kurse, unmittelbarer persönlicher Gedankenaustausch zwischen Vortragenden und Hörern. Höhepunkte waren die Vorlesungen in Politik und Geschichte von Carlo Schmidt, von Prof. Hans Herzfeld und Prof. Wolfgang Schieder. Die praktischen Aspekte der Arbeit wurden uns von erfahrenen Praktikern aus dem Amt nahe gebracht, von Prof. Hermann Mosler und Prof. Wilhelm Grewe und auch von Staatssekretär Walter Hallstein.

Für mich waren die Vorlesungen von Prof. Ludwig Dehio besonders aufschlussreich. Sein Werk »Hegemonie und Gleichgewicht« analysierte in für mich atemberaubender Weise, wie Deutschland, als »verspäteter« Nationalstaat, den Griff zur Hegemonie in Europa versucht hat, allerdings mit brutalen, barbarischen und für ein Kulturvolk schändlichen Mitteln. Er schilderte, wie Deutschland an den Flügelmächten USA und Russland scheiterte – ein unausweichlicher Fehlschlag, wie mir infolge meiner Eindrücke aus Amerika klar war.

Es wuchsen Freundschaften. Es entstand ein Gefühl kollegialer Zusammengehörigkeit, das sich später in vielen Situationen unserer beruflichen Tätigkeit bewähren sollte, und das half, die tausende von Meilen zwischen Zentrale und entlegenen Posten im Busch zu überbrücken.

Nach sechs Monaten intensiver und erstklassiger theoretischer Unterrichtung wurden wir zur praktischen Ausbildung auf das Amt und einige Auslandsvertretungen verteilt.

Im Büro von Bundesminister von Brentano

Im Frühjahr 1956 kam ich in das Büro des Bundesaußenministers.

Bis 1955 hatte Bundeskanzler Dr. Konrad Adenauer selbst, mit der Unterstützung des ihm ergebenen Staatssekretärs Walter Hallstein, das Auswärtige Amt geführt. Er wollte sicherstellen, dass der von ihm nachdrücklich verfolgte Kurs der Integration des neuen Deutschlands in die Gemeinschaft der westlichen Demokratien konsequent verfolgt wurde, und dass es keine Querschüsse und Quertreibereien gegen diesen Kurs geben konnte.

Mit dem neuen Bundesaußenminister sollte das Amt auch nach außen mehr Eigenständigkeit und Gewicht erhalten. Aber es war klar, die Außenpolitik blieb engstens mit dem Bundeskanzleramt verzahnt.

Ich hatte ein kleines Büro in dem neu errichteten »Ministerbau«. Leiter des Ministerbüros war Peter Limburg. Er hat dem Minister mit großer Loyalität und mit unverwüstlichem rheinischem Humor zugearbeitet. Wenn er von Dienstreisen zurückkam und die Pförtner am Eingang mit einigen munteren Worten begrüßte, wurde die Stimmung im ganzen Büro um einige Grade wärmer. Sein Vertreter war Niels Hansen, dessen Stilgefühl und Kunst zu formulieren mich beeindruckt haben.

Heinrich von Brentano ist immer wieder als Idealtyp eines deutschen Gentleman beschrieben worden. Er war stets höflich und beherrscht. Ich habe in dem Jahr, das ich in seiner Umgebung war, kein lautes Wort von ihm gehört. Nach außen wirkte er zurückhaltend und manchmal beinahe scheu. Aber dahinter verbarg sich eine große Menschlichkeit. Wenn er mir Bittbriefe zur Bearbeitung zuwies, wusste ich auch ohne direkte Weisung, dass es meine Aufgabe war, alle Möglichkeiten bei den zuständigen Stellen im Amt, im Bundestag und auch bei anderen Ministerien auszuschöpfen, um dem Bittsteller Wege der Hilfe aufzuzeigen. Wenn ihn ein Notfall überzeugte, nahm er sich auch selbst die Zeit, mit mir Vorschläge für eine Lösung zu erörtern.

Meine Arbeit bestand in Hilfsdiensten. Ich hatte Antworten zu entwerfen für die schnell wachsende Zahl von Zuschriften an den neuen Außenminister, hatte Unterlagen für Gespräche zusammenzustellen, für Auslandsreisen, für parlamentarische Debatten und Konferenzen. Nach einem halben Jahr hatte ich einen recht guten Einblick in die einzelnen Abteilungen und in die Arbeitsweise des Außenministeriums. Ich lernte einen größeren Teil der Beamten kennen. Wenn irgend möglich, gab ich Weisungen des Ministers nicht nur telefonisch weiter, sondern suchte den Referenten oder Referatsleiter bald persönlich auf. Ich sammelte erste Erfahrungen an der Nahtstelle zwischen Bundestag, Bundesregierung und den Parteien.

Der Preis war allerdings hoch. Schon frühzeitig habe ich mich an lange Arbeitszeiten mit vielen Überstunden gewöhnen müssen.

Mein Lehrgangskollege Andreas Meyer-Landrut und ich hatten gemeinsam eine Dachwohnung in Beuel gemietet.

Unser Hintergrund und unser Werdegang hätten kaum unterschiedlicher sein können. Andreas war in Estland geboren. Er hatte Russisch, Serbokroatisch und Gesellschaftswissenschaften studiert. Eine Zeit lang hatte er mit dem Studium der Theaterwissenschaften geliebäugelt. Mein Hintergrund war Westfalen, das Ruhrgebiet, Ausbildung in Banken, Studium von Jura, Finanz- und Volkswirtschaft, Auslandsaufenthalte in England und den USA. Trotz dieser Unterschiede war unser Zusammenleben gut und reibungslos.

In Genf

Nach der angespannten Zeit im Ministerbüro entsandte mich die Personalabteilung nach Genf. Die schöne Konferenzstadt zwischen dem Jura und den französischen Hochalpen war ein willkommener Ausgleich und eine wertvolle Abrundung der Ausbildung; unter anderem sollte ich meine Französischkenntnisse erweitern.

Meine konsularische Ausbildung lag in den Händen von Konsul Dr. Jacob Ludwig Metternich. Er leitete die Konsulatsabteilung der Vertretung seit vielen Jahren, kannte Genf wie seine Westentasche und war ein großer Lebenskünstler.

Nachdem er mir einen Überblick über die konsularische Tätigkeit in Genf sowie in den Kantonen Wallis und Neuchâtel gegeben hatte, sah er mich bedeutungsvoll lächelnd an: »Und nun noch eine persönliche Erfahrung aus vielen Dienstjahren: Man muss auch mal den Mut haben, einen Vorgang zu den Akten zu legen, der noch nicht erledigt ist. Zweitens: Regieren Sie nicht zu viel, die meisten Dinge erledigen sich von selbst. Drittens: Bereiten Sie sich rechtzeitig auf Ihren Ruhestand vor.«

Er zeigte mir strahlend einen großen Kalender, auf dem er die Tage abstrich, die er noch bis zu seiner Pensionierung arbeiten musste. Nach der sehr auf Leistung ausgerichteten Arbeit im engen Kreis ehrgeiziger Beamter in Bonn war es eine wohltuende Erfahrung, mit einem Vertreter des Auswärtigen Dienstes zusammenzuarbeiten, der auch die schönen Dinge des Lebens voll zu ihrem Recht kommen ließ.

Konsul Metternich verdanke ich viele Hinweise auf künstlerische Ereignisse und Sehenswürdigkeiten im Raum Genf, auf kleine und große Restaurants mit exquisiter Küche.

Ich lernte die bunt gescheckte Konsulararbeit kennen und schätzen. Wie am Amtsgericht in Melle machte es mir Freude, mit Menschen umzugehen, ihnen in schwierigen Situationen helfen zu können. Die bewegendste Aufgabe waren die erschütternden Wiedergutmachungsfälle. Im Einzelschicksal zeigte sich die Brutalität des Nazi-Unrechtsregimes mit besonderer Deutlichkeit. Niemand, der solche Anträge bearbeitet hat, wird diesen Teil unserer Arbeit vergessen.

Die Arbeit des Generalkonsulats umfasste auch die Vertretung bei den Internationalen Organisationen in Genf. Die Mitarbeit dort war schwieriger geworden. Ostberlin bemühte sich, dem Ziel der staatlichen Anerkennung der DDR über die Mitgliedschaft in den VN-Sonderorganisationen näher zu kommen. Hier leitete mich der Chef der Vertretung, Generalkonsul Dr. Rudolf Thierfelder, persönlich an. Er war ein erstklassiger Jurist und erfahrener Diplomat. Seine Frau und er nahmen mich mit großer Freundlichkeit auf.

Karin

Es gehörte zur Tradition im Genfer Generalkonsulat, dass der jeweilige Attaché am Mittagstisch von Madame Darrier teilnehmen konnte. Sie war die Witwe eines angesehenen calvinistischen Genfer Pfarrers. Das Essen war nicht aufregend. Aber Madame Darrier hatte immer einen Kreis begabter junger Menschen in ihrem Hause. Viele standen kurz vor dem Abschluss ihres Studiums und dem Beginn einer aussichtsreichen beruflichen Karriere.

Es war Madames Leidenschaft herauszufinden, wer an ihrer Tafel zu wem passen würde. Sie stand im Ruf, schon eine Reihe von Ehen angebahnt zu haben. Für die Attachés bot der Mittagstisch Gelegenheit zu internationalem Gedankenaustausch, zur Übung der französischen Sprache und – die Möglichkeit, attraktive Bekanntschaften und Freundschaften zu knüpfen.

Im Sommer 1957 kam eine gut aussehende junge Dame neu an die Tafel. Sie hatte langes blondes Haar und helle blaue Augen. Die mediterranen Männer waren sofort angezogen und umschwärmten sie. Madame Darrier stellte sie vor: »Karin Engel ist aus Norddeutschland.« Auch ich war hellauf begeistert. Aber sie wurde von den anderen geradezu überschüttet mit Angeboten, ihr beim Einleben behilflich zu sein, sie mit Genf und seiner vielseitigen Umgebung vertraut zu machen.

Als Madame Darrier sie dann neben mich setzte, versuchte ich, ihr mit meinen Französischkenntnissen zu imponieren – was mir aber gründlich misslang. Erst allmählich kamen wir uns näher. Wir machten Exkursionen in den Jura, auf den Mont Salève und nach Savoyen in die französischen Alpen.

Für Karin war dies der erste längere Aufenthalt im Ausland. Es machte mir viel Freude, sie mit Geschichte, Land und Leuten, Gastronomie, Gepflogenheiten und Folklore vertraut zu machen. Wir stellten bald fest, dass wir beide gebunden waren. Karin stand vor einer Verlobung mit einem Unternehmer in Itzehoe. Meine portugiesische Freundin Guida Reziende sollte in wenigen Wochen mit ihren Eltern nach Deutschland kommen, um meine Familie und unser Land kennen zu lernen, ehe wir uns verloben wollten.

Karin und ich haben in den folgenden Monaten unsere Bindungen gelöst. Für uns beide waren diese Gespräche mit unseren Verlobten und den Familien sehr, sehr schwer. Aber ich habe nie gezweifelt, dass unsere Entscheidung richtig war. Die letzten Monate in Genf vergingen wie im Flug.

Mit drei Freunden hatte ich ein kleines Segelboot, einen französischen Vaurien. Es lag an einem idyllischen Ankerplatz in dem kleinen Hafen vor dem beliebten Restaurant La Perle du Lac.

Karin und ich segelten mit dem Boot weit hinaus auf den Genfer See oder wir kreuzten abends bei Sonnenuntergang vor der Kulisse der Stadt, in der langsam die Lichter angingen.

Wir maßen unsere Kräfte im Tennisspiel. Gegen die ehemalige Jugendmeisterin von Itzehoe blieb mir meist nur die Rolle des zweiten Siegers.

Im Oktober musste ich zum Abschlusslehrgang und zum Examen nach Bonn. Karin wollte zurück nach Itzehoe und dort ihre persönlichen Dinge klären.

Wir hatten eine herrliche Autofahrt durch Jura und Elsass in der goldenen Herbstfärbung. Besonders Colmar und das Museum mit der Kreuzigungsszene von Mathias Grünewald machten uns großen Eindruck. Wir versprachen uns, dass wir bald und öfter in das gesegnete Land am Rhein zurückkehren wollten.

Der erste Besuch bei Karins Familie

Im Winter sollte ich den wichtigen ersten Besuch bei Karins Eltern, Georg und Senta Engel, in Itzehoe machen. Karin hatte mir viel von ihrer Familie erzählt und von der Stadt Itzehoe an der Stör. Das von ihrem Großvater aufgebaute, von ihrem Vater kräftig erweiterte Unternehmen Rudolf Rusch Mühlenwerke und Brennerei war der Stadt eng verbunden.

Obwohl Karin mich umfassend vorbereitet hatte, ging nicht alles nach Wunsch. Nach der Begrüßung bewunderte ich – wie angeraten – die Jagdtrophäen in der Eingangshalle: »Welch kapitale Hirsche!« Vater Engel war angetan.

Zum Begrüßungstrunk wurde ich in den Salon gebeten. Schwiegervater kredenzte den in der Firma destillierten Korn. Er trank mir zu: »Herzlich willkommen, auf Ihr Wohl!« Ich wollte weitere Pluspunkte sammeln und antwortete: »Herzlichen Dank für die freundliche Aufnahme, Petri Heil!«

Karins Vater reagierte: »Waidmannsheil und Horrido!« Schallendes Gelächter. Ich lachte mit und das Eis war gebrochen.

Mit Karins Vater hatte ich lange Gespräche über die wirtschaftliche Lage. Er schilderte mir den eindrucksvollen Ausbau seines Unternehmens in den Nachkriegsjahren.

Mit Mutter Engel sprachen wir über das Leben in Itzehoe früher und jetzt, über die Annehmlichkeiten der nahe gelegenen Großstadt Hamburg. Ich erfuhr mehr über die Familie.

Karin half mir, wo sie konnte. Sie zeigte mir ihre Stadt und die Umgebung. Ich lernte ihren Bruder und dessen Familie kennen, Onkel, Tante und Freunde der Familie.

Leider war der Besuch wegen der Examensvorbereitungen viel zu kurz. Aber am Ende waren wir uns einig. Wir wollten uns nach dem Abschluss des Examens verloben. Ich fuhr begeistert nach Bonn zurück. Die Freude half mir, den Strapazen des Abschlussexamens gelassener entgegenzusehen.

Verlobung und Hochzeit

Die Wochen der Prüfung vergingen wie im Fluge. Im April war es geschafft. Am 5. Mai feierten Karin und ich unsere Verlobung. Anschließend gingen wir auf Verlobungsreise. Die Sitten waren damals noch streng. Wir konnten nur fahren, weil meine Mutter sich bereit fand, uns zu begleiten.

Wir fuhren über Genf und die französischen Alpen zur italienischen Riviera. Für Karin und mich war es herrlich – unbelastet von Entscheidungen und Examen – die Orte wieder zu sehen, wo wir uns kennen gelernt hatten, und Pläne für die Zukunft zu schmieden.

In Genua hatten wir uns mit unserem Freund und Kollegen Wilfried Vogeler verabredet, vor dessen Ausreise nach Indien. Wilfried und ich hatten während der Examenswochen eng zusammengearbeitet und waren uns daher als Freunde noch näher gekommen. Sein erster Posten war Bombay, dort sollte er seiner attraktiven und liebenswerten Frau Mrinalini begegnen.

Wilfried hatte Neuigkeiten für Karin und mich. Unser Konsul in Dakar, Walter Reichhold, musste dringend auf Heimaturlaub gehen. Dakar hatte einen riesigen Amtsbezirk: von Senegal bis Niger, von Mauretanien bis Togo. Das Auswärtige Amt wollte bei der unruhigen Entwicklung in Afrika und der zunehmenden Auseinandersetzung mit der DDR in der Dritten Welt diesen großen Raum nicht viele Monate lang ohne Betreuung durch einen Vertreter des höheren Dienstes lassen. Ich sollte von Juni 1958 bis Anfang 1959 als frisch gebackener Vizekonsul diese Vertretung übernehmen.

Für einen jungen Beamten war dies eine reizvolle Herausforderung. Karin und mich stellte es für unsere Pläne vor wichtige Entscheidungen.

Ich schlug ihr vor, ich wollte das Abenteuer gern mit ihr gemeinsam antreten und vor der Ausreise noch heiraten. Ich war glücklich, wie kurz entschlossen Karin einwilligte und die ungewisse Zukunft in einem uns beiden völlig unbekannten Kontinent auf sich nahm.

Es galt, in Rekordzeit die Hochzeit vorzubereiten und gleichzeitig die notwendigen Vorbereitungen für unsere erste Auslandsversetzung zu treffen. Karins Eltern waren patent und verständnisvoll, Mutter Engel organisierte eine Bilderbuchhochzeit.

Die Trauung in der alten Stadtkirche von Itzehoe an einem herrlichen Holsteiner Sommertag, das sympathische Interesse der Itzehoer Zuschauer und das anschließende, mit viel Liebe und Perfektion vorbereitete Hochzeitsessen blieben uns in bester Erinnerung.

Karins Eltern hatten uns im Hotel Vierjahreszeiten in Hamburg eine herrliche Suite über der Alster gebucht.

Am nächsten Tag fuhren Karin und ich zur Einweisung nach Bonn. Dort hatten wir im Stern-Hotel am Markt ein großes Doppelzimmer mit Blick auf das hübsche Bonner Rokoko-Rathaus reserviert. Als wir spätabends eintrafen und uns im Gästeregister eintrugen, ergriff Karin meine Aktentasche mit allen Unterlagen und wollte schon aufs Zimmer gehen. Der Portier rief ihr hinterher: »He, Fräulein, wo wollen Sie hin? Wir sind ein anständiges Hotel.«

Ich musste tatsächlich alle Unterlagen durchwühlen und die frische Heiratsurkunde ausgraben, ehe wir das für Herrn und Frau Ruhfus gebuchte Zimmer betreten konnten. Wir waren zu müde, um uns nach einer anderen Bleibe umzusehen. Am nächsten Morgen entschuldigte sich die Direktion mit einem großen Hochzeitsstrauß roter Rosen.

Die Kollegen sicherten mir alle sachliche Unterstützung für die neue Aufgabe zu, finanziell allerdings waren dem Auswärtigen Amt die Hände durch das Innen- und Finanzministerium gebunden. Man sah 1958 keinerlei Möglichkeit, bei einer nur 7-monatigen Abwesenheit die Flugkosten für die junge Ehefrau zu genehmigen, geschweige denn, irgendwelche Umzugskosten zu erstatten. Also mussten wir Karins Flug privat bezahlen und unser Begleitgepäck auf ein Minimum beschränken. Karins Vater half uns großzügig, die Übersiedlung nach Dakar vorzubereiten.

Wir mussten auch zu unserer vorgesetzten Behörde fahren, der Botschaft in Paris. Das Büro des Botschafters hatte für uns ein Hotelzimmer reserviert. Gewitzt durch die Erfahrungen in Bonn, legte ich bei der Rezeption unsere Papiere vor, gleich als wir uns eintrugen. Ich fügte unsere Heiratsurkunde bei und erklärte, dass wegen der Kürze der Zeit Karins Pass noch nicht auf ihren neuen Namen geändert werden konnte.

Das perplexe Gesicht von Madame an der Rezeption ist Karin und mir unvergesslich. Erst verstand sie überhaupt nicht, was meine Erklärungen bezweckten, dann lachte sie lauthals: »Mais Monsieur, qu'est ce que vous voulez? Vous êtes à Paris!«

Botschafter Herbert Blankenhorn und die Kollegen an der Botschaft schilderten uns, wie Französisch-Westafrika in Bewegung geraten war. Sie freuten sich, dass ein Vertreter für Herrn Reichhold entsandt wurde. Konkrete Weisungen für die Arbeit in Dakar hatten sie nicht, aber sie sähen der Berichterstattung mit großem Interesse entgegen. Bei einem Abendessen an den Champs Élisées an einem milden Sommerabend freuten Karin und ich uns noch einmal über den Charme und die Schönheit der französischen Metropole. Vor uns lagen harte Monate an der afrikanischen Westküste in der heißen Regenzeit.

Am nächsten Morgen begleitete Karin mich zum Flughafen. Sie würde mir so schnell wie möglich folgen, sobald sie noch einige für die Tropen notwendige Dinge besorgt hätte.

Dakar (1958-1959)

Am Flughafen von Dakar begrüßte mich der Konsul, Dr. Walter Reichhold. Er trug eine Chemise-Veste, die elegante französische Version der Safarikleidung. Die feuchte Luft schlug mir unter der tropischen Nachmittagssonne wie ein warmer Lappen ins Gesicht. Schon auf der Fahrt in die heiße Stadt begann Herr Reichhold, mich einzuweisen. Nachdem wir dem Auswärtigen Amt die Amtsübergabe telegrafiert hatten, flog er in den lange erwarteten Heimaturlaub.

Dakar hat zwei völlig verschiedene Jahreszeiten. Im Winter und im Frühjahr ist das Klima an der Westküste von Senegal gemäßigt, mediterran. Von Mai bis November hingegen – in der Hivernage, der Zeit der tropischen Regengüsse – herrscht feuchtheißes Tropenklima.

1958 waren Klimageräte in Dakar noch ein wahrer Luxus. Alle, die es konnten, verließen in den Sommermonaten die afrikanische Westküste.

Dakar war zentraler Hafenplatz und Sitz der französischen Regierung von Afrique Occidentale Française (AOF). Gouverneur war der spätere Ministerpräsident Pierre Messmer. Die französische Kolonialverwaltung residierte in einigen großen Gebäuden, der Sitz des Gouverneurs mit großem Park lag direkt am Meer.

An den Hafen schlossen sich eine Reihe von Geschäftshäusern an. Entlang der Küste wohnten die Wohlhabenden: Europäer, Libanesen und arrivierte Afrikaner. Rings um die Stadt wucherten Siedlungen. Die besseren Häuser waren schmucklose Steinbauten, die einfachen waren mit Wellblech gedeckte Hütten, die diesen Vororten zu der Bezeichnung »Bidonville« verhalfen.

Es gab wenig Wasseranschlüsse und noch weniger Kanalisation. Wenn man morgens durch die Stadt fuhr, hockten die Bewohner reihenweise und nutzen die Ablaufrinnen. Aber auch die heitere Lebensfreude der Bewohner bestimmte das Bild von Dakar. Besonders am Abend und an den Wochenenden gab es an vielen Straßenecken die Tamtam-Musiker und Anwohner, die sich anmutig und temperamentvoll zum Rhythmus der Trommeln bewegten. Schon von ferne bemerkte man den spezifischen Geruch dieser Großstadt: eine Mischung aus gerösteten Erdnüssen, Holzkohlefeuern und den Ausdünstungen von Mensch und Tier.

Unser erstes Heim: ein heißes Gästezimmer

Konsulat und Wohnung von Konsul Reichhold lagen in der Rue Albert Sarraut, eine der Hauptstraßen des Geschäftszentrums der Stadt. Das Büro befand sich im ersten Obergeschoss, die privaten Räume des Konsuls waren eine großzügige Wohnung mit Dachterrasse im obersten Stock. Wie während der Regenzeit üblich, hatten die meisten Konsulatsangehörigen Heimaturlaub: der Konsul, die entsandte Sekretärin und der Registrator waren in Europa. Von der Mannschaft des Konsulats war nur Kanzler Johannes Bothur in Dakar geblieben. Er hatte sich Hoffnung auf die Stellung des Vertreters gemacht und auf die damit verbundene Zulage. Es war es für ihn enttäuschend, dass ein junger Beamter aus Bonn entsandt wurde.

Das Konsulat hatte für die Zeit der Hivernage eine Ortskraft eingestellt, Frau Savoy. Sie und ihr Mann, ein französischer Offizier, waren während der Urlaubsmonate in die Wohnung der Familie Reichhold eingezogen. Für uns waren Gästezimmer und Gästebad vorgesehen. Savoys hatten freundlicherweise zugestimmt, dass wir Küche und Wohnzimmer mitbenutzen konnten.

Das war der Anfang unserer Ehe, ein Zimmer ca. 4 x 5 m mit einem Gästebad, die anderen Räume zur gemeinschaftlichen Nutzung, keine Klimaanlage bei sommerlichen Höchsttemperaturen und über 90 % Luftfeuchtigkeit.

Mich entschädigte die Herausforderung, für einige Monate Chef einer Auslandsvertretung in einem der größten Konsularbezirke der Bundesrepublik zu sein. Die Ausdehnung von Senegal bis Niger entsprach etwa der Entfernung von der französischen Kanalküste bis zum Ural.

Für Karin war der Wechsel dramatisch und schockierend. Vom bequemen Leben in der gepflegten Villa der Eltern mit geschultem, langjährig vertrautem Personal, von holsteinischer Sauberkeit und Hygiene, vom schnellen Zugang zu den Einkaufs- und Unterhaltungsmöglichkeiten in Hamburg – zu einer exotischen afrikanischen Großstadt mit Staub und Hitze, tropischen Regengüssen, Gestank und bitterer Armut, mit bettelnden Leprakranken vor unserer Eingangstüre und Reihen von Geiern, die träge auf dem gegenüberliegenden Balkon des Kaufhauses Lafayette hockten und in unser Zimmer starrten.

Schon der Dienstwagen des Konsulats, mit dem ich sie am Flughafen abholte, war eine herbe Überraschung. Keine blanke Limousine mit blinkenden CC-Schildern (Corps Consulaire), sondern ein betagter Landrover, dem man ansah, dass er auf vielen Fahrten in Savanne und Wüste seinen Dienst getan hatte.

Karin war phantastisch. Auf der Fahrt zum Konsulat erkundigte sie sich nach der Stadt und ihren Bewohnern. Wir machten Pläne für die Erkundung von Dakar und Umgebung. Selbst die vielen überfahrenen Schlangen auf der Hauptstraße vom Flugplatz konnten sie nicht abschrecken.

In der Wohnung packte sie gleich aus und machte den nüchternen Raum mit einigen Fotos und anderen persönlichen Kleinigkeiten etwas wohnlicher.

Wann immer wir die Küche betraten und das Licht anmachten, raschelte es laut, Scharen von Kakerlaken flüchteten in die dunklen Ecken des Raumes. Bei unserem Antrittsbesuch hatte der Eigentümer des Hauses uns die Anregung gegeben, den Kakerlaken mit Chemikalien zu Leibe zu rücken.

Wir kauften Anti-Insekten-Patronen in der Apotheke. Abends dichteten wir Fensterritzen und Türfugen mit Zeitungspapier, dann zündeten wir das kleine Päckchen in der Mitte des Raumes an und verließen die Küche.

Am nächsten Morgen öffneten Karin und ich vorsichtig und neugierig die Tür. Das Bild, das sich uns bot, übertraf all unsere Vorstellungen. Der Boden war übersät mit tausenden von Kakerlaken. Sie lagen auf dem Rücken, Beine gen Himmel gestreckt, viele tot, andere zappelten noch. Wir ließen sie liegen, tranken statt des Morgenkaffees aus der Küche eine Coca-Cola aus dem Eisschrank im Wohnzimmer und warteten, bis der Angestellte Ali um 8 Uhr kam, die Kakerlaken zusammenfegte und sie eimerweise in den Müllschlucker schüttete.

Das schaffte temporäre Erleichterung, bis neue Tierchen den Weg in die oberste Etage fanden. Wir mussten die Kammerjägerübung in regelmäßigen Abständen wiederholen.

Die Küche war nicht das einzige Problem. Nachts kamen oft plötzlich heftige Gewitter auf. Wenn wir losliefen, um die Wohnzimmerfenster vor den Sturmböen zu sichern, quatschten wir über große Kakerlaken, die nicht rechtzeitig geflüchtet waren. Im Schlafzimmer hatten wir Wassergläser am Bett. Bis wir begriffen hatten, dass man die Gläser abdecken muss, rutschten uns beim Trinken Kakerlaken in den Mund.

Die Sonnenseiten von Dakar entschädigten uns. Nachmittags, nach dem Dienst, fuhren wir zum Hotel Ngor. Es war damals das erste große Hotel in der Nähe des Flughafens. Mit dem vorgelagerten Riff war die Bucht vor dem Hotel ideal zum Schwimmen, sie galt als haifischfrei.

Neue Bekannte führten uns zu den vorzüglichen Fischrestaurants an der Küste.

Wir kauften auf Pump einen kleinen gebrauchten Renault 4, den wir »car rapide« nannten nach den wilden Minibussen, mit denen ein großer Teil des Verkehrs in Dakar abgewickelt wurde. So konnten wir die Umgebung der Stadt erkunden.

Es gab eine sandige Piste nördlich des Flughafens, die schon in relativer Nähe der Stadt einen guten Eindruck von der Savanne gab. Einmal begegneten wir dort, mitten auf dem Weg, einer schwarzen Mamba, die eine große, drachenartig aussehende Eidechse fixierte. Wir hupten. Karin stieg aus, sie wollte die Eidechse retten. Schließlich ließ die Mamba ab und schlängelte sich in das trockene Gras am Straßenrand. Karin stupste die Eidechse an, bis sie aus der Trance erwachte und davontorkelte.

Freunde haben uns hinterher aufgeklärt, dass diese Begegnung auch anders hätte ausgehen können. Das Gift der Mamba wirkt sehr schnell. Auch die Stacheln der Lézards könnten giftig sein.

Im Büro fand ich Akten und Aktenordner vor wie in Bonn; ich hatte mit einer französisch geschulten Administration zu tun. Die Hauptlast der neuen Umgebung trug Karin. Sie musste sich durch bettelnde Kinder und Leprakranke den Weg in die Geschäfte und zum Markt bahnen. Dort gehörte längeres Handeln und Feilschen mit Mund und Händen zum Einkaufen. Unserem Angestellten Ali versuchte Karin, norddeutsche Vorstellungen von Ordnung und Sauberkeit nahe zu bringen, und das in einer Mischung aus Zeichensprache, Französisch und den ersten Worten in der Stammessprache Woloff.

Nach wenigen Wochen lud uns der Vertreter der Lufthansa ins Landesinnere ein, wo wir in einem französischen Restaurant vorzüglich aßen. Wir genossen den Sonnenuntergang im Busch und kehrten abends fröhlich nach Dakar zurück.

In der Nacht wurden wir alle sterbenskrank. Der Stationsvorsteher der Lufthansa wurde sofort zur Behandlung in die Heimat geflogen. Karin und ich lagen mit hohem Fieber in Dakar im Bett. Das Fieber wollte trotz Behandlung mit starken Medikamenten mehrere Tage lang nicht fallen, der Vertrauensarzt des Konsulats zog sein Gesicht in sorgenvolle Falten. Schließlich setzte sich doch unsere Konstitution durch; aber es dauerte Wochen.

Die Krankheit hatte ihr Gutes. Das Ehepaar Savoy hatte Mitleid. Sie boten uns an: »Wir haben das einzige klimatisierte Zimmer in der Wohnung. Neben unserem Schlafzimmer ist ein kleines Boudoir. Wir können dort zwei Betten aufstellen und den Raum mitklimatisieren.« Das war für uns eine Erlösung. Die feuchtheißen Nächte in einem Zimmer mit bescheidenen Fenstern, die erst in den frühen Morgenstunden etwas Abkühlung einließen, waren für Karin und für mich beschwerlich gewesen. Jetzt konnten wir nachts durchschlafen.

So haben wir die ersten Monate unserer Ehe mit einem anderen Paar in einem Schlaftrakt verbracht.

Die Arbeit des Konsulats

Besondere Weisungen waren mir nicht mit auf den Weg gegeben worden. Für die Arbeit des Konsulats galten die allgemeinen Regeln der Runderlass-Sammlung des Auswärtigen Amts. Dies bedeutete: Schutz der deutschen Staatsbürger, Unterstützung der deutschen Wirtschaft, Pflege der Kontakte zu den lokalen Behörden. Im politischen Bereich hatten 1958 die Franzosen das Heft noch fest in der Hand. Aber Vorboten von Unruhen und Veränderungen waren spürbar. Die Forderungen nach mehr politischer Selbstbestimmung und Unabhängigkeit drangen von anderen afrikanischen Ländern nach AOF.

Frankreich hatte es geschickt verstanden, prominente Afrikaner in sein zentralistisches politisches System einzubauen und in höchste Ämter aufsteigen zu lassen.

Präsident Leopold Senghor war das Modell eines Afrikaners, der sich die französische Bildung voll angeeignet hatte und Spitzenpositionen in Wissenschaft und Politik in Dakar und in Paris erklomm. In Dakar gab es eine größere Zahl weiterer hervorragend gebildeter und durch französische Erziehung geprägte Persönlichkeiten, wie Mamadou Dia, der spätere Premierminister von Senegal, und Lamine Gueye, der Bürgermeister von Dakar.

Ein besonders prominentes Beispiel war Felix Houphouet-Boigny, der einflussreiche politische Führer der Elfenbeinküste und mächtige Gegenspieler der Politiker der Westküste.

Dakar war für mich die erste Begegnung mit der französischen Kolonialpolitik. Später in Kenia sah ich noch deutlicher, wie groß die Unterschiede zur englischen Politik in Afrika waren. Beide Länder gaben der jungen Elite ihrer früheren Kolonien die Möglichkeit, an ihren besten Universitäten und Hochschulen zu studieren. In Frankreich konnten begabte Hochschulabsolventen im zentralistisch auf Paris ausgerichteten System aufsteigen und sogar Positionen im französischen Kabinett einnehmen. In den früheren englischen Kolonien führte der Weg für jüngere Politiker bald zurück in die

Heimat. Sie übernahmen nicht Positionen im Kabinett in London, sondern machten – wie Nkruma, Obote, Kenyatta und Nyerere – ihren Weg in ihrem Heimatland.

Die frankophonen afrikanischen Führer blieben Paris nicht nur kulturell verbunden. Mischehen schufen häufig zusätzliche Bande. Im Elysée gab es unter Botschafter Jacques Foccart jahrzehntelang eine Abteilung, die, falls gewünscht, den frankophonen Präsidenten politische, in Spezialfällen sogar militärische Unterstützung gewährte.

Gegenüber diesem engen Netz zwischen Paris und den frankophonen Hauptstädten in Afrika galt es 1958, für mich wie für die anderen Konsuln, Zurückhaltung zu üben, nichts gegen die französischen Interessen zu tun, aber das Auswärtige Amt über die Entwicklung und das sich ändernde Klima umfassend zu unterrichten. Im wirtschaftlichen Bereich hingegen fühlte ich mich frei, die Interessen unserer deutschen Unternehmen zu fördern und ihnen zu besseren Wettbewerbschancen in AOF zu verhelfen.

Wichtige Kunden des Konsulats waren die deutschen Handelsschiffe. Viele Frachter liefen Dakar an, um zu bunkern. Das Konsulat war zugleich Seemannsamt. Wenn die Schiffe durch Stürme im Kanal oder in der Biscaya gefahren waren, kamen die Kapitäne ins Konsulat, um Verklarungen abzulegen gegen eventuelle Schäden an der Ladung. Oder sie ließen Änderungen der Mannschaftsliste bestätigen.

Meuterei an Bord

Am 19. Dezember 1958 kabelte der deutsche Frachter MS Burkhard Bröhan aus Conakry: »Meuterei an Bord. Wir bunkern in Dakar abends um 22.00 Uhr und bitten dringend den Konsul, aufs Schiff zu kommen.«

Ich versuchte, mich auf diese Begegnung vorzubereiten. Im Konsulat gab es einen Gesetzestext über die Aufgaben des Seemannsamts und einen kurzen Standardkommentar. Einen ähnlichen Fall hatte es nach den Unterlagen des Konsulats bisher noch nicht gegeben. Deutschen Rat konnte ich über die große Entfernung in der kurzen Zeit bis zur Ankunft des Schiffs nicht einholen. Die französischen Behörden verwiesen auf die Zuständigkeit des deutschen Konsulats. Ich fühlte mich schlecht gerüstet.

Karin und ich standen abends an der Pier, als das Schiff einlief. Kaum hatte der Frachter festgemacht und das Fallreep angelegt, stürmten Mitglieder des Schiffs auf uns zu. Einer rief: »Ich bin der Erste Ingenieur, der Kapitän hat keine Kontrolle über das Schiff!« Dann kam der Kapitän: »Einer der Ingenieure trinkt, er gefährdet das Schiff.« Sie wurden jeweils von einem Teil der Mannschaft lauthals unterstützt.

Die Erfahrungen vom Amtsgericht Melle schossen mir durch den Kopf: ruhige, klare Verhandlungsführung, sich das Heft nicht aus der Hand nehmen lassen. Die Mannschaft kam im Messeraum des Schiffs zusammen. Zunächst hörte ich die Streitparteien, dann Zeugen. Ein Funker schrieb mit zwei Fingern auf einer Schreibmaschine. Sobald sie unterschreiben sollten, widerriefen die Zeugen einen Teil ihrer Aussagen. Karin sprang ein und schrieb das Protokoll flüssig in die Maschine.

In den frühen Morgenstunden war der Sachverhalt klar. Der dritte Ingenieur trank im Dienst und hatte in mehreren Orten – während der Maschinenmanöver bei der Ausfahrt aus dem Hafen – angetrunken den Maschinenraum verlassen. Der Kapitän hatte Schwierigkeiten, sich gegenüber Teilen der Mannschaft durchzusetzen, der Konsul sollte seine Autorität bestätigen.

Karin und ich zogen uns zur Beratung zurück. Ich war froh, dass sie bei mir war und ich die Entscheidung im Gedankenaustausch mit ihr abklären konnte. Das Schiff sollte in wenigen Stunden auslaufen. Ich musste eine Entscheidung treffen. Ich hatte keine Anhaltspunkte für ein angemessenes Strafmaß. In Deutschland konnte man Präzedenzfälle studieren, Kollegen fragen, wie ähnliche Fälle entschieden worden waren.

Schließlich verkündete ich meine Entscheidung: Der dritte Ingenieur war angetrunken im Dienst und hat bei An- und Ablegemanövern Schiff und Mannschaft gefährdet. Ich verurteilte ihn zur Zahlung von zwei Monatsheuern an die Seemannskasse in Hamburg. Der Kapitän war froh, dass mit der Bestrafung seine Autorität gestärkt wurde. Der dritte Ingenieur schien zufrieden, dass die Strafe nicht härter ausgefallen war. Vorsichtshalber ließ ich noch protokollieren, dass er die Entscheidung annahm und auf die Einlegung von Rechtsmitteln verzichtete.

Karin und ich kehrten frühmorgens nach Hause zurück und fielen erschöpft ins Bett.

Der französische Nationalfeiertag

Wenige Wochen nach unserer Ankunft feierte Dakar den »Quatorze Juillet«. Morgens begannen die Feiern mit einer Parade. Vorweg die Garde Rouge, die berittene Garde des Hohen Kommissars in ihren traditionellen roten Uniformen. Ein stolzes, exotisches Bild. Dann folgten die Fremdenlegionäre in schlichten Wüstenuniformen; ihre drahtigen, federnden Schritte zeigten geballte, disziplinierte Kraft. Das Kernstück waren die französischen Panzer. Der lange Aufmarsch demonstrierte eindrucksvoll die französische militärische Präsenz. Allerdings wurde ich stutzig, als zum dritten Mal ein Panzer mit der Aufschrift »Berchtesgaden« vorbeifuhr. Hinterher bestätigten konsularische Kollegen, die schon lange in Dakar dienten, dass die Panzer mehrfach vorgeführt wurden. Den Abschluss dieser martialischen Demonstration bildete wieder die malerische Garde Rouge.

Abends gab der Hohe Kommissar einen Empfang in seiner Residenz an der Küste. Der Kreis der Gäste – bunt gemischt, in Kleidern von letztem Pariser Schick wie in den farbenfrohen Nationaltrachten aus Mauretanien, Senegal, Elfenbeinküste, Guinea, Tschad und Sudan – war ein malerisches Bild.

Besonders die markanten Gestalten der Mauretanier in ihren blauen Umhängen fielen auf. Einige nutzten ihre weite Kleidung sehr geschickt, um darunter ganze Platten von Langusten zu transportieren, die sie am Rande des Parks im Kreis von Landsleuten aus der Sahara verzehrten. Senegalesische Trommler und Tanzgruppen heizten die festliche Stimmung an.

Bei diesem friedlichen Empfang aus Anlass des französischen Nationalfeiertages, der Europäer und Afrikaner aus vielen Teilen Westafrikas zusammenführte, war noch wenig davon zu spüren, wie sehr die Dinge in den kommenden Monaten in Bewegung geraten sollten.

Der Rat des englischen Generalkonsuls

Das Konsularkorps war eine kleine, freundliche Gemeinschaft. Karin und ich hatten engeren Kontakt zu dem englischen Generalkonsul Oldham und seiner Frau, die uns mit Rat und Tat halfen. Generalkonsul Oldham stand kurz vor dem Ende seiner Karriere. Er war seit einer Reihe von Jahren in AOF und verfügte über große Erfahrung.

Einmal in der Woche spielten wir abends vor Sonnenuntergang mit den Damen ein mixed Tennis. Bei dem folgenden Gin-Tonic fragte er gelegentlich: »Jürgen, I wonder, what will you tell your people in Bonn this week about what happened here?« Er korrigierte meine Bewertung und ließ mich an seiner Einschätzung teilhaben.

Seine Sicht war so gut und abgewogen, dass ich schon nach wenigen Wochen von Ministerialdirektor Hasso von Etztorf, dem Leiter der politischen Abteilung für die Dritte Welt, ein anerkennendes Schreiben für die interessante und gute Berichterstattung des Konsulats erhielt. Damals lernte ich, wie wertvoll der Rat eines erfahrenen Kollegen ist und wie gut es tut, eine positive Reaktion aus der Zentrale zu erhalten, zumal in einem so abgelegenen Teil der Welt.

Besuch in Bamako

Anfang September reisten Karin und ich nach Bamako, der Hauptstadt von Französisch Sudan, später in Mali umbenannt. Der Hohe Kommissar Henri Gipoulon betrachtete unseren Besuch offenbar als eine willkommene Unterbrechung der eintönigen Regenzeit.

Als Karin und ich in Bamako am Flugplatz eintrafen, standen wir zunächst verloren in der Abfertigungshalle. Schließlich kam ein weißhaariger, distinguierter französischer Beamter auf uns zu und begrüßte uns. Er hatte offenbar nicht mit einem so jungen Ehepaar gerechnet.

Draußen stand eine Staatskarosse mit einem Stander in den deutschen Farben. Wir wurden mit Eskorte durch die Stadt zum Amtssitz des Hohen Kommissars auf dem Mont Coulouba gefahren. Dort hatte ich ein ausführliches Gespräch mit dem Hohen Kommissar, einem temperamentvollen, lebensfrohen Südfranzosen.

Er erzählte, die politische Szene in Französisch-Sudan sei in Bewegung geraten. Das Land habe eine Reihe fähiger politischer Führer, die er am nächsten Abend für uns eingeladen habe. Er sei gespannt, welche Schritte General de Gaulle bei seinem in wenigen Wochen bevorstehenden Besuch in Dakar für die zukünftige Gestalt von Französisch-Westafrika verkünden werde.

Am nächsten Abend gab er ein großes Diner in seiner Residenz mit den Kabinettsmitgliedern Modibo Keita, Madera Keita und anderen, die in den nächsten Jahren als politische Führer von sich reden machten.

Das festliche Essen auf der Terrasse, mit dem Blick auf Stadt und Flusstal, die abendliche Brise nach einem heißen Tag, die freundliche Aufnahme von Franzosen und Afrikanern – das war für Karin und mich wenige Monate nach unserer ersten Auslandsversetzung ein großes Erlebnis.

Der Gouverneur fand offensichtlich Gefallen an der jungen blonden Frau aus Norddeutschland. Er sprühte vor Komplimenten. Sein südfranzösischer Akzent war für unser Genfer Französisch ungewohnt. Wenn Karin nachfragte, weil sie nicht sicher war, ob sie richtig verstanden hatte, inspirierte ihn das zu noch blumigeren Freundlichkeiten.

Ich hatte Gelegenheit zu kurzen Gesprächen mit den sudanesischen Politikern. Sie ließen sich von mir aus Deutschland berichten. Sie selbst waren zurückhaltend und verwiesen auf die großen Erwartungen, die sie an den bevorstehenden Besuch von General de Gaulle knüpften.

Der amtierende Direktor des Kabinetts des Hochkommissars, Monsieur Reuillard, war unser ständiger Begleiter. Er gab uns Einblick in die französischen Aufbauleistungen in diesem armen Land am Südrand der Sahara. Wir besuchten französische Entwicklungsprojekte in den Dörfern am Niger; die deutsche Entwicklungshilfe begann erst einige Jahre später. Wir kauften auf dem Markt in Bamako ein. Dort gab es herrliche handwerkliche Kunst; eine schöne Elfenbeinfigur erinnert uns noch heute an diesen gelungenen Besuch.

Im Nachhinein hatten Karin und ich oft das Gefühl, dass wir bei diesem Besuch in Bamako einen der letzten glanzvollen Monate der kolonialen Herrschaft Frankreichs in Französisch-Sudan erlebt haben.

Wir reisten mit der Bahn zurück. Aus dem Fenster sahen wir die endlose Savanne. Die eintönige Weite wurde nur ab und zu von einem verstaubten Dorf unterbrochen.

Ein afrikanischer Mitreisender wurde auf den kleinen Bahnhöfen von einer afrikanischen Menge begrüßt. Er hielt jeweils eine eindringliche kurze Rede, die mit großem Beifall aufgenommen wurde. Dann fuhr er weiter mit uns. Nach dem dritten Auftritt luden Karin und ich ihn zu einem Whisky in unser Abteil ein.

Er erzählte, er sei als Gewerkschaftssekretär nach China eingeladen worden und gerade erst von einem hoch interessanten Besuch in der Volksrepublik zurückgekehrt. Der stalinistische Marxismus aus dem Industrieland Sowjetunion könne für Afrika kein Vorbild sein. China dagegen schaffe seinen Aufstieg zu einer Weltmacht als Agrarland. Bei seinem Besuch in Peking und anderen Teilen Chinas habe ihn die Bereitschaft, zu helfen und die Erfahrungen weiterzugeben, stark beeindruckt.

Inspiriert vom Whisky, führten wir eine lange Diskussion über die Stärken und Schwächen des Marxismus, über die Vorzüge und Nachteile des sowjetischen und chinesischen Modells. Ich berichtete ihm mit vielen konkreten Beispielen von den Grausamkeiten des Stalinismus in Mittel- und Osteuropa. Er war aber so fasziniert von seinen Erfahrungen in China, dass ihm die Mängel des kommunistischen Systems kaum Eindruck machten.

Für mich waren diese Diskussionen in der Sommernacht im Zug, die flammenden Appelle bei den Zwischenstopps und die begeisterte Reaktion der Menge die ersten Vorboten für die langjährige Konkurrenz zwischen Moskau und Peking in Afrika. Sie führte schließlich zum Bau der Tan-Sam-

Bahn, zu den großen chinesischen Projekten in Sansibar und auf dem ostafrikanischen Festland. Zugleich waren sie ein deutliches Zeichen, dass unter der ruhigen Oberfläche der effizienten kolonialen Administration in AOF virulente Kräfte brodelten, die schon bald zu Eruptionen führen konnten.

De Gaulle in AOF

Am 26. August trat de Gaulle die lang angekündigte Rundreise durch die regionalen Hauptstädte in AOF Abidjan, Conakry und Dakar an, um seine Vorschläge für eine Französisch-Afrikanische Gemeinschaft zu erläutern.

In der Hauptstadt der Elfenbeinküste Abidjan bereiteten die Bevölkerung und die führenden Politiker, Houphouet Boigny und Ministerpräsident Denise, dem französischen Präsidenten einen begeisterten Empfang. Sie sprachen sich für die Gemeinschaft aus.

Anschließend reiste de Gaulle nach Guinea. In Conakry kam es zu einem dramatischen Eklat mit dem jungen, ehrgeizigen Politiker Sékou Touré. Französische Freunde aus der Verwaltung in Dakar, die dabei waren, haben mir die folgenschwere Begegnung wiederholt geschildert. Sékou Touré hatte den bedeutenden Besuch sorgfältig vorbereitet, dessen Höhepunkt Sékou Tourés Rede vor dem Parlament sein sollte. Er hatte den Wortlaut seiner Ausführungen vorher dem französischen Minister für die überseeischen Gebiete Bernard Cornut-Gentille übergeben. Er sprach mit afrikanischer Eloquenz und mit dem Engagement eines zielbewussten Volkstribuns.

Als sein rhetorisches Feuerwerk in der Forderung nach dem Recht auf »Indépendance sans limitations – Unabhängigkeit ohne Einschränkungen« gipfelte, spendeten seine guineischen Zuhörer jubelnden Beifall. De Gaulle, der offenbar auf Inhalt und Form der Rede nicht genügend vorbereitet war, fühlte sich herausgefordert und in seinem Ansehen verletzt. Er forderte seine Begleitung auf, mit ihm die Versammlung zu verlassen, stieg in sein Flugzeug und wandte Guinea abrupt den Rücken.

Diese Konfrontation ist für mich ein historisches Beispiel für ein Missverständnis zwischen zwei kraftvollen Persönlichkeiten; es hatte für viele Menschen vor allem in Guinea einschneidende Folgen. Die erschütternden Nachwirkungen haben mich in meiner späteren Laufbahn wiederholt beschäftigt.

Sékou Touré legte sich fest auf ein »Nein« zu dem Angebot der Gemeinschaft. Frankreich zog seine Experten ab und stellte schlagartig die Hilfe für Guinea ein. Die wirtschaftlichen Konsequenzen für dieses Land, das am

Anfang seiner wirtschaftlichen Entwicklung stand, waren verheerend. Sékou Touré wandte sich schließlich der Sowjetunion und den Warschauer-Pakt-Staaten zu. Die Unzufriedenheit in Guinea wuchs. Die Opposition nahm zu. Sékou Touré zog die politischen Zügel immer stärker an. Er ließ viele seiner intelligenten Anhänger und Mitstreiter inhaftieren und später zu Tode kommen. Dieser Aderlass hat das arme Land mit einer liebenswürdigen Bevölkerung hart getroffen und auf Jahrzehnte in Rückständigkeit gehalten.

Auch die deutsche Außenpolitik wurde betroffen. Als die französische Hilfe eingestellt wurde, mobilisierte Sékou Touré die Bevölkerung Guineas für die Ablehnung der Gemeinschaft. Die kritische Haltung Conakrys strahlte auf die Nachbarländer aus. Auch in Dakar wurden nun Stimmen gegen die Communauté laut. Die politische Stimmung wurde angeheizt. Präsident Senghor und Ministerpräsident Mamadou Dia waren auf Grund »diplomatischer Krankheit« von Dakar abwesend. Es gab Unruhen und Demonstrationen. Als das Fernsehen in Deutschland darüber berichtete, kamen sorgenvolle Anrufe von zu Hause. Wir konnten die Eltern und Schwiegereltern beruhigen. Die Berichte seien übertrieben. Die Demonstrationen fänden entfernt von unserer Wohnung in anderen Stadtteilen statt.

De Gaulle reagierte. Er hielt nach seiner Ankunft in Dakar eine große Ansprache auf der Place de la Constitution. Der Zulauf war riesig. Viele Transparente forderten. »De Gaulle, va t'en!«, »Indépendance immédiate!«. Der General ging die entscheidende Frage frontal an. Er begann: »Zunächst ein Wort an die Träger der Plakate: Wenn sie die Unabhängigkeit wollen, dann sollen sie sie doch ergreifen – am 29. September bei der Entscheidung über die Gemeinschaft!« Es folgte ein kurzer, aber flammender Appell, beim Aufbau der historischen Gemeinschaft zwischen Frankreich und den afrikanischen Völkern mitzuarbeiten.

Am nächsten Morgen folgten Begegnungen mit afrikanischen Würdenträgern und ein Treffen mit dem Konsularcorps. De Gaulle erläuterte seine Vorschläge für die Communauté. Die afrikanischen Staaten sollten weitgehende Autonomie erhalten, dafür aber in der Gemeinschaft mit Paris weiterhin verbunden bleiben. Er beendete die Unterrichtung der Konsuln mit der Bitte um eine verständnisvolle Unterstützung durch die befreundeten und verbündeten Regierungen. Der Besuch de Gaulles war ein Höhepunkt des politischen Lebens in Dakar. Entsprechend groß waren Nervosität und Interesse.

Ich hatte den Ablauf dieses Ereignisses falsch eingeschätzt und hatte den afrikanischen Fahrer des Konsulats nicht am Sonntag in Anspruch nehmen wollen. Die Hohe Kommission war ja nur wenige Blocks von unserer Wohnung entfernt. Ich hielt unseren privaten kleinen Renault zudem immer noch für passender als den stark benutzten Landrover, der der einzige Dienstwagen des Konsulats war.

Mein soziales Mitgefühl war falsch am Platz. Auf den Bürgersteigen und Straßen standen tausende von Afrikanern. Ich kämpfte mich bis zum großen Platz vor der Hohen Kommission durch. Dort musste ich unser Auto stehen lassen, um nicht zu spät zum Treffen mit General de Gaulle zu kommen.

Kaum war ich ausgestiegen, kletterten Afrikaner auf das Dach, um von dort einen besseren Blick zu haben. Ich holte sie herunter, aber dann musste ich aufgeben, um die Begegnung mit de Gaulle nicht zu verpassen. Während des Treffens mit dem General sah ich im Geiste unser auf Pump gekauftes Auto vor mir, mit eingedrücktem Dach und zerkratzten Türen.

Die Begegnung mit dem Konsularkorps war die letzte Veranstaltung des Generals am Vormittag. Als ich die große Freitreppe hinabschritt, klopfte unser italienischer Kollege mir auf die Schulter: »Jürgen, ist das nicht euer Wagen?« Ein großer Kran der französischen Pioniere war gerade dabei, unseren Renault abzuschleppen, der einsam mitten auf dem großen Platz stand und störte.

Ich dankte den Soldaten, stieg ein und fuhr unter freundlichem Beifall der konsularischen Kollegen nach Hause.

Ich hatte gelernt: Das soziale Verständnis aus der Zeit als Werkstudent muss ich in Zukunft besser mit den dienstlichen Bedürfnissen des Konsulats in Einklang bringen.

Am Abend gab de Gaulle einen Empfang für über 3.000 Gäste in der Residenz des Hohen Kommissars. Ich hatte den General bisher nur aus der Distanz erlebt. Dies war das erste persönliche Zusammentreffen.

Er begrüßte jeden Gast mit Handschlag. Für viele fand er ein persönliches Wort. Karin und mich hieß er willkommen als deutsche Vertreter in dem für Frankreich so wichtigen Teil Afrikas. Er unterstrich die Bedeutung der deutsch-französischen Zusammenarbeit und seine persönliche Freundschaft mit Bundeskanzler Adenauer. Er überragte auch groß gewachsene Afrikaner aus dem Sudan. Nach dem langen Tag zeigte er kein Zeichen von Ermüdung, trotz tropischer Hitze und Feuchtigkeit. Es war schwer, sich der Wirkung seiner kraftvollen Persönlichkeit zu entziehen.

Sékou Tourés Flirt mit der DDR

De Gaulles Werben für die von ihm angebotene Communauté war erfolgreich gewesen. Alle Staaten in AOF stimmten zu, bis auf Guinea. Gleichwohl war die Entwicklung in Bewegung geraten, die Forderungen nach Unabhängigkeit verstummten nicht. Guinea war der Stachel im Fleisch der Communauté. Die Berichterstattung über die politischen Strömungen im Amtsbereich des Konsulats wurde wichtiger – nach erst wenigen Wochen in Dakar und bei der riesigen Ausdehnung des Konsularbezirks keine leichte Aufgabe.

Bei afrikanischen Gesprächspartnern war oft schwer abzuwägen: Für welche Gruppe sprachen sie? Wie groß war ihr Gewicht? Ich erhielt Hilfe von vorzüglichen französischen Beamten in der Hohen Kommission. Natürlich traten sie für die Pariser Position ein. Aber anders als manche Staatsbeamte in der französischen Hauptstadt hatten sie durch ihre langjährige Karriere in Übersee eine weniger frankozentrierte, eine pragmatische Sicht der Welt und ein unabhängiges Urteil, das ich sonst eher bei angelsächsischen Experten gefunden habe.

Die Ereignisse in Conakry überstürzten sich. Die Präsenz der Warschauer-Pakt-Staaten in Guinea nahm zu.

Die Presseagenturen meldeten, eine Handelsdelegation aus Ostberlin führe Gespräche in Conakry. Ich hatte dort keine Verbindungsleute, die ich fragen konnte, und überlegte, ob ich hinfliegen sollte. Aber würde mein erster Besuch vor Ort, ohne jede Vorbereitung, nicht als Übereifer eines jungen Beamten oder als Nervosität und Hektik der erschrockenen Vertretung der Bundesrepublik ausgelegt werden? Ich bemühte mich, die Verhandlungen von Dakar aus zu verfolgen. Nach einigen Tagen beruhigten mich die französischen Experten des Hohen Kommissars, die Delegation aus der DDR habe nichts erreicht. Von Freunden der Wirtschaft und von der Presse in Senegal erhielt ich die gleiche Auskunft. Also setzte ich ein Fernschreiben auf: »Nach allen hier erhältlichen Informationen ist die Delegation der DDR ohne konkrete Ergebnisse aus Conakry abgereist.« Kanzler Bothur und ich holten die komplizierten Weisungen für vertrauliche Berichte aus dem Panzerschrank, verschlüsselten den Text und brachten die Zahlen zur Post.

Kurz nachdem wir das Telegramm aufgegeben hatten, kam ein Anruf vom Leiter der Informationsabteilung des Hohen Kommissars, Pierre Troude: »Jürgen, hast du schon gehört! Soeben haben wir aus Conakry die Nachricht erhalten, dass die Delegation der DDR über ein Konsular- und Handelsabkommen verhandelt.« Er fügte hinzu: »Man hat uns reingelegt.«

Ich stürzte ins Vorzimmer und bat Frau Savoy, mit höchster Geschwindigkeit zum Telegrafenamt zu fahren.

Es folgten bange Minuten. Aus dem Ministerbüro wusste ich, wie bedrohlich ein Konsularabkommen für die auf Nichtanerkennung des zweiten deutschen Staates gerichtete Politik der Bundesregierung sein würde. Mein erstes Fernschreiben, das im Amt zirkulieren würde, war eine eklatante Falschmeldung ... Würde man nach Eingang meines Drahtberichts nicht sagen, die jungen Leute seien für derart sensitive Posten doch zu unerfahren?

Frau Savoy kam strahlend zurück. Sie hatte der jungen Afrikanerin, die gerade die Chiffrezahlen in den Fernschreiber tippte, das Fernschreiben aus der Maschine gezogen. Zu deren überraschtem Einwand: »Sie müssen aber bezahlen!« hatte sie geantwortet: »Mit dem größtem Vergnügen!«

Meine Erleichterung war riesig. In einem neuen Bericht teilte ich das genaue Gegenteil mit, nämlich dass in Conakry über ein Konsular- und Handelsabkommen verhandelt würde. Telefonisch erbat ich die Genehmigung für eine sofortige Dienstreise nach Conakry.

Wenige Tage darauf kam der Erlass. Konsul Reichhold würde seinen Heimaturlaub unterbrechen. Wir beide sollten nach Conakry reisen und der guineischen Regierung die Deutschland-Politik und die Hallstein-Doktrin erläutern.

Wir arbeiteten gut zusammen und ergänzten uns. Herr Reichhold hatte langjährige Kenntnis der Szene in AOF. Ich hatte im Ministerbüro die Empfindlichkeit gesehen, mit der die Bundesregierung das Vordringen der DDR in der Dritten Welt verfolgte.

Am 19. Oktober traf Herr Reichhold in Dakar ein. Wir flogen zusammen weiter nach Conakry. Im Flugzeug hatten wir Gelegenheit, einander über den letzten Stand zu unterrichten und uns auf die Gespräche vorzubereiten.

Die Grenzkontrolle am Flugplatz in Conakry lag bereits in den Händen der Polizei der »République de Guinée«. Nach unserer Ankunft in der Stadt unterrichteten wir die französische Vertretung über unsere Anwesenheit.

Wir erfuhren, dass die Gespräche mit der Delegation der DDR noch im Gange waren. Für Guinea ging es vor allem um Kompensationsgeschäfte: Bananen und Kaffee gegen technisches Material und industrielle Waren.

Im ersten Hotel am Platz sahen wir am Morgen des 20.10.1958 die Vertreter aus Ost-Berlin. Sie nahmen ihr Frühstück im andern Teil des Restaurants ein. Es war ein eigenartiges Gefühl, dass die beiden deutschen Delegationen sich in den nächsten Tagen bei der jungen afrikanischen Regierung die Klinke in die Hand geben und miteinander konkurrieren würden. Außer einem kühlen Gruß aus der Distanz hatten wir keinen Kontakt.

Herr Reichhold und ich meldeten uns telefonisch beim neuen Staatssekretär Guineas für Auswärtige Angelegenheiten, Cissé Fodé.

Dieser unterrichtete den Präsidenten. Sékou Touré holte Herrn Reichhold und mich im Büro des Staatssekretärs ab und führte uns in sein Amtszimmer. Die Tür trug ein kleines Schild, auf das mit Kugelschreiber geschrieben war »Sékou Touré, Président de la République de Guinée«.

Herr Reichhold beglückwünschte den Präsidenten in makellosem Französisch und teilte ihm mit, dass Guinea in Kürze mit der Anerkennung der Regierung in Bonn rechnen könne. Die Bundesregierung konsultiere einen derartigen Schritt mit ihren Verbündeten.

Guinea könne mit einer Anerkennung allerdings nicht rechnen, wenn es diplomatische Beziehungen mit Ostberlin aufnehme.

Sékou Touré hörte aufmerksam zu. Er antwortete spontan: Die DDR habe ihm den Austausch von Botschaftern vorgeschlagen. Er habe alle wichtigen Regierungen der Welt angeschrieben und um Anerkennung gebeten. Wenn er auf diese Telegramme keine oder nur ausweichende Antworten erhalte, sei er gezwungen, seine Freunde anderswo zu suchen. Falls die Bundesregierung sich an der Isolierung seines Landes beteilige, sei es fraglich, ob er auf diplomatische Beziehungen mit der DDR verzichten könne. Wenn die Bundesregierung sein Land bald anerkenne und auch zu wirtschaftlicher Zusammenarbeit bereit sei, werde er von dem Angebot aus Ostberlin keinen Gebrauch machen.

Lebhaft und mit großer Wortgewandtheit berichtete Präsident Touré über seinen politischen Werdegang. Es treffe nicht zu, dass er in Warschau und Moskau seine politische Ausbildung erhalten habe. In Moskau sei er überhaupt nie gewesen. Sein Land benötige Handelsaustausch mit den Industrienationen, um ihm zu den dringend benötigten Devisen für den Handel seines Landes zu verhelfen. Die DDR habe konkrete Angebote gemacht: Abnahme der auf dem Weltmarkt nicht sehr konkurrenzfähigen Bananen und Kaffeesorten im Tausch gegen dringend benötigte Industrieprodukte.

Wir mussten auf unsere marktwirtschaftliche Struktur hinweisen und konnten nur Beratung durch Experten in Aussicht stellen und Hilfe beim Absatz der guineischen Waren in unserem Land.

Am Nachmittag fand ein Empfang in der liberianischen Vertretung zu Ehren von Präsident Sékou Touré statt. Der liberianische Chefdelegierte und Sékou Touré hielten längere Reden.

Liberia hatte als Nachbarstaat großes Interesse an der neuen Republik Guinea. Die Sprachbarriere war immens. Nach Abzug der französischen Experten gab es in beiden Ländern nur wenige, die zwischen Englisch und Französisch dolmetschen konnten. Die liberianische Regierung musste ihren Geschäftsträger aus Paris einfliegen, um die Reden übersetzen zu lassen. Herr Reichhold, der unseren vorzüglichen Sprachendienst im Auswärtigen Amt aufgebaut hatte, litt unter der phantasievollen und sehr freien Übersetzung der Reden und Gespräche.

Die französischen Gesprächspartner in Conakry erklärten mit Nachdruck, die harte Pariser Haltung werde durch den großen Rivalen Houphouet-

Boigny angeheizt. Der mächtige Führer der Elfenbeinküste wolle jede schonende Behandlung von Sékou Touré hintertreiben, um ihn als jüngeren Konkurrenten auszuschalten.

Bei unserer Rückkehr nach Dakar bestätigte uns der diplomatische Berater des Hohen Kommissars, Chambard, der Hohe Kommissar Pierre Messmer teile das negative Urteil über den verhängnisvollen Einfluss von Houphouet-Boigny in Paris. Er regte an, der französische Botschafter in Bonn sollte durch einen hochgestellten deutschen Beamten über unsere Mission unterrichtet und dabei auf das Risiko überzogener Reaktionen auf Grund der persönlichen Rivalität zwischen Houphouet-Boigny und Sékou Touré hingewiesen werden.

Herr Reichhold und ich haben in den Berichten über unsere Reise den Vorschlag mit Nachdruck vorgetragen. Nach dem Rückflug von Herrn Reichhold nach Deutschland habe ich in den folgenden Monaten die warnende Berichterstattung fortgesetzt.

Die Mission von Herrn Reichhold und mir in Guinea war der Anfang wechselvoller und immer wieder schwieriger deutsch-guineischer Beziehungen. Der blitzschnelle Abzug der französischen Fachleute hatte die Sachkenntnis der guineischen Regierung dezimiert. Sékou Touré war zwar Fachmann auf dem Gebiet des Gewerkschaftswesens und der afrikanischen Innenpolitik. Es ist ihm in den 50er Jahren gelungen, das traditionelle Häuptlingswesen nicht nur formell abzuschaffen, sondern auch den Einfluss der feudalen Familien zu beseitigen; eine Reform, die in den übrigen Territorien Französisch-Westafrikas bis dahin noch nicht zustande gekommen war. Aber Wirtschafts- und Finanzfragen sowie der Bereich der Außenpolitik waren ihm fremd.

Der Warschauer Pakt bemühte sich, der DDR bei diesem geplagten jungen afrikanischen Staat zur internationalen Anerkennung zu verhelfen. Wir hatten die Unterstützung unserer westlichen Verbündeten, um den Damm zu halten. Die Bundesregierung hat Millionen an Entwicklungshilfe für Guinea ausgegeben. Für unsere Kollegen in der Botschaft Conakry war Guinea jahrelang ein harter und schwieriger Posten.

Die letzten Wochen in Dakar

Unsere erlebnisreiche Zeit in Dakar näherte sich dem Ende. Mit dem Abklingen der Regenzeit wurde das tägliche Leben angenehmer. Dies war besonders für Karin eine große Erleichterung. Seit Herbstbeginn erwartete sie unser erstes Kind. Es gab kompetente und gute Ärzte. Aber die Schwangerschaftsuntersuchungen, die Labors, die Kliniken waren von den vertrauten medizinischen Einrichtungen in Deutschland himmelweit verschieden.

Weihnachten erlebten wir in Dakar. Wir wollten auch unter afrikanischem Himmel möglichst wie zu Hause feiern. Ein Schiff der deutschen Ostafrikalinie hatte im Kühlraum deutsche Weihnachtsbäume mitgebracht.

Karin und ich stellten den Tannenbaum in unserem Zimmer auf. Als wir ihn mit Bändern und Kerzen geschmückt hatten, verlor er die ersten Nadeln. Wir zogen uns festlich an. Während wir Weihnachtslieder sangen, bogen sich die Kerzen und rieselten die Tannennadeln zur Erde. Als wir schließlich mit Champagner auf ein frohes Fest anstießen, saßen wir vor einem nadellosen Gerippe. Der Baum hatte den Schock des Transports aus der Kälte in die feuchte Hitze nicht vertragen. Das tat unserer festlichen Stimmung keinen Abbruch.

Die Monate in Dakar waren eine unvergessliche Zeit. Die Anfangsbedingungen für eine junge Familie hätten kaum härter sein können. Wir hatten alles gemeinsam gemeistert.

Deshalb habe ich später im Auswärtigen Amt befürwortet, die jüngeren Beamten möglichst bald nach dem Examen für eine begrenzte Zeit an kleinere Posten in der Dritten Welt zu versetzen.

Die persönliche Erfahrung als Leiter oder Ständiger Vertreter, die Verantwortung für die deutschen Interessen in einem Gebiet oder Land zu tragen, eigene Initiativen zu entfalten, die Vielfalt der verschiedenen Aufgaben einer konsularischen oder diplomatischen Vertretung wahrnehmen zu müssen – das schafft Selbstvertrauen und Mut für die Zukunft.

Bonn – Nachwuchsreferat (1959-1960)

Nach dem turbulenten Start in Dakar folgte ein willkommenes Kontrastprogramm von eineinhalb beschaulichen Jahren in Bonn. Karin und ich fanden eine kleine Dreizimmerwohnung in Bad Godesberg. Gute Freunde wie unser Vetter Götz Martius und seine Frau Roswitha wohnten in der Nachbarschaft. Die Bundeswohnung musste noch mit einem Kokskachelofen beheizt werden.

Karin brachte es zur Meisterschaft, unseren Ofen nachts durchzuheizen. Meine Erfahrungen aus Zeltlagerzeiten versagten kläglich. Wir freuten uns sehr auf unser Baby. Schon vorher wurde unser Haushalt erweitert durch »Bauzi«, einen Rauhaardackel.

Die Geburt unserer Tochter machte uns zu einer glücklichen Familie. Andrea war ein liebes, fröhliches und zufriedenes Baby.

Im Auswärtigen Amt war ich dem Ausbildungsreferat zugeteilt worden. Die Leitung der Ausbildung hatten Botschafter Peter Pfeiffer, Vortragender Legationsrat I.Kl. Hans Schwarzmann und Legationsrat I.Kl. Paul Prietz. (Prietz war der Vater der langjährigen Oberbürgermeisterin von Bonn, Bärbel Dieckmann.)

Das Referat hatte seine Büros in der Ausbildungsstätte, jener mir schon bekannten alten Villa am Rhein südlich des Auswärtigen Amts. Als jüngstes Mitglied des Referats war es meine Aufgabe, vor allem die Bewerber zu empfangen und zu beraten, Vorträge in Universitäten und Hochschulen zu halten und die Auswahlwettbewerbe vorzubereiten. Es war ein kurzer Abschnitt in meinem Berufsleben, in dem ich normale Dienstzeiten einhalten konnte.

Der Umgang mit den jungen Bewerbern machte mir Freude. Ich erhielt ein gutes Training in der schnellen Beurteilung von Menschen, was mir später immer wieder geholfen hat. Zunächst führte ich mit jedem Bewerber ein etwa halbstündiges Gespräch, anschließend diktierte ich einen Vermerk mit Bewertung und Einschätzung des Kandidaten. In diesen Gesprächen ging es nicht darum, Lücken und Schwächen festzustellen, sondern abzutasten, wie breit angelegt die Fachkenntnisse und wie geeignet die Persönlichkeit für den Auswärtigen Dienst waren. Etwa 10 Minuten Gespräch über den persönlichen Werdegang und die Ausbildung, dann etwa 15 Minuten gezielte Fragen, erst in Englisch und Französisch, dann in Deutsch zu gängigen Themen aus Jura, Volkswirtschaft, Politik und Geschichte. Abschließend fünf Minuten Beratung über eine möglichst zweckmäßige Vorbereitung auf den Auswahlwettbewerb.

Aussichtsreiche Bewerber wurden anschließend von Herrn Schwarzmann und/oder von Herrn Prietz empfangen. Besonders qualifizierte und interessante Bewerber wurden in einem dreitägigen Auswahlwettbewerb eingehend getestet. Das war für mich eine optimale Gelegenheit, den Eindruck zu überprüfen, den ich nach den konzentrierten halbstündigen Gesprächen mit hunderten von Bewerbern schriftlich festgehalten hatte. Ich sah mit Befriedigung, dass das Anfangsurteil, einschließlich der Chancen, den Auswahlwettbewerb zu bestehen, sich später in 80 bis 90 % der Fälle bestätigte.

Der jährliche Auswahlwettbewerb war das große Ereignis des Referats. Zunächst musste nach Aktenlage, nach Bewerbungsunterlagen und Bewerbungsgesprächen mit mindestens zwei Angehörigen des Referats über den Kreis der Einzuladenden entschieden werden. Bei Zweifelsfällen wurde für die Teilnahme votiert. In den Jahren 1959/1960 wurden jeweils etwa hundert Teilnehmer zum Wettbewerb eingeladen. Ca. 25 Bewerber konnten in den Vorbereitungsdienst aufgenommen werden.

Der dreitägige Wettbewerb umfasste die schriftliche und mündliche Prüfung in den Fremdsprachen Englisch und Französisch, schriftliche Prüfungen in Jura, Volkswirtschaft und Geschichte, Kurzvorträge, Diskussionsrunden und ein ausführliches mündliches Gespräch insbesondere zur Allgemeinbildung mit jedem Bewerber oder jeder Bewerberin.

Es hat immer wieder Vorwürfe gegeben, Vetternwirtschaft und Beziehungen seien für den Ausgang entscheidend. Mich hat bei den Wettbewerben beeindruckt, mit welchem Ernst und mit welcher Intensität sich alle Kommissionsmitglieder bemühten, im Interesse der zukünftigen Leistungsfähigkeit des Auswärtigen Dienstes die Besten herauszufinden. Bei dem großen Kreis erstklassiger Bewerber gab es immer wieder gute Kandidaten, die wegen der begrenzten Zahl vorhandener Ausbildungsplätze nicht angenommen werden konnten. Es war nur verständlich, dass sie den Grund für die ablehnende Entscheidung weniger bei sich als beim Verfahren und der Kommission suchten. Leider war diese »schlechte Presse« vorprogrammiert.

Ich reiste zu Universitäten und Hochschulen und hielt dort Werbevorträge für den höheren Auswärtigen Dienst. Diese Referate haben mir Freude gemacht. Aus der früheren AStA-Zeit fühlte ich mich den Universitäten verbunden. In Amerika hatte ich gelernt, die Vorträge kurz und konzentriert anzulegen, sie mit einigen Anekdoten über die Diplomaten – davon gibt es wahrlich genug – und einigen eigenen amüsanten Erfahrungen aus den ersten Dienstjahren zu würzen. Oft saßen Karin und ich noch lange bis in den Abend hinein mit Teilnehmern zusammen, bei Wein oder Bier, je nach geographischer Lage der Universität.

Ich spürte bald, wie hilfreich es ist, wenn man einen Standardvortrag im Kopf hat und in freier Rede die Ausführungen an die jeweiligen Besonderheiten der Universität und der Zuhörer anpassen kann. Karin half mir sehr. Sie begleitete mich gelegentlich, saß in den hinteren Reihen und berichtete mir anschließend über die Kommentare der Zuhörer – bissige Bemerkungen ebenso wie anerkennende Worte.

Bei den Werbevorträgen war es mir von Anfang an wichtig, Studentinnen zu ermutigen. Damals kamen nur etwa 10 % der Bewerbungen von Damen. Ungefähr der gleiche Prozentsatz wurde bei den Wettbewerben ausgewählt. Ich habe mich während meiner Laufbahn stets für mehr Kolleginnen eingesetzt.

Botschafter Pfeiffer, Herr Schwarzmann und Herr Prietz waren verständnisvolle Vorgesetzte. Wir alle waren engagiert, möglichst guten Nachwuchs für den Auswärtigen Dienst zu gewinnen und auszubilden. Es war eine friedliche und schöne Zeit. Karin und ich fühlten uns wohl im Amt, im Kreise unserer Nachbarn, Kollegen und Freunde.

Athen (1960-1964)

Im Juni 1960 versetzte die Personalabteilung uns nach Athen, wo ich Leiter der Rechts- und Konsularabteilung der Botschaft wurde.

Es waren die letzten Jahre der goldenen Zeit unter Ministerpräsident Konstantin Karamanlis.

Die Folgen des zweiten Weltkriegs, in dem Italien und Deutschland Griechenland brutal überfallen hatten, und des grausamen Bürgerkrieges zwischen Demokraten und Kommunisten nach 1945 wurden erst langsam überwunden. Noch immer berichteten griechische Freunde über Härten der Besatzungszeit, zeigten Plätze, wo die Kämpfe zwischen kommunistischen und demokratischen Kräften im Herzen Athens stattgefunden hatten.

Griechenland war Verbündeter der NATO. Es lag, ähnlich wie Deutschland, unmittelbar am Eisernen Vorhang. Der erste Besuch in Epirus an der albanisch-griechischen Grenze zeigte uns eine Stacheldrahtzone mit Todesstreifen, wie wir sie aus der Mitte unseres Landes kannten. Die kommunistische Partei war noch ein politischer Faktor, aber sie hatte keine Chance, die Macht zu erringen.

Ministerpräsident Karamanlis und seine Partei hatten die demokratische Ordnung gefestigt. Königin Friederike und König Paul hatten sich mit persönlichem Einsatz und Mut besonders in den durch Krieg und Bürgerkrieg geschädigten Gebieten für den Wiederaufbau eingesetzt. Die Erinnerung an den deutschen Überfall und die deutsche Besatzung war in Teilen des Landes noch lebendig. Aber sie war überlagert worden durch die Grausamkeiten des Bürgerkrieges.

Das griechische Interesse wuchs schnell, über die Zusammenarbeit mit Deutschland am dynamischen Aufbau in Europa teilzuhaben. Die wirtschaftlichen Verbindungen florierten, viele Griechen wollten als Gastarbeiter nach Deutschland kommen. Deutsche Touristen zog es zu den antiken Stätten Griechenlands und an seine sonnigen Küsten am Mittelmeer.

Die Botschaft

Die Mitarbeiter der Vertretung bildeten eine einsatzfreudige Mannschaft, die gut zusammenarbeitete und die auch fröhliche Feste zu feiern wusste.

Botschafter Gebhard Seelos hatte als früherer Chef der Bayernpartei einen geschärften Blick für personelle Zusammenhänge und Querverbindungen in der griechischen Innenpolitik und Zuneigung zu der griechischen Lebensfreude. Botschafter Wilhelm Melchers, Spross einer alten Bremer Familie, hatte politisches Gespür, Sinn für stilvolles Auftreten und gekonnte Repräsentation. Beide leiteten die Botschaft umsichtig und mit menschlichem Verständnis.

Botschaftsrat Rolf Pauls und die Militärattachés Ludwig von Köckritz und Joachim von Maltzahn waren geprägt durch ihre Kriegserfahrungen: Pauls, ein verdienter Generalstabsoffizier, war Träger des Ritterkreuzes; er hatte im Krieg einen Arm verloren. Als persönlicher Referent von Staatssekretär Hallstein kannte er sich aus in der Außenpolitik der Nachkriegszeit.

Wir jüngeren Kollegen, Herbert und Audry von Arz, Karin und ich, wurden kameradschaftlich in die Gemeinschaft einbezogen.

Jeder 50ste Grieche geht nach Deutschland

Während meiner Dienstzeit in Athen von 1960 bis 1964 stieg die Zahl der griechischen Gastarbeiter in Deutschland auf fast 175.000 an. Über 2 % der gesamten griechischen Bevölkerung wurden in jener Zeit ausgesucht, angeworben und nach Deutschland vermittelt. Die Betreuung dieser Großaktion lag in der Botschaft – bei meinem Referat. Die Rechts- und Konsularabteilung der Botschaft, die neben dem Leiter drei Sachbearbeiter, zwei Sekretärinnen und einen Dolmetscher umfasste, konnte sich über Mangel an Beschäftigung nicht beklagen.

Der Hunger der deutschen Industrie nach Arbeitskräften war schier nicht zu stillen. Ähnlich groß war der Drang der griechischen Bevölkerung, vor allem in den Grenzgebieten im Norden des Landes, den Inseln und den entlegenen Teilen des Peloponnes, der Armut und der Arbeitslosigkeit zu entkommen, feste Arbeitsplätze mit Bezahlung in stabiler D-Mark zu finden. Die Griechen waren arbeitswillig, anpassungsfähig, intelligent und gesund, kurz gesagt: geschätzte Mitarbeiter.

Konsularische Hilfe

Die Auswirkungen der Wanderung kamen wie eine Welle auf die Botschaft zu. Die Gastarbeiter lernten schnell, die Möglichkeiten der deutschen Konsumgesellschaft zu nutzen, sie trafen deutsche Frauen, sie wollten Familien gründen. Die Anfragen und Hilfsersuchen an die Rechts- und Konsularabteilung schwollen an. Die unterschiedlichen Rechts- und Verwaltungsvorschriften, die fremde Sprache, die ungewohnten Buchstaben der griechischen Schrift und die starke Funktion der Orthodoxen Kirche führten zu Reibungen und Problemen. Die Griechen nutzten die Möglichkeit, langlebige Konsumgüter auf Kredit zu kaufen. Vor Zahlung der Raten führten sie die Eisschränke, Motorräder und Autos nach Griechenland aus. Pfiffige Geschäftsleute exportierten Baumaschinen und Baukräne, nachdem sie nur die Mindestanzahlung geleistet hatten, und machten sich in Griechenland als kleine Unternehmer selbständig.

Deutsche Frauen waren angetan vom mediterranen Charme und Temperament, sie wollten einen Griechen heiraten. Wenn sie auf dem Wege zu ihrer neuen Schwiegerfamilie waren, sprachen einige in der Botschaft vor. Meine Mitarbeiter und ich mussten sie zunächst einmal darauf hinweisen, dass standesamtlich in Deutschland geschlossene Ehen in Griechenland nicht anerkannt wurden. Ein griechischer Staatsangehöriger kann nach griechischem Recht nur vor einem orthodoxen Priester heiraten. So verliefen die Gespräche oft enttäuschend und manchmal sogar erschütternd.

Es war dringlich, die Kenntnis der unterschiedlichen Rechtssysteme zu verbessern. Ich hatte Glück. Das Auswärtige Amt konnte die vakante Stelle eines Sachbearbeiters wegen Personalmangels nicht besetzen. Karin und ich hatten einen jungen griechischen Rechtsanwalt, Dr. Vassilis Kontopoulos, kennen gelernt, der Humboldt-Stipendiat in Deutschland gewesen war und auch ein Stipendium an der Sorbonne in Paris für Rechtswissenschaft gehabt hatte. Dr. Kontopoulos fiel es schwer, als junger Anwalt Fuß zu fassen. Ich habe ihn, mit Genehmigung der Personalabteilung, ein Jahr lang für die vakante Stelle gewonnen. Vassilis und ich haben gemeinsam ausführliche Merkblätter für die wichtigsten Rechtsfragen ausgearbeitet, etwa zu den Themen: »Was ist erforderlich für die Eheschließung?«, »Was ist zu beachten bei der Vollstreckung von Urteilen in Griechenland?«, »Wie hoch sind die Rechtskosten in Griechenland?« – und zu vielen anderen Fragen. Jahrzehnte später habe ich mit Befriedigung gesehen, dass einige Merkblätter nach wie vor verwandt wurden.

Dr. Kontopoulos hat noch heute viele deutsche Klienten; aus unserer damaligen Zusammenarbeit ist eine Freundschaft geblieben.

Der Wohlstand in Deutschland stieg. Mehr und mehr Touristen kamen mit ihrem Auto. Die Verkehrsunfälle nahmen zu. Hatte ein deutscher Tourist in einem Dorf einen Zusammenstoß oder lief ihm ein Kind vor den Wagen, standen Dorfgemeinschaft und lokale Behörden oft wie eine verschworene

Gemeinschaft zusammen gegen den Xenos, den Ausländer. Wir bemühten uns, ihm so schnell wie möglich einen Anwalt zur Seite zu stellen.

Von Athen aus war es schwer, auf den Inseln und in den entlegenen Teilen der Nordprovinzen oder des Peloponnes Rechtshilfe zu geben. Deshalb hat die Botschaft das Netz der Honorarkonsuln kräftig ausgebaut. Es kostete Mühe, geeignete und hilfsbereite Persönlichkeiten zu finden. Die Konditionen – ehrenamtliche Tätigkeit ohne Honorar (allenfalls ein Zuschuss für die Bürokosten), stete Bereitschaft, hilfsbedürftige Deutsche zu unterstützen, in den Stosszeiten des Fremdenverkehrs starker Zulauf – waren nicht sehr attraktiv. Gleichwohl ist es immer wieder gelungen, angesehene und einsatzbereite Vertreter und Freunde unseres Landes zu gewinnen.

Die Kriegsfolgen

Die Rechtsabteilung war zuständig für die Abwicklung der Kriegsfolgen. Die griechischen Behörden stellten mit Akribie alle Ersatzforderungen und Reparationsansprüche aus dem letzten Weltkrieg zusammen. Die Bundesregierung konnte sich auf das Londoner Schuldenabkommen berufen, das die Erledigung dieser Ansprüche auf den Friedensvertrag verschob. Wir konnten aber auch auf die großzügigen Hilfszahlungen verweisen, die die Bundesrepublik freiwillig an das verbündete Griechenland geleistet hatte.

Auf der anderen Seite waren die griechischen Behörden sehr reserviert, wenn es um die Rückgabe des ehemaligen Vermögens der deutschen Kirchen und der früheren deutschen Schule ging.

Griechenland hatte stets gute Diplomaten, die die Interessen ihres Landes mit viel Geschick vertraten. Die Kollegen im Außenministerium waren freundlich und kooperativ. Allerdings galt dies nicht für Diskussionen über die Kriegsfolgen. Diese Verhandlungen waren meine härtesten und unangenehmsten im Außenministerium.

Mein Gegenüber war der Botschaftsrat Xydis, das griechische Wort für »Essig«. Bei seiner zugeknöpften Miene in unseren Gesprächen habe ich gelegentlich gedacht: »Nomen est omen.«

Damals gewann ich einen Eindruck von den milliardenschweren Ansprüchen aus Kriegsfolgen. Ich war besorgt. Wie würde Deutschland das jemals bezahlen können?

Aus dieser Erinnerung wusste ich sehr zu schätzen, dass es bei den Zwei-plus-Vier-Verhandlungen über die deutsche Einheit im Jahre 1990 gelang, diese Frage abschließend zu regeln – ohne Reparationen des vereinten Deutschland.

Ein Grundstück für die deutsche Schule

Ein Lehrstück in »Griechische Geschäftsverhandlungen« war der Kauf des neuen Grundstücks für die deutsche Schule in Athen. Die Botschaft hatte einen Vertrag abgeschlossen für den Erwerb eines in der Nähe des schicken Vorortes Psychikon gelegenen Geländes. Wir arbeiteten hart, um die von Bonn geforderten Voraussetzungen zu erfüllen: Klärung des Eigentums, Aufhebung der Rechte Dritter, eindeutige Sicherung der Bebauungsmöglichkeiten etc. Das erforderte lange Bemühungen bei den griechischen Behörden. Die Zeit des Vorvertrages lief aus. In den letzten Wochen waren wir den Bonner Anforderungen sehr nahe gekommen. Aber dann spielte der Verkäufer auf Zeit und verschanzte sich hinter zu hohen deutschen Anforderungen. Sobald die Bindung durch den Vorvertrag abgelaufen war, teilte er mir freudestrahlend mit, er fühle sich jetzt nicht mehr gebunden. Er verkaufte das Grundstück, das mit Hilfe der Bundesregierung zu einem Filetstück des Immobilienmarkts entwickelt worden war, für fast den doppelten Preis an einen anderen Interessenten.

Die Botschaft gab nicht auf. Wir fanden ein neues großes Grundstück in Athen-Amaroussion. Gewitzt durch die letzten Erfahrungen, handelte ich einen noch längeren, wasserdichten Vorvertrag aus, der uns praktisch alle Rechte gab, sofern wir nur die bis zum Jahresende gültige Kaufoption rechtswirksam ausübten. Die Datumsgrenze 31. Dezember nutzten wir gleichzeitig, um die zuständigen Bonner Stellen unter Zugzwang zu setzen, uns rechtzeitig die Weisung für die endgültige Zustimmung zu geben. Der Kauf gelang. Bei jedem Besuch in Griechenland freue ich mich über das Dörpfeld-Gymnasium in Athen, das eine gute Lage hat, einen erstklassigen Ruf besitzt und ein wichtiger Teil unserer kulturellen Arbeit in Griechenland ist.

Schnelleren Erfolg hatte die Botschaft beim Kauf eines Grundstücks für den deutschen Soldatenfriedhof auf Kreta. Nach längerem Suchen fanden wir mit Hilfe unseres Honorarkonsuls ein herrliches Grundstück in Maleme an den nördlichen Abhängen der Insel mit einem weiten Blick auf das Meer. 1962 wurden die Kaufverträge abgeschlossen, 1974 wurde der Soldatenfriedhof fertig. Ich war froh, dass die 4.800 Soldaten, die beim Kampf um die Insel gefallen waren, eine so schöne, friedvolle Ruhestätte erhielten.

Das Leben in Griechenland

Die Arbeit in der Botschaft machte Freude. Karin und ich waren von unserem Leben in Griechenland begeistert. Wir hatten uns mit offenem Herzen und großen Erwartungen auf dieses uns völlig unbekannte Land vorbereitet. Wir lasen von Pausanias bis zu Schliemann viele Bücher über Griechenland, von der Antike bis zur Neuzeit.

Mit Eifer lernten wir die neue Sprache. Karin, die im täglichen Umgang in Geschäften und im Haushalt fast ganz auf das Neugriechische, die Dimotiki, angewiesen war, machte schnelle Fortschritte. Ich nahm Unterricht in der Botschaft und brauchte wesentlich länger.

Pannen waren nicht immer zu vermeiden. Unsere griechischen Freunde Theo und Aliki Sarantopoulos erzählen noch heute vom Osterfest 1961. Sie hatten uns zum Mitternachtsgottesdienst in die Kirche Agios Theodoros mitgenommen. Um 24 Uhr ging der Priester durch die Gemeinde und entzündete mit einem brennenden Licht die Kerzen der dicht gedrängt stehenden Gläubigen mit den Worten: »Christos anesti – Christ ist auferstanden.« Er erwartete die Antwort: »Alithos anesti – Er ist wahrhaftig auferstanden.«

Ich war so gebannt von der mitternächtlichen Stimmung, dass ich ohne nachzudenken antwortete: »Then pirasi – Macht nichts«, eine im Alltag häufig angewandte Verlegenheitsfloskel ... Der Papas war betroffen über diese blasphemische Antwort. Aber Theo und Aliki erklärten und retteten die Situation.

Nordgriechenland im Winter – Sirtaki zum Aufwärmen

Unvergesslich war die erste Reise im Winter 1960 nach Kastoria und Edessa. Griechische Bekannte und Freunde hatten uns gewarnt. »Die Wintermonate in den nördlichen Provinzen sind kalt und hart. Reist lieber im Sommer.«

Wir ließen uns nicht entmutigen. Das Piliongebirge hatte beschneite Hänge, der Berg Olymp war schneegekrönt. Diese Landschaft in dem hellen griechischen Licht war auch im Winter ergreifend. Die Zeichen von Armut nahmen zu, je näher wir der nördlichen Grenze zu Mazedonien und Albanien kamen. Wir sahen Dörfer, in denen die Fensteröffnungen gegen die Winterkälte nur mit Decken abgedichtet waren. Man hatte uns gewarnt vor den sehr einfachen Pensionen und Hotels mit ungeheizten Zimmern. Karin und ich hatten unser Auto mit Wolldecken und Wärmflaschen beladen. Trotzdem haben wir noch elend gefroren.

Aber die Härten der Reise wurden mehr als ausgeglichen durch die aufgeschlossene, freundliche Aufnahme.

Als wir in Edessa eine ungeheizte Unterkunft gefunden hatten, wollten wir uns vor dem Schlafen noch durch ein kräftiges, heißes Abendessen aufwärmen. Wir fanden schließlich ein Cafenion, das in seinem großen Speisesaal einen kleinen Kanonenofen hatte. Der Ofen wurde für uns angeheizt, wir krochen fast in ihn hinein.

Während wir uns mit Ouzo, dem üblichen Anisschnaps, aufwärmten und auf unser Essen warteten, sahen wir hinter den vereisten Fenstern des Restaurants, wie immer mehr Zuschauer aus dem Ort versuchten, einen Blick auf die Fremden zu werfen.

Schließlich trauten sich die Ersten ins Restaurant. Wir begrüßten sie mit unserem begrenzten Griechisch und luden sie zu einem Ouzo ein. Danach füllte sich das Restaurant sehr schnell. Jemand spielte griechische Musik. Jetzt formierte sich die Gruppe zum Sirtaki, dem beliebten griechischen Volkstanz. Karin und ich mussten mittanzen. Man zeigte uns einige einfache Schritte. Wir lernten, dass die griechischen Volkstänze nicht nur melodisch sind und rhythmisch ins Blut gehen, sondern dass sie auch ein gutes Mittel sind, um der Kälte zu trotzen.

Es wurde ein unvergesslicher Abend. Mit einigen Flaschen Ouzo haben wir das ganze Dorf ausgehalten. Der Inhalt von Karins Handtasche, Lippenstift, Make-up – alles bis auf Börse und Taschentuch wurde als Souvenir verteilt. Wir mussten von Deutschland erzählen. Jeder Zweite wollte sich als Gastarbeiter für Deutschland bewerben. Wir gaben ihnen die Anschrift der Anwerbungskommission. Sie fragten uns nach Löhnen und Gehältern und wollten uns kaum glauben, als wir ihnen den Lohn eines Facharbeiters in Köln oder Mannheim in Drachmen umrechneten.

Als wir am nächsten Morgen weiterfuhren, winkten uns viele Bewohner nach. Ähnlich gastfreundlich und herzlich wurden wir in Kastoria und in Joannina aufgenommen.

In den folgenden Jahren sind besonders aus diesen Teilen des Landes tausende von Gastarbeitern nach Deutschland gekommen, um die bittere Armut hinter sich zu lassen.

Die Geburt unserer Tochter Maren

Am Sonntag, dem 1. April 1962, wurde in Athen unsere zweite Tochter geboren, Maren.

Die Geburt verlief gottlob schnell und gut. Karin hatte während der Schwangerschaft eine Gelbsucht gehabt, außerdem bestand ein Risiko wegen des Rhesusfaktors. Die Freude war groß, als sie ein gesundes Baby im Arm hielt.

Die griechische Gesellschaft der 60er Jahre war noch ganz auf Söhne fixiert. Bei Töchtern wurde später, bei der Hochzeit, eine teure Aussteuer fällig. Söhne sicherten die Fortsetzung des Familienstammes. Deshalb war jede zweite Frage nach der Geburt: »Ist es ein Agori (Junge) oder eine Coritsaki (Mädchen)?« Wenn wir antworteten, ein Mädchen, kam stets die Ermutigung »Then pirasi, eieste neoi – Macht nichts, ihr seid noch jung!« Wir überraschten unsere griechischen Freunde mit der Reaktion, dass wir mit unseren beiden Töchtern überglücklich waren.

Sommerfreuden mit griechischen Freunden

In den folgenden Monaten genossen wir den sonnigen Sommer am Ägäischen Meer. Karin und ich fuhren am Wochenende zu den Stränden von Attika, an die Südseite der Halbinsel auf dem Weg nach Kap Sunion oder an die Nordküste in Rafina. Nachmittags badeten wir im warmen Seewasser, abends gab es frisch gefangenen Fisch mit Retsina in einer Taverne an der Küste. Wenn dann der Vollmond aus dem Meer aufstieg, war die Romantik perfekt.

Unsere griechischen Freunde Theo und Aliki Sarantopoulos halfen uns, ihr Land und ihr Leben näher kennen zu lernen. Theo stammte aus der Großfamilie Niarchos, er hatte in Deutschland studiert. Die Mühle seiner Familie war mit Maschinen der MIAG aus Braunschweig eingerichtet – so wie die Mühle Rusch von Karins Familie in Itzehoe. Unsere Kinder waren ungefähr gleichaltrig. Wir verbrachten gemeinsam viele Wochenenden in ihrem Sommerhaus am Meer in Kineta, nahe dem Isthmus von Korinth.

Die Freundschaft hat alle beruflichen und politischen Wechsel überdauert. Theo blieb den deutsch-griechischen Beziehungen stets eng verbunden. Später war er viele Jahre lang der angesehene Präsident der Deutsch-Griechischen Handelskammer in Athen.

Kos – eine beschauliche Insel vor dem Ansturm des Tourismus

Im September 1962 reisten Karin und ich zu der Dodekanes-Insel Kos, die nahe vor der türkischen Südküste liegt. Die Insel ist die Heimat des Asklepios (Äskulap), sie hat eindrucksvolle antike Stätten, eine Berglandschaft mit herrlicher Aussicht über die Inselwelt und Strände, die Kos bald zu schneller touristischer Entwicklung verhalfen.

1961 gab es keinen Flugplatz, die Postdampfer konnten den kleinen Hafen noch nicht anlaufen. Unser Gepäck, einschließlich Karins Vespa, wurde auf der Reede vor dem Hafen in ein kleines Fischerboot umgeladen. In jenen Jahren kamen nur wenige Athener nach Kos, um im Juli und August der attischen Sommerhitze zu entfliehen. Anfang September waren Karin und ich die einzigen Ausländer auf der Insel. Karins Vespa, dazu mit der Zulassungsnummer 1 Delta Sigma (die griechischen Buchstaben für CD) machte uns bald zu ortsbekannten Besuchern. Es gab nur ein paar Kilometer ausgebauter Straße, nur ein Hotel und wenige Pensionen. Der Bürgermeister von Kos war einer der Glücklichen, die einen älteren PKW besaßen. Seine Einladung zu einer kleinen Rundfahrt war eine große Auszeichnung auf der Insel.

Morgens kauften wir uns frische Wassermelonen und verbrachten den Tag an den Stränden der Insel. Abends aßen wir in einer der kleinen Tavernen am malerischen Hafen von Kos. Die Bewohner sprachen uns an, luden uns in ihre Häuser ein oder zu einem Retsina in der Taverne.

Karin und mich lockte der höchste Berg der Insel. Ein Schäferjunge begleitete uns und zeigte uns den besten Weg zum Gipfel. Auf dem Rückweg erlegte er mit seiner Steinschleuder zielsicher zwei Singvögel. Er übergab Karin die kleinen Vögel mit dem Wort: »Kreas – Fleisch«, eine Delikatesse in der armen Bergwelt, als Geschenk für die Besucher der Insel. Die schlichte, an archaische Gastfreundschaft erinnernde Geste auf der einsamen Höhe hat Karin und mich tief berührt.

Diese Wochen halfen uns, unser Griechisch zu verbessern. Selten haben wir wieder so unbeschwerte Ferien mit derartig großzügiger Gastfreundschaft erlebt.

Karin und ich sind nie wieder in Kos gewesen. Wir haben von Freunden und Bekannten gehört, wie schnell die Infrastruktur der Insel ausgebaut wurde, mit Flughafen und vielen Ferienhotels am Sandstrand – den wir noch für uns allein gehabt hatten. Sie haben uns auch berichtet, wie sie von den Bewohnern ausgenommen wurden in zu teuren Hotels mit schlechtem Service und in überfüllten Tavernen.

Umso größer ist unsere Dankbarkeit, dass wir diese Inselwelt und ihre Bewohner in ihrem ursprünglichen Charme erleben konnten.

Festspiele in antiken Theatern

Höhepunkte des Sommers waren die Festspiele in den antiken Theatern Griechenlands.

Schon bald nach unserer Ankunft sahen und hörten wir »Norma« im Amphitheater von Epidaurus. Fünfzehntausend Menschen saßen in dem über 2.000 Jahre alten Mauerwerk. Von unseren Plätzen im oberen Rang konnten wir kilometerweit in die Berglandschaft des Peloponnes sehen. Erst erlebten wir einen Sonnenuntergang, dann den sternenklaren griechischen Himmel. Die Callas sang und spielte, immer wieder von Beifallsstürmen der Zuschauer unterbrochen. Am Ende ging Onassis zu ihr auf die Bühne. Eng umschlungen verließen beide unter brausendem Jubel der begeisterten Menge das Theater.

Zum Theaterleben in Griechenland gehören Temperament und Dramatik. Zwei Jahre später erlebten wir das Kontrastprogramm. Während der Opernaufführung in Epidaurus ging unerwartet ein kräftiges Sommergewitter nieder. Während es auf Zuschauer, Bühne und antikes Theater herunterprasselte, verließen die vielen tausend Zuschauer fluchtartig ihre Sitze, stürzten zu den Parkplätzen und bemühten sich, die Heimfahrt nach Athen anzutreten. Die Szenen während der Autofahrt auf den völlig verstopften Straßen nach Athen waren noch lange Gesprächsthema der gesellschaftlichen Veranstaltungen in der Hauptstadt.

Im Herodes-Attikus-Theater unterhalb der Akropolis fanden jedes Jahr die Athener Sommerfestspiele statt. Deutschland war oft durch namhafte Orchester vertreten.

In unserer Zeit spielten die Berliner Philharmoniker unter Leitung von Herbert von Karajan. Die meisterlichen Klänge unter dem Athener Sternenhimmel vor der erleuchteten Kulisse des Parthenon und der Stadt, der grenzenlose Beifall der Griechen für ihren »Karajannis« (seine Familie stammte aus Epirus im Nordosten des Landes, »Karajannis« bedeutet im Türkischen »schwarzer Hans«) waren der Höhepunkt der Athener Sommersaison.

Karamanlis tritt zurück

Im Juni 1963 legte Ministerpräsident Karamanlis sein Amt nieder. Sieben Jahre lang hatte er die politische und wirtschaftliche Entwicklung des Landes geprägt – für die temperamentvolle und an Wechseln reiche griechische Innenpolitik eine Rekordleistung.

Der äußere Anlass war eine Meinungsverschiedenheit mit dem Königspaar über einen Staatsbesuch in Großbritannien. Die Dissonanzen zwischen dem Königshaus und dem Ministerpräsidenten hatten schon länger zugenommen. König Paul und vor allem Königin Friederike hatten in den Nachkriegsjahren mit persönlichem Einsatz und großem Mut das Land bereist und den Wiederaufbau gefördert. Aber nun fanden sie, dass Ministerpräsident Karamanlis zu populär wurde und sich nicht genügend für die Anliegen der Krone einsetzte.

Am 14. Mai 1962 erlebten Karin und ich die große festliche Trauung von Prinzessin Sophia und Prinz Juan Carlos in der orthodoxen Kathedrale von Athen. Der hohe finanzielle Aufwand für die Hochzeit war ein Thema der öffentlichen Diskussion.

Im Dezember lehnte die Opposition es ab, die königliche Zivilliste für König Paul und für Kronprinz Constantin zu erhöhen. Bei der Abstimmung über den Gesetzesentwurf verließen die Abgeordneten des Zentrums und der kommunistischen Partei den Saal. Karamanlis bot seinen Rücktritt an.

König Paul nahm auf Betreiben von Königin Friederike das Gesuch an. Vielen Beobachtern war damals sofort klar, dass dieser Wechsel ein tiefer Einschnitt sein würde. Ähnlich wie bei dem persönlichen Zerwürfnis zwischen de Gaulle und Sékou Touré, das ich wenige Jahre vorher in Afrika erlebt hatte, war vorauszusehen, dass dieser Schritt zu grundlegenden Umwälzungen führen würde, die letztlich auch die Stellung der Krone erschüttern mussten.

Die Ereignisse überstürzten sich. Am 8. November 1963 gewannen George Papandreou und die von ihm geleitete Zentrums-Union die Parlamentswahlen, nach einem mit großer Härte geführten Wahlkampf. Die langjährige Herrschaft von Ministerpräsident Karamanlis war zu Ende. Das neue Kabinett umfasste viele bekannte Politiker der Opposition, Außenminister George Mavros, Koordinationsminister Constantin Mitsotakis, Sophokles Venizelos und andere mehr.

Rückkehr nach Deutschland – Die Verbindung zu Griechenland bleibt

Im Dezember 1963 kam der Erlass, der mich ins Pressereferat des Auswärtigen Amtes berief.

Es ist im Auswärtigen Amt eine bekannte Erfahrung: Dem ersten Auslandsposten fühlt man sich oft ein Leben lang besonders verbunden. Die vierjährige Leitung der kleinen Rechts- und Konsularabteilung in Athen war unsere erste normale Auslandsversetzung gewesen.

Unsere Verbindungen zu Griechenland sind nie abgerissen. Mit Theo und Aliki Sarantopoulos und mit Vassilis Kontopoulos blieb eine lebenslange Freundschaft. Wir besuchten sie in Griechenland, sie kamen nach Deutschland. Theo war beliebter Gast bei unseren Familienfesten in Bonn und Berlin. Kiria Anna, die uns in Athen im Haushalt geholfen hatte, bat uns, ihre Tochter Aspasia mit nach Deutschland zu nehmen, damit sie dort bessere Zukunftschancen haben würde. Die Erwartung erwies sich als richtig. Aspasia heiratete unseren Nachbarn Rainer Holzmann, einen Direktor der Bonner Kautex-Werke. Aus der Au-pair-Verbindung wurde eine Freundschaft, die sich auch auf die Kinder beider Familien erstreckte.

Auch beruflich blieb uns Griechenland nahe. Im Pressereferat hatte ich gute Verbindungen zu den griechischen Korrespondenten in Bonn. Bei unseren Besuchen in Athen setzten wir die Kontakte zu den diplomatischen und politischen Freunden fort. Allerdings mussten wir uns während der schwierigen Zeit des Obristenregimes mit ehemaligen Freunden aus Parlament und Regierung an unverdächtigen Orten außerhalb ihrer Wohnungen treffen.

Eine vertrauliche Begegnung mit dem Politiker und früheren Außenminister George Mavros ist mir in lebendiger Erinnerung. Der Korrespondent Dr. Basil Mathiopoulos hatte mich gebeten, Mavros ein Päckchen mit Bargeld zu überbringen. Ich suchte im Häusermeer nahe dem Eleftheria-Platz den Treffpunkt, den ich mir genau eingeprägt hatte. Ich war mir des Risikos bewusst. Aber ich wollte einen kleinen Beitrag leisten, um den Widerstand unserer griechischen Freunde gegen die Junta zu unterstützen. Erst als ich nach geglückter Mission an den Strand von Kineta zurückkehrte, merkte ich, wie hoch die Anspannung gewesen war.

In den Konferenzen von NATO und Europäischer Gemeinschaft saßen die griechische und die deutsche Delegation nach angelsächsischem und nach nationalem Alphabet – Deutschland und Ellas – nebeneinander.

Im Frühjahr 1966 leitete Botschafter Phedon Annino Cavalieratos die griechische NATO-Delegation; er war in Athen der für Deutschland zuständige Abteilungsleiter gewesen. Kontinuierlich erhielt Cavalieratos Botschaften und Tickermeldungen, in seiner Delegation herrschte große Aufregung. Auf meine Frage hin zeigte er uns die Meldungen über den Putschversuch von König Constantin und königstreuen Kräften gegen die Obristen. Im Verlauf der nächsten Stunden wurde seine Miene immer bedrückter, es wurde deutlich, dass der Putschversuch gescheitert war.

1974 kehrte Karamanlis und mit ihm die Demokratie nach Athen zurück. 1981 übernahm Andreas Papandreou jr. die Regierung. Die griechische Regierung bemühte sich um engere Beziehungen zur Europäischen Gemeinschaft. Wenige Wochen nachdem ich 1976 außenpolitischer Berater im Bundeskanzleramt geworden war, erhielt ich die Eil-Meldung der Nachrichtenagenturen: Präsident Giscard d'Estaing und Bundeskanzler Helmut Schmidt seien sich einig geworden, Griechenland solle Mitglied der Europäischen Gemeinschaft werden.

Mit der Meldung lief ich zum Büro des Bundeskanzlers. Frau Schmarsow und Frau Duden im Vorzimmer verhalfen mir zu einem kurzen Termin. Ich schilderte dem Kanzler in knappen Worten meine jahrelangen Erfahrungen in Athen, meine Zuneigung zu den Griechen. Sie gehörten schon wegen ihres Beitrags zur europäischen Geschichte in die Gemeinschaft. Aber müsse es denn gleich als volles Mitglied sein? Könne man nicht mit einem privilegierten assoziierten Status beginnen? Ich schilderte, wie schwer die Griechen sich tun, die Entscheidungen ihres Parlaments zu respektieren und Steuern an die ferne Regierung in Athen abzuführen. Wie viel länger würde es dauern, sie für eine konstruktive Mitarbeit in dem fünfmal weiter entfernten Brüssel zu gewinnen. Griechenland werde die Europäische Gemeinschaft mit dem ungelösten Zypern-Problem und mit den Spannungen zur Türkei belasten.

Helmut Schmidt antwortete: »Herr Ruhfus, Giscard hat Karamanlis in Paris die Mitgliedschaft bereits zugesagt. Soll Deutschland jetzt diese Entwicklung torpedieren?«

Diese Sorgen wurden schon bald bestätigt. Die Regierung Papandreou hat es in den folgenden Jahren bestens verstanden, große Hilfsleistungen aus Brüssel zu kassieren. Während der Ministerpräsident die Europäische Gemeinschaft heftig kritisierte, nutzte er die Subventionen der EG an die griechische Landwirtschaft meisterhaft, um in der Provinz die Wiederwahl seiner Regierung zu sichern.

Griechenland und Deutschland saßen zwar nebeneinander, aber sie hatten in der Amtszeit von Papandreou in vielen Punkten unterschiedliche Meinungen und Interessen.

Die griechische Delegation war oft Wortführer, wenn es darum ging, größere Hilfeleistungen für die Landwirtschaft und die regionalen Vorhaben in den südlichen Mitgliedsländern zu erreichen, integrierte Mittelmeerprogramme zu fordern und die finanzstarken EG-Mitglieder zu höheren Beiträgen heranzuziehen.

Der stellvertretende griechische Außenminister und Europa-Beauftragte Theodoros Pangalos konnte es sich gelegentlich nicht verkneifen, Deutschland speziell aufs Korn zu nehmen.

In den Jahren, da ich Bundesminister Genscher bei den Sitzungen des Ministerrats vertrat, kam er nach der Sitzung mit einigen beschwichtigenden griechischen Worten auf die deutsche Delegation zu. Ich habe ihm nicht verborgen, dass ich es als wenig gemeinschaftsfreundlich ansah, zu Hause mit dem Geld der EG Wahlen zu gewinnen und in Brüssel die Gemeinschaft und ihre zahlenden Mitglieder zu kritisieren.

Noch härter waren 1986 die Diskussionen im Dooge-Ausschuss mit dem griechischen Vertreter, dem späteren Finanzminister Jannos Papantoniou. Der Ausschuss umfasste persönliche Beauftragte der Regierungschefs der zwölf europäischen EG-Mitglieder. Sie sollten ein Konzept für die nächste Integrationsstufe der Gemeinschaft ausarbeiten. Papantoniou bemühte sich, die finanzielle Solidarität der Gemeinschaft hervorzuheben, die Hilfsleistungen für die schwächeren Länder aufzustocken und dafür die ordnungspolitischen Befugnisse der Kommission zu stärken. Schlüsselbegriffe für diese Bemühungen waren »soziale Relevanz der Gemeinschaft« und »wirtschaftliche Konvergenz«.

Der britische Vertreter Malcolm Rifkind und der Holländer Wim van Ekelen unterstützten mich. Aber ein großer Teil der Bemühungen, die Marktwirtschaft, die freie Entfaltung der Unternehmen in Handel und Industrie zu verteidigen, lag bei der deutschen Delegation. Es ist uns letztlich auch gelungen, ein ausgewogenes marktwirtschaftliches Konzept durchzusetzen. Bundesminister Stoltenberg hat allerdings im Kabinett kritisiert, dass der deutsche Vertreter dem Begriff »soziale Relevanz« ohne Vorbehalt zugestimmt hatte. Das würde Subventionsforderungen wirtschaftlich schwächerer EG-Partner Tür und Tor öffnen. Im abschließenden Bericht habe ich einen Vorbehalt eingelegt.

Ich hatte die Genugtuung, dass Bundeskanzler Kohl diese Formulierung beim nächsten Gipfeltreffen der Regierungschefs der Europäischen Gemeinschaft widerspruchslos durchgehen ließ.

Theo Sarantopoulos wurde zum Präsidenten der Deutsch-Griechischen Industrie- und Handelskammer berufen. Er lud mich als Staatssekretär ein, vor der Deutsch-Griechischen Industrie- und Handelskammer zu sprechen.

Ich habe die Gelegenheit gern genutzt, um Griechenland wiederzusehen, um im April 1986 vor führenden Vertretern der griechischen Wirtschaft die deutsche Europa-Politik zu erläutern und für die Europäische Einigung zu werben. Der warme Beifall der Athener Geschäftswelt für unsere Vorstellungen hat mich nach den manchmal harten Diskussionen mit den griechischen Delegationen in Brüssel und in Dublin besonders gefreut.

Der französische Präsident Giscard d'Estaing und Bundeskanzler Schmidt haben Recht behalten. Griechenland ist eine stabile Demokratie und respektiertes Mitglied der Gemeinschaft. Dank griechischer Kreativität und Tüchtigkeit hat das Land schneller als erwartet Anschluss an die wirtschaftliche und monetäre Entwicklung in der EG gefunden. Große Verdienste hat Ministerpräsident Kostas Simitis, der lange Jahre in Deutschland gelebt und als Professor an der Universität Marburg gelehrt hat.

Die früheren Gastarbeiter haben sich oft selbständig gemacht, sobald ihre Arbeitsverträge in den Fabriken ausliefen. Als Eigentümer von Restaurants, Pensionen, Schneidereien und Reinigungsfirmen haben sie das in Deutschland viele Jahre vernachlässigte Dienstleistungsgewerbe kräftig aufgemischt und bereichert. Unsere Zuneigung zu griechischen Restaurants haben Karin und ich und unsere Töchter auch in anderen Ländern bewahrt. Während unserer Zeit in Bonn, Nairobi, London und Washington hatten wir zu den Griechen in den Botschaften und im Lande viele gute und freundschaftliche Beziehungen.

Mit der Europameisterschaft der griechischen Fußballelf und den glanzvollen Olympischen Spielen in Athen, beides in 2004, hat Griechenland sich selbst und Europa zu weltweitem Ansehen verholfen.

Pressereferat (1964-1970)

In Deutschland hatte sich viel geändert. Im Oktober 1963 war Konrad Adenauer zurückgetreten. Der Bundestag wählte Ludwig Erhard zum Bundeskanzler. Außenminister Gerhard Schröder hatte Heinrich von Brentano schon im Herbst 1961 abgelöst.

Im Bundestag rangen die Atlantiker auf der einen, die Anhänger der deutsch-französischen Zusammenarbeit (und General de Gaulles) auf der anderen Seite um die Außenpolitik. Die »Gaullisten« sahen die Bemühungen der beiden Supermächte USA und Sowjetunion um Entspannung und die vertraglichen Fixierungen wie Atomtest-Abkommen 1963 und Atomwaffen-Sperrvertrag 1968 mit Sorge. Konrad Adenauer, Franz Josef Strauß, Karl Theodor von Guttenberg und andere in CSU und CDU entwickelten zunehmend Misstrauen gegenüber den USA, Zweifel an der nuklearen Garantie der Amerikaner, Sorge vor der kommunistischen Bedrohung in Europa. Sie befürchteten, dass die deutsche Frage in den Hintergrund geschoben und dass die weltweite nukleare Problematik zu Lasten Deutschlands gelöst werden würde. Sie suchten Rückhalt im deutsch-französischen Freundschaftsvertrag von 1963.

Außenminister Gerhard Schröder

Außenminister Schröder gehörte zu den Atlantikern, die den Beziehungen zu den USA und der Einbindung in die NATO Vorrang gaben.

Er war Norddeutscher. Seine Position in der Partei beruhte darauf, dass er der Vorsitzende des evangelischen Arbeitskreises der CDU war. Als langjähriger Innenminister unter Bundeskanzler Adenauer kannte er den politischen Betrieb in Bonn sehr genau. Nach außen wirkte er kühl und reserviert. Aber dahinter verbarg sich ein lebhaftes politisches Temperament. Manchmal schien er distanziert und herablassend, aber das war Teil seiner Autorität. Gelegentliche Vorwürfe in der Öffentlichkeit, ob er nicht nazistisch vorbelastet sei, konnten einfach widerlegt werden: Er hatte treu zu seiner Ehefrau gestanden, die jüdische Vorfahren hatte.

Dem Auswärtigen Amt gab er sichere Führung, stärkte dessen Selbstbewusstsein und Ansehen. War das Außenministerium unter Außenminister von Brentano noch das Vollzugsorgan der Entscheidungen von Bundeskanzler Adenauer, so förderte und nutzte Schröder die eigenständige Arbeit und das schöpferische Talent des Auswärtigen Amts für neue Ansätze in der Außenpolitik.

Dazu gehörten Überlegungen, wie man die Beziehungen zu den osteuropäischen Nachbarn normalisieren und verbessern könnte. Um die Grenzen der Hallstein-Doktrin zu umgehen, wurden Handelsverträge geschlossen und Handelsvertretungen in Polen, Rumänien und Ungarn eingerichtet. Mit der »Zangentheorie« sollte die DDR im Warschauer Pakt und im COMECON isoliert und die Beziehungen zu den zwischen der Sowjetunion und der DDR liegenden osteuropäischen Staaten verbessert werden. Wirtschaft und Handel waren die Instrumente.

Der wichtigste Schritt war die Friedensnote der Bundesregierung Erhard vom 25. März 1966. Sie signalisierte neue Dimensionen für die Entspannungspolitik der Bundesregierung. Der Sowjetunion und den anderen osteuropäischen Staaten wurden Gewaltverzichtserklärungen vorgeschlagen. Die Bundesrepublik trug dem Sicherheitsbedürfnis der Sowjetunion und der Staaten in Ost- und Mitteleuropa verstärkt Rechnung. Entspannungspolitik wurde nicht mehr an Fortschritte in der deutschen Frage gebunden oder von ihr abhängig gemacht.

Den Gaullisten ging der Verzicht auf traditionelle Positionen der Adenauer-Zeit zu weit. Der parlamentarischen Opposition der SPD ging der deutsche Beitrag zur Entspannungspolitik nicht weit genug. Es wurde kritisiert, dass die Bundesregierung gegenüber der DDR unverändert an der Nichtanerkennungspolitik der Hallstein-Doktrin festhielt. Das Angebot, Gewaltverzichtserklärungen auszutauschen, war allein der DDR nicht angeboten worden.

Das Pressereferat

Das Pressereferat unterstand unmittelbar dem Minister und den Staatssekretären. 1964 löste Jörg Kastl Hans Joachim Hille als Leiter des Referats ab. Ihm standen zur Seite die Herren Stelzenmüller, Falk und Schulze sowie Jutta Grützner, seit Jahren erfahrene Mitglieder des Pressereferats. Im Vorzimmer saß Frau Horchler, die schon im Pressereferat der Wilhelmstrasse gearbeitet hatte. Diesem Kreis wurde ich im Januar 64 als jüngster Mitarbeiter zugeteilt.

Jörg Kastl war eine unabhängige Persönlichkeit, ein eigenständiger Denker, eher konservativ eingestellt, aber bereit, neue Wege zu gehen, wenn sie gut durchdacht waren. Er besaß Lebensfreude, Humor und einen unaufdringlichen bayerischen Charme. Kastl war bereit, die Mitarbeiter selbständig arbeiten zu lassen, ihnen Verantwortung zu übertragen und sie nach Kräften zu fördern. Bei dem für mich neuen Bereich der Öffentlichkeitsarbeit ein idealer Vorgesetzter. In der Zusammenarbeit mit den Vertretern der Medien musste ich durch praktische Erfahrungen meinen Weg finden, Vertrauen und Selbstsicherheit gewinnen.

Unsere Arbeit wurde stark geprägt von den Auseinandersetzungen zwischen Atlantikern und Gaullisten in unserem Land sowie den Diskussionen über die von Außenminister Schröder vorgeschlagene behutsame Öffnung nach Osten. Diese Fragen beherrschten die Gespräche mit den deutschen Journalisten und mit dem schnell wachsenden Corps von Auslandskorrespondenten aus Ost und West und der Dritten Welt.

In der Frage »Transatlantische Bindungen oder gaullistische Europa-Politik?« war ich durch meine Erfahrungen in der angelsächsischen Welt beeinflusst: Ich war Anhänger der europäischen Einigung, aber nicht um den Preis der Abkoppelung von den lebensnotwendigen Verbindungen zu den USA.

Ich hatte die politische und wirtschaftliche Kraft der USA kennen gelernt. Frankreich war unser in vielen Bereichen besonders begabter Nachbar, dem wir durch unsere Lage und durch unsere Geschichte engstens verbunden waren. Die Überwindung der jahrhundertelangen Rivalität, die uns seit dem Zerfall des Reiches Karls des Großen getrennt hatte, war eine historische Leistung. Das deutsch-französische Jugendwerk war eine einmalige Errungenschaft. Die Persönlichkeit von Präsident de Gaulle hatte mich in Dakar beeindruckt.

Aber ich befürchtete, dass der große Ehrgeiz von de Gaulle schon die Kräfte Frankreichs überstieg. Für unsere Nation, als geteiltes Land in der Frontstellung zum Warschauer Pakt, waren die französischen Visionen bedrohlich. De Gaulles gegen die Europäische Wirtschaftsgemeinschaft gerichtete Politik des leeren Stuhls, der die NATO schwächende Austritt Frankreichs aus der integrierten Verteidigung – das konnte nicht in unserem Interesse liegen. Aus meiner Zeit in England war ich überzeugt, dass Großbritannien ein selbstbewusster und keineswegs einfacher europäischer Partner sein würde. Sein Beitritt würde der EWG großen Gewinn bringen.

Ich fühlte mich in meiner zurückhaltenden Auffassung über de Gaulle bestätigt, als ich allmählich erkannte, dass die Reichweite eines großen Teils der französischen Nuklearwaffen gerade ausreichte, um Deutschland auf beiden Seiten der Elbe zu treffen.

Einen starken Eindruck machten die Demonstrationen und Streiks im Mai 1968. Studenten und junge Arbeiter in Paris gingen auf die Straße, sie lehnten sich gegen die harten wirtschaftlichen und sozialen Konsequenzen der zu anspruchsvollen und kostspieligen Militär- und Außenpolitik des Generals auf. Der gemeinsame Druck war so stark, dass de Gaulle sich nicht mehr halten konnte.

Zur Beantwortung der Frage »Was kann und/oder muss Deutschland beitragen zur Ost-West-Entspannung?« fehlte mir die eigene Kenntnis der Stimmung in der DDR, in den osteuropäischen Ländern und in der Sowjetunion. Abgesehen von der zweijährigen Kinderlandverschickung nach Pommern und mehreren Besuchen in Berlin Ende der 50er Jahre hatte ich keine persönlichen Erfahrungen von den Ländern östlich der Elbe.

Unsere Rückkehr in die Gemeinschaft der westlichen Demokratien hatte ich aus vollem Herzen begrüßt. Der hohe Preis, den die Bewohner der DDR und die Bürger der osteuropäischen Länder für die Spaltung Europas in der Unfreiheit des Warschauer Paktes zahlen mussten, war mir nur aus Berichten der Medien, aus Erzählungen aus dritter Hand bekannt, weder aus eigener Anschauung noch durch persönliche Begegnungen mit Menschen in diesen Ländern. Das Gebot des Grundgesetzes, für die deutsche Einheit einzutreten, war für mich eine Selbstverständlichkeit. Aber es war nicht wie bei anderen eine Herzensangelegenheit, die auf regionaler Herkunft oder familiärer Abstammung beruhte oder die aus Erinnerungen der Kindheit gespeist wurde.

Ich entsinne mich noch gut eines Vortrags, den der Gesandte Albrecht von Kessel Ende der 50er Jahre in der Ausbildungsstätte gehalten hatte. Kessel hatte schon im Auswärtigen Amt der Wilhelmstrasse gedient und den Widerstandskämpfern des 20. Juli nahe gestanden. Er legte dar, Deutschland, in der Mitte unseres Kontinents gelegen, müsse nicht nur beitragen zur Gemeinschaft der westlichen Welt. Unsere Lage und Geschichte übertrügen uns eine große Verantwortung ebenfalls für die Länder in der Mitte und im östlichen Teil unseres Kontinents. Deutschland sei besonders berufen, darüber nachzudenken und zu handeln, um die Spaltung Europas zu mildern und zu überwinden.

Diese Überlegungen haben mich tief beeindruckt. Ich empfand sie seinerzeit als revolutionär und beinahe ketzerisch. Das zeigt, wie sehr das Denken im Auswärtigen Amt in der Mitte der 50er Jahre durch Adenauer und seinen Statthalter im Außenministerium, Hallstein, auf die Westintegration ausgerichtet war.

Mitte der 60er Jahre zeigten die Bemühungen um Verbesserung der Beziehungen zwischen den USA und der Sowjetunion von Präsident Lyndon B. Johnson und von Präsident Richard Nixon, aber auch die Entspannungspolitik von General de Gaulle, dass Deutschland sich diesen auf seiner Geschichte und seiner Lage beruhenden Aufgaben nicht entziehen konnte. Der wichtigste Beweggrund für deutsche Bemühungen um Entspannungspolitik war für mich: Unsere Außenpolitik darf sich nicht in eine Sonderrolle begeben, sie muss sich weiterhin nachdrücklich in die so mühsam gewonnene Gemeinschaft der westlichen Staaten einfügen. In den Jahren 1964/1965 kam hinzu, dass Deutschland mit der Lieferung von Panzern an Israel, dem ägyptischen Werben um Ostberlin und mit der Aufnahme diplomatischer Beziehungen zu Tel Aviv in die nahöstlichen Turbulenzen hineingezogen wurde.

In diesem politischen Umfeld begann ich meine Arbeit im Pressereferat. Im Büro von Bundesminister von Brentano hatte ich gesehen, wie wichtig die Tätigkeit des Pressereferats für den Minister und für das Auswärtige Amt ist. Aber außer einigen wenigen Nummern der ersten Schülerzeitung der Graf-Engelbert-Schule in Bochum, die ich mit Freunden herausgegeben hatte, fehlte mir jede praktische Erfahrung in der Öffentlichkeitsarbeit.

Ich sah der Arbeit in dem neuen Referat mit Neugier, aber auch mit etwas Bangen entgegen. Niemals hätte ich mir bei meinem Dienstantritt träumen lassen, dass das Pressereferat im Untergeschoss des neuen Ministerbaus fast sieben Jahre lang meine Heimstatt im Auswärtigen Amt sein würde.

Mir gefiel der direkte, persönliche Umgang im Pressereferat sofort. Der ständige Zeitdruck ließ keine Zeit für Förmlichkeiten, für Konkurrenzdenken oder für die Erörterung von Zuständigkeitsfragen. Ich wurde als neuer Mitarbeiter mit offenen Armen aufgenommen.

Die Angehörigen des Pressereferats führten mich kurz in einige Grundregeln der Arbeit mit den Journalisten ein.

- Erstens: Solange sich das Gespräch auf der Linie der genehmigten Sprachregelungen oder der allgemeinen Außenpolitik bewegt, können wir als »Pressereferat« oder als »Mitarbeiter des Auswärtigen Amts« zitiert werden.
- Zweitens: Bei heiklen Themen oder bei vertraulichen Mitteilungen kann die Formulierung »aus diplomatischen Kreisen« (für das Auswärtige Amt) oder »aus Regierungskreisen« (für das Bundespresseamt) gewählt werden.
- Stufe drei: Mit den Journalisten wird vereinbart, es wird keinen Hinweis auf die Quellen geben, die Informationen sind nur als Hintergrund für die sachgerechte Darstellung oder Kommentierung zu verwenden.

Dann kam die allgemeine Ermahnung, zu Anfang eher etwas vorsichtiger zu sein, aber zugleich auch die Beruhigung: Wir sind alle schon einmal reingefallen. Bei Pannen stehen wir zusammen, sie dürfen sich allerdings nicht zu sehr häufen, sonst wird die Leitung des Amtes ungehalten. Damit wurde ich ins Wasser geworfen. Das Weitere war training on the job.

Wie ehern diese Faustregeln waren, erfuhr ich einige Jahre später von Ulrich Kempski, dem angesehenen, auch von mir persönlich sehr geschätzten diplomatischen Korrespondenten der »Süddeutschen Zeitung«. Bei einem Whisky nach einem langen Konferenztag erzählte er mir von seinem sensationellen Interview mit einem der Führer der algerischen Fronde gegen de Gaulle. Als ehemaliger Fallschirmjäger hatte Kempski schnellen Zugang zu General Massu gefunden. Während sein Gesprächspartner rückhaltlos gegen de Gaulle und dessen verräterische Politik in Algerien auspackte, habe er die ganze Zeit wie auf glühenden Kohlen gesessen. Wird das nun zu einem Hintergrundgespräch erklärt oder bleiben die aggressiven Aussagen frei zur Verwendung? Der Haudegen vergaß die Klassifizierung, Kempski hatte ein dramatisches Interview, und der französische Fallschirmjägergeneral bekam größte Schwierigkeiten mit dem französischen Präsidenten.

Bundesminister Schröder und seine Staatssekretäre hatten das Amt fest im Griff, sie wollten einen vollen Überblick über die Öffentlichkeitsarbeit haben. Das Fernsehen war in erster Linie Chefsache der Spitze des Amtes. Aber auch Kontakte zur Presse liefen nur über die Amtsleitung oder das Pressereferat. Alle Gespräche von Abteilungsleitern oder Referenten mit Journalisten mussten vorher von dem Minister oder dem Staatssekretär gebilligt werden.

Entscheidend war, ein gutes Arbeitsverhältnis zu den verschiedenen Korrespondenten herzustellen. Die Journalisten der Nachrichten-Agenturen wollten Neuigkeiten haben, schnell, möglichst knackig und zitatfähig. Die Stellungnahme musste sorgfältig vorbereitet und präzise übermittelt werden, die Agenturmeldungen liefen pfeilschnell um die Welt und waren nur sehr schwer zu korrigieren oder gar zu dementieren.

Bei den Korrespondenten der Tageszeitungen kam es darauf an, ihnen die Sicht des Auswärtigen Amtes zu vermitteln, getrennt nach zitatfähigen Äußerungen und Hintergrundinformationen. Es war eiserne Regel: Man kann den Umfang der Informationen dosieren, aber man darf keine falsche Unterrichtung geben. Unzutreffende Fakten oder gezielte Fehlinformationen sind tödlich für das Vertrauensverhältnis.

Die größte Herausforderung waren Gespräche mit den führenden Kommentatoren und Leitartiklern wie Jürgen Tern, Frankfurter Allgemeine Zeitung, Giselher Wirsing, Christ und Welt, Kurt Becker oder Rolf Zundel, DIE ZEIT, oder Georg Schröder, DIE WELT. Wir wussten, dass sie Gesprächspartner des Ministers und der Staatssekretäre waren. Wenn die Spitze des

Amtes nicht greifbar war, während sie an einem Leitartikel oder Kommentar arbeiteten, oder wenn Werner Höfer unter Zeitdruck seine nächste Sonntags-Fernsehrunde vorbereitete, wandten sie sich an uns.

Jürgen Tern war damals der führende außenpolitische Leitartikler der Frankfurter Allgemeinen Zeitung. Er hat es klug verstanden, mich als Anfänger nach den Überlegungen und Bewertungen des Auswärtigen Amtes auszuforschen. Nachdem er niemals einen Hinweis auf seine Quellen gab, wuchs ein Vertrauensverhältnis. Ich teilte ihm auch interne Überlegungen aus der Direktorenrunde mit, die er dann meisterhaft in seinen Leitartikeln verarbeitete. Nach anfänglichem Bangen fühlte ich mich zur Zusammenarbeit ermutigt, als Staatssekretär Carstens und andere Mitglieder der Direktorenrunde sich anerkennend äußerten, wie »ausgewogen und verständnisvoll« die FAZ in ihren Kommentaren die Politik des Auswärtigen Amtes begleitete.

In der Zeitung DIE WELT war Georg Schröder der große diplomatische Kommentator. Allerdings hatte er gelegentlich Freude daran, seine Ausführungen mit einer sensationellen Schlagzeile aufzuzäumen und dabei auch seine Quellen durchschimmern zu lassen.

Die Zusammenarbeit mit vielen anderen bekannten und angesehenen Bonner Korrespondenten war gut – wie mit Dr. Wolfgang Wagner, Hannoversche Allgemeine, Wolfgang Wiedemeyer, Südwestfunk, Meinrad Graf Naihauss, Hilde Purwin, Neue Ruhr Zeitung, Joachim Sobotta, Rheinische Post, Willy Zirngibel, Westdeutsche Allgemeine Zeitung, Reiser, Süddeutsche Zeitung, Wolf Bell, General-Anzeiger, v. Lojewsky sen. und jun., mit Jürgen Lorenz, Kieler Nachrichten, mit dem Chefredakteur der NRZ Jens Feddersen. Graf Fink von Finkenstein – diplomatischer Korrespondent der Welt – wurde später ins Auswärtige Amt übernommen und ein erfolgreicher Chef des Protokolls. Mit Rolf Seelmann-Eggebert von der ARD, mit Klaus-Dieter Frankenberger und Günther Gillesen von der FAZ habe ich die gute Zusammenarbeit später in der Deutsch-Englischen Gesellschaft fortgesetzt. In vielen Fällen erwuchsen aus der beruflichen Verbindung freundschaftliche Kontakte.

Als junges Mitglied des Pressereferats war man mit dem breiten Spektrum der öffentlichen Meinung in der Bundesrepublik und – über die Auslandskorrespondenten – in weiten Teilen des Auslands konfrontiert. Es gab die Journalisten, die dem Auswärtigen Amt wohlgesonnen waren, man musste sich aber auch auf die Vertreter kritischer Redaktionen einstellen, angefangen beim VORWÄRTS, dem Organ der SPD, bis zum BAYERN-KURIER, der Partei-Zeitung der CSU. Die Angehörigen des Pressereferats mussten auf Fragen und Antworten der Korrespondenten aus dem Warschauer Pakt wie aus den verbündeten NATO-Ländern eingehen und jeweils versuchen, ihnen die Politik des Auswärtigen Amtes nahe zu bringen. Die Entscheidungen über die Waffenlieferungen in den Nahen Osten, über die Beziehungen zu Kairo und Tel Aviv mussten wir Inge Deutschkron, der Korrespondentin von Maariv, ebenso erläutern wie Hassan Suliak, dem Vertreter angesehener arabischer Zeitungen.

Pressekonferenzen, Interviews und Reden des Ministers

Dreimal in der Woche, montags, mittwochs und freitags, fand die Bundespressekonferenz statt, die vom Vorsitzenden des Vereins der Presse geleitet wurde. Damit wurde herausgestellt, dass die Pressekonferenz nicht eine Propagandaeinrichtung der Bundesregierung war, sondern ein Forum zum Austausch von Informationen und eine öffentliche Plattform für Fragen der Journalisten an den Sprecher der Bundesregierung und die Pressereferenten der verschiedenen Bundesministerien. Der Vertreter des Auswärtigen Amts saß neben dem Sprecher der Bundesregierung.

Diese Tage brachten zusätzliche Anforderungen und Hektik. Bis zur Pressekonferenz, die um 15.00 Uhr begann (freitags wegen der Wochenendpresse schon um 11.30 Uhr), galt es, die Themen zu ermitteln, zu denen die deutschen und ausländischen Korrespondenten voraussichtlich Fragen stellen würden, und festzulegen, welche Mitteilungen die Bundesregierung von sich aus machen wollte. Dann musste der Text zwischen dem Regierungssprecher und den beteiligten Ressorts bzw. unter den Ministerien, deren Zuständigkeit berührt war, abgestimmt werden. Jeder Korrespondent konnte zu jedem Bereich der Regierungstätigkeit Fragen stellen. Bei ausgefallenen Fragen zu entlegenen Spezialgebieten war es leicht, Erkundigungen und Antwort nach der Pressekonferenz in Aussicht zustellen.

Ging es jedoch um letzte Entwicklungen z. B. zu heiklen politischen Problemen im Nahen Osten oder zu kontroversen deutschen Rüstungsverkäufen in Spannungsgebiete der Weltpolitik, dann konnte ein Sprecher, der nicht auf dem letzten Stand war, leicht eine schwache Figur abgeben. Das reizte die Pressekonferenz gelegentlich, verstärkt nachzufassen.

Wenn es bedeutende außenpolitische Mitteilungen oder Ereignisse gab, über die die Zeitungen ihre Leser auf jeden Fall am nächsten Morgen unterrichten mussten, waren die Pressekonferenzen oft kürzer; alle Korrespondenten mussten ihren Redaktionen frühzeitig einen Bericht schicken.

Schwierig konnte es werden, wenn es keine großen Themen gab und die Korrespondenten nach einer Story suchten, die sie ihrer Redaktion liefern konnten.

Im Sommer 1965 hatte es mehrere Selbstmordfälle im Auswärtigen Amt gegeben. Ein Korrespondent eröffnete die Pressekonferenz in der Sommerflaute mit der Frage an den Sprecher des Auswärtigen Amtes: »Wann springt der nächste Mitarbeiter aus dem Fenster der Botschaft?«

Nachdem ich den Ton der Frage zurückgewiesen hatte, kamen wir dann doch zu einem Gespräch über die besonderen Härten des Auswärtigen Dienstes. Ich schilderte die Belastungen durch die ständigen Ortswechsel alle drei bis vier Jahre, durch den Abbruch aller persönlichen Beziehungen an einem Ort und den Aufbau neuer Kontakte in völlig neuer Umgebung, den Schulwechsel für die Kinder, die fehlenden Arbeitsmöglichkeiten für die Ehefrauen in dem Beruf, den sie mit Ausbildung oder Universitätsstudium gewählt hatten.

In den nächsten Jahren habe ich im Pressereferat in der »Saure-Gurken-Zeit« während der Sommerferien Pressegespräche über Sonderbereiche des Auswärtigen Dienstes angeboten, die während der Hauptsaison nicht packend und nicht sensationell genug waren, die aber während der ruhigeren Wochen durchaus Interesse fanden.

Die Zusammenarbeit zwischen dem Chef des Bundespresseamtes und dem Pressereferat des Auswärtigen Amtes war eng und zumeist reibungslos. Dazu trugen die Persönlichkeiten von Karl-Günther von Hase und von Günter Diehl bei. Schwieriger wurde es, als in der großen Koalition unter Bundeskanzler Kurt Georg Kiesinger und Vizekanzler/Außenminister Willy Brandt die Hauptrepräsentanten der beiden großen Volksparteien zusammengespannt waren. Aber auch hier half, dass Günter Diehl wie Karl-Günther von Hase als frühere Sprecher des Auswärtigen Amts über eine profunde Kenntnis der Außenpolitik verfügten. Beide hatten Witz und Charme, waren beliebt bei vielen Journalisten und konnten die Politik meisterhaft verkaufen. Trotz der glatten Präsentation genossen sie das Vertrauen, dass das, was sie sagten, richtig und zutreffend war.

Die wichtigsten Ereignisse für das Pressereferat waren die Interviews und die Reden des Ministers, seine Hintergrundgespräche und die der Staatssekretäre. Beim Pressereferat ging eine Vielzahl von Wünschen für ein Interview mit dem Minister ein. Bundesminister Schröder wählte den Zeitpunkt von Interviews, die Thematik, das Medium und den Korrespondenten stets sorgfältig aus.

Wenn er sich öffentlich äußerte, wollte er eine konkrete außenpolitische Aussage zu einem akuten Thema machen, die dann auch breite öffentliche

Beachtung finden sollte. Er hielt nichts von Gefälligkeitsinterviews, um die persönlichen Beziehungen und das Wohlwollen einflussreicher Korrespondenten und Redaktionen zu pflegen.

Ähnliches galt für seine Reden. Er hielt jedes Jahr nur eine begrenzte Anzahl großer Vorträge. Diese sollten grundsätzliche Aussagen zur Außenpolitik mit neuen Ansätzen enthalten. Die Reden wurden in Vorbesprechungen im Auswärtigen Amt frühzeitig und gründlich vorbereitet. In vielen Fällen übernahm Erwin Wickert die Formulierung der Gedanken in einem ersten Entwurf, der dann vom Minister überarbeitet wurde. Wickert hatte einen doppelten Vorteil: Er war zuständig für die im Brennpunkt stehende Osteuropa-Politik, und er schrieb als Autor erfolgreicher Bücher einen erstklassigen Stil.

Reisen mit dem Minister

Die innenpolitischen Auseinandersetzungen und die außenpolitischen Anforderungen nahmen zu. Der Außenminister musste bei seinen Reisen zu Reden, Kongressen, Kirchentagen und Veranstaltungen in seinem Wahlkreis betreut und eine ständige Verbindung zum Auswärtigen Amt sichergestellt werden.

Hans-Otto Bräutigam begleitete ihn für das Ministerbüro, ich fuhr mit für das Pressereferat.

In der Regel ließ sich der Minister zunächst über die bevorstehende Veranstaltung berichten, über Erwartungen der Veranstalter und der Zuhörer. Bräutigam hatte meist Stichworte für die Reden vorbereitet, ich berichtete über die geplanten Kontakte mit der Presse. Im Anschluss stellte der Minister öfter Fragen zur Haltung der Nachwuchsbeamten zu außenpolitischen Vorhaben, zur Stimmung im Auswärtigen Amt und anderen Themen. Auch wir konnten Fragen stellen und Anregungen vorbringen.

Diese Gespräche in der intimen Atmosphäre des durch die Landschaft eilenden komfortablen Dienstwagens waren für uns Jüngere faszinierend. Der Minister ließ uns an seinen außenpolitischen Überlegungen teilhaben. Er war auch bereit, sich, aus seiner Erfahrung als Innenminister, zu innenpolitischen Fragen und zu verfassungsrechtlichen Problemen zu äußern. Bräutigam und ich konnten – in gebührender Form, versteht sich – unsere Gegenargumente und unsere Bedenken vortragen, mit denen er sich dann auseinander setzte.

Ich habe ihm vor Reden wiederholt geraten, einige freundliche Worte über die Bedeutung der deutsch-französischen Zusammenarbeit einzuflechten, ohne unakzeptablen französischen Forderungen nachzugeben. Auf diese Weise könne er den progaullistischen Kritikern in Deutschland den Wind aus den Segeln nehmen.

Schröder blieb bei seiner Auffassung, man müsse zu seinen Ansichten stehen. Gelegentlich hatte ich aber doch den Eindruck, dass sein Ton und seine Ausführungen bei der folgenden Veranstaltung etwas konzilianter waren.

Später habe ich den Außenminister zu Tagungen des NATO-Rats, des EG-Ministerrats und zu bilateralen Konsultationen mit dem französischen Außenminister begleitet. Wiederholt habe ich das kühle Klima der Unterredungen erlebt. Schröder bemühte sich, mit dem französischen Außenminister zu einem Dialog zu kommen. Er legte ihm seine Auffassungen zu aktuellen Fragen der Ost-West-Beziehungen, der Europapolitik oder des Bündnisses dar.

Couve de Murville hörte in der Regel mit unbewegter Miene zu – es hieß, er litt oft unter starker Migräne – und reagierte mit herablassender Höflichkeit: »Je prends bonne note de ce que vous me dîtes.« Zu einer Diskussion, zu einem Geben und Nehmen kam es nur in seltenen Fällen.

Beide Außenminister hatten als angesehene Vertreter des Protestantismus in ihrem Lande, mit der hohen Intelligenz, der brillanten Präsentation ihrer Ansichten, der Schärfe ihrer Analyse und der Unbestechlichkeit ihres Urteils eine Reihe von Gemeinsamkeiten. Es ist Schröder und Couve de Murville aber nicht gelungen, wie später Hans-Dietrich Genscher und Roland Dumas oder Helmut Schmidt und Giscard d'Estaing, sich über ihre Befangenheit in nationaler Politik zu erheben und gemeinsame Ansätze und Lösungsvorschläge zu entwickeln. Schröder hätte die innenpolitische Position gehabt. Aber Couve de Murville waren als treuem Gefolgsmann de Gaulles wohl zu enge Grenzen gesetzt.

Stattdessen kam es zu einer für den Außenminister unerfreulichen Indiskretion in der Pariser Zeitung »Le Canard Enchaîné«. Sie schilderte genüsslich, Schröder habe in der französischen Hauptstadt ein Verhältnis mit einer deutschen Beamtin. De Gaulle verweigerte dem deutschen Außenminister die Begrüßung mit einer Umarmung und setzte ihn so für die Öffentlichkeit sichtbar zurück.

Gleichwohl sah Außenminister Schröder die deutsch-französischen Beziehungen als essentiell an. Weder für Adenauer als engem Freund Frankreichs und de Gaulles, noch für Schröder als engagiertem Atlantiker gab es eine Alternative zwischen Paris und Washington. Am 17. Juli 1966 sagte Schröder klar und eindeutig: »In meinen Augen ist die Fragestellung nach einer etwaigen Alternative oder einer Wahlnotwendigkeit zwischen Paris und Washington ganz abwegig.«

Graf Huyn

Die Auseinandersetzungen in der CDU/CSU zwischen Gaullisten und Atlantikern haben das Pressereferat unmittelbar berührt.

Am 21. Oktober 1965 sah sich unser Kollege Legationsrat Hans Graf Huyn veranlasst, den ihm persönlich gut bekannten CSU-Abgeordneten Karl-Theodor Frhr. von und zu Guttenberg über eine interne Besprechung der Unterabteilung für Europäische Politische Angelegenheiten zu unterrichten. (In dieser Besprechung hatte der Leiter der Unterabteilung Paul Frank sich zur allgemeinen Lage der deutschen Europa-Politik und zu der Absicht des Ministeriums geäußert, die deutsch-britischen Beziehungen zu intensivieren.) Die Nachricht wurde über von Guttenberg, Strauß und Adenauer so hochgespielt, dass die erneute Ernennung Schröders zum Außenminister nach den Wahlen 1965 für einen Moment ernsthaft gefährdet schien.

Die Affäre Huyn hat in der Öffentlichkeit und im Amt hohe Wellen geschlagen. Eine Flut von Presseberichten, mehrere parlamentarische Anfragen und die späteren Versuche Graf Huyns, Paul Franks und anderer Beteiligter, ihr Verhalten zu rechtfertigen, gaben dem Vorgang ein großes publizistisches Echo.

Schröder blieb Außenminister in der neuen Regierung Erhard. Die Vorwürfe gegen Frank liefen sich tot. Ich hatte Frank, den ich sehr schätzte, von Anfang an geraten, die Fakten öffentlich klarzustellen, aber die Affäre nicht hochzuspielen.

In jener Zeit begleitete ich Schröder in seinem Dienstwagen zu einer innenpolitischen Veranstaltung. Er unterbrach die Lektüre seiner Unterlagen, drehte sich zu mir um und blickte mich forschend an: »Herr Ruhfus, Sie sind doch ein Kollege von Graf Huyn. Was halten Sie von seinem Vorgehen?«

Einen Moment hielt ich den Atem an. Auch wenn ich die Vorgänge bei der Neuernennung der Bundesregierung nicht im Detail kannte, wusste ich doch, wie sehr die innenpolitischen Auseinandersetzungen Schröder getroffen hatten. Sein Blick blieb auf mich gerichtet.

Ich schilderte dem Minister meine Bekanntschaft mit Graf Huyn. Nach meinem Wissen hatte er schon während seiner Attachézeit persönliche Kontakte zu Freiherr von Guttenberg und anderen Kreisen der CSU. Ich hatte ihn als einen engagierten Befürworter der deutsch-französischen Beziehungen erlebt. Aber ich hielt ihn nicht für einen Intriganten. Nach meinem Eindruck hatte er die Konsequenzen seines Handelns nicht übersehen und war von Guttenberg ausgenutzt und hereingelegt worden.

Schröder beließ es dabei. Er kam auf die Angelegenheit mir gegenüber auch nicht zurück, nachdem Graf Huyn die Vorwürfe gegen Schröders Frankreich-Politik in seinem Buch »Die Sackgasse« schriftlich wiederholt hatte. Gleichwohl wusste ich, dass der Außenminister die Angelegenheit weiterhin mit der ihm eigenen Präzision verfolgte und sich jede Rezension des Buches von Graf Huyn vorlegen ließ.

Das Ende der Regierung Erhard

Der Stern der Regierung Erhard sank. Deutschland wurde von einer Rezession erfasst. Erhard suchte in der Frage der Ausgleichszahlungen Unterstützung bei den USA, holte sich aber eine Abfuhr auf der Ranch in Texas von Präsident Lyndon B. Johnson. Es war offensichtlich, dass Erhard amtsmüde geworden war.

Ich gehörte zu der deutschen Delegation, die den Bundeskanzler bei den letzten Konsultationen am 23. Mai 1966 in London begleitete. Beim offiziellen Essen im Lancaster House stand Erhard auf und hielt seine Ansprache in deutscher Sprache, gebeugt und mit leiser Stimme. Anschließend erhob sich Chef des Sprachendienstes Heinz Weber. Er übersetzte die Ausführungen in brillantes Englisch, trug die Ausführungen des Bundeskanzlers klar, deutlich vernehmbar, mit Selbstsicherheit und Überzeugungskraft vor.

Auf einmal hörten alle zu. Viele gratulierten uns hinterher zu den klugen, richtungweisenden Ausführungen des Bundeskanzlers.

Das war für mich eine wichtige Erfahrung. Was immer man sagt, der Zuhörer muss das Gefühl haben, dass der Redner seiner Sache sicher ist und voll hinter seinen Aussagen steht. Das ist schon der halbe Erfolg einer Rede.

Im November 1966 beriet die CDU/CSU-Fraktion über die Nachfolge von Bundeskanzler Erhard. Die beiden Kandidaten waren der Ministerpräsident von Baden-Württemberg, Kurt Georg Kiesinger, und Außenminister Schröder; meine Sympathien lagen eher bei Schröder. Kiesinger hatte mich als brillanter Redner wiederholt beeindruckt. Aber ich hatte den klaren, entschlossenen Führungsstil von Schröder im Auswärtigen Amt erlebt. Aus seinen Reden und Diskussionen in vielen Teilen unseres Landes, aus den persönlichen Gesprächen während der Dienstfahrten wusste ich, dass er in der Außen- wie der Innenpolitik ein fundiertes und auf großen Erfahrungen beruhendes Konzept hatte, das er tatkräftig umsetzen würde.

Im Pressereferat verfolgten wir – wie die gesamte Öffentlichkeit – die Debatten in der Fraktion mit großer Spannung. Der CDU nahe stehende Journalisten hatten uns gesagt, innerhalb der Partei sei die Partie noch offen. Aber Strauß warf das ganze Gewicht der Schwesterpartei CSU für Kiesinger in die Waagschale. Damit war die Entscheidung gefallen.

Schröder nahm die Entscheidung mit der ihm eigenen Disziplin hin und war bereit, als Verteidigungsminister im Kabinett der großen Koalition Kiesinger/Brandt aktiv mitzuarbeiten.

Bei der Wahl zum Bundespräsidenten 1969 unterlag er Gustav Heinemann mit wenigen Stimmen. Später übernahm er den Vorsitz des Auswärtigen Ausschusses im Deutschen Bundestag. Wenn ich dort für das Auswärtige Amt teilnahm, und wann immer sonst sich unsere Wege kreuzten, Gerhard Schröder hat mich stets mit gleich bleibender Freundlichkeit behandelt.

Auch Karin hat ihn in bester Erinnerung. Er dachte daran, dass die Ehefrauen seiner engeren Mitarbeiter oft lang auf ihre Männer warten mussten, und hat ihnen gelegentlich als Dank einen Blumenstrauß zukommen lassen.

Die Familie in Bonn

Im Februar 1965 wurde unsere Tochter Antje geboren.

Karin hat unsere Töchter weitgehend alleine aufgezogen. Wenn ich abends nach Hause kam, waren sie meist schon im Bett. Auch die Wochenenden waren oft durch Auslandsreisen oder durch besondere Ereignisse, die eine Betreuung der Presse erforderlich machten, mit Beschlag belegt.

Zu der Erziehung der Kinder kam in jenen Jahren der Neubau unseres Hauses in Holzlar-Roleber.

Im Januar 1964, nach unserer Rückkehr aus Athen, wohnten wir für einige Tage bei Rolf und Lilo Pauls in deren neuem Bungalow in Holzlar-Roleber. Wir fanden ein schönes, großes Grundstück am Südhang des Dorfes mit Blick auf den Ennert, die auslaufenden Erhebungen des Siebengebirges.

Karin und ich planten schnell einen Neubau für unsere Familie. Als die Zeichnung des Architekten fertig war, ging ich zum Bürgermeister unseres Ortes; Roleber gehörte damals noch zum Siegkreis. Bürgermeister Wagner war der Inhaber der KAUTEX-Werke. Er sah die Pläne an und sagte: »Aha, Sie haben das Schuttloch mit der alten Dorfquelle gekauft.« Innerhalb von 20 Minuten hatte ich seine Unterschrift und damit die Genehmigung für den Bau.

Die Belastungen durch das Bauen ruhten wiederum weitgehend auf den Schultern von Karin. Ich erinnere mich noch an einen Nachmittag kurz vor Beginn der regulären Pressekonferenz. Kastl war auf Dienstreise, andere Mitglieder des Pressereferats waren nicht abkömmlich. Karin rief an: »Hier auf der Baustelle ist die Hölle los. Die Baufahrzeuge fahren Erde an, um unseren Hang aufzufüllen. Es regnet. Zwei LKWs sind bereits im Lehm stecken geblieben. Die Fahrer beschimpfen mich. Wenn du nicht bald kommst, raste ich aus!«

Was konnte ich machen? Ich fuhr deprimiert und nervös zur Pressekonferenz. Anschließend raste ich zur Baustelle. Dort fand ich Karin, die die aufgeregten Fahrer inzwischen besänftigt hatte. Im kühlen Regen tranken sie den klaren Korn der Firma Rusch; die Stimmung war bereits entspannter.

Die Belastung für die Familie war gerade in jenen Jahren immens. Die Ehen so mancher Freunde und Bekannten haben dem dauernden Druck durch die beruflichen Belastungen nicht standgehalten.

Umso größer ist meine Dankbarkeit, dass Karin in jenen Jahren, da sie grüne Witwe war – eine herbe, aber nicht völlig abwegige Beschreibung – bravourös durchgehalten hat. Unser Haus am Rande des Siebengebirges lag landschaftlich bezaubernd, in der Luftlinie nicht weit vom Bonner Rathaus entfernt. Die Infrastruktur wuchs allerdings nur langsam.

Viele Journalisten zogen in jenen Jahren in unseren Vorort und in die Nachbardörfer am Siebengebirge. Karin hat sie mit Nachbarn und Freunden zu fröhlichen Festen in unserem Haus vereint.

Außenminister Willy Brandt

Die Regierungsbildung der großen Koalition am 1. Dezember 1966 zwischen CDU/CSU und SPD mit Kurt Georg Kiesinger als Bundeskanzler und Willy Brandt als Vizekanzler und Bundesminister des Auswärtigen war ein tiefer Einschnitt. Das Auswärtige Amt wartete gespannt, wie sich der Wandel auswirken würde.

Wenige Tage nach der Neubildung der Regierung charakterisierte Dr. Heinz Schneppen vom Pressereferat die Änderung in seinem Pressevortrag.

Jahrelang hatte die SPD-Zeitung »Vorwärts« die Außenpolitik der CDU-Außenminister von Brentano und Schröder kritisch begleitet. Jetzt eröffnete Schneppen seinen morgendlichen Pressevortrag mit: »Wie der dem Auswärtigen Amt nahe stehende ›Vorwärts‹ schreibt …« und erntete einen großen Heiterkeitserfolg in der Direktorenrunde.

Viele im Amt erwarteten tief greifende personelle Umbesetzungen. Sie befürchteten Vorurteile des Außenministers und seiner Mitarbeiter aus der SPD gegen eine vermeintlich konservative und elitäre Einstellung der diplomatischen Beamten in der Adenauer-Allee.

Doch die Übernahme war behutsam. Willy Brandt brachte nur wenige Persönlichkeiten von außen ins Amt. In seiner Rede bei der Amtsübernahme sagte er: »Ich habe mir vorgenommen, meine gegenwärtigen Ahnungen über dieses Amt zu vervollkommnen. Seinen Korpsgeist – wenn man es so nennen darf – werde ich mir überall dort zu eigen machen können, wo er mit meinen Überzeugungen von dieser Zeit nicht in Konflikt gerät.«

Klaus Schütz, der ehemalige Vertreter Berlins beim Bund, wurde Staatssekretär, Egon Bahr, sein langjähriger Pressesprecher in Berlin, wurde Leiter des Planungsstabes, Jesco von Putkamer, der Chefredakteur des »Vorwärts«, wurde Botschafter in Belgrad, später in Tel Aviv und Stockholm, der SPD-Bundestagsabgeordnete Gerhard Jahn wurde der Parlamentarische Staatssekretär.

Im Amt wurden Umbesetzungen vorgenommen, in der Personalabteilung, im Ministerbüro und im Büro Staatssekretär.

Jörg Kastl teilte mir mit, Bundesminister Schröder habe mit Willy Brandt besprochen, er, Kastl, solle – seinem Wunsch entsprechend – der Leiter des Osteuropa-Referats werden. Das Referat hatte schon bei der Regierung Erhard/Schröder große Bedeutung, es würde jetzt noch wichtiger werden.

Seit meinem Eintritt in das Pressereferat war ich zum Legationsrat I.Kl. befördert worden und schnell zum stellvertretenden Leiter des Referats aufgerückt. Es war üblich, dass der neue Minister sich einen Sprecher seiner Wahl aussuchte und der bisherige zweite Mann blieb, um die Kontinuität zu wahren.

Staatssekretär Klaus Schütz und der neue Leiter des Ministerbüros Hans Arnold begaben sich auf die Suche. Sie sprachen mit mehreren angesehenen Journalisten, unter anderen mit dem Chefkorrespondenten des ZDF in Wien, Rüdiger von Wechmar. Die Aufgabe war reizvoll, aber für die gut gestellten Korrespondenten war die Bezahlung nach der Bundesbesoldungsordnung nicht attraktiv.

Ich war sehr überrascht, als Klaus Schütz mich einige Tage später zu sich bat und mich fragte, ob ich bereit wäre, die Leitung des Pressereferats zu übernehmen. Ich habe ihm geantwortet, ich fühlte mich geehrt. Ich ginge davon aus, dass er wisse, dass ich Mitglied der CDU sei. Schütz erwiderte, das müsse für ihn kein Hindernis sein. Er fragte, ob ich parteipolitische Bedenken hätte. Meine Antwort, es würde mich freuen, die neue Außenpolitik des neuen Außenministers zu vertreten, Schwierigkeiten sähe ich mit einigen Aspekten der Familien- und der Innenpolitik der SPD. Schütz: Das werde nicht meine Aufgabe sein.

Ich erbat eine kurze Bedenkzeit, um mich mit meiner Frau zu besprechen. Karin war verständnisvoll. Dieser reizvollen Aufgabe könne ich mich nicht entziehen.

Am nächsten Tag sagte ich ja. Kurz darauf wurde ich zu Willy Brandt gebeten, der mich als neuen Pressereferenten begrüßte.

Die Personalabteilung fand mit Jochen Eick schnell einen vorzüglichen Vertreter. Eick hatte als Forstwirt eine eher ungewöhnliche Vorbildung für den Auswärtigen Dienst. Aber er war in der Ausbildungszeit und in seiner ersten Verwendung im Amt als eine sportliche, gewinnende Persönlichkeit aufgefallen, die schnell Zugang zu anderen Menschen fand. Er konnte politisch denken, war in der Lage, andere von seiner Auffassung zu überzeugen und Vertrauen zu schaffen. Wir haben in den Jahren im Pressereferat eng und gut zusammengearbeitet. Wenn der eine in Bonn war und der andere den Außenminister im In- oder Ausland begleitete, genügten einige Stichworte, um einander über die jüngsten Ereignisse und die Haltung des Ministers voll ins Bild zu setzen.

Der Aufbruch

Im Auswärtigen Amt verbreitete sich eine Stimmung des Aufbruchs. Klaus Schütz war kein Mann großer Strategien und Visionen, aber er war ein versierter Taktiker des politischen Lebens. Er stellte als Staatssekretär sicher, dass das Auswärtige Amt im Sinne des neuen Außenministers arbeitete und dass dem Minister nur wichtige Dinge zur Entscheidung vorgelegt wurden.

Er förderte das Pressereferat. Seine Aufforderung, dem Staatssekretär Vorschläge für Äußerungen gegenüber der Öffentlichkeit zu machen, war für uns neu. Sobald wir Teilaspekte der politischen Tagesarbeit sahen, die wir gerne bekannt machen wollten, haben wir ihm kurze Interviews mit der Deutschen Welle oder einer uns nahe stehenden Agentur gefertigt, die wir ihm während der Mittagspause vorlegten und anschließend sofort als Pressemitteilungen des Auswärtigen Amts veröffentlichten. Leider verließ Schütz Bonn schon im Herbst 1968, um Regierender Bürgermeister in Berlin zu werden.

Die konzeptionelle Beratung des Außenministers lag vor allem bei Egon Bahr. Er war eine unersetzliche Stütze bei der Analyse der weltpolitischen Situation, bei der Entwicklung außenpolitischer Leitlinien und bei der Vorbereitung sich hieraus ergebender Entscheidungen. Die Leitung des Planungsstabes war die ideale Position für ihn, der gern eigene Wege ging und Denken in unkonventionellen Bahnen liebte.

Bahr pflegte Verbindungen zu interessanten, kritisch denkenden, einflussreichen Persönlichkeiten in vielen Teilen der Welt. Seine scharfe Logik, seine Fähigkeit, einen gegebenen Sachverhalt zu analysieren und daraus die für das gewünschte Ziel erforderlichen Schritte zu entwickeln, waren eindrucksvoll. Es gab nur wenige Gesprächspartner, die seiner klaren Gedankenführung und seinen Argumenten überzeugend entgegentreten konnten. Seine intellektuelle Überlegenheit, die er öfter auch spüren ließ, machte ihn für manche unheimlich. Sein taktisches Geschick, seine pfiffige Schläue brachten ihm den Spitznamen »Tricky Egon« ein.

Hinter diesem Äußeren verbarg sich ein natürliches, nicht zur Schau getragenes patriotisches Denken. Ziel seiner Überlegungen war die Zukunft Deutschlands. Ich habe ihn als jemanden schätzen gelernt, dessen Gedanken ständig von der Sorge um die Lage der Deutschen in beiden Teilen unseres Landes beherrscht waren.

In der jahrelangen Verbindung mit Willy Brandt hatte er dessen Denkungsart genau kennen gelernt und weitgehend übernommen. Bahr legte seine Bewertungen, seine Schlussfolgerungen unmittelbar dem Minister vor. Das war mit der traditionellen Arbeit der politischen Abteilungen und deren Selbstverständnis nicht immer leicht zu vereinbaren.

Für das Pressereferat war Egon Bahr eine wichtige Stütze, zum einen als loyaler, einflussreicher Berater des Außenministers, zum andern – als ehemaliger Journalist und Sprecher des Bürgermeisters von Berlin – als erfahrener Kenner der Öffentlichkeitsarbeit.

Bahr war bereit, seine Erfahrungen mit uns jüngeren Beamten zu teilen und uns Rat zu geben. Seine Tür stand stets offen, im Umgang war er freundlich und zuvorkommend. Ihm ging es um die Sache und die von ihm verfolgten politischen Ziele.

Der Nichtverbreitungsvertrag

Der Aufbruch Willy Brandts in der Ostpolitik wurde vom Auswärtigen Amt, das die ersten Ansätze zu dieser Politik selbst entworfen hatte, begrüßt und mitgetragen. Für das Pressereferat gab es daher wenig Reibungsflächen zwischen den Ideen des Planungsstabes und der Haltung der politischen Abteilungen.

Eine große Ausnahme war der Vertrag über die Nichtverbreitung von Kernwaffen, kurz NV-Vertrag oder Atom-Sperrvertrag – oder in englischer Übersetzung NPT, Non-Proliferation Treaty.

Nach der Berlin-Krise 1961 wurde der Gedanke, die Produktion und den Besitz von Atomwaffen auf den Kreis der Atomwaffenmächte zu beschränken und die Verbreitung darüber hinaus zu verhindern, zunehmend ein wichtiges Thema bei internationalen Diskussionen und Verhandlungen.

Die Sowjetunion wollte den Zugang der Bundesrepublik Deutschland zu atomaren Waffen verhindern. Als die Regierung Kiesinger/Brandt ihre Arbeit aufnahm, bestand bereits eine erste grundsätzliche Übereinstimmung zwischen den USA und der Sowjetunion über die wesentlichen Elemente eines solchen Abkommens. Das große amerikanische Interesse an einem Beitritt Deutschlands zum NV-Vertrag zeigte sich bei dem Gespräch zwischen Außenminister Brandt und seinem amerikanischen Kollegen Dean Rusk anlässlich des Besuchs von Bundeskanzler und Bundesaußenminister in Washington im August 1967.

Gleich zu Beginn der Unterredung in dem historisch eingerichteten Dienstzimmer des Secretary of State in der obersten Etage des State Department kam Dean Rusk auf »En-pi-ti« zu sprechen. Er unterstrich die große Bedeutung dieser Frage und legte dem Außenminister nahe, sich persönlich dieses Themas anzunehmen. Brandt reagierte reserviert. Man solle das Problem doch nicht überbewerten, es sei für die deutsche Politik ohne jede Bedeutung. Die verdutzten Gesichter der Amerikaner veranlassten die deutsche Seite, nachzufassen. Schließlich wurde sichtbar, dass Rusk von dem Non-Proliferation Treaty »NPT« gesprochen hatte. Brandt aber hatte verstanden, es gehe um die NPD, die neofaschistische »Nationaldemokratische Partei Deutschlands«, deren lokale Erfolge die Öffentlichkeit in Deutschland, aber auch im Ausland beschäftigten. Das Missverständnis wurde schnell aufgeklärt, aber hinter der Heiterkeit wurden ernste Besorgnisse der amerikanischen Gesprächspartner spürbar.

Die führenden Politiker der großen Koalition hatten scharfe Meinungsverschiedenheiten über die deutsche Haltung zum NV-Vertrag. In der Öffentlichkeit gab es erbitterte Auseinandersetzungen, sie erfassten auch das Auswärtige Amt.

Swidbert Schnippenkötter, einer der begabtesten Beamten seines Jahrgangs, war der zuständige Unterabteilungsleiter für Abrüstung und Nichtverbreitung. Er war ein entschiedener Gegner des NV-Vertrags. Mit seinem scharfen Intellekt erkannte er in den Vertragsentwürfen die Nachteile oder Risiken für die Bundesrepublik Deutschland. Mit großer Zähigkeit entwickelte er Positionen, die deutsche Interessen wahren sollten.

Die Befürworter des Vertrages im Amt, allen voran Egon Bahr, betonten die Notwendigkeit, der internationalen Verbreitung von Atomwaffen Einhalt zu gebieten. Wenn wir uns positiv einstellten, könnten wir eine Verbesserung des Vertragswerks erreichen. Eine Ablehnung des NV-Vertrags oder eine Anhäufung unerfüllbarer Bedingungen müsste Misstrauen auch bei unseren Freunden und in der Dritten Welt schüren und Deutschland isolieren.

Außenminister Brandt war für die Nichtverbreitung. Er fand die erreichten Verbesserungen ausreichend und war dagegen, immer neue Forderungen und Vorbehalte draufzusatteln. Aber er wollte den Fortbestand der Regierung der großen Koalition, deren Vizekanzler er war, nicht gefährden.

Das Pressereferat stand zwischen den Fronten. Für mich war maßgebend, dass die Bundesrepublik das mühsam errungene internationale Vertrauenskapital nicht gefährden durfte. Nach unserer jüngsten Geschichte mussten wir aufseiten derer sein, die die Verbreitung der Furcht erregenden atomaren Waffen stoppen wollten. Für unsere wirtschaftlichen, technischen und sicherheitspolitischen Interessen sollten wir uns nicht alleine einsetzen, sondern unsere Anliegen im Verbund mit den anderen Staaten, die keine Nuklearwaffen besaßen, vertreten.

Höhepunkt der Auseinandersetzungen waren die Diskussionen auf der UN-Konferenz über Nichtverbreitung, die am 29.08.1968 in Genf eröffnet wurde. Am 3. September hielt Willy Brandt dort die große Rede für die Bundesrepublik Deutschland. Der Sicherheitsrat der Bundesregierung hatte entschieden, der Außenminister sollte nach Genf fahren, ohne festzulegen, unter welchen Voraussetzungen wir unterzeichnen würden.

An der Rede des Außenministers wurde bis zur letzten Minute gearbeitet, zunächst in Bonn und dann in Genf. Es waren dramatische Redaktionssitzungen. Egon Bahr wollte eine Rede, mit der die Bundesrepublik sich an die Spitze der nichtnuklearen Staaten stellen sollte. Außenminister Brandt neigte zu seiner Ansicht, wollte aber keinen Ärger mit Bundeskanzler Kiesinger, der sich gegen seine CDU- und CSU-Kollegen im Bundessicherheitsrat für Brandts Teilnahme in Genf eingesetzt hatte.

Als der Text der Rede endlich fertig gestellt war, wurden Exemplare den Journalisten übergeben und gleichzeitig dem Kanzleramt zugeleitet. Das Kanzleramt nun wünschte Änderungen des Textes und das Pressereferat erhielt Weisung, die Texte wieder einzuziehen – ein einmaliger Vorgang während meiner ganzen Zeit im Pressereferat.

Brandt hatte mir schon vorher den Auftrag gegeben, Stichworte für seine abschließende Pressekonferenz in Genf vorzubereiten, er hatte eine Reihe von Zusagen für Interviews an große Tageszeitungen gegeben.

Nach den vorausgegangenen Auseinandersetzungen im Kabinett, nach den dramatischen Redaktionssitzungen und nach dem Hin und Her bei der Verteilung der Rede war dies eine meiner schwierigsten Aufgaben, die mich bis in die Nacht hinein viel Schweiß kostete. Die Fachreferate der Abrüstungsabteilung des Auswärtigen Amts hatten Entwürfe geliefert, die auf der Linie von Botschafter Schnippenkötter lagen. Mir fiel die Aufgabe zu, sie mit dem Duktus der Rede des Außenministers in Übereinstimmung zu bringen und die Reaktion der Konferenz auf die Rede vorausschauend in Rechnung zu stellen.

Die Rede von Willy Brandt war ein großer Erfolg. Er hat meine Entwürfe gebilligt und übernommen.

Die Gegnerschaft in Kreisen der CDU/CSU gegen das Vertragswerk führte dazu, dass der NV-Vertrag auch nach seiner Fertigstellung bis zum Ende der Regierung Kiesinger im Herbst 1969 nicht mehr unterzeichnet wurde, allerdings sehr bald danach von der Regierung Brandt/Scheel.

Für ein Wiedersehen der mir ans Herz gewachsenen Stätten der Attachézeit in Genf blieb mir während dieser spannungsreichen Tage keine freie Minute.

Pressefehde mit Moskau

Hauptpunkt unserer Pressearbeit waren die Beziehungen zur Sowjetunion. Brandt hatte das Ziel, nach der Friedensnote der Regierung Erhard/Schröder – in der erstmals auch dem Osten eine Politik des Gewaltverzichts vorgeschlagen worden war – eine Vereinbarung über die zwischen beiden Ländern strittigen Probleme zu erreichen.

Das Auswärtige Amt deutete unter dem neuen Außenminister in seinen Noten Elastizität an, um mit der Sowjetunion ins Gespräch zu kommen. Das Kanzleramt dagegen trat der harten sowjetischen Position entgegen mit hartnäckigem Festhalten an den traditionellen Positionen der Adenauerschen Deutschland-Politik (Alleinvertretungsanspruch, Nichtanerkennung der SBZ und der Grenzen von 1937, kein Verzicht gegenüber der Sowjetunion auf Atomwaffen). Entsprechend wurden die von Brandt genehmigten Entwürfe im Palais Schaumburg korrigiert.

Das Pressereferat wurde bei jeder sowjetischen Antwort mit Anfragen der Journalisten aus dem In- und Ausland überhäuft. Mit Vorbedacht gab Moskau seine Erklärungen am Freitagnachmittag ab mit dem Ziel: volle Publizität für die sowjetische Kritik an der Bundesregierung in der Wochenendpresse, große Schwierigkeiten für die Bundesregierung, vor dem Wochenende eine inhaltliche Entgegnung zu den Vorwürfen zu veröffentlichen.

Es lag beim Pressereferat, den vollen Wortlaut sofort an die Amtsleitung und die zuständigen Arbeitseinheiten zu leiten, eine sachliche Antwort mit den zuständigen Experten zu fertigen, die Genehmigung des Staatssekretärs oder des Außenministers einzuholen und die Antwort durch das Auswärtige Amt oder, je nach Bedeutung, durch das Bundespresseamt zu veröffentlichen.

Es ging um Stunden, um zu verhindern, dass die sowjetischen Vorwürfe und Angriffe unwidersprochen bis zum Wochenanfang die Medien beherrschten.

Die Unterstützung der Kollegen war vorbildlich. Vor allem die zuständige Unterabteilung Ost, ihr Leiter Ministerialdirigent Ulrich Sahm, die Experten im Referat Sowjetunion Andreas Meyer-Landrut und im Referat Deutschland-Politik Willi Lücking und andere Mitarbeiter waren sofort bereit, ihre Pläne für das Wochenendes umzuschmeißen und die Stellungnahme der Bundesregierung zu erarbeiten.

Am 11. Juli 1968 kam es zum Höhepunkt der öffentlichen Auseinandersetzung. Die Sowjetunion hatte sich entschlossen, den Notenwechsel jählings abzubrechen und die Dokumente der sowjetischen Seite in vollem Wortlaut zu veröffentlichen.

Außenminister Brandt gab Unterabteilungsleiter Sahm und mir den Auftrag, die seit 1967 an Moskau gerichteten Noten der Bundesregierung für eine Veröffentlichung zusammenzustellen. Viele Stunden saß Brandt in seinem Arbeitszimmer, wir arbeiteten im Büro der politischen Abteilung. Nach mehreren nächtlichen Rücksprachen mit Außenminister Brandt konnten wir morgens um 3.00 Uhr unser Werk vollenden. Brandt übernahm selbst die Beantwortung der sowjetischen Note für die Bundesregierung. Er übergab in einer Pressekonferenz am 12. Juli um 11.00 Uhr die Zusammenstellung unserer Noten als Weißbuch der Bundesregierung.

Lernen bei Willy Brandt

Willy Brandt hätte jederzeit erfolgreicher Chefredakteur großer Zeitungen und Rundfunkanstalten sein können. Wenn wir ihm Interviews vorlegten oder Redeentwürfe, fügte er oft nur einen oder zwei Sätze hinzu, womit er die Aussage unterstrich oder nur kraftvoll wiederholte. Seine kurzen Worte

Willy Brandt mit seinem Pressereferenten auf der Bundespressekonferenz

wurden der Aufmacher oder die Überschrift über dem Bericht. Sein Umgang mit den Korrespondenten war frei und ungezwungen, er hatte großes Verständnis für die Bedürfnisse der schreibenden Zunft und der Bildpresse.

Brandt hatte keine Sorge, dass er mit einer Fülle von Interviews seine Aussagen inflationieren und entwerten würde. Er wusste seine Antworten so zu gestalten, dass seine Stellungnahmen stets Beachtung fanden.

Bei Außenminister Schröder hatten wir Interviewwünsche sorgfältig begründen müssen, um seine Zustimmung zu erhalten. Brandt hingegen stimmte oftmals trotz eines zurückhaltenden Votums des Pressereferats zu. Vor, während und nach Auslandsreisen gab es eine Fülle von Interviews mit angesehenen Zeitungen in Deutschland und im Ausland. Wenn wir im Flugzeug oder im Dienstwagen reisten, saßen Außenminister Brandt, der politische Berater und ich oft über Papier gebeugt. Der Kollege aus der politischen Abteilung und ich verfassten handschriftliche Entwürfe. Brandt korrigierte sofort, und bei der Ankunft gingen die Interviews gleich an die Redaktionen.

Bei Auslandsreisen wurde es jetzt üblich, dass ein Kreis von Journalisten den Minister im Flugzeug begleitete. Das Pressereferat musste ausgiebig Zeit für Hintergrundgespräche, Pressekonferenzen und Interviews mit Rundfunk und Fernsehen sichern.

Auch zu den großen gesellschaftlichen Veranstaltungen wurden die deutschen Korrespondenten hinzugezogen, manchmal alle, manchmal nur ein Teil. Es war eine heikle Aufgabe für das Pressereferat, eine Auswahl der Journalisten zu treffen, die an den Staatsbanketten im Schloss des Königs oder im Palais des Ministerpräsidenten zu Ehren des Außenministers teilnehmen durften. Jeder wollte gern dabei sein. Das Protokoll des Auswärtigen Amtes hielt sich wohl überlegt von dieser undankbaren Aufgabe zurück.

Heute ist die umfassende Beteiligung der Presse selbstverständlich. Damals war das neu. Aber das positive Echo im Ausland und in Deutschland überzeugte uns schnell vom großen Wert dieses Einsatzes.

Brandt war eine in sich ruhende norddeutsche Persönlichkeit. Er konnte geduldig zuhören und traf dann am Ende des Gesprächs seine Entscheidung, oft in die Form einer Bitte oder Anregung gekleidet. Das hieß aber nicht, dass er keine klaren Vorstellungen hatte. Wenn es darauf ankam, wusste er seine sachliche Position, die Ziele seiner Politik und die Grenzen seines Entgegenkommens deutlich zu machen. Im Übrigen verließ er sich auf die Fähigkeit seiner Mitarbeiter, ihm genau zuzuhören und seine Wünsche zu erfassen.

Ihm ging es darum, für Deutschland wieder Vertrauen zu gewinnen und die Erinnerung der europäischen Nachbarn an die furchtbaren Leiden des letzten Weltkriegs zu überwinden. Seine deutlichste Geste war der Kniefall in Warschau vor dem Denkmal für die Opfer.

Im Umgang mit seinen Mitarbeitern war Außenminister Brandt tolerant und verständnisvoll, solange die Fehlerquote sich in Grenzen hielt.

Eine erste Panne ereignete sich bei dem Besuch in Reykjavik. Die Delegation des Außenministers flog mit der »Haremsmaschine« – so genannt, weil sie mit Polstermöbeln ausgestattet war –, eine alte DC 3, welche die Flugbereitschaft günstig in den USA erworben hatte. Die Flugzeit war doppelt so lang wie die moderner Jets. Es gab keinen Service an Bord, also hatten wir für den Rückflug Smörgossar in einem der ersten Hotels in Reykjavik bestellt. Franz Barsig, ein leitender Mitarbeiter des Deutschlandfunks, sollte sie mitbringen.

Ich vergaß, dass wir Barsig abholen mussten. Als wir frühmorgens mit Außenminister Brandt auf dem Flughafen in Keflavik eintrafen, fehlten Barsig und die Brote. Ich sauste in die Stadt zurück. Wir flogen mit fast zweistündiger Verspätung los. Brandt verlor kein Wort der Kritik. Ich habe mir vorgestellt, wie andere, für die ich zuvor gearbeitet hatte, auf die erzwungene Muße in den grauen Morgenstunden, in einer kalten Maschine, auf einem rauen, wolkenverhangenen Flugplatz in Island reagiert hätten.

Die Ministerkonferenzen der Europäischen Gemeinschaft und die Tagungen der Außenminister des NATO-Ministerrates fanden in der Regel in Brüssel statt.

Wenn Zeit war, ging der Außenminister mit uns in eines der guten Brüsseler Restaurants zum Abendessen, das sich öfter bis in die späteren Abendstunden hinzog. Brandt setzte sich danach noch an den Schreibtisch und sah die Entwürfe für die Stellungnahmen am nächsten Morgen durch. Ich konnte die korrigierten Texte frühmorgens in seinem Apartment abholen und ließ sie in Reinschrift schreiben. Auch hier waren die Ergänzungen von Brandt oft die Überschriften der Presseberichte über seine Reden im Rat.

Die Treffen der Außenminister der Europäischen Gemeinschaft waren nicht öffentlich, aber es war üblich, dass die Sprecher sowohl über die Ausführungen ihres Ministers als auch über die der anderen Delegationen großzügig informierten.

Anderes galt für die Sitzungen des NATO-Ministerrats. Hier fand ein vertraulicher Gedankenaustausch statt über die militärische Situation, die Einschätzung der Bedrohungslage, die Entwicklung der Beziehungen zum Warschauer Pakt, über die geheimen Pläne des Bündnisses für Strategie und Rüstungsvorhaben der Allianz. Das Ergebnis der Beratungen wurde in einem sorgfältig formulierten Kommuniqué mitgeteilt.

Im Dezember 1968 ließ ich mich durch die schnelle zeitliche Folge der Herbstkonferenzen von EG und NATO am gleichen Ort in Brüssel verführen, den deutschen Korrespondenten nicht nur über die Rede von Brandt, sondern auch über die Ausführungen der anderen Minister im Ministerrat der NATO zu berichten.

Der amerikanische Außenminister Dean Rusk hatte – nach dem Einmarsch der Truppen des Warschauer Paktes in die CSSR – vor Einwirkungen der Sowjetunion und ihrer Verbündeten in anderen Bereichen der Grauzone zwischen Ost und West im Balkan gewarnt. Das galt vor allem als Warnung vor einer militärischen Aktion gegenüber Jugoslawien.

Als ich sah, dass die Vertreter der Nachrichtenagenturen geradezu elektrisiert waren, wusste ich, dass ich zu weit gegangen war. Ich betonte noch einmal den vertraulichen, nicht zitatfähigen Charakter dieser Informationen. Aber die Tickermeldungen über eine deutliche Warnung des amerikanischen Außenministers vor Übergriffen des Warschauer Paktes gegenüber Jugoslawien waren nicht mehr aufzuhalten.

Der Sprecher von Außenminister Rusk, Robert McClosky, kam kurz darauf zu mir und beschwerte sich erregt, die deutsche Delegation habe über die Rede seines Ministers informiert.

Ich hatte an und für sich gute persönliche Beziehungen zur amerikanischen Delegation. Aber die NATO-Konferenz fand nach den amerikanischen Wahlen statt. Rusk hatte Sorge, die Mannschaft des neuen Präsidenten Nixon könnte das Gefühl haben, er wolle die Übergangszeit bis zur Ernennung des Präsidenten nutzen, um die neue Administration auf eine harte Linie festzulegen.

McCloskys Beschwerde war hart und deutlich gewesen. Ich unterrichtete sofort Außenminister Brandt. Er erzählte am nächsten Tag, Rusk habe ihn nach dem Abendessen angesprochen. Er, Brandt, habe auf seine Erfahrungen als früherer Journalist verwiesen. Derartige Dinge seien nicht immer zu vermeiden. Mir fiel ein Stein vom Herzen.

Ein wichtiges Thema der Sitzungen des EG-Ministerrats war in jenen Jahren der Beitritt Großbritanniens. De Gaulle hatte sein »Nein« ausgesprochen. Deutschland und andere EG-Partner bemühten sich, England doch noch den Weg in die Gemeinschaft zu öffnen.

Im Frühjahr 1968 hatte die Kommission neue Vorschläge ausgearbeitet. Die Außenminister berieten im »Restraint«, in vertraulicher Sitzung im kleinsten Kreis. Die übrigen Mitglieder der Delegation warteten zusammen mit der großen Truppe der Korrespondenten vor verschlossenen Türen.

Schließlich öffnete sich das Portal. Heraus schritt der niederländische Außenminister Josef Luns. Die erwartungsvolle Aufmerksamkeit der gesamten internationalen Presse in Brüssel machte ihm sichtliches Vergnügen. Auf die Fragen »Wie steht es? Gibt es Fortschritte?« antwortete er: »Kennen Sie die neueste Anekdote? Es gibt drei große Staatsmänner, deren Namen mit einem großen K beginnen: Kennedy, Kruschtschow und de Gaulle.« Auf die Buhrufe »Ce n'est pas un K!« antwortete Luns: »C'est un K (cas) spécial.«

Brandt unterrichtete mich anschließend über die vertraulichen Beratungen. Es hatte keine Fortschritte gegeben. Die anderen Außenminister bestätigten später in längeren, sachlichen Ausführungen die eigentliche Aussage von Luns: Wegen der starren französischen Haltung hatte sich nichts bewegt.

Auslandsreisen

Die erste Reise des neuen Bundesaußenministers ging in die skandinavischen Länder Finnland, Norwegen und Schweden (20.-26. Juni 1967).

Für Brandt lag es nahe, dass er frühzeitig die Länder besuchte, in denen er nach der Flucht aus Nazi-Deutschland eine neue Heimat gefunden hatte.

Die Reise von Helsinki nach Stockholm und Oslo war ein Heimspiel, mit teilweise fast triumphalem Empfang.

Viele Politiker in den skandinavischen Hauptstädten waren alte Bekannte oder Freunde von Willy Brandt. Der neue Außenminister und Vizekanzler der SPD wurde in den Ländern, die aus Tradition starke sozialdemokratische Parteien hatten, mit offenen Armen empfangen. Aus seiner Zeit als Bürgermeister in Berlin war er als Vorkämpfer der Freiheit und Demokratie geachtet. Seine politischen Ziele: die Kontakte zur Sowjetunion und zu den osteuropäischen Staaten zu verbessern sowie das Verhältnis zur DDR zu entkrampfen, entsprachen den Wünschen dieser Länder am nördlichen Rand Europas.

Die Gespräche in Helsinki zeigten, wie das kleine Volk der Finnen seinen Freiraum gegen den übermächtigen Nachbarn Sowjetunion mit Mut und großem Geschick wahrte. In Stockholm wurde deutlich, dass Schweden seine neutrale Haltung im West-Ost-Konflikt als wichtige Rückendeckung für die Unabhängigkeit der finnischen Nachbarn sah. In Norwegen ging es mehr um das Verhältnis zu der sich schnell entwickelnden Europäischen Gemeinschaft.

Ein großer Teil der Gespräche wurde in skandinavischen Sprachen geführt, die Brandt aus seiner Zeit der Emigration geläufig waren. Für die Information der Journalisten waren meine Schwedischkenntnisse aus der Studienzeit in Uppsala hilfreich.

Häufig übernahm Willy Brandt die Unterrichtung über die Gespräche persönlich. In jeder Hauptstadt gab es eine Pressekonferenz oder eine Begegnung mit der Presse, in der jeder Journalist seine Fragen in Deutsch, Englisch oder Skandinavisch stellen konnte. Er erhielt eine ausführliche Antwort in der gleichen Sprache.

Solche Konferenzen endeten oft mit herzlichem Applaus für den neuen deutschen Außenminister. Aus meiner Zeit in Uppsala wusste ich, wie sehr der letzte Weltkrieg dem vormals großen deutschen Ansehen in diesen Ländern geschadet hatte.

Hier kam nun ein Außenminister, der als Vertreter des neuen Deutschlands lebhaft begrüßt wurde. Von dieser ersten Reise brachte ich die Überzeugung mit, dass es eine wichtige Aufgabe des Pressereferats sein würde, das große Ansehen, das Willy Brandt in unseren europäischen Nachbarländern und in der angelsächsischen Welt besaß, auf Deutschland zu übertragen. Möglichst viele deutsche Journalisten sollten erleben, wie sehr Willy Brandt half, neues Vertrauen für Deutschland zu schaffen.

Die erste Osteuropareise führte nach Bukarest (3.-7. August 1967). Rumänien war schon länger Vorreiter für den Aufbau der Beziehungen der Bundesrepublik mit den osteuropäischen Staaten. Am 31. Januar 1967 hatte Bonn mit Bukarest diplomatische Beziehungen aufgenommen. Ceausescu war der härteste kommunistische Diktator in den osteuropäischen Ländern. Er regierte das Land durch den Sicherheitsdienst Securitate mit eiserner Hand. Die Günstlingswirtschaft für seine Getreuen, vor allem für seine Familie, überstieg selbst die krassen Maßstäbe des Balkans.

Die Schwarzmeerküste in Mamaia war ein beliebter Treffpunkt für Familien aus West- und Ostdeutschland, da hier Angehörige von beiden Seiten mit organisierten Pauschalreisen ohne übermäßige Formalitäten und Sicherheitsüberprüfungen anreisen konnten.

Der Bundesminister wurde von einer kleinen Delegation begleitet, die in den 6-sitzigen Hansa-Jet hineinpasste, der für diese Reise gechartert worden war.

Zu jener Zeit hatte ich mit Karin und den Kindern eine Einladung für einen mehrwöchigen Sommerurlaub im Burgenland auf dem Jagdgut von Fritz und Liesel Schwab angenommen, dem Onkel und der Tante von Karin. Der Außenminister hatte großzügigerweise zugestimmt, dass ich nicht nach Bonn zurückfliegen musste, um zur Delegation zu stoßen, sondern dass die gecharterte Hansa-Maschine auf dem Wiener Flughafen Schwechat zwischenlanden würde, um mich aufzunehmen.

Ich saß in niederösterreichischer Sommerhitze auf dem Flughafen Wien-Schwechat und erhielt einen unmittelbaren Eindruck davon, wie sehr Wien im äußersten Zipfel des freien Westens lag, abgeriegelt von seinen Nachbarn durch den Eisernen Vorhang. Der Flugplatz war totenstill, es gab keinen Flugverkehr. Auf meine Frage bei der Information und dann beim Kontrollturm nach einem Hansa-Jet aus Deutschland kam die Antwort: »Wir haben keinerlei Ankündigung. Von hier gibt es keine Flüge nach Bukarest.« Nach einer Stunde kam die Dame von der Information aufgeregt zu mir: »Jetzt ist eine kleine Privatmaschine aus Deutschland im Anflug.«

Die Abreise aus Bonn hatte sich verzögert und die Delegation mich nicht mehr erreichen können. Wir hatten einen herrlichen Flug über die Donau nach Bukarest.

Dort wurden wir von Botschafter Erwin Wickert empfangen. Es folgte das offizielle Programm mit dem starren und bombastischen Protokoll für die Begegnung mit Staatspräsident Ceausescu und einem großen Abendessen im Palast des Staatspräsidenten. Die Besonderheit war, dass Ceausescu die lange formelle Rede zu Beginn des Abendessens hielt, während wir hungrig vor leeren Tellern saßen.

In den Gesprächen hielt Ceausescu sich bei den Ost-West-Fragen an die generelle Linie des Warschauer Paktes. Im bilateralen Bereich zeigte er großes Interesse, den Handel und die industrielle Zusammenarbeit mit der Bundesrepublik weiter auszubauen. Uns lag vor allem am Herzen, das Los der deutschen Minderheit in Siebenbürgen zu verbessern und die Möglichkeiten zur Ausreise zu erweitern. Die rumänische Regierung nutzte die Situation, um mit schamlosem Schacher um den Preis für jeden Ausreisenden ihre desolate Zahlungsbilanz in harten Westdevisen aufzubessern. Es gelang Außenminister Brandt, kleine Fortschritte zu erzielen.

Nach weiteren Gesprächen mit dem Vorsitzenden des Ministerrats Gheorghe Maurer und dem Außenminister Corneliu Manescu verließen wir Bukarest in zufriedener Stimmung und reisten zur Schwarzmeerküste.

Kaum hatten wir die Hauptstadt verlassen, waren unsere rumänischen Begleiter wie ausgewechselt. Die disziplinierte Zurückhaltung wechselte über in temperamentvolle Fröhlichkeit. Bei guten rumänischen Weinen schilderten die Diplomaten aus dem Außenministerium in immer größerer Offenheit die Schwächen des Warschauer Pakts und auch die Unzuträglichkeiten im eigenen Land. Wie in strammen Diktaturen üblich, gab es in Rumänien eine hoch entwickelte Kultur des politischen Witzes. Die rumänischen Gastgeber überboten sich in immer neuen Geschichten, Anekdoten und Witzen. Brandt liebte politischen Humor, konnte selbst gut Witze erzählen und steigerte die Stimmung.

Eine konkrete Ausbeute dieser Reise war eine umfangreiche Sammlung von Radio-Eriwan-Witzen. Der STERN hat eine Auswahl abgedruckt. Das Honorar dafür hat das Büro Brandt einer Wohltätigkeitsorganisation überwiesen.

An der Schwarzmeerküste wurden uns die neuen Hotels und Fremdenverkehrsprojekte vorgeführt. Der Billigtourismus aus der Bundesrepublik und anderen westeuropäischen Ländern war die wichtigste Quelle für harte Deviseneinnahmen. Die Preise waren sehr günstig, aber die Unterbringung in den wabenförmigen Kleinstzimmern war spartanisch. Im Schlafzimmer konnte man sich zwischen den Betten kaum umdrehen. Im Bad gab es ein Waschbecken und eine Toilette, die Dusche war mitten in der Decke der kleinen fensterlosen Zelle angebracht und überflutete den ganzen Raum.

Brandt machte einen Strandspaziergang. Seine Anwesenheit sprach sich in Windeseile herum. Er wurde von vielen Deutschen aus der DDR begrüßt. Sie trugen ihm Wünsche vor und ermutigten ihn, in der Politik der Öffnung und Annäherung fortzufahren.

Die Schilderungen der Mühen und Risiken, die Deutsche aus Ost und West auf sich nahmen, um hier an der Schwarzmeerküste mit ihren Verwandten und Freunden zusammenzutreffen, haben mich sehr beeindruckt.

Die Delegation freute sich auf den Heimflug. Als wir auf dem Flughafen von Bukarest eintrafen, kam die große Überraschung. Der Hansa-Jet war am Rande des Flughafens von rumänischen Soldaten bewacht worden. Unsere

RADIO ERIWAN ANTWORTET

Der politische Witz – von Goebbels als »Stuhlgang der Seele« bezeichnet – ist in allen autoritären Staaten ein beliebtes Ventil der Unzufriedenheit. In der Sowjetunion hat er seine Heimat bei »Radio Eriwan«. Eriwan ist die Hauptstadt Armeniens, aber ihr Regionalsender hat nichts zu tun mit dem imaginären »Radio Eriwan«, an das ratsuchende Sowjetbürger ihre Fragen stellen, um ebenso zutreffende wie treffende Antworten zu erhalten

FRAGE AN RADIO ERIWAN:

Trifft es zu, daß der Kosmonaut Gagarin aus Moskau bei einem Schönheitswettbewerb den ersten Preis, ein Auto Modell „Wolga", gewonnen hat?

RADIO ERIWAN ANTWORTET:

Im Prinzip ja, nur handelt es sich nicht um den Kosmonauten Gagarin, sondern um den Bauern Gagarin, der auch nicht aus Moskau stammt, sondern aus Odessa. Es ging ferner nicht um einen Schönheitswettbewerb, sondern um ein Kreuzworträtsel. Auch handelt es sich nicht um ein Auto Modell „Wolga", sondern um ein Fahrrad. Dieses hat der Bauer Gagarin aus Odessa nicht gewonnen, sondern es wurde ihm gestohlen.

*

FRAGE AN RADIO ERIWAN:

Ist in einem hochindustrialisierten Land der Aufbau des Sozialismus möglich?

RADIO ERIWAN ANTWORTET:

Im Prinzip ja. Aber es wäre schade um die Industrie.

*

FRAGE AN RADIO ERIWAN:

Trifft es zu, daß Männer Kinder kriegen können?

RADIO ERIWAN ANTWORTET:

Im Prinzip nein, aber es wird immer wieder versucht.

*

FRAGE AN RADIO ERIWAN:

Trifft es zu, daß beim Besuch des Ministerpräsidenten Kossygin in Rom zwischen ihm und dem Papst ein Konkordat ausgehandelt wurde?

RADIO ERIWAN ANTWORTET:

Im Prinzip ja, es wird jedoch noch über den ersten Satz dieser Übereinkunft verhandelt. Der Papst besteht darauf, daß er lautet: „Gott hat den Menschen erschaffen." Der Ministerpräsident wünscht die Hinzufügung: „unter Anleitung der Partei".

FRAGE AN RADIO ERIWAN:

Wir haben gehört, daß General de Gaulle der französischen Republik eine neue Verfassung gegeben hat. Trifft dies zu, und ist Radio Eriwan in der Lage, einen Auszug aus dieser Verfassung zu veröffentlichen?

RADIO ERIWAN ANTWORTET:

Im Prinzip ja. Wir können nicht nur einen Auszug, sondern den gesamten Wortlaut der Verfassung veröffentlichen:

Paragraph 1:
„Der General hat immer recht."

Paragraph 2:
„Wenn dies nicht zutrifft, entfällt Paragraph 1."

ZUSATZ VON RADIO ERIWAN:

„Eine solche Verfassung gibt es natürlich nur in Frankreich."

*

FRAGE AN RADIO ERIWAN:

Können Wanzen Revolutionen machen?

RADIO ERIWAN ANTWORTET:

Im Prinzip ja, denn in ihnen fließt das Blut der Arbeiter und Bauern.

*

FRAGE AN RADIO ERIWAN:

Die ideologischen Auseinandersetzungen zwischen der Sowjetunion und der Volksrepublik China stellen mich als überzeugten Kommunisten vor ein schwieriges Problem. Ich weiß nun nicht, ob ich russischen oder chinesischen Tee trinken soll. Wie muß ich mich verhalten, ohne ideologisch abzuweichen?

RADIO ERIWAN ANTWORTET:

Trinken Sie Kaffee.

*

Auslese der aus Rumänien zurückgebrachten Radio-Eriwan-Witze, abgedruckt im Stern vom 5.11.1967

Sicherheitsbeamten stellten fest, dass die Maschine gleichwohl, oder gerade umso gesicherter, während unserer Abwesenheit geöffnet, eingehend durchsucht und ausgeforscht worden war. Wir hielten eine kurze Konferenz mit den Piloten. Nach der Einwirkung auf die Maschine war ein Rückflug ohne eingehende Überprüfung des ganzen Flugzeugs ein unannehmbares Risiko. Botschafter Wickert übernahm es, das Außenministerium sofort zu unterrichten und eine geharnischte Beschwerde einzulegen.

Er kam mit der Nachricht zurück, die rumänische Regierung werde eine Maschine stellen und uns nach Deutschland zurückfliegen.

Schon bald rollte eine große Tupulew-Maschine der rumänischen Fluggesellschaft Tarom heran, neben der sich unser Hansa-Jet wie ein Winzling ausmachte. In der großen Passagiermaschine mit beinahe 200 Sitzplätzen wirkte unsere kleine Delegation verloren.

Aber wir hatten viel Bewegungsfreiheit, einen guten Flug und wir kehrten zufrieden nach Bonn zurück. Ich weiß nicht, ob je aufgeklärt worden ist, welcher Teil der Machthaber in Bukarest für das Durchschnüffeln unserer Maschine verantwortlich war.

Reise nach Wien und Belgrad

Im Juni 1968 flog Willy Brandt nach Belgrad.

Vor dieser bedeutenden ersten Reise eines Bundesaußenministers in den führenden blockfreien Staat Jugoslawien machte Willy Brandt einen Besuch in Wien. Die Reise zu der Regierung Bruno Kreisky war ein Besuch unter Freunden. Trotz der Randlage am Eisernen Vorhang zeigte das Hotel Imperial perfekte k.u.k. Gästebetreuung. Vor dem Abendessen hing der Smoking des Außenministers ausgepackt auf einem Kleiderständer – mit einem Zettel: »Das Mascherl fehlt.«

Präsident Tito war eine der führenden Persönlichkeiten der blockfreien Staaten. Jugoslawien verfolgte zwischen Warschauer Pakt und NATO eine eigene Politik, die sich auch in komplizierten Beziehungen zu den beiden deutschen Staaten widerspiegelte.

Das Interesse der Journalisten war groß. Über 40 Korrespondenten hatten sich aus Deutschland angemeldet.

Kurz vor Abreise erhielt ich eine Hiobsbotschaft: Es gab keine direkte Flugverbindung nach Belgrad, welche die Journalisten rechtzeitig vor der Ankunft der kleinen Sondermaschine von Willy Brandt in die jugoslawische Hauptstadt bringen würde.

Die Pressevertreter wollten die erste Ankunft des Bundesaußenministers aus Bonn in der Hauptstadt Titos unbedingt miterleben. Uns fiel keine andere Lösung ein, als einen Sonderflug zu chartern, bei der Tiefe des Grabens zwischen Ost und West mit der weitgehenden Abschnürung aller Verkehrsverbindungen in jenen Jahren ein völlig neues, abenteuerliches Unterfangen. Die Zeit drängte. Nach hektischen Bemühungen fand sich die österreichische Fluglinie AUA bereit. Ein Vertreter der Gesellschaft kam und brachte mir einen dicken Vertrag mit vielen Seiten klein gedruckter Geschäftsbedingungen. Ich hatte vor dem Abflug keine Möglichkeit, das umfangreiche Papier auch nur durchzulesen.

Als ich die Personalabteilung telephonisch bat, mich telegraphisch zur Unterschrift zu bevollmächtigen, sagte man mir: »Ohne Kenntnis des Dokuments können wir Ihnen nichts Schriftliches geben. Aber wir werden Sie schon nicht im Regen stehen lassen.«

Ich unterschrieb mit Herzklopfen. Während des Fluges malte ich mir aus, welche Haftung wohl auf den Charterer zukommen könnte, wenn auf dem ungewöhnlichen Flug über den Eisernen Vorhang etwas schief gehen sollte – Haftung für die Maschine und, gar nicht auszudenken, für die transportierten Passagiere.

Nach der Landung fiel mir ein Stein vom Herzen. Die Korrespondenten waren rechtzeitig auf dem Flugfeld in Belgrad, um die offizielle Begrüßung von Willy Brandt mitzuerleben. Es war ein gelungener Auftakt für einen erfolgreichen Besuch in einem wichtigen Land.

Die Botschafterkonferenz in Tokio

Willy Brandt wollte sich einen möglichst umfassenden Überblick über seinen neuen Aufgabenbereich verschaffen. Zu diesem Zweck wurden mehrere große Botschafterkonferenzen veranstaltet.

Den stärksten und nachhaltigsten Eindruck machte auf mich die Konferenz in Tokio (9.5.-19.5.1967) mit den deutschen Botschaftern in Ost- und Südostasien.

Botschafter Franz Krapf, Tokio, Botschafter Dietrich Freiherr von Mirbach, Neu Delhi, Botschafter Hilmar Basler, Djakarta, Botschafter Dr. Ulrich Scheske, Bangkok, Generalkonsul Dr. Karl Bünger, Hongkong, Botschafter Günther Scholl, Karatschi, und andere berichteten über ihre Länder, die Entwicklung in Asien und Australien.

Bisher war meine Sicht der Außenpolitik der Bundesrepublik vorwiegend auf West-Europa gerichtet, auf die Ost-West-Beziehungen in unserem Kontinent und darüber hinaus auf die transatlantischen Verbindungen. Durch die vorrangige Aufgabe, das Vertrauen im Kreis der demokratischen Länder wieder aufzubauen, durch die mühevolle Kleinarbeit, die Folgen der Teilung unseres Landes und unseres Kontinents zu mildern und zu überwinden, war – auch nach 13-jähriger Zugehörigkeit zum Auswärtigen Dienst, teilweise in zentralen Büros des Amts, die eigentlich eine globale Sicht erlauben sollten – meine Perspektive ganz auf unseren Kontinent verengt. Ich hielt die Auseinandersetzung mit der Sowjetunion für den Angelpunkt aller Weltpolitik.

Die Botschafterkonferenz weitete den Blick auf andere globale Brennpunkte: auf die explosive Entwicklung der Bevölkerung in China und Indien, auf den natürlichen Reichtum des großen indonesischen Inselreichs, auf den menschenleeren australischen Kontinent vor der Haustür übervölkerter, begehrlicher Nachbarn und auf den dynamischen industriellen Aufbau in Japan. Die Diskussion zeigte, wie Asien sich von den Folgen des Korea-Krieges erholte und wie die Karten nach dem Ende der langen blutigen Kämpfe in Indochina mit der ehemaligen Kolonialmacht Frankreich neu gemischt wurden. Sie gab eine Vorahnung, dass die gewichtigsten außenpolitischen Entwicklungen sich künftig in diesem Teil der Welt abspielen würden.

Ich erlebte die dramatischen Veränderungen in Tokio. Die Konferenz in Japan war meine erste Begegnung mit einem asiatischen Land.

In meiner Jugendzeit hatte die Nazipropaganda Japan als Achsenpartner gepriesen. Japan hatte wie Deutschland den Krieg verloren und war besetzt worden. Aber das Inselreich war nicht geteilt worden, hatte mit dem Tenno seine traditionelle Gesellschaftsstruktur weitgehend erhalten. Die Sicherheit des Landes wurde nach dem Korea-Krieg von den USA garantiert. Das Hundertmillionenvolk auf dem japanischen Inselreich widmete sich, ungehindert von unmittelbaren Nachbarn, einem dynamischen industriellen Aufbau des Landes.

Damals standen die Vorteile der abgeschiedenen Insellage mit der historischen Geschlossenheit einer traditionellen Gesellschaft für mich eindeutig im Vordergrund. Erst im Lauf der nächsten Jahrzehnte sah ich, dass die Mittellage Deutschlands, umgeben von neun angrenzenden Nachbarstaaten, neben den blutreichen und opfervollen Auseinandersetzungen vom 30-jährigen Krieg bis zum Zweiten Weltkrieg, auch eine Quelle kulturellen Austausches und industrieller, wissenschaftlicher und gesellschaftspolitischer Bereicherung war. Deutschland konnte sich mit seinen Nachbarn versöhnen und mit ihnen gemeinsam den zukunftsträchtigen Weg der europäischen Integration einschlagen.

Ich erlebte, wie in Japan jahrhundertealte Tradition und die technische Neuzeit aufeinander prallten.

Unser Kollege Joachim Hallier und seine Frau entführten mich während des Ruhetages der Botschafterkonferenz aus dem hochmodernen Hotel in Tokio zu einem traditionellen Riokan am Fuße des Fujiyama. Der Wechsel vom Wolkenkratzer zu der historischen Herberge war ein Abenteuer.

Zu Beginn das ehrenwerte gemeinschaftliche Bad aller Gäste, bei dem ich mich trotz Warnung kräftig verbrannte, die Rückkehr in ein mit Matten ausgekleidetes Zimmer bar jeder Möblierung, das Zimmermädchen, das mich mit einer tiefen Verbeugung begrüßte, mir meine Kleidung abnahm, einen Kimono reichte und mir die Schlafmatte zeigte; das Essen mit Halliers an einem niedrigen Tisch auf Sitzkissen, Krämpfe in den Beinen, Schmerzen im Rücken, viele Gerichte mit immer neuen Überraschungen, vom Fischkopf, der mich aus der Suppenschale anstarrte, bis hin zu kleinen Tieren, die wie Mehlwürmer aussahen und immer wieder von den Stäbchen fielen.

Die Botschaft lud Minister Brandt und seine Delegation zu einem traditionellen Abend in ein Geisha-Haus ein. Die Tänze und die Musik waren ebenso ungewohnt wie die Betreuung im Riokan.

Die Erfahrungen und Eindrücke aus Tokio haben mir während vieler Jahre meiner Laufbahn geholfen. Aber der Preis für dieses persönliche Erlebnis war sehr, sehr hoch.

Während der Konferenz starb überraschend mein Vater. Angesichts des langen Fluges, der für damalige Verhältnisse horrenden Kosten für ein Flugticket und aus übergroßem Pflichtgefühl gegenüber dem Außenminister habe ich mich nicht genügend bemüht, zur Beisetzung meines Vaters nach Osnabrück zurückzukehren. Ich habe es oft bereut. Ich hoffe, dass mein Vater es mir vergeben hat.

Kambodscha bricht die diplomatischen Beziehungen ab

Jahrelang hatte die Bundesregierung erfolgreich daran festgehalten, dass sie die alleinige, frei gewählte Vertretung Deutschlands war. Die Hallstein-Doktrin – die Anerkennung der DDR sei ein unfreundlicher Akt, der die Bundesrepublik nötige, die diplomatischen Beziehungen zu der anerkennenden Regierung abzubrechen – hatte lange Zeit geholfen, den Damm gegen eine internationale Aufwertung der Regierung in Ostberlin zu halten. Ich hatte schon früh die harten und weit reichenden Konsequenzen der Hallstein-Doktrin in Conakry erlebt. Seither hatte ich mit persönlicher Anteilnahme den Kleinkrieg verfolgt, den sich unsere Botschaften und die Vertretungen der DDR in Guinea und in anderen Orten Afrikas lieferten.

Im Pressereferat habe ich gesehen, welch große Kräfte im Amt, von der Arbeitsebene bis zur Spitze, durch diese Politik gebunden wurden. Ich hatte in New York und Genf erlebt, wie im multilateralen Bereich unsere Verbündeten und Freunde zwar zu uns standen, wenn wir sie beim Portepee fassten, wie aber doch der Verdruss über die »querelles allemandes« allmählich zunahm. Daher hielt ich eine Neuausrichtung unserer Politik für unvermeidlich.

Mitte 1969 kamen gleich zwei Hiobsbotschaften. Der Irak und danach Kambodscha erkannten die DDR an. Die Frage, wie reagieren?, stellte die Regierung der großen Koalition vor eine Zerreißprobe. Bundeskanzler Kiesinger, unter dem Einfluss des Chefs des Presse- und Informationsamts der Bundesregierung, Günter Diehl, war für eine schnelle und harte Reaktion.

Willy Brandt und das Gros des Außenministeriums sahen, dass die Hallstein-Doktrin nicht mehr lange zu halten war. In der Spitze des Amtes suchten Staatssekretär Duckwitz, Paul Frank und Egon Bahr nach einer Kompromisslösung für Kambodscha. Ihr Vorschlag: kein spektakulärer Abbruch, aber Einfrieren der diplomatischen Tätigkeit, Reststäbe für die Fortführung der laufenden Vorhaben.

Wenige Tage später enthob Kambodscha uns weiterer Entscheidungen und brach die Beziehungen zur Bundesrepublik Deutschland von sich aus ab. Der Sudan folgte später. Das Pressereferat erlebte die Entwicklung unmittelbar mit, nämlich über das Schicksal unseres Kollegen Jochen Eick.

Ich hatte ihm schon frühzeitig gesagt, dass er ein idealer Nachfolger für mich wäre. Aber Jochen Eick hatte geantwortet, er sei einige Jahre älter als ich und wolle in seiner Laufbahn nicht zweimal drei bis vier Jahre erst als Stellvertreter und dann als Leiter des Pressereferats verbringen. Er würde lieber einen Auslandsposten antreten.

Mit der Personalabteilung wurde Kambodscha ausgesucht. Der exotische Posten als selbstständiger Botschafter im frankophonen Raum lag Jochen Eick. Seine Frau Anne stammte aus dem Elsass. Beide freuten sich auf die Versetzung. Wegen der sehr schlechten Versorgungslage in Kambodscha hatten beide einen perfekten Umzug vorbereitet; in den Containern befand sich alles, vom privaten PKW aus Untertürkheim bis hin zu Ersatzstecknadeln und extra Kragenknöpfen – mit entsprechenden finanziellen Belastungen.

Als das Umzugsgut im Indischen Ozean schwamm, kam die Meldung, Kambodscha hätte die DDR anerkannt. Bonn reagierte und stoppte Eicks Ausreise. Ich habe mich sofort für Eicks eingesetzt. Die Personalabteilung war hilfsbereit. Schon wenige Wochen später wurde Jochen Eick zum Botschafter in Ugandas Hauptstadt Kampala ernannt, erhielt seine Urkunde und musste sein Umzugsgut auf die andere Seite des Indischen Ozeans umdirigieren.

Auch für uns hatte ich Pläne. Mit Außenminister Brandt hatte ich abgesprochen, dass Karin und ich nach den Wahlen im Herbst 1969 ins Ausland gehen würden. Rolf Pauls war als Botschafter in Washington und bot uns an, als Nachfolger von Botschaftsrat I.Kl. Schulze-Boysen nach Washington zu kommen. Die Personalabteilung war einverstanden. Karin und ich studierten bereits die Pläne des Hauses von Schulze-Boysen in Washington-Bethesda und überlegten, welche seiner Gardinen und Vorhänge zu unseren Möbeln passen würden. Wir waren begeistert von der Perspektive, den Chevy Chase Country Club vor unserer Haustür zu haben. Seit meiner Zeit in Denver war die Versetzung nach Washington ein Wunschtraum von mir.

Aber es sollte alles ganz anders kommen.

Außenminister Walter Scheel

Bei den Wahlen im September 1969 gewannen SPD und FDP eine kleine Mehrheit von zwölf Mandaten. Brandt und Scheel entschieden noch in der gleichen Nacht, eine gemeinsame Regierung zu bilden.

Walter Scheel als erfahrener Unternehmensberater ging sofort daran, die personelle Basis zu sichern und seine Mannschaft zusammenzustellen. Er bestätigte die Staatssekretäre Duckwitz und Harkort.

Für seine unmittelbare Umgebung berief er Harald Hofmann aus dem Generalsekretariat der FDP als Leiter des Ministerbüros. Er rief mich zu sich und bat mich, als sein Pressesprecher zu arbeiten. Ich antwortete ihm, meine Familie sei seit sechs Jahren zu kurz gekommen, Karin und ich hätten uns mit unseren Töchtern auf die Versetzung nach Washington gefreut. Walter Scheel wiederholte nachdrücklich seine Bitte, für eine Übergangszeit zu bleiben. Es solle nicht unser Schaden sein.

Dem eindringlichen Wunsch des Ministers konnte ich mich nicht entziehen. Karin war wiederum sehr verständnisvoll und fand sich damit ab, für eine Übergangszeit weiter in Bonn zu bleiben.

Nach Brentano, Schröder und Brandt war Scheel der vierte Bundesminister, für den ich arbeitete. Er unterschied sich sehr von den anderen. Seine fröhliche, lockere und humorvolle Wesensart entsprach nicht dem Bild, das sich Ausländer von dem typischen Deutschen machten. Er war den schönen

Dingen des Lebens zugetan, ein Gourmet, ein Kenner gepflegter Getränke. Er wusste in Brüssel, Paris und anderen europäischen Hauptstädten stets ein Restaurant mit anerkannter Küche zu finden. Bei großen Jagden oder auf renommierten Golfplätzen war er ein bekannter Gast. In Düsseldorf hatte er einen öffentlichen Golfclub ins Leben gerufen, um den Golfsport populärer zu machen.

Aber man sollte sich nicht täuschen. Hinter dem äußeren Bild des Ministers, der gern sang und mit dem Lied »Hoch auf dem gelben Wagen« große Popularität errang, verbarg sich ein kühl rechnender Politiker, der, wenn es darauf ankam, über eiserne Härte verfügte.

Scheel war gelassen und unverkrampft und ließ seinen Mitarbeitern großen Freiraum. Seine Frohnatur wurde manchmal als Oberflächlichkeit oder fehlende Gründlichkeit missverstanden. Wenn er sich engagierte und eine Entscheidung traf, stand er dazu durch dick und dünn.

Er ließ das Pressereferat an langer Leine arbeiten. Wir hatten viel Ermessensfreiheit, kleinere Beiträge oder Interviews des Ministers zuzusagen. Er verließ sich auf unser politisches Urteilsvermögen und entschied oft, »den Text des Interviews machen Sie. Ich brauche ihn nicht zu sehen.« Die Entscheidungen über Gespräche mit bekannten Publizisten oder über Fernsehinterviews waren selbstverständlich dem Minister vorbehalten.

Hatte Walter Scheel sich einmal positiv oder negativ festgelegt, war es sehr schwer, eine Änderung zu erreichen. Zu Beginn habe ich bei mir wichtig erscheinenden Fragen versucht, den Minister mit neuen Argumenten umzustimmen. Er sah mich freundlich, aber eindringlich an: »Herr Ruhfus, das habe ich doch schon entschieden.« So lernten wir, seine Entscheidungen zu akzeptieren, sie möglichst geschickt umzusetzen und denkbare negative Auswirkungen zu vermeiden oder frühzeitig aufzufangen.

Zu den wichtigen Voraussetzungen für einen erfolgreichen Politiker gehört eine stabile, ausdauernde Kondition. Walter Scheel besaß sie in hohem Maße. Während der Jahre, die ich für ihn gearbeitet habe, ist er wochenlang mit drei bis vier Stunden Schlaf ausgekommen.

Nach einer Konferenz in Paris saß der Minister im Hotel Bristol mit Peter Koch vom SPIEGEL und einigen anderen Korrespondenten zusammen. Ullrich Wilke vom Ministerbüro und ich versuchten, den Minister zum Aufbruch in seine Suite zu bewegen. Weitere Runden wurden bestellt, die Unterhaltung wurde immer angeregter.

Als Wilke und ich schließlich gegen 3.30 Uhr den Minister zu seinem Zimmer begleiteten und uns verabschiedeten, sah er uns verschmitzt an: »Sie haben seit zwei Stunden versucht, mich in mein Zimmer zu bringen. Wo wollen Sie denn noch hin? Ins Crazy Horse oder ins Moulin Rouge?«

Wir versicherten ihm, wir wollten nur einige Stunden Schlaf haben. Walter Scheel war am andern Morgen wieder putzmunter und in bester Form.

Schon bei den ersten Gesprächen in westlichen Hauptstädten fiel mir ein großer Unterschied zu den Unterredungen von Brandt auf. In der Ostpolitik lagen Brandt und Scheel auf gleicher Wellenlänge. Aber in den Wirtschaftsfragen gab es große Unterschiede. Bei Brandt nahmen Finanz- und Handelsprobleme keinen hohen Rang ein. Hier war er nicht zu Hause. Dagegen spürte man bei Walter Scheel sofort, ihm lagen Wirtschaft, Finanz und Handel am Herzen. Hier hatte er als früherer Unternehmensberater festen Boden unter den Füßen, jahrelange Erfahrung und klare Vorstellungen.

Auch in der Europa-Politik gab es Unterschiede. Brandt war für mehr Einigung unter den westeuropäischen Staaten und für die Erweiterung der Gemeinschaft nach Osten. Aber er war der Idee westeuropäischer Supranationalität gegenüber zurückhaltend und betonte eher die Rolle der Nationalstaaten für die Friedensordnung in Mitteleuropa. Für Scheel dagegen war die Europäische Gemeinschaft »der Kern, von dem aus die gesamte Entwicklung in Europa vorangetragen werden könne«.

Seine Staatssekretäre

Scheels Staatssekretäre waren Georg Ferdinand Duckwitz und Dr. Günther Harkort. Sie wurden am 1. Juni 1970 abgelöst durch Dr. Paul Frank (bis dahin Leiter der Politischen Abteilung) und Sigismund Frhr. v. Braun (bis dahin Botschafter in Paris). Bis zum Juli 1970 war Prof. Dr. Ralf Dahrendorf der Parlamentarische Staatssekretär des Außenministeriums. Eine eindrucksvolle Mannschaft, die den Minister wirkungsvoll unterstützte.

Duckwitz führte das Haus mit ruhiger, aber bestimmter Hand. Für uns junge Beamte war er eine Vaterfigur. Wenn man abends noch in sein Büro gerufen wurde, saß er bei einem Sundowner am Schreibtisch und arbeitete den Berg täglicher Akten durch. Neben knappen dienstlichen Weisungen hatte er oft noch Zeit für ein persönliches Wort oder für eine Frage nach der Familie. In seiner unaufdringlichen hanseatischen Art bewirkte er viel Gutes. Als Leiter der Ostabteilung hatte er schon frühzeitig geholfen, die Weichen für die neue Linie Brandt/Scheel zu stellen, die Öffnung gegenüber unseren östlichen Nachbarn aktiv voranzutreiben.

Mich hatte sehr beeindruckt, dass er während des letzten Weltkriegs als Verkehrsreferent an der Botschaft in Kopenhagen mit großem persönlichem Mut durch vertrauliche Warnungen hunderten von jüdischen Bürgern in

Pressekonferenz von Bundesminister Walter Scheel am Ende eines dreitägigen Besuchs in Neu-Delhi

Dänemark die rechtzeitige Flucht ermöglichte und damit das Leben rettete. Später als Botschafter in Washington habe ich mich dafür eingesetzt, dass sein mutiger Einsatz in dem großen Holocaust-Museum im Zentrum der amerikanischen Hauptstadt erwähnt wurde.

Harkort war Nachkomme einer der Ruhr-Dynastien, er war ein Gentleman und großer Kenner wirtschaftlicher Zusammenhänge.

Braun hatte eine glanzvolle Karriere hinter sich. Seine persönliche Ausstrahlung, sein gutes Aussehen, sein Name, seine Familie und sein gewandtes Auftreten machten ihn zu einem Diplomaten mit größtem gesellschaftlichem Erfolg.

Schon während meiner Attachézeit war ich mit dem damaligen Chef des Protokolls in Berührung gekommen. Ich war einer der wenigen Nachwuchsbeamten, die einen Frack besaßen – ich hatte ihn mir für die Hochzeit meines Vetters Dieter Ruhfus von dem im Stahlwerk hart erarbeiteten Geld gekauft. Scherzhaft hieß es in der Ausbildungsstätte, während des Staatsbesuchs wurde an den Protokollchef der Frack mit Attaché Ruhfus ausgeliehen. Die Investition verhalf mir zu amüsanten Erfahrungen.

Beim Besuch des thailändischen Königspaars drückte mir ein Wirtschaftsboss, dem ich den Weg zur Toilette zeigte, fünf Mark in die Hand. Der Unterschied zwischen einem Frack mit weißer Weste und einem mit schwarzer Kellnerweste war offenbar zu wenig ins Auge fallend.

Beim Staatsbesuch des griechischen Königspaars gab es in Schloss Brühl eine kleine Kammermusikeinlage auf der Schlossterrasse. Als die Markise hochgezogen wurde, löschte die kühle Abendbrise nach einem heißen Sommertag die Kerzen auf den Notenständern des kleinen Orchesters. Die Amtsboten, denen ich vorschlug, größere Kerzen von den Tischen zu holen, verwiesen auf ihre weißen Handschuhe. Also turnte ich, während das Königspaar, angeführt von v. Braun nahte, vor dem Orchester herum und wechselte die Kerzen aus, begleitet von den dankbaren Blicken der Musiker.

Während meiner Zeit als Botschafter in London wurde uns im Club eine gepflegte, gut aufgemachte ältere Dame gezeigt. »Das ist die Duchess of Argyle.« In ihrem Scheidungsprozess war der Name des damaligen Botschaftsrats v. Braun unter denen der Respondents, »der beteiligten Zeugen«, genannt worden.

Als Außenminister Schröder das Amtszimmer des deutschen Beobachters bei den Vereinten Nationen besuchte, zeigte der damalige Amtsinhaber v. Braun den herrlichen Blick aus seinem Dienstzimmer auf das UNO-Hauptgebäude am East River in New York. »Von hier aus kann ich dem Generalsekretär auf den Schreibtisch sehen.«

Schröder, dem die Anekdote der Duchess bekannt war, warf v. Braun einen Blick aus den Augenwinkeln zu: »Dann passen Sie mal gut auf, dass der Generalsekretär nicht sieht, was sich hier tut.«

Hinter dem rastlosen gesellschaftlichen Einsatz verbarg sich ein hart arbeitender Diplomat mit scharfem politischem Blick, der die Weisungen und Briefings, die ihm seine Mitarbeiter vorlegten, mit großem Geschick an den Mann zu bringen wusste. Im Umgang mit jüngeren Kollegen war v. Braun offen und kameradschaftlich.

Paul Frank war klein von Statur, eine wache, quicklebendige Persönlichkeit. Er war geprägt von seinen Ausbildungsjahren in Frankreich und sprach Französisch so gut wie Deutsch. An der Botschaft Paris erzählte man sich, dass er als zuständiger Referent für die Innenpolitik, wenn wichtige Ereignisse bevorstanden, einen unauffälligen dunklen Pullover anzog, wie ihn ein normaler französischer Teilnehmer aus den Vorstädten tragen würde, und zu den Parteiveranstaltungen ging. Von dort brachte er eine fundierte politische Einschätzung mit.

Seine Briefings waren ein brillantes politisches Kolleg. Er kam nur mit einem kleinen Notizzettel, auf dem er sich die Themen notiert hatte, die er ansprechen wollte. Seine Ausführungen lasen sich später im Gesprächsprotokoll wie eine druckreife Analyse und ein Plädoyer.

Die neue Regierung setzte schnell neue Akzente und legte großes Tempo vor. In der Regierungserklärung vom 28.10.1969 hielt Brandt zwar an der Nichtanerkennung der DDR fest, aber er gab das Tabu auf, die DDR sei kein Staat. »Auch wenn zwei Staaten in Deutschland existieren, sind sie dennoch füreinander nicht Ausland, ihre Beziehungen zueinander können nur besonderer Art sein.«

Schon wenige Tage nach der Regierungserklärung teilte Außenminister Scheel dem sowjetischen Botschafter in Bonn mit, die Bundesregierung sei bereit, die Gespräche über einen Gewaltverzichtsvertrag fortzusetzen, die 1968 nach dem Einmarsch sowjetischer Truppen in die CSSR unterbrochen worden waren. Die Verhandlungen mit Außenminister Gromyko begann Botschafter Allardt. Sie wurden dann von dem neuen Staatssekretär im Bundeskanzleramt, Egon Bahr, übernommen.

Am 28.11.1969 unterzeichnete die neue Bundesregierung den innenpolitisch so hart umkämpften Nichtverbreitungsvertrag. Anfang Februar leitete Duckwitz in Warschau Verhandlungen über die zukünftige Ausgestaltung der deutsch-polnischen Beziehungen ein, und am 26. März begannen in Berlin die Viermächte-Gespräche über die deutsche Hauptstadt.

Es herrschte eine Stimmung des Aufbruchs. Wesentliche Teile des neuen Ansatzes lagen in den Händen des Kanzleramts, so die Verhandlungen von Bahr mit der Sowjetunion in Moskau und das Treffen von Brandt mit Ministerpräsident Stoph in Erfurt. Außenminister Scheel und das Auswärtige Amt spielten eine wichtige Rolle, um die neue Politik außenpolitisch abzusichern und innenpolitisch abzufedern.

Es musste herausgestellt werden, dass Walter Scheel als Außenminister und Vizekanzler sowie seine Partei diese Politik voll mittrugen und dass sich für Bremsbemühungen der CDU kein Ansatz bot. Es galt, den konservativen Kreisen in Westdeutschland entgegenzutreten, die diese Positionsveränderung als Verzichtspolitik ablehnten. Die westlichen Partner mussten davon überzeugt werden, dass es sich nicht um einen außenpolitischen Alleingang der Bundesrepublik handelte, nicht um einen Rapallo-ähnlichen Sonderflirt mit Moskau. Vielmehr sollte unsere Politik in die weltweite Annäherung zwischen den beiden Großmächten eingebettet bleiben und Teil der Entspannungspolitik zwischen den Bündnissystemen sein, die 1968 auf dem NATO-Ministerrat in Reykjavik mit dem Bericht des belgischen Außenministers Harmel eingeleitet worden war.

Auch in der Dritten Welt musste der Prozess so abgefedert werden, dass er nicht als ein für uns nachteiliger, ja katastrophaler Zusammenbruch alter

Positionen erschien, die die Bundesrepublik immerhin viele Jahre lang mit Zähigkeit und Einsatz großer finanzieller Mittel in Entwicklungshilfe und militärische Ausrüstungshilfe verteidigt hatte. In der Regierungserklärung von 1969 war die Aufhebung der Hallsteindoktrin angekündigt worden, aber nur im Rahmen einer vertraglichen Gesamtlösung mit anderen Fragen.

Bei dem schnellen Tempo des Aufbruchs war es nun Aufgabe des Pressereferats, den Korrespondenten und Redakteuren die außenpolitischen Veränderungen nahe zu bringen und sie zu überzeugen, dass es sich nicht um einen leichtfertigen Ausverkauf bewährter Positionen handelte, sondern um eine Politik, die auf die Überwindung der Teilung unseres Landes und des europäischen Kontinents gerichtet war.

Das Pressereferat konnte nur einen begrenzten Beitrag leisten. Aber wir taten es mit Engagement und Begeisterung für die Sache. Alle Mitglieder von Referat 11-4, die langjährigen Mitstreiter Frau Grützner und Dr. Stelzenmüller sowie die neuen Kollegen, Dr. Heinz Schneppen, Bill von Bredow und Graf Bassewitz, trugen dazu bei.

Die Außenminister, erst Brandt und dann Scheel, ließen mir freie Hand, eine gute Mannschaft zusammenzustellen, die Staatssekretäre und die Personalabteilung halfen bereitwillig. Nicht viele junge Kolleginnen und Kollegen, die locker und zugleich überzeugend waren im Umgang mit der anspruchsvollen Gruppe der Journalisten, schrieben überdies eine gute Feder, um Reden und Interviews zu entwerfen.

Daher hielt ich bei Auslandsreisen stets die Augen offen, um Talente zu entdecken. Bill von Bredow wurde mir nachdrücklich von Botschafter v. Braun bei dem Besuch in der Begleitung von Außenminister Schröder in New York empfohlen. Auf Graf Bassewitz machte mich der leitende Redakteur der ZEIT und spätere Chef des Bundespresseamtes Kurt Becker aufmerksam, der ihn schon früher als jungen Korrespondenten kennen gelernt hatte, bevor Bassewitz in den Auswärtigen Dienst eintrat.

Ein trauriger Fall war Dr. Hagen Blau. Er wurde später wegen Spionagetätigkeit für den Nachrichtendienst der DDR verurteilt. Diese Enttarnung eines Mitarbeiters, der im Pressereferat vor allem Interviews von Außenminister Brandt entwarf, hatte glücklicherweise keine vergleichbare Bedeutung wie die Aufdeckung von Guillaume im Kanzleramt. Aber für die eng zusammenarbeitende Mannschaft im Pressereferat war es eine schmerzliche Erfahrung.

Besonderes Glück hatte ich mit meinen Vertretern. Nach der guten Zusammenarbeit mit Jochen Eick folgte ein noch perfekteres und harmonischeres Zusammenwirken mit Peter Bazing. Ich habe es ihm sehr hoch angerechnet, dass er ohne jedes Zögern bereit war, als Vertreter seines

Crewkollegen zu arbeiten. Wir brachten bei unserer Unterstützung der neuen Außenpolitik der Regierung Brandt/Scheel sich ergänzende Erfahrungen mit. Für mich war die Einbettung unserer Anstrengungen in die gemeinschaftliche Linie der demokratischen westlichen Staaten maßgebend. Deutschland konnte sich der Entspannungspolitik zwischen den Supermächten USA und Sowjetunion, gefolgt von den europäischen Verbündeten und Nachbarn, nicht in den Weg stellen. Wenn wir unser mühsam errungenes Vertrauen nicht verspielen wollten, mussten wir unseren Beitrag zur Überwindung der Ost-West-Konfrontation leisten.

Peter Bazing hatte die Bedeutung dieser Aufgabe seit 1965 als politischer Referent an der Botschaft Den Haag hautnah erfahren. Einige Jahre zuvor hatte er als persönlicher Referent von Duckwitz gearbeitet, der damals der Leiter der neu gegründeten Ost-Abteilung war. Dort erlebte Bazing, wie mühsam es war, aber auch wie notwendig, die traditionellen Verbindungen unseres in der Mitte Europas gelegenen Landes zu den osteuropäischen Nachbarn wieder herzustellen, den Menschen in den kommunistischen Diktaturen zu helfen und ihnen die ersehnte wirtschaftliche, soziale und kulturelle Verbindung zum demokratischen Westen des Kontinents wieder zu eröffnen. Das deutsche Interesse an einer diese Ziele fördernden Politik hatte Bazing auf Duckwitz' Weisung schon damals in Aufzeichnungen und Vorlagen dargelegt. Später war er ein engagierter und erfolgreicher Botschafter in Helsinki.

Arbeit gab es in Fülle. Wir machten es uns zur Aufgabe, neben dem deutschen den schnell wachsenden Kreis der ausländischen Korrespondenten zu betreuen. Wir luden die verschiedenen Gruppen der französischen, der angelsächsischen und anderer europäischer Journalisten in regelmäßigen Abständen zu Gesprächen ins Pressereferat ein. Darunter waren ausgezeichnete Persönlichkeiten, bei den französischen Korrespondenten Roland Delcour, Le Monde, und Henri de Kergolay, Le Figaro. Unter den britischen Korrespondenten gab es Experten wie David Marsh oder Jonathan Carr, Norman Crossland, The Guardian, W. L. Luetkens, Financial Times, David Shears, Daily Telegraph. Auf amerikanischer Seite fanden sich Herman Nickel, Time-Life, Bruce van Voorst, Newsweek, Jesse Lukomski, Journal of Commerce; bei den unmittelbaren europäischen Nachbarn Viktor Meier für die NEUE ZÜRICHER ZEITUNG, Eric Kistler für L'Information und manche andere, die Deutschland zeitlebens verbunden blieben.

Bei den ausländischen Korrespondenten kam es besonders darauf an, in regelmäßigem Gedankenaustausch ihr Vertrauen zu gewinnen und klarzumachen, dass Deutschland keinen Alleingang plante, sondern dass wir im

Verbund der gemeinsamen westlichen Politik bleiben und dort unseren spezifischen Beitrag erbringen würden.

Graf Spreti wird heimgeholt

Am 31.3.1970 entführten Guerilleros in Guatemala den Botschafter der Bundesrepublik Deutschland, Heinrich Graf von Spreti. Die Aufständischen forderten für seine Freilassung drastische innenpolitische Reformen. Die Regierung von Staatspräsident Mendez Montenegro sah sich nicht in der Lage, die Bedingungen der Guerilleros zu erfüllen. Das Land war gespalten. Die Bundesregierung bedrängte die Regierung, das Leben des Botschafters zu retten. Sie entsandte den Leiter der Personalabteilung Ministerialdirektor Wilhelm Hoppe nach Guatemala, um ihrer Forderung Nachdruck zu verleihen. Ohne Erfolg. Als die Nachricht kam, dass der Botschafter von den Rebellen getötet worden war, entschied Bundesminister Scheel spontan, er wolle den Botschafter persönlich nach Deutschland heimholen.

Eine Bundeswehrmaschine brachte die Delegation von Bonn über New York nach Guatemala. Die Begleitung des Ministers war klein. Die Gruppe der Journalisten, die mitflog, um über die Reise zu berichten, war umso größer.

Die Journalisten drängten nach Informationen über den Ablauf der Visite in Guatemala. Die Telefonverbindung aus der Maschine nach Mittelamerika war schlecht. Die Nervosität wurde größer.

Journalistische Freunde warnten den Minister. Der Präsident werde interessiert sein, den Besuch auszunutzen, um sich von seiner persönlichen Verantwortung reinzuwaschen. Ein Foto mit der in Mittelamerika üblichen Umarmung des für den Tod verantwortlichen Präsidenten mit dem deutschen Außenminister würde um die Welt gehen.

In nächtlichen Telefongesprächen, die immer wieder zusammenbrachen, versuchten wir, den Ablauf mit der Botschaft abzustimmen. Hauptanliegen des Besuchs war die Teilnahme des Bundesministers am Trauergottesdienst in der großen Kathedrale und die anschließende Überführung des Sarges in die Heimat. Keine Show der Regierung, kein militärischer Empfang am Flugplatz, nur Höflichkeitsbesuch des Bundesministers im kleinsten Kreis beim Präsidenten von Guatemala ohne Zulassung der Bildpresse.

Die Behörden in Guatemala-City waren durch die Ereignisse desorganisiert, aber zur Zusammenarbeit bereit. Noch während des Fluges von New

York nach Guatemala erzählten die Journalisten immer neue Horrorgeschichten, die sie aus unsicheren Quellen gehört hatten.

Wir hatten fast keinen Schlaf gehabt. Walter Scheel war ruhig und selbstsicher, ihm war die schlaflose Nacht nicht anzumerken.

Nach der Landung in Guatemala waren wir positiv überrascht. Der Protokollchef bestätigte die Absprachen über eine sehr restriktive Handhabung der offiziellen Seite des Besuchs.

An den Straßen, auf denen die Delegation und die Familie fuhren, standen tausende von Menschen. Die Bürgersteige wurden immer voller, je näher wir zur Kathedrale kamen. Es gab keine Unruhe, kein Gedränge. Den passiven Gesichtern der Zuschauer war nicht anzusehen, ob sie gekommen waren aus Protest gegen die Härte der Regierung, die zum Tod des Botschafters geführt hatte, oder als Demonstration gegen die Härte der Guerilleros. Aber die massive Beteiligung vermittelte den Eindruck großer menschlicher Anteilnahme am Geschick des Deutschen Botschafters. Die Trauerfeier in der großen alten Kathedrale war würdevoll und beeindruckend. Hier im umbauten Raum war die Anteilnahme der Menschen noch stärker spürbar.

Der Höflichkeitsbesuch bei Präsident Montenegro verlief korrekt. Wie vereinbart gab es keine Bildpresse bei der Begegnung im Amtssitz des Präsidenten. Nach wenigen Stunden verließen wir die Stadt, den Sarg an Bord unserer Bundeswehrmaschine. Wir waren befriedigt, dass wir Botschafter Spreti, dessen Leben das Auswärtige Amt nicht hatte retten können, so würdevoll ehren konnten.

Ich war von der Art ergriffen, in der dieses arme, von blutigen Kämpfen gebeutelte Land diesen Besuch durchgeführt und begleitet hat.

Ende der Zeit im Pressereferat

Im Frühjahr 1970 wurde ich in die Personalplanung aufgenommen. Eines Abends rief Harald Hofmann, der Leiter des Ministerbüros, bei uns an: »Eure Versetzung ist für den Sommer gebilligt.« Ich rief Karin zum Telefon und fragte: »Wohin geht es?« Harald Hofmann: »Ihr seid als Botschafter in Nairobi vorgesehen.«

Karins Reaktion war zunächst zögerlich. »Nach Dakar zum zweiten Mal nach Afrika?« Hofmann: »Der Minister hat diesen Platz für euch ausgesucht, weil er Kenia besonders schön findet.«

Je mehr wir uns über Kenia unterrichteten, desto größer wurden unsere Begeisterung und unsere Vorfreude auf die neue Aufgabe.

Aber es gab noch Probleme. Wolfgang Behrends, der Leiter des NATO-Referats, war ein Kollege, den ich auf den gemeinsamen Dienstreisen besonders schätzen gelernt hatte. Er hatte seine Hochzeitsreise nach Kenia gemacht. Als unsere Planung für Nairobi durchsickerte, offenbarte er mir, er sei seit langem ein Kandidat für Nairobi. Dies sei auch der Traumposten seiner Frau. Er beglückwünschte uns, aber seine Enttäuschung war unübersehbar.

Zwei Tage später nahm ich mir ein Herz. In den Abendstunden nach Dienstschluss meldete ich mich bei Staatssekretär Duckwitz. Meine Frau und ich seien für die Planung Nairobi von Herzen dankbar. Aber wir wollten unseren Freunden Ursula und Wolfgang Behrends den von ihnen angestrebten Traumposten nicht wegnehmen. Daher wollte ich bitten, ob die Personalabteilung einen anderen schönen Platz für uns finden könne. Duckwitz sah mich väterlich an. Er nahm einen Schluck von seinem abendlichen Sherry. »Ihre Frage ehrt Sie, aber den Platz hat der Minister persönlich für Ihre Frau und Sie ausgewählt. Ich bin sicher, wir werden für Herrn und Frau Behrends auch eine gute andere Auslandsverwendung finden.«

Es gab ein weiteres Problem. Paul Frank, der inzwischen Staatssekretär geworden war, machte klar: »Herr Ruhfus, Sie können ins Ausland gehen, aber erst, wenn ein vom Minister gebilligter Nachfolger feststeht.« Peter Bazing wäre meine erste Wahl gewesen. Aber er wollte die Belastung des Sprechers des Auswärtigen Amts nicht fünf bis sechs Jahre übernehmen. Also stellten wir gemeinsam Listen zusammen von aus unserer Sicht geeigneten Nachfolgern. In Gesprächen mit der Personalabteilung, dem Büro Minister und dem Büro Staatssekretäre kamen wir auf unseren Kollegen Guido Brunner, mit dem ich zusammen das Abschlussexamen für den Höheren Auswärtigen Dienst abgelegt hatte. Ich erinnerte mich, dass Guido Brunner während unserer gemeinsamen Studienzeit in München dem Liberalen Studentenbund nahe gestanden hatte. Er war mein Vorgänger als Attaché bei Brentano gewesen. Er hatte als Persönlicher Referent von Botschafter Knappstein breite Auslandserfahrung in den USA und bei der UNO gewonnen. Jetzt arbeitete er sehr selbstständig als stellvertretender Leiter des neuen Referats Technologie. Er hatte nur einen Nachteil: Er war dem Minister noch nicht persönlich bekannt.

Die Termine für eine Vorstellung hatten sich mehrfach zerschlagen. Als ich erfuhr, dass Brunner am nächsten Morgen zu einer wochenlangen Intelsat-Konferenz (Internationale Konferenz über den Einsatz von Satelliten) nach Amerika fliegen würde, ließ ich mich dringend beim Minister melden. Minister Scheel musste nach Hause, um sich für das offizielle Abendessen für einen Staatsbesuch umzuziehen. Die Damen des Ministerbüros halfen.

Scheel war unter großem Zeitdruck, aber gleichwohl verständnisvoll. Ich brachte Guido Brunner zum Dienstwagen des Ministers, konnte ihn gerade noch kurz vorstellen.

Auf der gemeinsamen Fahrt zum Venusberg begann die persönliche Bekanntschaft, die enge Verbindung, die eine steile Karriere Guido Brunners einleitete, zunächst als Pressereferent, dann als Leiter des Planungsstabes von Bundesminister Scheel, zum Wirtschaftssenator in Berlin und schließlich zum deutschen Vertreter in der Kommission der Europäischen Gemeinschaft und zum Botschafter in Madrid.

Der Weg war frei für Nairobi. Nach 6 ½ Jahren im Pressereferat lockte eine völlig neue Aufgabe: deutscher Botschafter in einem der schönsten Länder Afrikas zu werden. Walter Scheel hatte Wort gehalten.

Der Abschied von der Presse war bewegend. In den Jahren der Zusammenarbeit war ein Vertrauensverhältnis gewachsen, Verbundenheit und Freundschaften, die jahrzehntelang hielten.

Die Worte der Anerkennung für meinen Einsatz waren eine kleine Entschädigung für die ungeheure Belastung der vergangenen Jahre. Die Frankfurter Allgemeine schrieb am 10. März 1970: »Seit sechseinhalb Jahren ist er mit Energie, Geistesgegenwart, Witz im strapaziösen ›Geschäft‹ der Umsetzung von Handlungen, Worten und Unterlassungen der AA-Spitze in ›Neuigkeiten‹. … Die Gangart ist rasch, die Verbindlichkeit mit Direktheit gepaart. Seine Partner von der anderen Seite lassen ihn ungern an den ›Hof‹ des großen alten Jomo Kenyatta gehen.«

Mich erfüllte ein Gefühl der Dankbarkeit.

Die Arbeit für die Außenminister war eine harte, aber ausgezeichnete Lehre. Die Erfahrung im Umgang mit der Presse war für die spätere Tätigkeit als Botschafter und als Delegationsleiter bei internationalen Konferenzen und als Staatssekretär sehr hilfreich.

Das Auswärtige Amt hatte meine Arbeit und die Belastung meiner Familie anerkannt. Mit 39 Jahren war ich der jüngste Botschafter in einem der schönsten Länder der Welt.

Nairobi (1970-1973)

Im Juni 1970 nahmen wir in Athen Abschied vom europäischen Kontinent. Auf dem Weg nach Nairobi hatten wir einen Zwischenstopp bei unseren griechischen Freunden Theo und Aliki Sarantopoulos eingelegt.

Als Karin, unsere Töchter und ich uns auf den Nachtflug vorbereiteten, kam die Stewardess der Lufthansa: »Sind Sie der neue Botschafter in Kenia? Ich soll Ihnen herzliche Grüße vom Flugkapitän übermitteln.« Karin und ich dachten, welch freundliche Geste für unsere Familie.

Ankunft der Familie in Nairobi am Flughafen Embakasi im Juni 1970; von links nach rechts: Karin, Maren, Andrea, Antje und Jürgen Ruhfus

Die Stewardess hatte keinen Namen genannt. Etwas später stellten wir fest, dass unser langjähriger Freund Niels Nielsen die Maschine steuerte. Wir hatten uns vor Jahren bei einem Kurzurlaub in Capri kennen gelernt, wo Karin und ich Kraft für die Zeit im Pressereferat tankten; wir waren gute Freunde geworden.

Es wurde eine lange Nacht. So landeten wir am nächsten Morgen bei strahlendem Äquatorsonnenschein fröhlich, erwartungsvoll, aber etwas müde auf dem Flugplatz Nairobi Embakasi.

Das war der verheißungsvolle Auftakt für drei herrliche Jahre.

Die goldenen Jahre Kenyattas

Der Anfang der 70er Jahre war die goldene Zeit Kenyattas in Kenia.

Mzee Jomo Kenyatta hatte nach dem blutigen Mau-Mau-Krieg verkündet: »Today, the tragedies and misunderstandings of the past are behind us. Today, we start on the great adventure of building the Kenya nation. […] We shall count as our friends, and welcome as fellow-citizens, every man, woman and child, in Kenya – regardless of race, tribe, colour or creed – who is ready to help us in this great task of advancing the social wellbeing of all our people.« Karin und ich haben später das Konzentrationslager gesehen, in dem Kenyatta während des Mau-Mau-Krieges in der heißen Wüstengegend Nordkenias interniert war. Dort hatte er mit seiner jungen Frau Mama Ngina schwer unter der glühenden Hitze gelitten – die Kikuyu sind im kühleren Berggebiet des Mount-Kenya-Massivs und der Aberdares beheimatet. Umso höher ist Kenyattas staatsmännische Haltung zu bewerten, die er im Aufruf zu enger Zusammenarbeit mit dem früheren Kolonialherren und Kriegsgegner bewies.

Vor dem Ende des Mau-Mau-Kriegs waren die Briten fest entschlossen, an Kenia festzuhalten. Sie hatten das Land vorbildlich entwickelt, Kenia verfügte mit einer leistungsfähigen Verwaltung, mit einem guten Entwicklungsstand von Straßen, Bahnen und Flugplätzen über eine Infrastruktur, die die der afrikanischen Nachbarn weit überragte. Die ostafrikanische Gemeinschaft von Kenia, Tansania und Uganda hatte gemeinsame Eisenbahnen und eine gemeinsame Fluglinie: Errungenschaften, um die die EG sie hätte beneiden können.

Zugleich gab es riesige Probleme. Das Gebiet am Äquator zwischen dem Indischen Ozean und dem Hochland am Afrikanischen Graben war von atemberaubender landschaftlicher Schönheit, aber nur 17 % des Landes waren landwirtschaftlich nutzbar. Die willkürliche Grenzziehung der europäischen Kolonialmächte hatte einen Staat geschaffen, in dem über achtzig völlig verschiedene, miteinander rivalisierende Stämme (tribes) wohnten. Der Unterschied zwischen den Bantustämmen wie Kikuyu, Embu, Meru und den Küstenarabern, zwischen den nomadischen Stämmen Massai, Turkana, Samburu und den gerissenen Somalis war so groß, wie wir es in Europa innerhalb eines Staates nirgendwo kennen.

Die Bevölkerung explodierte mit einem Wachstum von fast 4% jährlich. Sie wuchs genauso schnell oder teilweise noch rascher als die von vielen Geberstaaten gepäppelte kenianische Wirtschaft. Der entsprechend hohe Anteil von Kindern und Jugendlichen schuf die Bugwelle eines großen Bedarfs an Schulen, Hochschulen und dann an Arbeitsplätzen für die heranwachsende junge Generation (60% der Bevölkerung waren 16 Jahre und jünger). In den ersten Jahren nach der Unabhängigkeit hatte Kenyatta sich in die Wirren der Krise im Kongo und in anderen afrikanischen Ländern hineinziehen lassen und Blessuren geholt. Nunmehr beschränkte er sich darauf, die Beziehungen zu seinen unmittelbaren Nachbarn zu pflegen. Er konzentrierte seine ganze Kraft auf den inneren Aufbau seines Landes. Er bemühte sich, die Gegensätze zwischen den Stämmen zu überwinden und ein Gefühl nationalen Zusammenhalts zu schaffen – Nation Building. Er wirkte unermüdlich, um seine Landsleute für ein modernes, westliches Wirtschaftskonzept zu gewinnen und auszubilden und die Kräfte für den wirtschaftlichen Aufbau zu mobilisieren. Öffentliche Auftritte und Reden Kenyattas endeten stets mit dem Appell: »Harambee, vorwärts, lasst uns zusammenstehen!«

Während der Jahre, in denen er in London den KCA (Kikuyu Central Association) vertrat, hatte er die westliche Lebensart, den britischen Parlamentarismus und die demokratische Staatsordnung kennen gelernt. Er hatte eine Engländerin geheiratet, die auch nach ihrer Trennung und Kenyattas Rückkehr mit großem Respekt behandelt wurde. Wenn sie nach Nairobi kam, stand der Rolls-Royce am Flugplatz, und sie wurde mit luxuriöser Gastfreundschaft betreut.

Aber im inneren Kern war Kenyatta der große Sohn und Repräsentant der Volksgruppe der Kikuyu geblieben. Sein Werk »Facing Mount Kenya« schildert Leben und Wesen der Kikuyu und zeigt seine enge Verbindung mit diesem größten kenianischen Volksstamm. Die Kikuyu sind fleißige, bodenverbundene Kleinbauern. Sie können verschlagen sein und sie haben einen engen Familienverband. Jeder Mann kann mehrere Frauen haben, so er sie bei ihren Eltern bezahlen und ihren späteren Unterhalt gewährleisten kann. Er muss sie gleich behandeln, aber die erste Frau hat Senioritätsrechte gegenüber den jüngeren, später geheirateten Frauen.

Kenyatta sah die Notwendigkeit, die anderen Stämme in das Nation Building einzubeziehen. Allerdings durfte die starke Position der Kikuyu im Staat nicht gefährdet werden. Als der junge Politiker der Luo, des zweitgrößten Stammes in Kenia, Tom Mboya, zu populär wurde, fiel er einem Attentat zum Opfer. Es wurde nie aufgeklärt, ob und in welcher Form Kenyatta hieran beteiligt gewesen ist.

Kenyatta übertrug die Vorzüge der parlamentarisch-demokratischen Struktur nur teilweise auf sein Land. Es gab Wahlen, es gab konkurrierende Kandidaten, aber nur im Rahmen der einen großen Einheitspartei Kanu. Es hieß, ein junges, aufstrebendes Entwicklungsland könne sich die Reibungsverluste durch konkurrierende Parteien noch nicht leisten.

In der Außenpolitik richtete Kenyatta sich danach, wer Kenia bei dem von ihm angestrebten Aufbau am besten helfen konnte. Schon Mitte der 60er Jahre hatte er sich dafür entschieden, bei geteilten Nationen die Länder zu wählen, die die bessere Hilfe gewähren konnten. Das waren Südkorea und die Bundesrepublik Deutschland.

So gab es in Nairobi keine Vertretung der DDR. Der Ost-West-Gegensatz, der in anderen afrikanischen Ländern wie Guinea, Äthiopien, Tanganjika und Sansibar zu innerer Zerrissenheit führte, fand keinen Eingang in Kenyattas Kenia.

Die Botschaft

Als Botschafter stand ich vor nahezu idealen Aufgaben: Ich konnte mich auf die Pflege der bilateralen Beziehungen konzentrieren und auf die Hilfe für den wirtschaftlichen Aufbau des Landes.

Ich hatte in der Botschaft ausgezeichnete Unterstützung. Mein Vertreter Bill Haas war einer der besten Kollegen unseres Lehrgangs. Er war später sehr erfolgreicher Botschafter in Israel, Tokio und Den Haag. Bill und seine Frau Sylvia halfen mustergültig, uns den Anfang zu erleichtern, uns die Vorzüge dieses schönen Landes und seiner Bewohner nahe zu bringen. Der Nachfolger Rolf Jung und seine Frau Hella setzten die gute Zusammenarbeit fort. Gegen Ende unserer Zeit wurde Bills Bruder Gottfried als Entwicklungshilfe-Referent mit seiner Frau Beatrice nach Nairobi versetzt und erweiterte unsere freundschaftliche Verbindung mit der Familie Haas.

Als einer der jüngsten Botschafter hatte ich das gleiche Alter wie der Außenminister und andere Kabinettsmitglieder. Daher war mir der Zugang zu ihnen leichter als für einige ältere Kollegen.

Übergabe des Beglaubigungsschreibens an Präsident Mzee Jomo Kenyatta

Die deutsche Hilfe

Die Bundesrepublik war eines der großen Geberländer für Kapitalhilfe und Technische Hilfe. Es war eine faszinierende Aufgabe, sich Gedanken zu machen, welche Hilfe von deutscher Seite für einen zügigen und stabilen Aufbau des Landes am besten geeignet war.

Jedes Jahr stellten die kenianischen Ministerien eine Liste der Vorhaben auf, für die Kapitalhilfe oder Technische Hilfe von den Geberländern oder von internationalen Hilfsorganisationen erhofft wurden. Es war Aufgabe der Botschaft, diese Liste mit Bewertungen und Empfehlungen nach Bonn weiterzuleiten. Das setzte voraus, dass man selbst die Entwicklung genau verfolgte und sich eine fundierte Meinung darüber bildete, welche Projekte Erfolg versprechend und im Interesse des Landes und seiner Menschen waren.

In der nächsten Stufe kam die Konkurrenz der Geber. Jede Regierung wollte gern Vorhaben durchführen, die in Kenia das Geberland sichtbar machten.

Mir gefiel die Aufgabe, in ständigen Gesprächen mit Ministern und Parlamentariern die Wirtschaftspolitik zu verfolgen und Nischen zu finden, wo Deutschland sinnvoll helfen konnte. Die Hauptdevisenquellen Kenias waren Agrarexporte und vor allem der Tourismus. Deshalb waren der Bau von Straßen, die zu den touristischen Sehenswürdigkeiten des Landes führten, und der Ausbau von Parks wichtig. Hinzu kam die Ausbildung von Personal für Hotels und den Fremdenverkehr.

Schon bald nach meiner Ankunft wurde durch den Präsidenten ein Abschnitt der Straße eingeweiht, die zum schönsten Teil des Rift Valley – dem ostafrikanischen Graben – führte. Präsident Kenyatta erwähnte lobend die jugoslawischen und israelischen Baufirmen, die die Straße gebaut hatten. Dabei ging völlig unter, dass sie mit deutscher Kapitalhilfe finanziert worden war. Die Bundesrepublik war damals so großzügig, dass die Kapitalhilfe gewährt wurde, ohne an die Lieferung durch deutsche Firmen gebunden zu werden.

Nach der Arbeit im Pressereferat, dessen Leitsatz gewesen war »tue Gutes und rede darüber«, hat mich diese Auslassung besonders geschmerzt. In folgenden Gesprächen haben sich Finanz- und Wirtschaftsministerium für die Panne entschuldigt und Besserung gelobt.

Das deutsche Bewässerungsprojekt am Mount Kenya

Um sicher zu gehen, griff ich zur Selbsthilfe. Wenige Monate später stand die Einweihung eines mit deutscher Kapitalhilfe finanzierten Bewässerungsprojekts am Fuße des Mount Kenya an. Ich sagte sofort meine Teilnahme zu. Mit Joe Karanja, einem kenianischen Freund, der Rektor der Universität Nairobi war, und meinem Sprachlehrer, einem Dozenten für Kisuaheli dieser Universität, bereitete ich eine kurze Rede in Suaheli vor, die ich auswendig lernte. (Es war bezeichnend für die deutsche Kolonialpolitik gewesen, dass wir nicht unsere Sprache oktroyiert hatten, sondern die ostafrikanische Lingua franca, Kisuaheli, schon frühzeitig gefördert hatten. Der erste Lehrstuhl war Anfang des 20sten Jahrhunderts in Hamburg eingerichtet worden. Nairobi knüpfte an diese Tradition an und berief für die Lehre der Landessprache an der größten Universität einen deutschen Wissenschaftler.)

Der große Tag kam. Ich konnte den Präsidenten »Mheshimiwa Rais« (Verehrter Präsident) ansprechen, die Weisheit und Initiative der Regierung preisen und anschließend gebührend darauf hinweisen, dass es der Bundesregierung und dem deutschen Volk Freude mache, den kenianischen Freunden in einem wichtigen Teil ihrer Wirtschaft Hilfe zu leisten, die vielen Bauern zugute kommen werde.

Am gleichen Abend noch kam der Rücklauf aus dem Kenyatta Clan. Mzee Kenyatta hatte seiner Familie erfreut berichtet, er habe einen Botschafter erlebt, der auf seine Eröffnungsansprache mit einer Rede in Suaheli geantwortet habe. Auch das kenianische Fernsehen berichtete über beide Ansprachen in seiner Suaheli-Sendung mit großer Ausstrahlung.

Die Simmentaler Kuh fühlt sich einsam

Ein wichtiger Bereich der kenianischen Wirtschaft war die Landwirtschaft. Die jährliche Agrarmesse – die Nairobi-Show – war eines der größten wirtschaftlichen und gesellschaftlichen Ereignisse des Landes. Die deutschen Unternehmen warben für Landmaschinen, die chemische Industrie für Kunstdünger und Schädlingsbekämpfungsmittel, und die deutschen Saatguthersteller für ihre Produkte. Bei dieser führenden Messe wollten die deutschen Züchter das deutsche Fleckvieh (auch Simmentaler Vieh genannt) bekannt machen.

Mit dem Züchterverband hatte die Botschaft abgesprochen, dass sie Präsident Kenyatta ein Simmentaler Rind als Geschenk der Bundesregierung übergeben und damit sicherstellen sollte, dass Kenyatta den deutschen Stand besuchte.

Es verlief alles wunschgemäß. Der Präsident kam in den deutschen Pavillon. Ich übergab das Rind mit den deutschen Zuchtdokumenten. Kenyatta, der auf seiner Ranch im Rift Valley selbst Rinder züchtete, zeigte lebhaftes Interesse und dankte mit freundlichen Worten. Alles spielte sich vor laufenden Kameras und einem großen Kreis von Journalisten ab. Anschließend öffneten wir auf dem deutschen Stand die Sektflaschen und tranken mit den Vertretern des Züchterverbandes auf den erfolgreichen Verlauf unserer Aktion.

Als abends die Jury die siegreichen Tiere in einer feierlichen Veranstaltung prämierte, wurde ich zum Landwirtschaftsminister gebeten. Er eröffnete mir mit freundlichen Worten, der Präsident sei über das Geschenk und unser Gespräch sehr erfreut gewesen. Aber die Simmentaler Kuh fühle sich als einzige Vertreterin ihrer Rasse sehr einsam. Der Präsident fände es gut, wenn ihr ein zweites Simmentaler Rind Gesellschaft leisten würde. Er bitte mich, hier zu helfen.

Ich setzte mich dafür ein, ein zweites Simmentaler Rind zu kaufen (aus der kenianischen Zucht, was wesentlich kostengünstiger war als ein aus Deutschland importiertes Zuchtrind). Die deutschen Züchter in Kenia waren dagegen; man solle die Begehrlichkeiten der Führungsgruppe in Kenia nicht noch weiter fördern, außerdem befürchteten sie züchterische Konkurrenz. Ich habe darauf hingewiesen, dass der Preis nicht sehr hoch sei. Es lohne sich nicht, dafür das präsidentielle Wohlwollen aufs Spiel zu setzen.

Diese Auseinandersetzung strapazierte manche unserer Freundschaften, besonders die mit dem deutschen Rancher-Ehepaar Fritz und Trudel Brauer, die die Simmentaler Rinder züchteten und die Karin und ich sehr schätzten. Schließlich, nach längeren Gesprächen, bekam Kenyatta seine zweite Kuh, und Brauers und wir blieben Freunde.

Deutsche Projekte im Land

Es machte Freude, eigene Initiativen zu ergreifen. Theo Schroll, ein von der GOPA Nürnberg entsandter Experte, arbeitete für die Technische Hilfe und war für ein Projekt zur Förderung kleinerer Industrieunternehmen verantwortlich. Deutschland baute und finanzierte kleine Industrieansiedlungen im Gewerbegebiet von Nairobi, in denen für junge Kleinbetriebe kostengünstige Fabrikationsräume zur Verfügung gestellt wurden ebenso wie kleine Kredite für die Aufnahme der Produktion.

Zuerst standen die Hallen leer. Theo Schroll fuhr durch die alten Gewerbebereiche. Wo immer er Kleingewerbetreibende sah, die aus alten Blechen Abfalleimer und Mülltonnen zusammenbastelten oder kleine Holzfiguren für die Touristen schnitzten, schlug er vor, die »deutschen« Gewerberäume anzusehen. Mir gefiel diese Förderung kleiner Unternehmer besonders. Ich war daher immer bereit zu helfen und habe viele Besucher aus Deutschland – und ebenso hochrangige kenianische Persönlichkeiten – zu diesen jungen Unternehmen geführt. Diese Vorhaben waren zu unserer Zeit so erfolgreich, dass das Bundesministerium für wirtschaftliche Zusammenarbeit (BMZ) ähnliche Projekte in Naiwasha, in Mombasa und anderen Städten startete.

Zu den besten Ideen des BMZ in jener Zeit gehörte die erleichterte Form der Hilfe für »Kleinprojekte«. Das waren Vorhaben von bis zu 20.000 DM, die den Menschen direkt zugute kommen sollten. Hier konnten die Botschaften weitgehend in eigener Initiative anregen, fördern und abrechnen, ohne bürokratische Fesseln. So haben wir geholfen, einfache wellblechgedeckte Schulunterkünfte zu errichten, Brunnen für Dörfer zu bohren und kleine Wasserleitungen von einem nahen Fluss zu legen.

Karin, unterstützt von anderen Damen, setzte sich besonders für die Schulen ein. Es bestand ein riesiger Bedarf an Ausbildung. Die Eltern wollten ihren Kindern eine bessere Zukunft sichern und waren bereit, dafür große finanzielle Opfer auf sich zu nehmen und auch beim Bau von Unterkünften mit Hand anzulegen.

Die Einweihung war oft ein großes Fest. Fernsehen, Rundfunk und Presse entsandten Korrespondenten.

Karin und ich reisten viel im Land umher, um die verschiedenen Vorhaben kennen zu lernen und auch, um die Entwicklungshelfer zu betreuen und zu ermutigen. Besonders die jungen Angehörigen des Deutschen Entwicklungsdienstes haben an entlegenen Außenposten im Busch und in der Savanne Kenias Eindrucksvolles geleistet. Sie gaben erste Unterweisung in richtiger Ernährung und Gesundheitspflege, aber auch in verschiedenen Bereichen der Landwirtschaft oder des Handwerks. Ich habe den idealistischen Einsatz dieser deutschen freiwilligen Helfer, unter oft schwierigen und entsagungsvollen Lebensbedingungen, bewundern gelernt.

Die Fachleute, die aus der Deutschen Entwicklungshilfe bezahlt wurden, hatten gute Erfolge in der Beratung bei der Viehzucht, der Rationalisierung des Ackerbaus und beim Aufbau wissenschaftlicher Fakultäten, bei der Beratung von Banken und Kleinunternehmen. Sie waren finanziell wesentlich besser gestellt als die freiwilligen Helfer des DED.

Die Familie Kenyatta

Karin und ich fanden leichten Zugang zum politischen Establishment. Präsident Kenyatta selbst war in jener Zeit zurückhaltend gegenüber Botschaftern. Er hatte schlechte Erfahrungen gemacht. Der Vorgänger des amerikanischen Botschafters, der frühere Pressesprecher von John F. Kennedy William Attwood, der von Kennedy mit dem Posten in Nairobi belohnt worden war, hatte gute Beziehungen zu Präsident Kenyatta gehabt. Er hatte aber dann bald nach seiner Rückkehr mit großer Offenheit über seine Gespräche mit Kenyatta, auch über heikle Themen wie die Kongo-Krise, berichtet. Das Buch »The Reds and the Blacks« war gut geschrieben und erfolgreich, aber in Nairobi verpönt. Die nachfolgenden Botschafter fanden einen reservierten Präsidenten vor.

Karin und ich konnten diese Zurückhaltung überwinden und über die Familie des Präsidenten das Vertrauen von Kenyatta gewinnen. Karin hatte schnell beste Beziehungen zu Mama Ngina, der letzten und jüngsten Frau des Präsidenten und der ersten Dame des Staats. Ihr Sohn Uhuru war so alt wie unsere jüngste Tochter Antje. Mama Ngina hat diese Verbindung auch nach dem Tode Kenyattas aufrechterhalten. Wann immer Karin und ich zu einem späteren Besuch nach Kenia kamen und sich unsere Anwesenheit mit der Buschtrommel herumgesprochen hatte, erhielten wir einen Korb bester Mangos von einer von Mama Nginas Farmen, mit der Einladung, sie bald zu besuchen.

Eine Nichte Kenyattas, Margret Kenyatta, war Oberbürgermeisterin von Nairobi. Sie brachte Karin und mir schnell Sympathie entgegen.

Die engste Verbindung hatten wir zu Beth Mugo, eine der Lieblingsnichten von Kenyatta, und ihrem Mann Nik Mugo. Er war Abteilungsleiter im Außenministerium und für die afrikanischen Staaten zuständig, später dann Botschafter in Kenias wichtigstem Nachbarland Äthiopien und in Paris.

Beth war das Muster einer energiegeladenen, in Amerika ausgebildeten, geschäftstüchtigen Kikuyu-Dame, die sich auch in der Politik engagierte. Als Mutter von vier Kindern leitete sie die Familie geschickt, aber mit fester Hand. Sie nutzte ihre Position als Mitglied des Kenyatta-Clans, um für internationale Beamte in den schicken Gegenden der Hauptstadt Häuser zu kaufen und Wohnungen zu bauen. Sie leitete eine Kette kleinerer Juweliergeschäfte. Nie verlor sie den Boden unter den Füßen. Nach unserer Rückversetzung nach Bonn meldete sie sich bald zu ihrem ersten Besuch an. Karin antwortete: »Du bist herzlich willkommen, aber unser Umzugsgut schwimmt noch auf See, wir können dir nur eine Matratze auf dem Boden bieten.« Darauf Beth: »Aber Karin, meinst du, ich habe vergessen, dass ich als Kind jeden Tag das Wasser aus dem Fluss holen und auf dem Kopf in unsere Hütte tragen musste? Ich freue mich, euer Haus kennen zu lernen, mit oder ohne Möbel.«

Als der Nachfolger von Kenyatta, Präsident Arap Moi, die Sippe Kenyattas aus ihren Ämtern und Pfründen verdrängte, stand Beth mutig auf und kandidierte im Kikuyu-Herzland erfolgreich für einen Sitz im Parlament. Andere Familienmitglieder scheiterten bei den Wahlen. Beth hielt sich in der Volksvertretung und vertrat unerschrocken die Interessen ihrer Kikuyu-Landsleute gegenüber dem unter Daniel arap Moi immer mächtigeren Stamm der Kalenjin.

Über die uns befreundeten Familienmitglieder wurden wir stärker in den Clan der Kenyattas hineingezogen. Als der Außenminister Kenias, Dr. Njoroge Mungai – ein Neffe Kenyattas – Lilian Njeri heiratete, nahmen Karin und ich an dem Empfang in einem der Spitzenhotels von Nairobi teil.

Beim Abschied sagte Mungai: »Ab heute Abend feiern Njeri und ich die Hochzeit mit einigen guten Freunden privat im Mount Kenya Safari Club. Kommt dazu und feiert mit uns!« Im Mount Kenya Safari Club waren einige Chalets für den Außenminister und seine Frau, für den Rektor der Universität Joe Karanja und Frau Beatrice sowie einige weitere kenianische Freunde von Njeri und Njoroge Mungai reserviert. Das Brautpaar hatte schon in London einige Jahre zusammengelebt und hatte einen Sohn. Aber als Außenminister hielt Mungai es für angezeigt, diese Verbindung mit Njeri durch eine Hochzeit zu legalisieren.

Im Mount Kenya Safari Club wurde die Hochzeit nun nach alten Kikuyu-Riten gefeiert. Die Frauen schmückten die Braut. Die Männer bereiteten den Bräutigam vor. Während des Vollzugs der Ehe saßen die Freunde vor einem großen Kaminfeuer im Zimmer nebenan und feierten mit heißer Musik und viel Champagner. Das Fest dauerte mehrere Tage – mit Schwimmen, Reiten, Golf, Exkursionen in den Mount Kenya Safari Game Park und mit fröhlichen abendlichen Feiern.

Njoroge Mungai hatte mit einem Studium in Südafrika und seinem Aufenthalt in London eine ausgezeichnete internationale Ausbildung. Er hatte auch das Zeug für einen aktiven, rhetorisch begabten und umsichtigen Außenminister. Aber Präsident Kenyatta hielt die Außenpolitik am kurzen Zügel und war außenpolitischen Risiken abgeneigt. So hatte Mungai, neben der Führung des Außenministeriums, Zeit und Energie für private Geschäfte und Freuden.

Während unserer Zeit in Nairobi heiratete Kenyattas Tochter, Jeni, den jungen erfolgreichen afrikanischen Geschäftsmann Udi Gecaga. Vater und Sohn Gecaga waren die Vertreter von American Tobacco und anderen internationalen Konzernen. Sie gehörten zu den erfolgreichsten kenianischen Geschäftsleuten. Jeni hatte sich erbeten, dass der letzte Abend vor der Hochzeit mit ihrem Freundeskreis in unserer Residenz gefeiert würde. Es war ein rauschendes Fest. Karin verabschiedete die Gäste in den frühen Morgenstunden mit den Worten: »Jetzt muss Schluss sein, sonst können wir nachher in der Kirche nicht gerade stehen!«

Vizepräsident Daniel arap Moi

Bei der gemischten Struktur des kenianischen Staates war es unverzichtbar, gute Beziehungen auch zu den anderen Volksgruppen zu unterhalten bzw. herzustellen.

Den Vizepräsidenten Daniel arap Moi lernte ich näher kennen, als unsere Tochter Andrea und ich gemeinsam am traditionellen »Freedom-from-hunger-March« teilnahmen. Dies war eine der größten und populärsten Wohltätigkeitsveranstaltungen; verschiedene Gruppen der Bevölkerung und der Wirtschaft spendeten für jeden Kilometer, den ein ihnen bekannter Vertreter zurücklegte, eine vorher festgelegte Summe. Angehörige der deutschen Wirtschaft hatten sich bereit erklärt, mich zu fördern. Der Vizepräsident Arap Moi war ein fast zwei Meter großer Sportsmann. Er hatte den weit ausholenden Schritt der Kalenjin, es machte ihm nichts aus, viele Kilometer zu laufen. Wir legten eine längere Strecke gemeinsam zurück und tauschten unsere Gedanken über die Entwicklung in unseren beiden Ländern aus. Dann überließ ich ihm die Führung – zu seiner Zufriedenheit und zu meiner Erleichterung.

Ich habe Arap Moi geholfen, in seinem Stammesgebiet ein politisches Ausbildungszentrum für junge Kalenjin einzurichten. Ein jagdbegeisterter Magnat aus dem Ruhrgebiet wollte in den wildreichen, aber reservierten Gebieten jagen – wohin sonst Staatsgäste von der kenianischen Regierung eingeladen wurden. Moi ermöglichte die Jagd, die jungen Kalenjin erhielten eine Förderung für die Ausbildungsstätte.

Bei diesen Kontakten lernte ich Arap Moi als einen tatkräftigen, umgänglichen Politiker kennen, der mit Ehrgeiz seine Position im Rift Valley und in der Kalenjin-Gruppe pflegte, der sich aber sonst in die Mannschaft von Präsident Kenyatta einordnete. Ich hätte damals nicht erwartet, dass er sich später zu einem Präsidenten entwickeln würde, der mit so großer Schonungslosigkeit seine persönlichen Interessen durchsetzen und seine politischen Gegner verfolgen würde.

Der Führer der Kamba, Paul Ngei

Durch unsere Freundschaft mit dem Wohnungsbauminister Paul Ngei waren wir dem Stamme der Wakamba verbunden. Ngei stammte aus einem alten Häuptlingsgeschlecht dieses Stammes. Er sicherte Kenyatta die politische Unterstützung dieses nur mittelgroßen, aber sehr einflussreichen Stammes. Die Wakamba waren die besten Krieger des Landes. Die britische Kolonialregierung hatte einen großen Teil des britisch-kenianischen Militärs und der Polizei aus diesem Stamm rekrutiert. Zu unserer Zeit kamen der Chef der Polizei, Hinga, und der leitende General der Truppen aus dessen Reihen. Die Berufsjäger bevorzugten für ihre Jagdsafaris Wakamba als Träger für die Jagdwaffen. Bei einem Büffel- oder Elefantenangriff konnten sie sicher sein, dass der Träger hinter ihnen stand und ihnen das durchgeladene Gewehr reichte. Bei Angehörigen anderer Stämme war es möglich, dass sie einen sicheren Platz auf dem nächsten Baum erklettert hatten.

Paul Ngei war ein erfolgreicher Politiker, der niemals im Ausland studiert hatte. Er war in unteren Dienstgraden der kenianischen Armee von Engländern ausgebildet worden. Ansonsten hatte er seinen Weg selbst gemacht. Er war das am meisten afrikanische Kabinettsmitglied, am wenigsten geformt durch westliche Berührung und europäische Ausbildung.

Wenn ich mit ihm ins Kambaland reiste, kamen Scharen von Wakamba, um ihm Geschenke zu bringen und ihm ihre Ehrerbietung und Zuneigung zu bekunden. Dafür erwarteten sie von ihm Schutz und Unterstützung für ihre Interessen. Wenige Afrikaner wären auf die Idee gekommen, hierin Korruption und Bestechung zu sehen. Das war afrikanische Tradition. Wenn Ngei in seiner Heimat auf Jagd ging, hielt er sich nicht an die von Nairobi festgelegten Regeln und Jagdreviere. Im Land der Wakamba gab es für ihn als Sohn einer alten Häuptlingsfamilie keine Grenzen.

Karin und ich erlebten in seiner Familie das komplizierte Geflecht der Beziehungen zwischen mehreren Frauen. Ngei stellte uns eines Tages seine Frau Nummer drei vor, ein hübsches junges Kamba-Mädchen. Die erste Frau verwaltete die der Familie gehörende Farm, die zweite herrschte zu Hause, Nummer drei musste den beiden älteren dienen. Als Familie Ngei zu einem feierlichen Gottesdienst in die Kathedrale von Nairobi ging, wurde Ngei von Frau Nummer eins und zwei eingerahmt. Seine jüngste Frau musste hinterhergehen. Dafür zeigte sie uns nach der Messe voll Stolz einen kleinen Ring, den er ihr geschenkt hatte.

Bei den Kontakten mit Familie Ngei ging uns oft durch den Kopf, dass es noch lange dauern könnte, bis die afrikanischen Sitten und Gebräuche den egalitären Strukturen der westlichen Demokratien weichen würden.

Attorney General Charles Njonjo

Ein Gegensatz zu Ngei, dem bei den europäisch Gebildeten Korruption nachgesagt wurde, war der Attorney General Charles Njonjo. Seine Stellung war mit der eines Justizministers vergleichbar. Er war an englischen und südafrikanischen Universitäten ausgebildet. Njonjo war stets äußerst korrekt gekleidet, in schwarzen Anzügen mit weißen Hemden und teuren Krawatten. Er liebte den britischen Lebensstil. Bei Verhandlungen erwies er sich als ein intelligenter, scharfsinniger Jurist. Man konnte sich auf sein Urteil und auf sein Wort verlassen, was in Nairobi nicht immer selbstverständlich war.

Er war mit einer charmanten Engländerin verbunden. Die beiden wollten heiraten. Als wir sie zu einem Abendessen in die Residenz einluden, konnten Karin und ich uns nicht über die Placierung einigen. Ich sagte, die Partnerin von Njonjo ist mit dem drittmächtigsten Mann im Staat verbunden. Ihr Platz ist an der Seite des Botschafters. Karin erwiderte: »Das kannst du den Ehefrauen des französischen und japanischen Botschafters nicht antun (die ebenfalls eingeladen waren). Sie müssen bei dir sitzen.« Während des Cocktails vor dem Essen stellten wir die Tischkarten jeweils nach unseren Vorstellungen um. Als wir zu Tisch gingen, saß Njonjo neben Karin und neben ihm seine englische Freundin. Zu Beginn des Essens bemerkte Njonjo etwas spitz zu Karin: »Ein etwas ungewöhnliches Placement.« Karin: »Keineswegs. Bei uns in Holstein, wo die Angelsachsen herkommen, ist es üblich. Ehepartner können getrennt placiert werden. Verlobte sollen vor Abschluss der Ehe zusammensitzen.« Njonjo fand so viel Gefallen an der weisen norddeutschen Regelung, dass er Karin am nächsten Morgen einen großen Rosenstrauß schickte. Wir hielten die Verbindung zu Njonjo auch, als er sich – als Kikuyu mit klarer, unbestechlicher Rechtsauffassung – unter Präsident Moi nicht mehr halten konnte und zeitweilig unter Hausarrest gestellt wurde. Dann trafen wir uns auf seinen Wunsch in seiner Ferienwohnung an der kenianischen Küste in Diani Beach, meist nach Anbruch der Dunkelheit.

Die Luo

In Kenia waren die Kikuyu der größte Stamm, Nummer zwei waren die Luo, Nummer drei die Kalenjin, denen Präsident Arap Moi entstammte. Die Luo lebten am Ufer des Victoria-Sees. Sie hatten mit der Ermordung von Tom Mboya – die den Kikuyu zugeschrieben wurde – ihren großen, jugendlichen, populären Führer verloren. Er hätte das Zeug gehabt, ein würdiger Nachfolger von Präsident Kenyatta zu werden. Weitere Führerpersönlichkeiten aus dem Stamme der Luo, wie etwa Odinga, wurden von Präsident Kenyatta in Haft gehalten oder genauestens kontrolliert.

Karin und ich pflegten trotzdem Verbindungen zur Witwe von Tom Mboya und ihrer Familie sowie anderen Angehörigen der Luo. Mein Bruder Martin Ruhfus, Pfarrer in Niedersachsen, hatte über das deutsche kirchliche Hilfswerk finanzielle Unterstützung für das Tom-Mboya-Hospital organisiert, das auf Rosinga Island am Rande des Victoria-Sees gebaut wurde. Begleitet von Gottfried Haas – in der Botschaft war er für Entwicklungshilfe zuständig – und seiner Frau Beatrice machten wir mit dem Dienstwagen eine abenteuerliche Reise zum Victoria-See. Wir fuhren mit Fähren, die wir mit eigener Muskelkraft über den Fluss ziehen mussten. Wir badeten, um uns abzukühlen, nachdem uns die Eingeborenen versichert hatten, die Warnungen der Weltgesundheitsorganisation vor der Bilharziose seien übertrieben.

Nach der Einweihung des Hospitals wurde ich zu einem »Elder« der Luo ernannt. Als Insignien wurden mir eine Ziege und ein großes Ruder überreicht.

Tanz in der Residenz mit der Barrelhouse Jazzband

In Kenia herrschte zur Zeit Kenyattas das Gefühl, es geht aufwärts. In Nairobi genossen die führenden kenianischen Kreise die schönen Seiten des Lebens. Die Kenianer liebten Tanz, Musik und Feste.

Die deutsche Residenz mit dem 20.000 qm großen Park bot sich für größere Geselligkeiten an. Im Sommer 1971 kündigte die Kulturabteilung ein Konzert der Frankfurter Barrelhouse Jazzband in Nairobi an. Wir überredeten die Musiker, neben dem offiziellen Konzert in der Stadt einen Abend in der Residenz zu einem Tanzfest aufzuspielen, gemeinsam mit der Kenya-Police-Band.

Das Echo auf die Einladung war überwältigend. Vom Parlamentspräsidenten bis zum Außenminister und zum Rektor der Universität sagte die Prominenz des gesellschaftlichen Lebens in Nairobi zu. Karin und ich stellten Zelte auf, liehen Tische und Stühle. Am Morgen des großen Tages prasselte völlig unerwartet ein heftiges Sommergewitter auf die vorbereitete Party-Landschaft: Zelte, Tischdecken, Polsterstühle, alles war völlig durchnässt. Mit Unterstützung der Mitglieder der Botschaft und unseres Stabes konnten wir alles in der warmen Mittagssonne trocknen und über 250 Plätze wieder herrichten. Als die Gäste abends eintrafen, fing es erneut an zu regnen, glücklicherweise etwas weniger heftig. Die Gäste rückten enger zusammen. Die kenianische und die deutsche Band konkurrierten miteinander und überboten sich in immer heißeren Rhythmen. Die Stimmung wurde ausgelassen. In den frühen Morgenstunden mussten wir den Außenminister und andere Gäste davon abbringen, ihre Begeisterung mit den Worten »Deutschland, Deutschland über alles« zu intonieren. Von dem Fest hat man in Nairobi noch länger gesprochen.

Außenminister Njoroge Mungai mit Karin Ruhfus auf dem Tanzfest mit der Barrelhouse Jazzband

In den warmen Wintermonaten (Nairobi liegt etwas südlich des Äquators) luden wir die deutschen Entwicklungshelfer aus dem ganzen Land zu uns in die Residenz ein. Sie kamen in die Hauptstadt: je entlegener ihr Einsatzort, desto freudiger und mit umso größerer Begleitung durch ihre Familie. Karin und mir machte es Freude, ihnen in ihrer oft entsagungsvollen Arbeit eine vergnügte Unterbrechung mit heimatlicher Gastlichkeit im Kreis deutscher Landsleute zu bieten.

Der Verbrauch an Getränken war erheblich. Er wuchs von Jahr zu Jahr. Als schließlich nach den Partys auf jeden Gast eine halbe Flasche Whisky oder eine Flasche Wein als Leergut anfielen, schöpften wir Verdacht. Vor dem nächsten Empfang markierten wir die Flaschen mit unsichtbarem

Nagellack. Und siehe da, ein Drittel der leeren Flaschen nach der Party hatte keine Markierung, hier waren (volle) neue Flaschen entführt und durch im letzten Jahr geleerte ersetzt worden.

Der Tourismus blüht

Das höchste Wachstum in der kenianischen Wirtschaft entfiel auf den Tourismus. Der Anteil der deutschen Ferienreisenden stieg schnell und näherte sich der Zahl der britischen Besucher. Deutsche Investoren interessierten sich für den Bau von Hotels. An der nördlichen Küste in Malindi gab es bereits deutsche Hotelbesitzer.

Die Botschaft hat frühzeitig auf das Potential an der kenianischen Küste südlich von Mombasa in Bahari Beach hingewiesen, so u. a. in Gesprächen mit Vertretern der Steigenberger AG, die dort bald einen Robinson Club bauten.

Im Sommer 1971 reiste ich mit unserem Freund Dr. Wilhelm Meister aus München an die Küste Bahari Beach. Er war so angetan von der Schönheit der Palmenküste am Indischen Ozean, ihrem breiten Sandstrand und dem vorgelagerten Korallenriff, dass er sich einkaufte und das Leisure-Lodge-Hotel mit dem Leisure-Lodge-Club aufbaute. Dem Fünf-Sterne-Hotel fügte er später einen Golfplatz an.

Bereits 10 Jahre später stand hier Hotel an Hotel, war die Küste voll erschlossen – und ein wichtiger Anziehungspunkt für deutsche Urlauber.

Bei den deutschen Entwicklungshilfe-Projekten achtete die Botschaft gemeinsam mit den deutschen Trägern des Projekts darauf, dass das Vorhaben, vom ersten Spatenstich bis zur Einweihung und Übergabe an die kenianische Behörde, jeweils entsprechend publizistisch herausgestellt wurde. Die kenianische Regierung war interessiert, den Bürgern den Fortschritt zu zeigen und die Unterstützung des Auslands zu sichern. Der zuständige Minister kam bereitwillig, um das Band zu durchschneiden, wenn der neue Abschnitt einer Touristenstraße der Öffentlichkeit übergeben werden konnte. Fachschulen, Hotels und Gewerbebetriebe erhielten eine Plakette, wenn sie mit ausländischer Hilfe aufgebaut und vom Präsidenten selbst oder einem Kabinettsmitglied eingeweiht worden waren, und die dort arbeitenden Menschen waren stolz darauf.

Kenias wirtschaftliche Entwicklung machte sichtbare Fortschritte. Aber schon damals zeigten sich auch Schattenseiten. Die Landflucht nahm zu. Die Bevölkerung Nairobis wuchs jedes Jahr um fast 10 %. Am Stadtrand

Bei einem Ausflug in den Massai-Mara-Park, gemeinsames Frühstück im Zeltlager. Von links: Andrea, Jürgen, Maren, Antje

schossen die Elendsviertel aus dem Boden. Kriminalität, Prostitution und Korruption stiegen schneller als das Bruttosozialprodukt. Das Wachstum der Bevölkerung fraß den eindrucksvollen wirtschaftlichen Fortschritt weitgehend auf. Aber damals war das Vertrauen vorherrschend, dass Kenia unter der Führung von Kenyatta mit den Problemen fertig werden und vorankommen würde.

Kirchen und private Hilfsorganisationen halfen mit karitativen Projekten. Auch die Botschaft versuchte, ihren Beitrag zu leisten. Mit den Kirchen organisierten wir Reisen in das Land, um den Besuchern Einblick in das tägliche Leben Kenias zu geben. Wir zeigten, neben den wirtschaftlichen Vorzeigeobjekten und Erfolgsvorhaben, in einer Tour durch den Vorort Nairobi-Mathari-Valley die Not und Armut in den Elendsvierteln der Stadt.

Bundeskanzler Brandt und seine Familie in Kenia

Amtliche Delegationen und private Freunde kamen gerne und in großer Zahl in das schöne Land. Im November 1970 rief mich Dr. Schilling aus dem Büro des Bundeskanzlers an. Herr und Frau Brandt wollten über die Feiertage zum Jahresende in einem schönen, sonnigen Land ausspannen. Könnte ich noch einen Aufenthalt in Kenia organisieren?

Ich antwortete, die Ferien zum Jahreswechsel seien die Hauptsaison in Kenia. Es würde nicht leicht sein, eine angemessene und geeignete Hotelunterkunft für die Familie und die Begleitung des Bundeskanzlers zu finden – aber die Botschaft werde ihr Bestes tun. Die kenianische Regierung begrüßte den privaten Besuch und war behilflich.

Bill Haas und ich verhängten eine Urlaubssperre, soweit das noch möglich war, damit vom kleinen Stab der Botschaft möglichst viele zur Verfügung stehen würden. Dann begann die Auswahl der Hotels. Auch die schönsten Hotels an der Küste kamen nicht in Betracht: Der Indische Ozean ist gerade in den Wintermonaten sehr heiß und feucht.

Außenminister Mungai und andere Kenianer votierten: Ihr müsst eurem Bundeskanzler das Beste bieten. Er muss im Mount-Kenya-Safari-Club wohnen.

Bill Haas und ich berieten. Schließlich konnte ich Schilling das ältere renommierte Hotel Outspan in Nyeri am Fuße des Aberdare Gebirges als erste Wahl und den Mount-Kenya-Safari-Club in zweiter Linie empfehlen. Der Mount-Kenya-Safari-Club (der amerikanische Filmschauspieler William Holden war dessen Miteigentümer) hatte Geruch und Flair von Hollywood-Ferien an sich. Seine hohen Preise konnten in der deutschen Presse zu skeptischen Berichten über den Urlaubsflug des sozialdemokratischen Bundeskanzlers führen.

Wenige Tage vor Weihnachten standen Karin und ich mit Familie Haas und anderen Botschaftsangehörigen zum Empfang des Bundeskanzlers am Flughafen. Außenminister Mungai, der den Bundeskanzler für die kenianische Regierung begleiten sollte, sah den alten Dienstwagen der Botschaft, einen Mercedes 170 S aus den frühen 60er Jahren, der noch immer wacker seine Pflicht tat. Mungai: »Ihr könnt doch nicht den deutschen Bundeskanzler und seine Familie in diesem alten Wagen auf der kurvenreichen Strecke in die Berge fahren! Bitte nehmt meinen Dienstwagen.« Dies war ein Mercedes-Modell modernster Bauart.

Unser Fahrer stieg um. Den deutschen Stander konnten wir nicht mehr ummontieren. Familie Brandt fuhr im Wagen des kenianischen Außenministers sicher in die Aberdare Berge nach Nyeri.

Karin und ich begleiteten Familie Brandt zum Hotel, sahen, dass alles mit gekonnter, britisch-kolonialer Umsicht und Gastfreundschaft vorbereitet war und fuhren zurück nach Nairobi.

Als wir nach drei Tagen wieder nach Nyeri kamen, fanden wir Brandts und Begleitung in entspannter und zufriedener Stimmung vor. Sie boten uns Getränke an, mit denen wir nach Landessitte den Eisschrank in der Hotel-Suite aus unserem Bestand gefüllt hatten. Karin fragte, ob der Bundeskanzler schon den in ihrem Familienbetrieb hergestellten »Holsteiner Korn« probiert hätte. Brandt sagte ja, zeigte sich aber wenig angetan. Wir schöpften Verdacht. Eine Kostprobe ergab, dass Hotelangestellte offenbar Gefallen an dem gereiften und abgelagerten »Klaren aus dem Norden« gefunden hatten und anschließend die Flasche zu drei Vierteln mit ebenso klarem Wasser aus dem Aberdare-Gebirge wieder aufgefüllt hatten. Die neue Originalflasche fand die volle Zustimmung des Bundeskanzlers.

Brandts forderten Karin und mich auf, sie auf den Tagestouren ins Land zu begleiten.

In den Aberdare-Bergen fuhren wir in Landrovern durch dschungelartigen, wildreichen Regenwald bis zum Hochplateau des Gebirges mit dem herrlichen Ausblick auf den Mount Kenya auf der einen Seite – und auf den ostafrikanischen Graben, das Rift Valley, auf der anderen Seite. In den Game Lodges sahen wir Elefanten, Büffel, Wasserböcke, Buschböcke, die abends zum Wasserloch kamen. Am Naiwasha-See sahen wir den tropischen Reichtum an Vögeln des ostafrikanischen Grabens und am Lake Nakuru tausende von rosa Flamingos.

Die schönste Tour war der Ausflug zum Rudolf-See, heute Lake Turkana, in der Wüstenregion an der Nordgrenze des Landes. Die kenianischen Behörden hatten zwei Boote zum Fischen zur Verfügung gestellt. Die Damen fuhren in einem Boot, der Bundeskanzler und ich im anderen. Ruth Brandt und Karin hatten schon bald einen kräftigen Nilbarsch an der Schleppangel, warteten mit ihrem Jubel aber, bis auch der Bundeskanzler erfolgreich war.

Als wir den Fisch endlich an Bord gehievt hatten, sahen wir, wie das Boot der beiden Wikinger-Damen aus Norwegen und Holstein schnurstracks auf eine Insel in der Mitte des Sees gesteuert wurde. Als Ruth Brandt und Karin ausstiegen, erblassten die kenianischen und deutschen Sicherheitsbeamten auf unserem Schiff. Wir riefen und gestikulierten, aber wir waren zu weit

Bundeskanzler Willy Brandt mit dem von ihm geangelten Nilbarsch am Lake Turkana am Jahreswechsel 1970/1971

zurück, um unsere Warnung überzubringen. Als wir schließlich die Insel erreichten, kamen die Damen von der kleinen Anhöhe zurück und berichteten begeistert, auf der anderen Seite der Insel hätten die Krokodile in der heißen Sonne am Strand gelegen. Es sei ein tolles Bild gewesen, wie die großen Tiere bei ihrer Ankunft scharenweise ins Wasser eilten. Die kenianischen Experten waren froh über den glücklichen Ausgang. Krokodile können auch auf dem Lande sehr schnell laufen und aggressiv sein. Offenbar hatten sie aber dank des großen Fischreichtums des Turkana-Sees keinen Nahrungsbedarf gehabt.

Die kenianischen Begleiter erzählten, die Turkana, die seit Generationen als Nomaden die umgebende Steppe und Wüste durchstreiften, litten seit jeher an akutem Eiweißmangel in ihrer Ernährung. Es hätte lang anhaltenden Drucks von Seiten der Behörden bedurft, bis die Nomaden angelten oder von Booten aus fischten und so zu den nötigen Proteinen kamen.

Ich habe Willy Brandt selten so aufgeräumt und so entspannt gesehen. Er scherzte im Kreis seiner Familie. Auf der Fahrt und beim Essen erzählte er aus seinem großen Reservoir an Witzen und humorvollen Geschichten. Neben dem jüngsten Sohn Matthias war auch die norwegische Tochter Nina Frahm dabei. So erfuhren wir mehr von dem Leben in Norwegen.

Am Ende des Besuchs standen das Gespräch mit Präsident Kenyatta und eine Pressekonferenz in Nairobi. Karin gab ein Essen für Frau Brandt mit den Damen der Botschaft in der Residenz.

Die Begegnung mit Kenyatta war ein Akt internationaler Höflichkeit, aber sie war kein Erfolg. Der Unterschied der beiden Staatsmänner war zu groß, hier der visionäre, auf Ausgleich und Entspannung in Europa bedachte und für sich selbst bescheidene Bundeskanzler – und dort der machtbewusste und auf Erhalt seines Einflusses, den seines Familienclans und seines Stammes bedachte afrikanische Stammesfürst, der mit großem Geschick die Fäden zog, der aber auch vor brutalen Übergriffen nicht zurückschreckte. Außenminister Mungai und ich gaben Stichworte, um das Gespräch in Gang zu halten.

Ganz anders die Pressekonferenz. Die kenianischen und ausländischen Journalisten überboten sich mit Fragen, um Brandts Sicht der Probleme in Deutschland, in Europa und in der Welt zu erfahren. Zwischendurch kam der Chef der Bundeswehrmaschine immer wieder und immer dringlicher zu mir: »Bitte, beenden Sie die Pressekonferenz! Die Mittagshitze steigt von Minute zu Minute. Bei der dünnen Höhenluft können wir in Kürze nicht mehr starten.«

Nach einem kurzen, aber sehr freundlichen Abschied hob die Maschine ab. Als sie langsam am Horizont verschwand, sahen Karin und ich uns zufrieden an. Wir freuten uns, dass unsere Aufgabe in Nairobi uns Gelegenheit gegeben hatte, dem Bundeskanzler und seiner Familie zu einigen erholsamen Tagen zu verhelfen, weitgehend unbeschwert von der Last des Amtes und der Verantwortung. Ich hatte mit Respekt, Freude und Bewunderung erlebt, wie Brandts Friedenspolitik gegenüber Ost- und in Mitteleuropa das deutsche Ansehen im Ausland, im Osten, im Westen und in der Dritten Welt, erhöht hatte.

Karin und ich haben in jenen Tagen Ruth Brandt noch mehr schätzen gelernt. Sie strahlte die menschliche Wärme aus, die Willy Brandt nicht in gleichem Maße gegeben war. Ihre unprätentiöse Art, gepaart mit Stilgefühl, Sinn für Schönheit und selbstsicherem Charme des Auftretens hatten ihr unsere Zuneigung noch stärker gewonnen. Wir erlebten, wie die Familie mit dem jüngsten Sohn Matthias und Brandts Tochter Nina Frahm aus erster Ehe harmonierte. Umso mehr hat uns später die Trennung von Willy und Ruth Brandt überrascht und getroffen.

Prinz Claus in Nairobi

Zu den Besuchern in Nairobi zählte auch Claus von Amsberg. Wir waren uns schon in der Ausbildungsstätte näher gekommen. Claus war Gast bei unserer Verlobungsfeier in Itzehoe/Holstein. Damals war von seiner späteren Eheschließung mit Königin Beatrix noch nichts in Sicht.

Karin und ich bekamen die ersten vertraulichen Telefonate mit, nachdem Beatrix und er sich begegnet waren, und wurden zu der großen Hochzeit in Den Haag eingeladen. Als sich die bevorstehende Eheschließung abzeichnete, lernte ich im Pressereferat eine völlig andere Gruppe von Journalisten kennen: die Klatschspalten-Korrespondenten, völlig verschieden von den seriösen, diplomatischen Journalisten in Bonn. Jetzt riefen Vertreter der Sensationsblätter an, Claus von Amsberg und ich hätten uns doch als Attachés gekannt. Ob ich nicht Fotos hätte von früheren Freundinnen, am liebsten von exotischen afrikanischen oder kubanischen Mädchen. Sie würden sich erkenntlich zeigen und nannten, verglichen mit einem Legationsratsgehalt, eindrucksvolle Beträge.

Die Freundschaft zu Claus hielt bis zu seinem Tode. Er besuchte uns in Bonn und an unseren Auslandsposten in Nairobi und London. Königin Beatrix und Claus luden uns nach Den Haag und in ihr Jagdschloss Het Oude Loo bei Apeldorn ein.

In Nairobi hatten Claus und ich genügend Zeit, unsere Gedanken über die aktuellen politischen Probleme auszutauschen. Prinz Claus war besonders interessiert an der Hilfe der Industrieländer für die Dritte Welt, ein Bereich, in dem er sich in den Niederlanden persönlich stark engagiert hatte.

Wir luden Freunde in die Residenz ein. Am Ende eines gelungenen Abends kam der Vorschlag: »Lasst uns doch noch in den Starlight-Club gehen!« Claus war interessiert, Karin und ich zögerten. Der Starlight-Club war der bekannteste – und berühmt-berüchtigte – Nachtclub in Nairobi. Dort amüsierte sich die Jeunesse dorée der Hauptstadt bei heißen Rhythmen im schwülen und schummerigen Halbdunkel. Die gewerblichen Damen der oberen Kategorie suchten dort ihre Kunden aus dem In- und Ausland. Auch kenianische Prominenz mit Sicherheitsbeamten gehörte zu den Besuchern.

Ich dachte, nicht ohne Sorge, an meine früheren Erfahrungen mit der deutschen Paparazzi-Presse und an die mögliche Reaktion der calvinistischen Puritaner in Holland.

Wir fuhren hin. »Der Prinz«, wie ihn die kenianischen Freunde nannten, hatte viel Spaß an der exotisch-erotischen Umgebung, in die er normalerweise nicht geraten wäre.

Im Oktober 2002 brachen Karin und ich einen Aufenthalt in Mallorca ab und flogen zur Beerdigung von Prinz Claus nach Delft in Holland. Nach der eindrucksvollen und bewegenden Trauerfeier sprachen wir in Den Haag mit dem langjährigen persönlichen Sekretär von Prinz Claus, Botschafter Piet Hein Houben über unsere gemeinsamen Begegnungen und Unternehmungen. Houben erinnerte uns an den Abend im Starlight-Club, der Prinz Claus sehr gefallen habe. Claus habe nach seiner Rückkehr die Erzählungen für die Königin noch etwas ausgeschmückt. Beatrix und Claus hätten auch später noch öfter gescherzt über den ungewöhnlichen, exotischen Abend in Nairobi.

Jagdsafaris in Kenia

Die Kunst des Lebens im Ausland besteht darin, sich der Besonderheiten des Gastlandes zu erfreuen.

Für Nairobi Anfang der 70er Jahre galt: Kenia ohne Jagd ist, wie man in der jagdbegeisterten Familie unseres spanischen Kollegen Tanli Conde San Roman gesagt hätte, »wie edler Riojawein ohne Alkohol«.

Bill Haas und die Tochter des spanischen Granden, Ines, halfen, dass ich schon bald nach meiner Ankunft die Jagdprüfung ablegte.

Ines hatte sich zwei Mal erfolglos um den Jagdschein bemüht. Das Game Department wollte dieser intelligenten, bildhübschen Señorita, die 20 Jahre alt war, aber wie 16 aussah, einfach noch nicht die Gelegenheit geben, sich den Bedrohungen der Büffel- und Elefantenjagd aussetzen. Ines paukte mich mit ihrer intimen Prüfungserfahrung so gekonnt ein, dass ich auf Anhieb durchkam und den kenianischen Jagdschein erhielt.

Für die Kritiker ist die Jagd ein blutiges Geschäft. An dieser Sicht fehlte es auch nicht im Kreis meiner Familie und Freunde. Andererseits hat der Mensch seit Millionen Jahren in die Tierwelt eingegriffen. In Kenia teilten sich auf den Ranches tausende von Antilopen das Weideland mit dem Nutzvieh. Die »wilden« Gazellen und Antilopen reproduzierten sich jährlich um 30-40 %. Daher war ein kontrollierter Abschuss unabdingbar.

Bei den Jagdsafaris ging es mir nicht um den ausgefallenen Charme von Luxus-Camps mit großem Tross in abgelegener Wildnis, wie sie Hemingway in »The green Hills of Africa« beschreibt, noch um eine Anhäufung von Trophäen für das Guinness-Buch der Rekorde. Es war das Leben in ungewohnter, unbändiger Freiheit und Eigenverantwortung.

Wenn man sich im Register des Jagdblocks eingetragen hatte, gab es einen letzten Blick auf den Landrover, auf Karten und Vorräte, Waffen und Munition und dann waren wir auf uns gestellt. Wir – das waren Theo Schroll und ich. Theo hatte jahrelang Erfahrung mit der Großwildjagd in Indien gesammelt. Wir hatten daher die Genehmigung des Game Departments, ohne die üblicherweise erforderliche Betreuung durch einen Berufsjäger uns gegenseitig auch bei gefährlicher Großwildjagd auf Büffel, Elefanten und Löwen zu assistieren.

Jetzt waren wir angewiesen auf unser Kartenlesen, auf unser Spürvermögen, auf unsere Sinne für Bedrohungen und Gefahren und für die Chancen der Jagd. Instinkte, die bei Großstadtmenschen seit Jahren eingeschlafen waren, wurden geweckt, Sinneswahrnehmungen wie Hören, Riechen und Sehen reaktiviert.

Ständig musste man kleine, aber folgenschwere Entscheidungen treffen: welcher Piste folgen, konnte der Landrover die Furt durch den Fluss bewältigen, wo war der günstigste Zeltplatz?

Fehlentscheidungen und Pannen schlugen sofort voll durch. Als die Dichtung des Getriebes unseres Landrovers in der Samburu Reserve versagte und ich das Reserveöl vergessen hatte, standen Theo und ich ohne Getriebeöl mit einem bewegungsunfähigen Geländewagen in der trockenen, sonnenheißen Savanne. Wir mussten 12 Stunden durch die Hügellandschaft laufen, bis uns ein einsamer Samburu-Hirte zu dem Wrack eines alten Traktors führte. Selten war ich so glücklich wie über das verdreckte Öl in dem verrosteten Gefährt in der Wildnis.

Wir erlebten viele der Jagd verbundene Menschen in den unterschiedlichen Teilen des Landes. Wir fanden vor Ort jagdkundige Fährtenleser, Träger für Waffen und Munition. Die menschlichen Begegnungen waren eine große Bereicherung, sie haben fast nie zur Enttäuschung geführt.

In den 70er Jahren konnte man ohne großes Risiko in die abgelegenen Teile des Landes reisen, zumal wenn man Jagdwaffen bei sich hatte.

Die Safaris zum Regenwald am Mount Kenya, zu den Höhen des Aberdare Gebirges, in die Grenzgebiete zwischen Savanne und Wüste des Turkana-Landes und der Samburu Reserve führten uns in Gebiete Kenias, die wir ohne den Anreiz der Jagd nicht kennen gelernt hätten. Die Zeltlager

Auf Jagdsafari; von links nach rechts: Theo Schroll, Chief Omori, Jürgen Ruhfus, mit Massai-Fährtenlesern

unter dem funkelnden afrikanischen Sternenhimmel, fernab von jeder Zivilisation, waren unvergessliche Erlebnisse.

Bei einer Jagd im Regenwald der Aberdares wurden wir vom Chef des Aberdare National Parks Bill Woodley und dessen Vertreter Kamau geführt. Bill Woodley war im Mau-Mau-Dschungelkrieg Chef einer Einheit zum Schutz der europäischen Farmer gewesen. Kamau war »General« einer Truppe von Kikuyu-Kämpfern für die Unabhängigkeit des Landes. Während wir uns vorsichtig den Weg durch dichte Schlingpflanzen und unübersichtliche Bambusbüsche bahnten, stets gewärtig, dass wir auf Büffel oder Waldelefanten stoßen konnten, tauschten Bill Woodley und Kamau ihre Erinnerungen aus. Kamau wies auf den undurchdringlichen Urwald der vor uns liegenden Talsohle: »Dort haben wir euch in einen Hinterhalt gelockt.« Bill Woodley zeigte auf den gegenüberliegenden Bergrücken: »Über diesen Hang sind wir euch bei Dunkelheit in einem Nachtmarsch entkommen.«

Es war faszinierend zu beobachten, wie beide, die sich vor Jahren erbittert bekämpft hatten, jetzt gemeinsam durch das Dickicht des Regenwaldes

Königin Beatrix und Prinz Claus betrachten mit Jürgen und Karin Ruhfus den am Vortag erlegten Hirsch auf dem Jagdsitz in Het Oude Loo

wanderten, um die deutschen Gäste auf der Jagd zu begleiten. Es zeigte, mit welcher Ungezwungenheit Fachleute der früheren englischen Kolonialverwaltung und Angehörige der neuen kenianischen Behörden zusammengefunden hatten, um gemeinsam die riesigen Nationalparks und die sie umgebenden Jagdreviere zu betreuen.

Es waren diese Erlebnisse in noch unberührten Gebieten, in der freien Wildbahn, in der landschaftlichen Schönheit des Landes, die dazu führten, dass Afrika, Land und Menschen, mir unter die Haut gegangen sind und sich unvergesslich in die Erinnerung eingegraben haben.

Nach der Rückkehr nach Europa machte ich den deutschen Jagdschein. Die Prüfung galt als schwierig, Vorbreitung und Prüfungsverfahren dauerten lange. Der Zufall wollte es, dass die mündliche Abschlussprüfung genau an dem Tag angesetzt war, als ich mit dem Bundskanzler die Regierungserklärung über NATO-Gipfel und Weltwirtschaftsgipfel in London fertig stellen musste. Sechs Uhr abends war der letzte Termin, sonst musste ich im nächsten Jahr wieder ganz von vorne anfangen. Ich nahm mir schließlich ein Herz und bat den Bundskanzler um eine Stunde Befreiung für den mündlichen Abschluss der Prüfung für den »Ja(gd)chtschein«.

Helmut Schmidt blickte auf von dem Text, an dem wir gerade arbeiteten, und sah mich wohlwollend an. »Ich wusste gar nicht, dass Sie Segler sind!«

Als ich ihm erklärte, dass es sich nicht um den Schein für die Yacht auf dem Wasser, sondern für die Jagd zu Lande handelte, wurde das Wohlwollen etwas schwächer, aber die Befreiung für eine Stunde wurde gewährt. Danach arbeiteten wir weiter bis in die Nacht; der Bericht vor dem Bundestag am nächsten Morgen hatte großen Erfolg, ich hatte meinen Jagdschein.

Die Jagd in Europa ließ sich nicht mit den Herausforderungen in Afrika vergleichen. Aber auch hier gab es schöne Erlebnisse. Dazu gehörte die Einladung von Königin Beatrix und Prinz Claus zur Hirschbrunft in ihrem Jagdsitz in Het Oude Loo im Herbst 1985.

Unmittelbar vor unserer Rückkehr aus Washington wiederholten sie die Einladung im September 1992 mit der sympathischen Begründung, »um Euch das Einleben zu Hause zu erleichtern«.

Abends vor dem Kaminfeuer blickten Claus und ich zurück auf unsere gemeinsamen Jahre, nicht zuletzt auf unsere Erlebnisse in Ostafrika.

Generalkonsul für die Seychellen

In Dakar und Bamako hatten Karin und ich in den 50er Jahren die endende Glorie der französischen Kolonialherrschaft in Afrika gesehen. In den 70er Jahren erlebten wir den letzten Glanz des Britisch Empire in der Kronkolonie der Seychellen. Der Botschafter in Nairobi war gleichzeitig Generalkonsul in Mahé.

Die Schiffsreisen, die meine Vorgänger zu den 1.200 Seemeilen entfernten Inseln im Indischen Ozean gemacht hatten, waren sicher schön gewesen, aber sie dauerten ihre Zeit. Im Sommer 1971 kam die Nachricht, British Overseas Air Corporation und die kenianische Regierung hätten eine Sondererlaubnis erteilt: Während des Auftankens der Maschine der BOAC von London nach Mahé in Nairobi dürften der deutsche Botschafter und seine Frau zusteigen. Normalerweise hatte die BOAC noch nicht die Kabotagerechte.

89 Inseln, 60.000 Einwohner, jährlich nur 75 bis 80 Besucher aus Deutschland. Wir waren die Ersten, die mit BOAC von Nairobi aus den neu gebauten Flugplatz anfliegen konnten. Für die interkontinentalen Düsenflugzeuge war die Landebahn weit ins Meer hinaus verlängert worden.

Der Chief Minister of the Seychelles James B. Mancham und seine Frau holten Karin und mich am Flugplatz ab. Der britische Gouverneur Sir Bruce Greatbach lud uns in seine Residenz zum Essen ein. Am nächsten Tag stellte er uns seine Gouverneursyacht für eine Segeltour zu dem schönsten Eiland, der Insel Praslin, zur Verfügung.

Die Tage waren angefüllt mit Gesprächen mit der Regierung, mit Vertretern der Regierungspartei und der Opposition, mit Repräsentanten von Wirtschaft und Handel. Dazwischen besichtigten wir die herrlichen Strände. Der Premierminister lud uns zu einer Abendveranstaltung ein, bei der die Schönheitskönigin der Seychellen gewählt wurde. Der Abend machte dem Premier große Freude, seine intime Kenntnis der einzelnen Kandidatinnen und seine freimütigen Bemerkungen über ihre Begabungen waren auffallend. Die gute kreolische Küche tat ein Übriges. Es waren Tage voller Lebensfreude.

Karin und ich lernten einen der wenigen deutschen Plantagenbesitzer kennen. Jochen Töpke war ein Aussteiger aus guter hanseatischer Familie, früher Tauchlehrer am Mittelmeer, jetzt Besitzer einer Plantage nahe dem Meer und begeisterter Hobbytaucher.

In kürzester Zeit unterwies er uns im Scuba-Tauchen. Jetzt konnten wir die Schönheit der Inseln unter der Meeresoberfläche sehen und bewundern: azurblaues Wasser, viele bunte Fische vor und hinter dem lang gestreckten Korallengürtel.

Karin hatte eine dramatische Begegnung mit einem kapitalen Barakuda. Jochen Töpke und ich sahen atemlos aus großer Tiefe zu. Karin verhielt sich so meisterhaft diszipliniert, dass der Raubfisch, nachdem sie sich lange gegenseitig angestarrt hatten, abdrehte. Mir fiel ein Stein vom Herzen. Das hätte auch anders ausgehen können! Töpke und mir ging später vor lauter Begeisterung über die Schönheiten des Riffs der Sauerstoff aus, wir mussten mit dem schweren Gerät durch die Brandung zurück zum Strand schwimmen.

Dort hatte Karin von einer hübschen Seychelloise zwei große Fische gekauft, die uns gegrillt auf Bananenblättern am Strand serviert wurden. Es folgte ein weiterer unvergesslicher Abend, an dem wir – umhüllt von der goldgelben Abendsonne – beim Rauschen der Brandung die kreolisch gewürzten Fische aßen.

Für das Auswärtige Amt habe ich einige längere Berichte über die Wirtschaft, die Entwicklungschancen und die Bewohner der Inseln verfasst. Ich habe das Potential der Inseln für eine schnelle touristische Entwicklung richtig vorausgesehen. Unterschätzt hatte ich die Bedeutung der Pläne für den Bau einer deutschen Bierbrauerei.

Der deutsche Tourismus entwickelte sich dynamisch, der Konsum des lokalen Bieres noch schneller. Der Pro-Kopf-Verbrauch der Inselbewohner in den Seychellen überstieg nach kurzer Zeit den Spitzenkonsum in Bayern und in Belgien.

Der koloniale Glanz dieser idyllischen Kronkolonie ging schon wenig später zu Ende. Bei ihrem letzten Besuch 1972 wurde der englischen Königin noch ein begeisterter Empfang zuteil. Bald darauf begannen politische Unruhen, gefördert durch ausländische Truppen aus Tansania. Sie öffneten den Weg in die Unabhängigkeit der »Seychelles«.

Der Seychellen-Archipel mit seinen 89 Inseln ist – in der Mitte des Indischen Ozeans, 1.600 km von Ostafrika, Mombasa, und 2.500 km südöstlich von Bombay – geografisch sehr günstig gelegen. Die britische Regierung hatte in kluger Voraussicht eine Reihe von Inseln ausgegliedert und zu den British Indian Ocean Territories zusammengefasst. Diese sollten sich später, bei Kriegen in Afghanistan, in Kuwait und im Irak, als wichtiger strategischer Stützpunkt bewähren.

Vereinte Nationen (1973-1975)

DDR-Außenminister Winzer: »Gospodin President« – Bundesaußenminister Scheel: »Mr. President«

In der dicht besetzten Kuppelhalle der Vereinten Nationen herrscht eine erwartungsvolle Stimmung. Es ist ein besonderes Ereignis, als Dienstag, 18. September 1973, 17.43 Uhr New Yorker Zeit, der Hammer fällt und der Präsident der Generalversammlung verkündet: »Es ist so beschlossen.« Angenommen ist die von 75 Staaten eingebrachte Resolution 3050 (XXVII), die in § 1 die Aufnahme der Deutschen Demokratischen Republik, in § 2 die Aufnahme der Bundesrepublik Deutschland ausspricht.

Im Juni war meine Familie nach Bonn zurückgekehrt und hatte Bundesminister Scheel mir die Unterabteilung für die VN und andere internationale Organisationen übertragen. In Deutschland hatte sich während unserer dreijährigen Zeit in Nairobi viel verändert.

Die Regierung Brandt/Scheel hatte mit den Verträgen von Moskau, mit dem deutsch-polnischen Vertrag, dem Viermächte-Abkommen über Berlin und dem Grundlagenvertrag zwischen den beiden deutschen Staaten vollen Anschluss an die internationale Entspannungspolitik gefunden. Der Beitritt beider Länder zu den Vereinten Nationen sollte Höhepunkt und Schlussstrich sein.

Seit der Attaché-Zeit in Genf hatte sich die internationale Zusammenarbeit rasant weiterentwickelt. Viele dringende Probleme: die explosive Zunahme der Weltbevölkerung, der Klimaschutz, die Bekämpfung des Wohlstandsgefälles zwischen Nord und Süd, die Vorsorge gegen weltweite Epidemien, die Erhaltung der Tierarten, die Sicherung von Energie und Bodenschätzen konnten nicht mehr nur von Staat zu Staat gelöst werden. Sie erforderten weltweite Anstrengungen durch multilaterale Abkommen. Wenige Monate vor meiner Rückkehr hatte ich mit großer Faszination den Bericht des Club of Rome gelesen, die Projektion angesehener Wissenschaftler für das Wachstum der Weltbevölkerung, die Vergeudung der begrenzten Ressourcen unseres Planeten sowie die sich hieraus ergebenden Probleme.

Am 18. September war alles vorbereitet, damit die Generalversammlung über die Mitgliedsanträge von West- und Ostdeutschland beschließen konnte. Der Sicherheitsrat hatte die Aufnahme der beiden deutschen Staaten der

Generalversammlung empfohlen. Die beiden deutschen Beobachterdelegationen hatten vor der Sitzung überall darauf gedrungen, die Aufnahme in der üblichen Form der Akklamation durchzuführen.

Nur Israel und Guinea bestanden auf einer Erklärung vor der Akklamation. Der israelische Botschafter hielt eine Rede gegen die DDR, die sich immer noch weigere, die historische Verantwortung für den Holocaust anzuerkennen, und die arabische Terroristen für den Kampf gegen das jüdische Volk ausbilde. Die guineische Botschafterin meldete Vorbehalte gegen die Bundesrepublik an, die durch ihre Unterstützung der portugiesischen »Folterknechte« die afrikanischen Freiheitsbewegungen bekämpfe.

Anschließend wurde die DDR als 130. und die Bundesrepublik als 134. Staat ohne Gegenstimmen durch Akklamation in die VN aufgenommen. Nach zahlreichen Glückwünschen hatten die beiden deutschen Außenminister das Schlusswort. Der DDR-Außenminister Otto Winzer ging zum Podium.

Jetzt kam für mich der Schock. Winzer hob an: »Gospodin President …« und trug seine ganze Rede auf Russisch vor. Scheel antwortete mit der von uns in Englisch vorbereiteten Ansprache. Natürlich wusste ich, dass viele Politiker der DDR ihre Ausbildung in Moskau erhalten hatten. Aber es traf mich hart und unerwartet, dass hier, als die deutschen Staaten in die Gemeinschaft der Vereinten Nationen aufgenommen wurden, beide in zwei völlig verschiedenen Sprachen zu den Delegierten der Welt redeten. Es machte mir schlagartig bewusst, wie die beiden Teile Deutschlands sich seit 1945 auseinander entwickelt hatten und wie die Zugehörigkeit zu zwei sich befehdenden Bündnissen ihr internationales Auftreten unterschiedlich prägte.

Ermutigend war, dass beide Außenminister, nach den Jahren harter Konkurrenz und diplomatischer Fehden zwischen beiden Regierungen, sich an diesem Tag in der VN-Vollversammlung die Hände reichten.

Am Abend feierten Bundesminister Scheel und Botschafter Walter Gehlhoff das Ereignis beim offiziellen Abendessen des Generalsekretärs der VN. Mir fiel es zu, Frau Scheel und Frau Gehlhoff zum Abendessen zu begleiten. Die VN-Vertretung hatte Plätze in einem chinesischen Spitzen-Restaurant in Greenwich Village reserviert.

Als ich Frau Scheel abholte, erzählte ich ihr, dass ich mittags in Erinnerung an meine Studentenzeit in Denver einen Cheeseburger und anschließend einen Apple-Pie mit Icecream gegessen hatte. Meine Schilderung muss so verlockend gewesen sein, dass Frau Scheel, die das bodenständige amerikanische Leben liebte, spontan entschied: Herr Ruhfus, bitte sagen Sie dem Chinesen ab und lassen Sie uns in ein typisches amerikanisches

Restaurant gehen. Die Vertretung war auch in den Abendstunden einsatzbereit und buchte schnell um. Die beiden Damen und ich feierten den Tag auf amerikanische Art mit einem Steak-Sandwich in einem Hamburger-Restaurant der Nobelklasse in der Nähe vom Times Square.

Dann begann die Kleinarbeit, um den Platz einzunehmen, der unserem Gewicht und unserem finanziellen Beitrag entsprach. Die Bundesrepublik war nach den USA und Japan mit einem Anteil von 9,6 Prozent des Haushalts der Weltorganisation der drittgrößte Beitragszahler.

Das politische Ziel war die Aufnahme in den Sicherheitsrat, sobald die Rotation der nichtständigen Mitglieder die Möglichkeit bieten würde. Zwei wichtige praktische Herausforderungen waren, den Anteil deutscher Bediensteter in der VN-Familie zu erhöhen und einen Platz für unsere Sprache zu finden.

Deutsche Mitarbeiter für die VN

Schon nach dem Ersten Weltkrieg war es dem Deutschen Reich nicht leicht gewesen, einen angemessenen und geachteten Platz im Genfer Völkerbund einzunehmen. Die Vereinten Nationen waren nach dem Zweiten Weltkrieg gegen die Angriffskriege von Deutschland und Japan ins Leben gerufen worden. Jahrelang hatten sich Bundesrepublik und DDR in der VN-Familie befehdet. Nun waren alle wichtigen Positionen im Sekretariat besetzt. Auch für einen finanziell interessanten Neuling musste erst mit Geduld ein Platz erarbeitet werden. (Nach dem Schlüssel der VN standen uns 122-165 Positionen zu, aber es gab erst 69 deutsche Bedienstete). Wir mussten genau beobachten, wo Positionen frei oder neu geschaffen wurden, für die deutsche Kandidaten angeboten werden konnten. Gleichzeitig galt es, qualifizierte deutsche Bewerber zu finden.

Ich nutzte schon den Aufenthalt in New York, um mit Botschafter Gehlhoff, seinem Vertreter, Gesandter Wolf Ulrich v. Hassell, und seinen Mitarbeitern erste Gespräche zu führen, so mit Gunter Pleuger, der sein Interesse und seine Begeisterung für die VN stets beibehalten hat, bis ihn später sein Weg zur Leitung der VN-Botschaft führte, und mit Konrad Seitz. Dessen großes stilistisches Talent habe ich schon früh gesehen und ihn für Außenminister Brandt als Redenschreiber vorgeschlagen.

In New York und Genf führte ich eingehende Gespräche mit den deutschen Bediensteten in den Sonderorganisationen der VN-Familie, um von ihren

Erfahrungen und ihren Anliegen zu lernen. In Bonn hatte ich in VLR I Harald Heimsoeth, dem späteren Botschafter in Nairobi, und VLR I Walter Gorenflos, dem späteren Botschafter in Brasilien, engagierte Kollegen, die wie ich unsere Mitgliedschaft zu aktiver Mitarbeit in den VN nutzen wollten.

In der Personalabteilung des Auswärtigen Amts wurde ein Referat für die Bewerber bei den internationalen Organisationen geschaffen. Auch die Bundesanstalt für Arbeitsvermittlung baute eine Arbeitseinheit auf, um Kandidaten zu finden und zu beraten. Ein Hindernis war, vor allem bei höherrangigen Positionen, das Gefälle zwischen deutschen Gehältern und den – angesichts der hohen Lebenshaltungskosten in New York – relativ niedrigen Besoldung der Vereinten Nationen.

Andere Länder fanden Lösungen, die Besoldung ihrer nationalen Kandidaten, besonders für interessante Schlüsselpositionen im VN-Bereich, abzufedern und aufzubessern. Das Generalsekretariat sah es nicht mit Begeisterung, drückte aber ein Auge zu. Bei uns galt es, zunächst die Unterstützung der zuständigen innerdeutschen Behörden zu gewinnen. Das Auswärtige Amt lud zu einer Ressortbesprechung ein. Wir hatten Zahlenmaterial und Fakten über die ergänzenden Leistungen anderer Länder erhalten. Es gelang uns, kleinere Verbesserungen zu erreichen. Aber das Problem bestand fort.

Wenige Jahre später hat Bundeskanzler Schmidt durchgesetzt, dass ich als sein außenpolitischer Berater zu einer neuen Ressortbesprechung im Bundeskanzleramt einlud. Mit seiner Rückendeckung gelang es in mehreren längeren Sitzungen, den Widerstand des Bundsfinanzministeriums und die Bedenken des Bundesinnenministeriums zu überwinden und einen – wie es im Beamtendeutsch so schön hieß – günstigeren Gehaltsausgleichsmechanismus zu erreichen.

Die deutsche Sprache in den VN

Bei Deutschlands Eintritt in den Völkerbund war Deutsch als Arbeitssprache eingeführt worden. Etwas Vergleichbares war 1972 völlig undenkbar. (1974 stand Deutsch nach Chinesisch (800 Millionen), Englisch (330 Millionen), Hindi (250 Millionen), Spanisch (220 Millionen) und Russisch (142 Millionen) mit Japanisch, Arabisch, Bengali und Portugiesisch auf dem sechsten Platz).

Andererseits war ich zumal nach dem Schock der Ansprachen der beiden Außenminister in zwei verschiedenen Sprachen besonders problembewusst und engagiert. Wenn wir überhaupt etwas erreichen wollten, dann jetzt, beim Eintritt zweier neuer, zahlungskräftiger deutschsprachiger Mitglieder.

Ich lud die Botschafter der Schweiz, Dr. Hans Lacher, und Österreichs, Dr. Wilfried Gredler, und die DDR-Mission in Bonn zu einer Besprechung ein. Nach einem guten Essen mit viel Wein und guten Witzen jeweils in der lokalen Mundart ventilierten wir die Möglichkeiten. Der Schweizer Kollege verwies darauf, sein Land sei bisher kein Mitglied der VN. Wir waren uns einig, bei der ständigen Ebbe in der Kasse der Vereinten Nationen war nicht zu erwarten, dass das Generalsekretariat die Kosten für die Übersetzung in eine weitere Sprache übernehmen würde. Verglichen mit der großen Zahl von damals über 800 Millionen Chinesen und von 15 Mitgliedern der arabischen Sprach- oder Staatengruppe hatten wir schlechte Karten.

So einigten wir uns auf den Vorschlag, einen Übersetzungsdienst für die Übertragung von ausgewählten Schriftstücken und Dokumenten der VN in die deutsche Sprache vorzuschlagen und hierfür finanzielle Beiträge unserer Länder anzubieten. Unsere Überlegung war, dass die VN durchaus Interesse haben könnten, interessierte Kreise der deutschsprachigen Mitgliedsstaaten über ausgewählte Gebiete ihrer Arbeit in Deutsch zu unterrichten.

1975 gelang es, eine Vereinbarung mit dem VN-Sekretariat über gemäß Resolution 3355 (XXIX) ins Deutsche zu übersetzende VN-Dokumente zu erreichen. Die deutsche Sprache wurde nicht zur Amtssprache, aber ihre Stellung wurde dadurch verbessert, dass VN-Dokumente nunmehr auch für andere interessierte Delegationen in Deutsch zur Verfügung gestellt werden konnten. Es war nicht viel, aber es war ein Anfang.

Bundeskanzleramt (1976-1979)

Am 8. April 1976, einem strahlenden Frühlingstag, war ich auf dem Weg ins Bundeskanzleramt. Das Vorzimmer von Helmut Schmidt hatte mich zu einem Gespräch mit dem Bundeskanzler gebeten. Aus der Personalabteilung hatte ich erfahren, dass ich dem Bundeskanzleramt als Leiter der Abteilung Außen- und Sicherheitspolitik vorgeschlagen worden war. Der gegenwärtige Berater, Ministerialdirektor Carl-Werner Sanne, war schwer erkrankt.

Ich war etwas nervös und gespannt. Helmut Schmidt war damals schon einer der geachtetsten Regierungschefs der Welt. Ihm ging der Ruf voraus, ein sehr anspruchsvoller Vorgesetzter zu sein.

Helmut Schmidt stellte in schneller Folge Fragen nach meiner Ausbildung, nach meinem Werdegang, nach meinen beruflichen Erfahrungen, nach meiner Familie. Ich bemühte mich, knapp und präzise zu antworten. Schließlich kam er auf meine politischen Ansichten zu sprechen. Ich antwortete ihm – ähnlich wie in dem Gespräch mit Brandts Staatssekretär Klaus Schütz zehn Jahre zuvor –, ich fühlte mich verpflichtet, ihm mitzuteilen, dass ich Mitglied der CDU sei. Helmut Schmidt antwortete, er habe sich vorher selbstverständlich eingehend über mich erkundigt. Die Frage sei, könnte ich seine Politik vertreten? Ich antwortete, ich würde gerne für seine Außenpolitik und seine Sicherheitspolitik arbeiten.

Der Bundeskanzler hat meine Berufung später manchmal als Nachweis für seine liberale Einstellung zur Parteizugehörigkeit seiner Berater genutzt.

Bundeskanzler Helmut Schmidt

Wenige Tage später saß ich in dem neuen Büro. Ich überblickte die Einfahrt zum Bundeskanzleramt und den Eingang zum Flügel des Bundeskanzlers. Bisher hatte ich Helmut Schmidts politischen Aufstieg als interessierter Staatsbürger verfolgt.

Jetzt erlebte ich ihn im persönlichen Umgang.

Ich lernte sofort seinen harten Arbeitsstil kennen. Der tägliche Terminplan, den die Abteilungsleiter erhielten, sah Arbeitszeiten von 12 bis 16 Stunden pro Tag vor. Wenn Themen akut waren, die die Arbeit der Abteilung betrafen, musste der Abteilungsleiter bis in den späten Abend hinein verfügbar sein. Wurde ich zum Bundeskanzler gerufen, suchte Helmut

Schmidt sich durch bohrende Fragen so schnell wie möglich einen Überblick über das jeweilige Thema zu verschaffen und das Wissen seines Mitarbeiters abzusaugen. Auf Grund seiner Erfahrung als Fraktionsvorsitzender im Bundestag und in mehreren Ministerien hatte er umfassende Kenntnisse, die ihn vielen Gesprächspartnern überlegen sein ließen.

Vor der ersten Auslandsreise hatte ich mich über Persönlichkeit und Lebensstil seiner Gesprächspartner, über die Parteien und über die außen- und innenpolitische Situation des Gastlands eingehend unterrichtet. Bei der mündlichen Vorbesprechung im Flugzeug aber musste ich bei Detailfragen nach Bruttosozialprodukt, Inflationsrate, Staatshaushalt, Beschäftigungsquote und Arbeitslosenrate weitgehend passen. So lernte ich bei dem Gespräch, das stellenweise eher einem Examen oder Verhör ähnelte: Für Bundeskanzler Schmidt waren die wirtschaftlichen Gegebenheiten die entscheidende Grundlage für seine außenpolitische Einschätzung.

Für die schnelle Einarbeitung kam mir zugute, dass Helmut Schmidt sich bei neuen Problemen oft die Zeit nahm, die verschiedenen Aspekte in eingehender Diskussion zu erörtern. Seine Zusammenfassung des Gesprächs war dann Grundlage der weiteren Bearbeitung. Helmut Schmidt brachte viele eigene Ideen ein, erwartete aber zugleich Anregungen und Argumente seiner Beamten.

In diesen kleinen Kreisen setzte er die volle Offenheit seiner Mitarbeiter voraus. Auch harter Widerspruch war willkommen, allerdings wehe dem, der nicht in der Lage war, die abweichende Meinung mit guten Argumenten zu begründen. Der Bundeskanzler setzte sich sofort mit den Überlegungen auseinander: Argument eins überzeugt mich, Argument zwei erscheint widerspruchsvoll, zu Argument drei bitte ich um eine kurze Aufzeichnung.

Dieser Arbeitsstil half ihm, bei der Diskussion im Kabinett, in der Fraktion oder bei Hintergrundgesprächen mit Journalisten sich auch bei neuen Themen überlegen mit Argumenten auseinander zu setzen, die er vorher schon im kleinsten Kreise durchdacht hatte. Voraussetzung für diesen Arbeitsstil war, dass die Mitarbeiter ihren Fachbereich kannten und dass er sich hundertprozentig auf ihre Diskretion und Loyalität verlassen konnte. Deshalb suchte er seine Mitarbeiter sorgfältig aus, er nahm sie auch von außerhalb, wie z. B. in seiner Zeit als Verteidigungsminister Theo Sommer, den Chefredakteur der ZEIT, oder den Industriellen aus dem Thyssen-Konzern, Ernst Mommsen. Zu meiner Zeit zogen wir zu den Gesprächen über Verteidigungsfragen häufig Christoph Bertram zu, den späteren Direktor des International Institute for Strategic Studies in London.

Schmidt wollte die Probleme bis ins Detail kennen und beherrschen. Als ich ihm den Entwurf einer Regierungserklärung zum Thema Nachrüstung als

Antwort auf die sowjetische Bedrohung im Mittelstreckenbereich vorlegte, rief er mich nachts um 1.30 Uhr an und holte mich aus dem Tiefschlaf: »Sie sprechen hier von 21 SS-20-Raketen. Hat die Sowjetunion nicht bereits 23 SS-20-Raketen gegen uns in Stellung gebracht?« Seine Wissbegierde, seine Leidenschaft für korrekte Details wurden ergänzt durch intellektuelle Ungeduld. Wenn er das Gefühl hatte, dass sein Gesprächspartner um die Probleme herumredete oder seine Unkenntnis zu bemänteln suchte, konnte er kurz angebunden sein: »Lassen Sie die Girlanden weg, kommen Sie zur Sache.« Auch wenn er die Bürokraten in der Öffentlichkeit gelegentlich kritisierte, wusste er in kleinem Kreis ihre Sachkenntnis maximal auszuschöpfen und zu nutzen.

Bei der Einarbeitung half, dass Helmut Schmidt seine Mitarbeiter zu einer Mannschaft zusammenzufassen wusste. Es gab wenig Konkurrenz oder Zuständigkeitsgerangel. Die Anforderungen waren so hoch und umfangreich, dass keine Zeit für unfruchtbare Auseinandersetzungen blieb.

Das Kanzleramt

Der innerste Kreis war »das Kleeblatt«. Dort wurden alle wichtigen Fragen erörtert, von der Planung kurz- und langfristiger Termine und der Tagesordnung des Kabinetts über die Untersuchung dringender öffentlicher Probleme und des gegenwärtigen Ansehens der Bundesregierung bis hin zu neuen politischen Ansätzen in grundsätzlichen Reden. Zu dem Kreis gehörte der Chef des Kanzleramts, Staatssekretär Dr. Manfred Schüler. Klein von Statur, unaufdringlich im Auftreten, aber ein brillanter Kopf, ein ausgezeichneter Administrator, den Helmut Schmidt aus dem Finanzministerium mitgebracht hatte.

Ein weiteres Mitglied war Klaus Bölling, früherer deutscher Korrespondent in Washington, jetzt Regierungssprecher und Staatssekretär im Bundespresse- und Informationsamt. Bölling hatte ein überaus feines Gespür für die Vorstellungen von Helmut Schmidt und ihre Präsentation gegenüber der Öffentlichkeit. Manchmal war es nicht leicht zu unterscheiden: Interpretierte und verkaufte er vorhandene Gedanken und Pläne des Bundeskanzlers, oder entwickelte er politische Ansätze weiter auf Linien, die ihm aus der Gedankenwelt des Bundeskanzlers vertraut waren?

Staatsminister Hans-Jürgen Wischnewski war ein wichtiges Bindeglied zur Partei. Er war ein Meister der pragmatischen Behandlung von Problemen und bei der Suche nach tragfähigen Kompromissen auch in aussichtslos scheinender Lage. Ben Wisch – so genannt wegen seiner guten Beziehungen zur arabischen Welt – war zugleich der Troubleshooter und Krisenmanager des Bundeskanzlers, eine Rolle, in der er sich vor allem bei der Befreiung der Geiseln der entführten Lufthansa-Maschine in Mogadischu bewährte.

Klaus-Dieter Leister war der Leiter des Büros des Bundeskanzlers. Er machte später seinen Weg als Staatssekretär im Bundesverteidigungsministerium und als Vorstandsmitglied der Westdeutschen Landesbank.

Schüler vereinte die Abteilungsleiter jeden Tag zur »Lage«. Nach einer kurzen Presseübersicht wurden die anliegenden Probleme der Regierungsarbeit zügig und knapp erörtert und die Aufgaben an die Abteilungen verteilt.

Jeder Abteilungsleiter vertrat seinen Bereich persönlich und direkt gegenüber dem Bundeskanzler. Er war verantwortlich dafür, dass Helmut Schmidt sicher sein konnte, dass die Ressorts auf der von ihm vorgegebenen Linie arbeiteten; dass er rechtzeitig über wichtige Ereignisse und Pläne der Minister und der Ministerien unterrichtet wurde, und dass ihm Ideen und Anregungen für neue politische Schritte aus den jeweiligen Zuständigkeitsbereichen vorgelegt wurden.

Die Abteilung für Außen- und Sicherheitspolitik

Abteilung 2 – die Abteilung für Außen- und Sicherheitspolitik – betreute die Sachbereiche Auswärtiges Amt, Verteidigungsministerium, Ministerium für wirtschaftliche Zusammenarbeit und Ministerium für Gesamtdeutsche Fragen.

Helmut Schmidt hatte mir nur eine ganz kurze persönliche Einführung gegeben: »Halten Sie enge Verbindung zum Vorsitzenden der Sozialdemokratischen Fraktion, Herbert Wehner. Die Beziehungen zur Partei sind nicht immer leicht, umso wichtiger ist die gute Zusammenarbeit mit der Führung der Fraktion. Zur Verbindung mit dem Außenminister und dem Auswärtigen Amt brauche ich Ihnen nichts zu sagen. Sie sind Ihnen persönlich gut bekannt.«

Er bat mich, auch guten Kontakt zum Verteidigungsministerium zu halten. Als Verteidigungsminister hatte er sich dafür eingesetzt, dass der Abteilungsleiter des Bundeskanzleramts an der monatlichen »Lage« im Verteidigungsministerium teilnahm. Ich möge diese Tradition fortsetzen.

Die Arbeit des Ministeriums für wirtschaftliche Zusammenarbeit war bedeutsam für die Dritte Welt, für die in der Entwicklungshilfe engagierten Gruppen im Bundestag und in der Öffentlichkeit. Sie stand aber nicht im Vordergrund der innenpolitischen Auseinandersetzungen und der außenpolitischen Probleme.

Anders schon das Ministerium für Gesamtdeutsche Fragen. Der Grundlagenvertrag von 1972 hatte die Beziehungen zwischen der Bundesrepublik und der DDR auf eine neue, geregelte Basis gestellt. Die DDR hatte die Elemente, die ihrem Streben nach staatlicher und internationaler Anerkennung entgegenkamen, schnell vereinnahmt. Die von Bonn eingehandelten Gegenleistungen, größere Freiheit und Menschenrechte für die Bürger der DDR sowie mehr Kontakte zwischen den Deutschen auf beiden Seiten der Elbe, größere Bewegungs- und Reisefreiheit, blieben hinter den Erwartungen zurück. Die Regierung in Ost-Berlin zog die Schraube sogar noch an. Sie setzte den Zwangskurs für den Tausch der harten DM-West in die inflationierte Ost-Mark herauf und erschwerte nachhaltig die Besuchsreisen aus dem Westen.

Die Probleme waren akut. Meine Kenntnisse und Erfahrungen waren begrenzt. Diese neuen Aufgaben erforderten sofort meine besondere Aufmerksamkeit. Ministerialdirigent Ernst Stern und seine erfahrenen Mitarbeiter halfen nach Kräften. Schon wenige Tage nach meinem Dienstantritt musste ich den Chef der Mission der DDR, Dr. Michael Kohl, einbestellen, um Beschwerde gegen die schikanöse Behandlung von westdeutschen Bürgern einzulegen und um gegen die Einschränkung der Arbeit der westdeutschen Journalisten zu protestieren.

Es galt weiter, die Mittel für den Ausbau der für Berlin lebenswichtigen Autobahnverbindung nach Hamburg beim Bundesfinanzministerium freizumachen. Der Bundeskanzler wollte über die vertraulichen Kontakte des Bundesministeriums für Gesamtdeutsche Fragen unterrichtet werden: Wie vielen verurteilten Bürgerrechtlern konnte für welche Gegenleistungen die Ausreise in die Bundesrepublik erkauft werden? In der SPD und in der Regierung gab es Bestrebungen, der DDR politisch weiter entgegenzukommen, um die Lage ihrer Bürger zu verbessern.

Mit Günther Gaus – er war damals Leiter der Vertretung in Ost-Berlin und mir aus der Zeit als Sprecher im Auswärtigen Amt als brillanter Journalist persönlich gut bekannt – hatte ich gleich zu Beginn meiner Tätigkeit ein langes Telefonat über ein Interview, das er mit dem Spiegel geführt, aber noch nicht freigegeben hatte. Er setzte sich dafür ein, bei den beiden strittigen Fragen – eigene Staatsangehörigkeit der DDR; international übliche

Ausgestaltung der Vertretungen der beiden deutschen Staaten – der Regierung in Ostberlin weiter entgegenzukommen.

Ich habe nachdrücklich abgeraten. Gaus blieb bei seinen Ausführungen. Das Interview fand in der Öffentlichkeit starke Beachtung – und beschädigte sein Vertrauensverhältnis zum Bundeskanzler.

Ich suchte, möglichst schnell persönliche Kenntnisse des neuen Aufgabenbereichs und ein eigenes Gespür für die Beziehungen zur DDR zu gewinnen.

Bei einem Antrittsbesuch in Berlin im Juni 1976 lernte ich die Verantwortlichen im DDR-Außenministerium kennen. In Ost-Berlin verliefen die Gespräche – anders als die ersten Kontakte in anderen Hauptstädten – steif und formell. Auch bei einem Mittagessen mit dem zuständigen Abteilungsleiter im DDR-Außenministerium Karl Seidel kam kein gelockerter Ton auf.

Einige Momentaufnahmen von der anschließenden Fahrt, die Karin und ich mit unserem privaten Golf durch Sachsen und Thüringen machten, haben sich in mein Gedächtnis eingegraben: Im Erfurter Straßenbild beeindruckten mich die überall sichtbaren Soldaten der in Thüringen stationierten sowjetischen Eliteeinheiten; sie trugen gute Uniformen, blitzblank geputzte Stiefel, ihr Auftreten verriet Selbstbewusstsein und Selbstvertrauen.

Beim Abendessen im Weimarer Vorzeige-Restaurant »Der weiße Elefant« mussten Karin und ich trotz gähnender Leere warten, bis uns der Oberkellner einen Platz in einer Ecke zuwies; nur am andern Ende des Restaurants saßen einige Funktionäre.

Wir hatten anschließend ein packendes Gespräch mit zwei Studenten, die wir auf der Straße in Weimar trafen (unsere anfängliche Befürchtung, es könne sich um Beschatter handeln, verflog schnell, als wir die armselige Einzimmerbehausung auf dem Dachboden kennen lernten, mit einer unsagbaren Toilette, die mehreren Parteien im Hause diente), sie ein Mädchen mit blonden Zöpfen, wie das Bild von Gretchen aus einer romantischen Inszenierung von Goethes Faust.

Beide waren entsetzt, dass wir zwei Flaschen Wein, die wir in einem nachts noch geöffneten Restaurant in der Nachbarschaft kauften, mit harter Westmark bezahlten statt mit Ostmark. Was hätten sie für die begehrten Westdevisen alles kaufen können! Beide brannten vor Neugier, wie es in der Bundesrepublik wirklich aussehe, sie waren erfüllt von dem heißen Wunsch, Deutschland und Europa auf der anderen Seite der Elbe kennen zu lernen. Karin hat ihnen über die Vertretung in Ost-Berlin später noch weiter geholfen.

Die Museen in Weimar waren didaktisch geschickt aufgemacht, die kulturellen Exponate waren eingepackt in knüppeldicke Hinweise auf den historischen Kampf der Werktätigen und auf die sozialistischen Errungenschaften in der DDR.

Ein Mittagessen in einem kirchlichen Altersheim brachte uns in Berührung mit einer Nische, die ausgespart war von der überall präsenten staatlichen Kontrolle und Beeinflussung des täglichen Lebens.

Als Karin und ich bei Eisenach die scharf bewachte Grenze passiert hatten, fühlten wir uns, als sei eine schwere Last von unsern Schultern genommen.

Für mich war die Reise ein Ansporn, mich noch mehr für die Erleichterung des Lebens der Landsleute in der DDR einzusetzen.

In den nächsten Monaten wurden die Beziehungen zur DDR zunehmend schwieriger. Im Bundeskanzleramt wurde ein Sonderstab für die Deutschlandpolitik geschaffen. Die Leitung übernahm Ministerialdirigent Dr. Hanno Bräutigam, mit dem ich schon im Stab von Außenminister Gerhard Schröder sehr gut zusammengearbeitet hatte. Bräutigam blieb den innerdeutschen Beziehungen eng verbunden, er übernahm später als Staatssekretär die Leitung der Vertretung der Bundesrepublik Deutschland in Ost-Berlin. Nach Erreichen der Einheit war er viele Jahre Justizminister im Kabinett von Ministerpräsident Stolpe in Brandenburg. Der neue Arbeitsstab wurde Staatsminister Wischnewski unterstellt.

Die Mitarbeiter

Abteilung 2 im Bundeskanzleramt war klein. Sie umfasste drei Gruppen und insgesamt 14 höhere Beamte. Gruppe 23, mit zwei Generalstabsoffizieren, war verantwortlich für »Sicherheitspolitik, Verteidigungsfragen, Abrüstung und Rüstungskontrolle, Bundessicherheit«; Gruppe 22, fünf Beamte, war zuständig für »Beziehungen zur DDR und Berlinfragen«; Gruppe 21, zuständig für »Auswärtige Beziehungen«, hatte sieben Mitarbeiter des höheren Dienstes. Alle waren sorgfältig ausgewählte, begabte Kollegen, die auch nach der Zeit im Bundeskanzleramt ihren Weg erfolgreich gingen. Sie waren engagiert und jederzeit bereit, wenn nötig, auch abends oder am Wochenende zu arbeiten. Sie waren in der Lage, auch unter Zeitdruck Spitzenleistungen zu erbringen.

Graf Rantzau, späterer Botschafter bei den Vereinten Nationen, verfasste in wenigen Stunden den knappen, aber inhaltsreichen Sprechzettel über die Nuklearpolitik der Bundesrepublik, den der Bundeskanzler auf dem Londoner Gipfel 1978 seiner Argumentation in der harten Diskussion mit Präsident Carter über die zivile Nutzung der Kernenergie zugrunde legte.

Otto von der Gablentz, späterer Botschafter in Israel und Moskau, schrieb den Entwurf für die Rede, die der Bundeskanzler auf Einladung von Generalsekretär Breschnew 1981 in der Höhle des Löwen vor dem Politbüro in Moskau über die Ost-West-Beziehungen und die Entspannungspolitik hielt, und deren Argumentation schließlich den Weg ebnete für Verhandlungen über die Mittelstreckensysteme. Helmut Schmidt übernahm den Entwurf mit nur geringen Änderungen.

Wilhelm Höynck war später Generalsekretär der Organisation für Sicherheit und Zusammenarbeit in Europa, er hat erheblich beigetragen zu dem Erfolg des multilateralen Entspannungsprozesses in Europa. Klaus Zellers »Vademecum« für die großen Gipfeltreffen war jeweils ein Meisterwerk konzentrierter Zusammenfassung der vielfältigen außenpolitischen Aspekte und innenpolitischen Stellungnahmen, mit Gesprächsvorschlägen, die nach den persönlichen Wünschen und Anliegen des Bundeskanzlers maßgeschneidert waren – und alles auf wenigen Seiten.

Der Arbeitsdruck war sehr groß. Wir erhielten gute und umfangreiche Vorlagen des Auswärtigen Amts und des Bundesverteidigungsministeriums. Sie mussten drastisch kondensiert und an die Gedankenwelt und außenpolitischen Vorstellungen des Bundeskanzlers angepasst werden. Der Bundeskanzler unterhielt eine Vielzahl von Kontakten in der ganzen Welt. Wir konnten die Arbeit nur bewältigen, indem wir formlos, ohne Reibungsverluste eng zusammenarbeiteten. Ich bemühte mich, den Kollegen – durch die sofortige Unterrichtung nach Gesprächen, Konferenzen oder Auslandsreisen – stets einen möglichst hohen und aktuellen Wissensstand von den Vorstellungen des Bundeskanzlers zu vermitteln.

Die Verbindung zum Auswärtigen Amt

Besonders wichtig und sensitiv waren die Beziehungen des Bundeskanzlers zum Vizekanzler und Außenminister, der zugleich Parteichef des kleineren Koalitionspartners war.

Außenminister Genscher hatte sich nach dem Wechsel vom Innenministerium ins Auswärtige Amt sehr schnell und intensiv in die Außenpolitik eingearbeitet. Ich habe bewundert, wie er sich neben seiner Belastung als Minister und Parteichef eine zuverlässige Beherrschung der englischen Sprache erwarb.

Kanzler und Außenminister hatten klare, eigene Vorstellungen, die Außenpolitik zu gestalten. Beide wussten meisterhaft die Publizität zu nutzen, die Auslandsreisen, offizielle Besuche und Konferenzen boten. Es galt, frühzeitig festzustellen, wo Auslandsaktivitäten konkurrieren konnten und wo sich unterschiedliche Nuancen in den außenpolitischen Ansichten und Zielen entwickelten. Beide Persönlichkeiten mussten problembewusst gemacht werden, damit nicht Dissonanzen in der Öffentlichkeit sichtbar wurden. Klaus Kinkel, damals Chef des Leitungsstabs von Genscher, hatte große Erfahrung und ein ausgezeichnetes Gespür für innenpolitische Probleme. Er ergriff die Initiative, dass wir in regelmäßigen Abständen zusammentrafen. Bei einem guten Mittagessen gingen wir die Terminpläne durch, tauschten unsere Gedanken und Informationen über die längerfristigen außenpolitischen Vorhaben und Ziele unserer Chefs aus.

Nachdem Kinkel als Staatssekretär in das Bundesjustizministerium übergewechselt war, habe ich diese Abstimmungsgespräche mit Klaus Blech, dem Leiter der Politischen Abteilung im Auswärtigen Amt, fortgesetzt.

In den Jahren 1976 bis 1980 hat es keine öffentliche Konfrontation, keinen Eklat zwischen Außenminister Genscher und Bundeskanzler Schmidt gegeben. Gewiss, die Jahre waren leichter als die folgende Zeit der innenpolitischen Kämpfe über den Doppelbeschluss und über die vom linken Flügel der SPD geforderte Lenkung der Investitionen. Dennoch bin ich überzeugt, es hat geholfen, dass beide frühzeitig über Telefonate und Überlegungen für Begegnungen mit der amerikanischen Regierung und mit europäischen Regierungschefs unterrichtet waren, dass ich bei internen Diskussionen mit dem Bundeskanzler über MBFR frühzeitig darauf hinweisen konnte, hier wird die Reizschwelle des Außenministers erreicht, wenn ich Kinkel und Blech persönlich einen vertraulichen Hinweis auf geheime direkte Kontakte mit Moskau oder Warschau geben konnte.

Als ich in den 90er Jahren die Auseinandersetzungen zwischen dem Sprecher des Auswärtigen Amts und dem Regierungssprecher von Bundeskanzler Kohl auf den Pressekonferenzen verfolgte, habe ich gelegentlich den Rat gegeben, einen direkten persönlichen Kontakt zum Bundeskanzleramt zu suchen und so – selbst wenn sachliche Auseinandersetzungen bestanden – überraschende Konfrontation und polemische Zuspitzung zu vermeiden.

In meinen Jahren als Staatssekretär ist es mir gelungen, dass Auswärtiges Amt und Bundeskanzleramt in meinem Aufgabenbereich trotz gelegentlich abweichender Meinungen sachlich und ohne öffentliche Auseinandersetzungen zusammengearbeitet haben.

Bundesverteidigungsministerium

Die Abstimmung mit dem Bundesverteidigungsministerium war problemlos, sie wurde durch meine Teilnahme an der »Lage« erleichtert. Ich konnte von der Linie des Bundeskanzlers abweichende Tendenzen und Überlegungen frühzeitig ausmachen. Aber das war in der Regel ohnehin nicht der Fall. Helmut Schmidt besaß auf der Hardthöhe nach wie vor viel Respekt und Sympathie. Bundesminister Apel und die Staatssekretäre ermutigten mich, die Ansichten des Bundeskanzlers frühzeitig vorzutragen und die »Lage« über seine internationalen Kontakte und Vorstellungen zu unterrichten.

Ich hatte in der Unterabteilung 23 mit Kapitän zur See Borgemeister und später mit Oberst i. G. Dr. Dietrich Genschel engagierte und kenntnisreiche Offiziere, die guten Kontakt auch zur Truppe hielten. Sie waren schon geformt durch die Anforderung, die Helmut Schmidt als Verteidigungsminister erlassen hatte: »Niemand kann General werden ohne integrierte Verwendung in integrierten Stäben des Bündnisses« und hatten internationale Erfahrungen. Dietrich Genschel war später Leiter der Abteilung für militärische Planung im NATO-Hauptquartier.

Als »weißer Jahrgang« – bei Kriegsende zu jung für Militärdienst oder Volkssturm, beim Aufbau der Bundeswehr zu alt für die Einberufung zum Wehrdienst – hatte ich nur geringe Erfahrung in militärischen Dingen. Die Offiziere der Bundeswehr haben mich das nie spüren lassen. Sie haben mir vielmehr geholfen, mich so schnell wie möglich in die Verteidigungsfragen einzuarbeiten. General Wolfgang Altenburg führte mich ein in die Probleme der Nuklearstrategie. Die Generalinspekteure Armin Zimmermann, Harald Wust und Jürgen Brandt haben mich stets mit Rat und Tat unterstützt. Wenn Karin und ich später Hilfe für Vorhaben der Botschaft benötigten, auf die Mitarbeiter des Militärattachéstabes und deren Ehepartner konnten wir sicher zählen.

Bundesministerium für wirtschaftliche Zusammenarbeit

Zum Ministerium für wirtschaftliche Zusammenarbeit hatte ich aus meiner Arbeit in der Entwicklungshilfe in Kenia gute persönliche Verbindungen. Der Kontakt wurde noch verstärkt, als Carl-Werner Sanne zum Staatssekretär im Ministerium berufen wurde und dort mit ungeheurer Disziplin und Pflichterfüllung seiner schweren Krankheit getrotzt hat.

Als Sanne schließlich seinen Dienst nicht mehr fortsetzen konnte, hat Minister Eppler mir angeboten, Staatssekretär im BMZ zu werden. Die Aufgabe und die Beförderung hätten mich gereizt. Aber ich habe vorgezogen, die Arbeit als Berater des Bundeskanzlers fortzusetzen.

Der Verbindungsmann zum BMZ in meiner Abteilung war Bernd Oldenkott. Hinter seinem kölnischen Humor und seiner rheinischen Gelassenheit verbargen sich Zuverlässigkeit und große Einsatzbereitschaft.

Präsident Ford

Als ich im Frühjahr 1976 in das Bundeskanzleramt versetzt wurde, war Gerald Ford der amerikanische Präsident. Die außenpolitischen Vorstellungen von Bundeskanzler Schmidt und Außenminister Hans-Dietrich Genscher auf der einen, von Präsident Gerald Ford und Außenminister Henry Kissinger auf der anderen Seite lagen nahe beieinander. Sie dachten in Kategorien des Gleichgewichts. Sie sahen illusionslos die Notwendigkeit der Entspannung. Sie waren beherrscht von Vorsicht und Misstrauen gegenüber der Sowjetunion und der Notwendigkeit guter transatlantischer Zusammenarbeit.

Helmut Schmidt war mit Ford und Kissinger freundschaftlich verbunden.

Präsident Ford mag nicht zu den überragenden amerikanischen Präsidenten zählen. Gleichwohl hatte er eine starke persönliche Ausstrahlung. Wenn er ins Zimmer trat, beherrschte seine athletische Persönlichkeit den Raum. Er verkörperte für mich den aufrichtigen, nach vorn blickenden, verantwortungsbewussten und tatkräftigen politischen Führer. Als ich später Botschafter in Washington war, nahm ich die Einladung zu einem Vortrag vor einem republikanischen Kreis in Beaver Creek/Colorado an, um Altpräsident Ford in seiner selbst gewählten Umgebung in den Bergen von Colorado zu besuchen. Noch immer, zehn Jahre später, spürte ich die große positive Ausstrahlung seiner Persönlichkeit. Er verkörperte als Präsident das, was die Amerikaner einen »good guy« nennen; er sprach nach wie vor in warmen Worten von seiner Freundschaft mit dem früheren Bundeskanzler Schmidt.

Präsident Carter

Die Beziehungen zu Jimmy Carter hatten keinen guten Start. Nach den Wahlen im November 1976 gratulierte der Bundeskanzler zunächst dem noch amtierenden Präsidenten Ford zu dessen vermeintlichem Wahlsieg. Erst spätere Ergebnisse zeigten, dass Carter gewonnen hatte. Die Botschaft Washington und die Experten in Bonn hatten die komplizierte Auszählung falsch eingeschätzt. Da half auch kein Hinweis, dass sieben Jahre vorher ein ähnlicher Fehler passiert war, als Präsident Richard Nixon in der Wahlnacht 1969 anrief, um Kurt Georg Kiesinger zu dem Wahlsieg zu gratulieren, den in Wirklichkeit Willy Brandt errungen hatte.

Carter war ein Moralist mit hohem Sendungsbewusstsein. Er verkörperte das idealistische Amerika, das in Europa hinter der Fassade des machtbewussten und seine großen Kräfte hart einsetzenden Amerika häufig übersehen wird. Nach den Demütigungen und Erschütterungen des Vietnam-Krieges und des Watergate-Skandals hofften viele Amerikaner auf einen neuen Anfang.

Carter hatte vor allem folgende idealistischen Ansätze und Ziele:

- er wandte sich gegen die nukleare Proliferation und schlug tief greifende Einschnitte in das nukleare Rüstungsarsenal vor,
- er startete eine lautstarke und weltweite Kampagne für Menschen- und Bürgerrechte,
- er forderte, die Weltwirtschaft müsse durch höhere Staatsausgaben in den wohlhabenden Industrieländern angekurbelt werden, um die Armut in der Welt zu bekämpfen.

Carter war von hoher Intelligenz und tief überzeugt von der Verantwortung seines Amtes, aber es fehlte ihm an Erfahrung, um die internationale Szene zu übersehen und richtig einzuschätzen.

Ich habe von Anfang an alles mir Mögliche getan, um die Beziehungen zur neuen Administration Carter zu erleichtern und zu verbessern.

Im Januar 1977 sollte die Genehmigung für die Ausfuhr der Blue Prints – der technischen Unterlagen für die von Deutschland nach Brasilien zu liefernden Kernkraftwerke – erteilt werden. In der Besprechung mit den Staatssekretären Peter Hermes, Auswärtiges Amt, Detlev Rohwedder, Bundeswirtschaftsministerium, und Hans Hilger Haunschild, Bundesforschungsministerium, habe ich mich mit Erfolg dafür eingesetzt, die Genehmigung zu verschieben, bis Präsident Carter seine Antrittsrede vor dem

Kongress gehalten hatte. Danach sollte Staatssekretär Hermes nach Washington fliegen, um die deutsche Haltung zu erläutern.

Schon bald kam es zu Enttäuschungen. Wenige Tage nach Amtsantritt im Januar 1977 entsandte Carter seinen Vizepräsidenten Walter Mondale und forderte Bonn zu einer expansiven Geld- und Finanzpolitik auf, als Teil einer konzertierten Aktion keynesianischer Politik des Deficit Spending. Die Bundesregierung verwies auf die zu befürchtende weltweite Inflation und lehnte ab.

Washington bemühte sich, die deutschen Lieferungen von technischem Know-how zur zivilen Nutzung der Kernenergie an Brasilien zu stoppen, da die Regierung in Rio de Janeiro den Nichtverbreitungsvertrag nicht unterzeichnet hatte. Wir haben uns gegen diesen Druck gewehrt, da ein Nachgeben den Bruch des Vertragswerkes mit Brasilien bedeutet hätte, in dem wir den Brasilianern für die deutschen Lieferungen die strikten Auflagen des Nichtverbreitungsvertrags abgerungen hatten.

Die größte Sorge galt den Auswirkungen der neuen, engagierten Bürgerrechtspolitik von Carter auf die Beziehungen zur Sowjetunion und die Ost-West-Entspannung.

Der Bundeskanzler und der amerikanische Präsident bemühten sich um freundliche Kontakte und Umgangsformen. Es wurde eine Fülle von Briefen ausgetauscht. Jimmy Carter adressierte Helmut Schmidt »My friend«, der Bundeskanzler antwortete in gleicher Weise. Oft griffen beide zum Telefon, um wichtige Besuche von Kabinettsmitgliedern anzukündigen oder bedeutende politische Botschaften einzuführen.

Auch hier war der Ton voll südstaatlicher Höflichkeit. Ich bewunderte einmal mehr Helmut Schmidts Sprachtalent. Er hatte selbst mit dem Georgia-Tonfall des neuen Präsidenten keine Schwierigkeiten. Nur gelegentlich tauchten neue Worte auf. So zeigte sich Präsident Carter einmal betroffen. Die deutsche Presse stelle ihn als einen »Ogre« dar. Helmut Schmidt legte die Hand auf den Hörer. »Herr Ruhfus, wissen Sie, was das ist?« Ich schüttelte den Kopf.

Anschließend sah ich im Wörterbuch nach. »Ogre« wurde übersetzt mit »Schurke«. Es war – für Präsident Carter bezeichnend – ein Wort aus der Bibelsprache.

Die Gipfeltreffen in London, der Weltwirtschaftsgipfel und der anschließende NATO-Gipfel (9.-11. April 1977) waren der erste Auftritt des neuen amerikanischen Präsidenten in Europa.

Gleich am Morgen des 9. April fand die erste persönliche Begegnung Carter/Schmidt statt. Als ich mit dem Bundeskanzler in die Residenz des amerikanischen Botschafters fuhr, eine herrliche Villa am Rande des Regents

Präsident Carter auf dem Weltwirtschaftsgipfel in London 9.-11.04.1977 vor Downing Street 10. Von links: Spig Brzezinski, Primeminister Jim Callaghan, Präsident Jimmy Carter, Bundeskanzler Helmut Schmidt, Ruhfus, Staatssekretär Günther van Well

Park, die ein reicher amerikanischer Erbe oder Erbin der US-Regierung vermacht hatte, war die Stimmung gespannt.

In direkten Kontakten mit dem stellvertretenden Sicherheitsberater David Aaron hatte ich, unterstützt von Botschafter Berndt von Staden, darum gerungen, genügend Zeit für das erste Vieraugengespräch zu erhalten und die Dauer von einer Stunde auf eineinhalb Stunden auszuweiten. Wir wollten pünktlich sein. Wegen der leeren Straßen in der frühen Morgenstunde trafen wir fünf Minuten zu früh ein und mussten eine Wartepause einlegen.

Die erste Begegnung verlief besser, als nach dem holprigen Start zu erwarten war. Beide bemühten sich um einen freundlichen Ton. Der Bundeskanzler setzte seine Offensive des Charmes auch auf dem NATO-Gipfel fort. In seinem Beitrag pries er die Rede von Präsident Carter mehrfach, er begrüßte die Vorschläge für eine kollektive Anpassung aller Streitkräfte des Bündnisses an die Erfordernisse der 80er Jahre, für strengere Disziplin bei Waffenexporten und für eine nüchterne Bestandsaufnahme der KSZE-Konferenz in Belgrad.

Gleichzeitig ließ er allerdings deutlich seine Gedanken anklingen, dass die strategischen nuklearen Waffen zunehmend verstanden würden als Schutz für die Besitzer dieser Waffen. Nach der strategischen Parität müsse jetzt auch ein konventionelles Gleichgewicht angestrebt werden. Dies war ein erster Austausch voneinander abweichender Meinungen zwischen Bonn und Washington, der sich in den nächsten Monaten zu einer heißen Diskussion auswachsen sollte.

Friedliche Nutzung der Kernenergie

Besonders faszinierend war die Erörterung des Themas Kernenergie auf dem Wirtschaftsgipfel.

Carter trat, auf Grund seiner persönlichen Erfahrungen im Nuklearbereich bei den amerikanischen Streitkräften, für eine sehr restriktive Verwendung der Kernenergie ein. Vor allem wollte er der Verbreitung des Know-how für die zivile Nutzung und der Ausweitung von Exporten angereicherten Urans einen Riegel vorschieben.

Helmut Schmidt und Präsident Giscard d'Estaing – unterstützt von Japans Ministerpräsident Takeo Fukuda – spielten sich gegenseitig die Bälle zu. Sie wiesen auf den dringenden Bedarf an Kernbrennstoffen jener Länder hin, die nur unzureichende Vorräte der fossilen Energieträger Öl, Kohle, Braunkohle oder Erdgas besitzen. Sie seien zur Sicherung ihrer Energieversorgung auf die Kernenergie angewiesen. Auch die Länder der Dritten Welt könnten nicht ausgeschlossen werden. Den Industrieländern müsse Gelegenheit gegeben werden, nukleare Anlagen unter entsprechend scharfer Überwachung zu exportieren.

Carter malte die weltweite Bedrohung aus, die von der Verbreitung von Atomwaffen und von der Fähigkeit ausging, Atomwaffen herzustellen.

Das Schreiben von zuverlässigen Protokollen vertraulicher Gipfeltreffen erfordert Präzision, Kenntnis des Diskussionsstoffes und hohe Konzentration. Es ist anstrengend und bereitet nicht immer Freude. Anders bei dieser dreistündigen Diskussion in London. Man konnte spüren, wie das gegenseitige Verständnis für die unterschiedlichen Ausgangspositionen wuchs, wie die sieben Staats- und Regierungschefs ihre Auffassungen annäherten. Diese Beratungen in London waren für mich ein Musterfall für den großen Wert persönlicher Begegnungen auf höchster Ebene im kleinsten Kreis.

Konkret wurde vereinbart, dass die sieben Teilnehmerstaaten eine Studie fertigten, auf welchen Wegen und mit welchen Mitteln der Gefahr der Ausbreitung von Atomwaffen und einer Ausweitung der Fähigkeiten, Nuklearwaffen herzustellen, entgegengetreten werden könne.

Die Administration Carter lockerte ihre restriktive Position. Der Präsident hatte bereits unmittelbar vor seiner Abreise nach London eine erste Zustimmung zu der schon seit langer Zeit beantragten Lieferung von angereichertem Uran für Brasilien an die Bundesrepublik Deutschland erteilt. Nach der Gipfeldiskussion in London haben sich die Auseinandersetzungen weiter entspannt und versachlicht. Die Regierung Carter hat sich einige Monate später bereit erklärt, die Studie der Sieben über die friedliche Nutzung der Kernenergie – über Evaluierung und Brennstoffkreislauf hinaus, im Sinne der französischen und deutschen Vorschläge – auch auf andere Bereiche, wie zukünftiger Energiebedarf, Uranversorgung, internationales Plutoniumregime etc. zu erweitern.

Die Beratungen über den ersten neuralgischen Punkt der neuen Carter-Initiativen waren auf guten Weg gebracht.

Deutschland – Lokomotive der Weltwirtschaft

Carters zweite Forderung – mehr Staatsausgaben der reichen Industrieländer, um die Weltwirtschaft anzukurbeln – hatte Bonn beim Besuch von Vizepräsident Mondale wenige Wochen nach Carters Amtsantritt abgelehnt, da sie zu weltweiter Inflation führen könnte.

Die Regierung Carter stand unter ungeheurem Druck. Der Wert des US-Dollars fiel wie ein Stein. (Während meines Stipendiums in den USA 1952 war 1 US-$ gleich DM 4,20. Nachdem die feste Bindung des Dollars an das Gold 1973 aufgegeben worden war, notierte der Dollar unter 3,00 DM. In der Jahresmitte 1977 war er 2,35 DM wert, 1978 fiel er unter die symbolisch bedeutsame Grenze von 2,00 DM).

Auf dem Weltwirtschaftsgipfel in London im April 1977 hatte Helmut Schmidt die »Lokomotiv-Theorie« zurückgewiesen (Deutschland und Japan sollten mehr tun, um ihr eigenes Wachstum zu fördern und durch zusätzliche Importe die Weltwirtschaft anzukurbeln). Aber er versprach, ein reales Wachstum von 5 % anzustreben.

Beim Besuch des Bundeskanzlers in Washington im Juli 1977 erkannte Finanzminister Mike Blumenthal an, dass die Bundesrepublik mit einem Wachstum des Bruttosozialprodukts von 4,5 % das ihr Mögliche tat, zur Belebung der Weltwirtschaft beizutragen.

Auf dem Weltwirtschaftsgipfel 1978 in Bonn wurde das Thema endgültig entschärft. Das Treffen der sieben Regierungschefs brachte ein Paket von Vereinbarungen zur Bekämpfung von Arbeitslosigkeit und Inflation, bei dem die Regierungschefs der westlichen Staaten ungewöhnlich präzise Zusagen machten. Japan verpflichtete sich, seinen Handelsüberschuss zu senken, die USA, ihre Energieimporte abzubauen, die Bundesrepublik, ihr Wirtschaftswachstum anzukurbeln.

Helmut Schmidts Zusagen lagen in der Höhe von 12 Milliarden DM. Er schob eine Sonderberatung des Kabinetts ein, um seine Minister über das große Zugeständnis zu unterrichten.

Die Erörterungen im Kabinett zogen sich in die Länge. Horst Schulmann, der Leiter der Wirtschaftsabteilung, und ich taten unser Bestes, mit Unterstützung unserer Mitarbeiter im Kanzleramt und des Auswärtigen Amts, um die Anreise der Konferenzteilnehmer zum Abendessen zu verzögern. Helmut Schmidt als Gastgeber sollte vor ihnen in Schloss Gymnich eintreffen.

Das Protokoll dirigierte die Fahrzeugkolonne von Präsident Carter im Bummelzug-Tempo durch die Dörfer des Vorgebirges zum Schloss Gymnich. Als ich Ministerpräsident James Callaghan am Hubschrauberlandeplatz in Gymnich empfing, entstieg er mit den Worten: »Es ist schön, die Kathedrale von Köln aus der Luft zu sehen. Aber Sie hätten mich nicht dreimal mit den lärmenden Motoren um die Kirchtürme dieses berühmten Gebäudes fliegen müssen.«

Das Gipfeltreffen brachte ein eindrucksvolles, konkretes Ergebnis. Helmut Schmidt als Gastgeber hatte großen Erfolg. Carter äußerte sich während des Gipfeltreffens nach einem Gespräch mit dem Bundeskanzler: »Ich lerne immer so viel von Helmut Schmidt.«

Die Ost-West-Beziehungen

Während sich die Meinungsverschiedenheiten über die Wirtschaftspolitik und die zivile Nutzung der Kernenergie entschärften, wuchsen die Differenzen über die richtige Behandlung der Beziehungen zur Sowjetunion. Der Bundeskanzler war besorgt, dass die anspruchsvolle Washingtoner Menschenrechtspolitik Moskau überfordern und die Bemühungen um Entspannung belasten würde. Er fürchtete, dass die Regierung Carter bei ihren Bemühungen um nukleare Abrüstung zwischen den Supermächten das Problem der Europa bedrohenden sowjetischen Mittelstreckenraketen nicht erkennen wollte.

Präsident Carter hatte zu wenig außenpolitische Erfahrung, um die internationalen Auswirkungen seiner innenpolitisch motivierten, weit gesteckten Ziele – mehr Menschenrechte weltweit, niedrigeres Niveau der gegenseitigen nuklearen Bedrohung zwischen USA und Sowjetunion – voll zu überblicken. Auch seinen außenpolitischen Beratern Hodding Carter und Hamilton Jordan fehlten internationale Erfahrungen. Zbigniew Brzezinski war wissenschaftlicher Fachmann für internationale Politik, aber es gab Befürchtungen, dass sein polnisches Erbe seine Haltung gegenüber Deutschland und der Sowjetunion beeinflusste.

Bundeskanzler Schmidt setzte sich in Washington und in Moskau mit aller Kraft für die Erhaltung der Entspannungspolitik ein. Er war stets um größte Glaubwürdigkeit bemüht und hat nach beiden Seiten für die gleichen Ziele mit gleichen Argumenten geworben.

Bei Präsident Carter versuchte er, Verständnis zu wecken für die Schwierigkeiten Breschnews und für die Widerstände, die selbst der mächtige Generalsekretär der KPDSU berücksichtigen musste. Er ging so weit, Carter im Vieraugengespräch von dem strikt vertraulich gehaltenen direkten Kanal zu Breschnew zu erzählen und ihm zu empfehlen, eine ähnliche, unmittelbare, persönliche Verbindung herzustellen.

Nukleare Bedrohung

Die Frage der ausgewogenen Reaktion auf die Bedrohung Europas durch den Aufbau der sowjetischen Mittelstreckenraketen führte zu einer immer gewichtigeren Meinungsverschiedenheit zwischen Carter und Schmidt.

Die interkontinentalen Raketen hießen »strategische Nuklearwaffen«, da sie für die Supermächte eine existentielle Bedrohung waren. Die »Mittelstreckenwaffen«, die für Europa ebenso bedrohlich waren, sind oft als »eurostrategische Systeme« oder als »Systeme der Grauzone« bezeichnet worden. Die »Taktischen Nuklearwaffen« (Tactical Nuclear Forces oder kurz TNF) waren die atomaren Systeme kurzer Reichweite. (Die Lance Rakete, die ursprünglich zu den TNF zählte, erhielt später in der verlängerten Version – TNF long range – die Reichweite von Mittelstreckensystemen.)

Schon in den 60er Jahren besaß die Sowjetunion fast 300 Atomraketen mittlerer Reichweite. Diese Raketen konnten einen Großteil Westeuropas erreichen, nicht aber die Vereinigten Staaten. Die USA waren der Sowjetunion an interkontinentalen Raketen eindeutig überlegen. So war das Risiko eines sowjetischen Nuklearangriffes in Europa begrenzt, da Moskau einen vernichtenden Gegenschlag der zahlenmäßig überlegenen interkontinentalen Raketen vom amerikanischen Boden aus befürchten musste.

In den 70er Jahren veränderte sich das Kräfteverhältnis. Bei den Interkontinentalwaffen holte Moskau kräftig auf. Im Mittelstreckenbereich, d. h. bei den für Europa wirksamen eurostrategischen Nuklearwaffen, gewann die Sowjetunion ein immer größeres Übergewicht. Der amerikanisch-sowjetische Vertrag zur Begrenzung strategischer Waffensysteme (SALT I) kodifizierte das atomare Gleichgewicht zwischen den beiden Supermächten im interkontinentalen Bereich, er ließ aber zu, dass Moskau sein Übergewicht im eurostrategischen Bereich beibehielt oder noch ausbaute.

England und Frankreich hatten eigene Atomwaffen. Die Bundesrepublik hatte keine und wollte auch keine haben. Mit dem neuen, vertraglich fixierten interkontinentalen Gleichgewicht wuchs die Sorge über die Mittelstreckenraketen im europäischen Bereich. Dort gab es kein echtes Gegengewicht des Westens. Bonn hatte nicht ernsthaft Angst vor einem sowjetischen Raketenangriff auf die Bundesrepublik, aber doch große Sorge, die Übermacht der sowjetischen eurostrategischen Systeme könnte uns erpressbar machen und Moskau die Möglichkeit geben, einen Keil zwischen die USA und ihre europäischen Verbündeten zu treiben.

Seit Mitte der 70er Jahre wurden Testflüge einer neuen Mittelstreckenrakete der Sowjetunion – der SS-20 – beobachtet. Die SS-20 hatte eine Reichweite von etwa 5.000 km, war mobil und damit nahezu unverwundbar, sie trug drei Sprengköpfe, die auf drei verschiedene Ziele eingestellt werden konnten. Sie konnte europäische Ziele in fünfzehn Minuten erreichen. Die Bedrohung Europas erhielt eine neue Dimension.

Präsident Ford und Generalsekretär Breschnew hatten im November 1974 in Wladiwostok in groben Umrissen ein zweites Abkommen zur Begrenzung der strategischen Waffensysteme ins Auge gefasst (SALT II), über das in den kommenden Jahren verhandelt werden sollte.

Schmidt wollte, dass die eurostrategischen Systeme, vor allem die SS-20, und ein neues sowjetisches Langstreckenflugzeug mit Überschallgeschwindigkeit, der Backfire-Bomber, in das SALT-II-Abkommen aufgenommen werden sollten.

Präsident Ford zeigte Verständnis für das Problem. Aber er verlor die Wahl. Das sowjetische eurostrategische Arsenal wuchs von Monat zu Monat. Daher war dies ein besonders wichtiges Thema der Gespräche beim Besuch des Bundeskanzlers in Washington im Juni 1977 wie auch bei einem Besuch von Sicherheitsberater Brzezinski in Bonn im September des gleichen Jahres.

Der Bundeskanzler gab sich große Mühe und wandte viel Zeit auf, um Carter und Brzezinski seine Sorgen verständlich zu machen. Carter antwortete auf der Linie, Amerika sei die große strategische Atommacht. Die USA würden das globale Gleichgewicht aufrechterhalten. Man solle sich keine unnötigen Sorgen machen.

Auch Brzezinski blieb dabei, dieses Problem sei nicht eine Sache der Bundesrepublik, sondern der USA. Sollte Deutschland mit den SS-20 unter Druck gesetzt werden, würden die USA dem mit Hilfe ihrer strategischen Waffen begegnen.

Der Bundeskanzler war aber so von dieser Sorge erfüllt, dass das Thema auch bei Begegnungen mit europäischen Gesprächspartnern aus Ost und West oben auf der Agenda stand. Wir mussten für die Gesprächsunterlagen keine langen Sprechzettel fertigen. Der Bundeskanzler hatte die Fakten und Argumente stets präsent. Es war unsere Aufgabe, jeweils die letzten Zahlen über die SS-20-Raketen und den Backfire-Bomber zu beschaffen.

Allistair Buchan Memorial Lecture

Der Bundeskanzler hatte schon lange zugesagt, die Allistair Buchan Memorial Lecture am 28. Oktober 1977 vor dem International Institute for Strategic Studies (IISS) in London zu halten.

Schmidt hatte wie üblich Weisung gegeben, die Rede gründlich vorzubereiten. Als Schwerpunkt hatte er vorgegeben, er wolle über die neue, nichtmilitärische Dimension der Sicherheit sprechen, die – neben den militärischen und sicherheitspolitischen Aspekten – mit der Ölkrise, mit den wirtschaftlichen Verwerfungen, mit der Diskussion über den Ost-West-Handel immer größere Bedeutung gewann. Es wurde ein in sich abgerundeter Entwurf gefertigt. Kurz vor der Rede legte die Abteilung noch einige vom Chef des Planungsstabes des Bundesverteidigungsministeriums Walter Stützle entworfene, zusätzliche Ausführungen zum Thema SALT, MBFR und Neutronenwaffen vor, die sich auf der Linie der Gedanken und Argumente bewegten, die der Bundeskanzler in den letzten Wochen benutzt hatte. Schließlich sollten seine Darlegungen vor diesem anspruchsvollen Gremium von Sicherheitsexperten auf dem letzten Stand sein.

Der Bundeskanzler hielt eine Begleitung von Abteilung 2 nicht für nötig; als langjähriges Mitglied des IISS werde er sich im vertrauten Kreise von Freunden befinden. Ich nutzte die seltene Gelegenheit, um mit Karin zu einem privaten Abendessen unter Freunden zu gehen.

Als wir nach Hause zurückkehrten, leuchteten die Lampen der Anrufbeantworter. Das Lagezentrum des Bundeskanzleramts berichtete, das Weiße

Haus, die Amerikanische Botschaft in Bonn und die Deutsche Botschaft in Washington hätten seit Stunden versucht, mich zu erreichen. Brzezinski wollte sofort den vollen Wortlaut der bedeutenden Rede erhalten, die der Bundeskanzler zu den strategischen Waffen und zu Abrüstungsverhandlungen gehalten habe. Am nächsten Morgen folgten Anforderungen der Sowjetischen Botschaft und anderer Regierungen. Ich telefonierte bis lange nach Mitternacht, um sicherzustellen, dass das Weiße Haus sofort den gewünschten Wortlaut erhielt. Die anderen interessierten Regierungen wurden gleich am nächsten Morgen unterrichtet.

Die öffentliche Aufnahme der Rede als Sensation überraschte mich. Der Bundeskanzler hatte seine Gedanken und Sorgen bei so vielen Gesprächen mit anderen Regierungschefs in Ost und West immer wieder vorgebracht, dass sie mir nicht mehr als außergewöhnlich erschienen waren.

Das Ziel dieser der Rede angefügten Überlegungen zum atomaren Kräfteverhältnis war es auf keinen Fall, eine neue Rüstungsrunde anzukurbeln, sondern auf das Problem des schnell wachsenden Ungleichgewichts im Bereich der Mittelstreckenraketen hinzuweisen.

»Durch SALT«, sagte Schmidt, »neutralisieren sich die strategischen Nuklearpotentiale der Vereinigten Staaten und der Sowjetunion. Damit wächst in Europa die Bedeutung der Disparität auf nukleartaktischem und konventionellem Gebiet zwischen Ost und West.«

Die Neutronenwaffe

Der Bundeskanzler hatte sich in seiner Rede vom 28.10.77 auch zur Neutronenwaffe geäußert, die zunehmend die Diskussion der Kernwaffen auf beiden Seiten des Atlantiks erhitzte. Er sagte:

»Die Neutronenwaffe ist daraufhin zu prüfen, ob sie als zusätzliches Mittel der Abschreckungsstrategie, als Mittel zur Verhinderung eines Krieges für das Bündnis von Wert ist. Wir sollten uns aber nicht auf diese Prüfung beschränken, sondern auch untersuchen, welche Bedeutung und welches Gewicht dieser Waffe in unseren Bemühungen um Rüstungskontrolle zukommt.«

Bei der Neutronenwaffe (im Englischen ERW, Enhanced Radiation Weapons) handelt es sich um Sprengköpfe beziehungsweise Artilleriemunition mit erhöhter »Strahlen- und verminderter Druckwirkung«.

In militärischen Kreisen wurde die Neutronenwaffe als eine nützliche Verteidigungswaffe angesehen. Aber in der deutschen Öffentlichkeit, vor allem auch in der Partei des Bundeskanzlers, stieß dieser neue Vorschlag auf viel Kritik und Skepsis. Egon Bahr mit seiner Begabung für überspitzte Formulierungen nannte die Bombe eine »Perversion des Denkens«, sie töte Menschen, lasse aber die Besitztümer unzerstört.

Die Entscheidung über Produktion und Einführung dieser Waffe war auch in den USA heftig umstritten. Im Juli hatte es im Senat eine Kampfabstimmung gegeben, die nur mit der Stimme des Vizepräsidenten zugunsten der Administration entschieden wurde. Die interne Diskussion veranlasste die amerikanische Regierung, Rückendeckung bei den Verbündeten zu suchen.

Die Sowjetunion startete eine große Gegenaktion. Generalsekretär Breschnew schrieb Briefe an die verbündeten Regierungen.

Präsident Carter suchte engen Kontakt mit Bonn. Er telefonierte mit dem Bundeskanzler. Im September 1977 schickte er seinen Sicherheitsberater Brzezinski zu einem langen Gespräch mit Helmut Schmidt nach Bonn.

Der Bundessicherheitsrat (BSR)

Die Bundesrepublik als wichtigstes potentielles Stationierungsland lag im Zentrum des aufziehenden Sturms. Der Bundeskanzler nutzte den Bundessicherheitsrat, um die Haltung der Bundesregierung zu entwickeln und abzustimmen. Dadurch geriet meine Abteilung mitten hinein in dieses immer heftiger werdende Unwetter.

Die Geschäftsordnung des Bundessicherheitsrats (BSR) von 1977 übertrug die Zuständigkeit für den BSR auf Abteilung 2. Sekretariat, Vorbereitung der Sitzungen und die Abstimmung der Tagesordnungspunkte lagen beim Militärstab meiner Abteilung in den Händen von Kapitän zur See Borgemeister und später bei Oberst i. G. Genschel. Mir oblag die Leitung des Ausschusses der Abteilungsleiter der beteiligten Ministerien, der für die gesamte Arbeit des Bundessicherheitsrats verantwortlich war.

Es war eine große Hilfe, dass die zuständigen Ressorts Auswärtiges Amt und Bundesverteidigungsministerium erstklassige Vertreter hatten, mit denen ich seit Jahren bekannt und befreundet war.

Klaus Blech leitete die politische Abteilung des Auswärtigen Amts. Seine steile Karriere machte ihn später zum Botschafter in Moskau und in Tokio und zum Staatssekretär bei Bundespräsident Richard von Weizsäcker. Ministerialdirigent Friedrich Ruth war der Abrüstungsbeauftragte des Auswärtigen Amts, der sich seit Jahren mit Rüstungskontrolle und Abrüstung befasst hatte, und der später erfolgreicher Botschafter der Bundesrepublik Deutschland in Rom wurde.

Im Bundesverteidigungsministerium hatte vor allem General Tandecki große Erfahrung in der Truppenführung, in der Arbeit des Ministeriums und in internationalen Stäben. Walter Stützle war der angesehene Chef des Planungsstabes im BMVg.

Von Anfang Oktober 1977 – wenige Wochen nach dem eingehenden Telefonat mit Präsident Carter und dem Gespräch mit Brzezinski – bis zum März 1978 gab es in schneller Folge eine Reihe von Sitzungen, in denen der Bundeskanzler, Bundesaußenminister Genscher und Bundesverteidigungsminister Apel zusammen mit den weiteren Mitgliedern des Bundessicherheitsrats die deutsche Haltung abstimmten und entwickelten.

Am 6. Oktober 1977 gab der Generalinspekteur der Bundeswehr einen ersten Überblick über die neuen Waffen. Die Einführung der Neutronenwaffe bedeute keine Änderung der bisherigen Strategie. Sie führe nicht zur Anhebung der Nuklearschwelle. Sie könne mit Rüstungskontrollgesprächen verbunden werden. Der Generalinspekteur empfahl aus militärischer und militärpolitischer Sicht, der Einführung der Neutronenwaffe zuzustimmen.

Bundeskanzler, Bundesaußenminister und Bundesverteidigungsminister lagen in der Einschätzung der Lage nahe beieinander. Alle wollten ein gutes Verhältnis zu dem wichtigsten Verbündeten, den USA, bewahren. Alle sahen mit Sorge die wachsende sowjetische Bedrohung im Mittelstreckenbereich. Minister Hans Apel und sein Haus wollten die Verteidigungskapazität des Bündnisses den gewachsenen Kräften der Sowjetunion anpassen. Allerdings bewegten sie sich bei der Auseinandersetzung im In- und Ausland eher im Schatten des Bundeskanzlers, der in der Sache hervorragend unterrichtet war und sich persönlich stark engagierte. Bundesminister Genscher war von der Notwendigkeit, die Kräfte des Westens anzupassen, also zu erhöhen, so überzeugt, dass er später über diese Frage den Wechsel der Regierungskoalition herbeiführte.

Der Bundessicherheitsrat tastete sich Schritt für Schritt an die Lösung heran. Kernelemente seiner Haltung waren:

- Die Bundesrepublik ist kein Atomwaffenstaat, daher hat sie bisher an keiner Entscheidung über die Produktion von Kernwaffen mitgewirkt. Daran könne und werde sich auch in Zukunft nichts ändern.
- Wenn der amerikanische Präsident die Produktion von Neutronenwaffen in eigener Entscheidung beschließt, dann müsste ausgelotet werden, wie und wo diese in Rüstungskontrollverhandlungen eingebracht werden könnten. Die größte Bedrohung im konventionellen Bereich sah der Bundessicherheitsrat in der starken Überlegenheit der sowjetischen Pan-

zertruppen. Es lag nahe, die neue Waffe gegen die Panzer ins Spiel zu bringen.

- Die Bundesrepublik hatte zugleich großes Interesse, die schnell wachsende Zahl sowjetischer Mittelstreckenraketen durch Rüstungskontrollverhandlungen zu begrenzen. Daher war sie auch bereit, die Neutronenwaffen in die Verhandlungen über die Begrenzung der SS-20 einzuführen.
- Der Bundessicherheitsrat sah voraus, Deutschland würde wichtiges Gebiet der Stationierung werden.
- Deutschland dürfe mit der Stationierung der Neutronenwaffen aber nicht in eine singuläre, herausgehobene, besondere Position gebracht werden. Die Bundesrepublik müsse mit gezielter Propaganda und Kritik rechnen – von der Sowjetunion, von den anderen Warschauer-Pakt-Staaten und vor allem aus der DDR. Daher war für die Stationierung auf deutschem Boden ein gemeinsamer Beschluss des gesamten Bündnisses erforderlich. Die Neutronenwaffen könnten aber nicht nur bei uns aufgestellt werden. Andere Partner auf dem europäischen Kontinent müssten ebenfalls stationieren.

Parallel zu den Beratungen im BSR liefen Gespräche mit europäischen Nachbarn. Italien sicherte die Stationierung der Neutronenwaffe zu. Der Bundeskanzler sprach eingehend mit Ministerpräsident Andries van Agt in den Niederlanden und mit Premierminister Maertens und Außenminister Henri Simonet in Belgien.

Ein immer wichtigeres Thema im Bundessicherheitsrat waren die Überlegungen für einen Abrüstungsvorschlag. Aus den Erfahrungen der Gespräche mit Moskau – über die Rückkehr der deutschen Kriegsgefangenen, über den deutsch-sowjetischen Vertrag, über das Berlin-Abkommen – wussten wir, dass die Sowjetunion ein überaus zäher, hartnäckiger und schwieriger Unterhändler war, dass man ihr Konzessionen nur mit Gegenkonzessionen abringen konnte und dass es vor allem darauf ankam, Moskau die Grenzen des eigenen Entgegenkommens mit größter Klarheit und Entschlossenheit darzutun.

Die Bundesregierung hatte die Bemühungen von Ford/Kissinger und von Carter/Vance unterstützt, bei SALT II ein Gleichgewicht bei den interkontinentalen Raketen anzustreben. Sie verfolgte jedoch seit Jahren mit wachsender Sorge, dass die Sowjetunion das Kräfteverhältnis auf dem europäischen Kontinent drastisch veränderte. Schon bei SALT I hatte der Westen es versäumt, die Parität im Bereich der strategischen Nuklearwaffen an mehr Gleichgewicht bei herkömmlichen militärischen Kräften wie Truppen und Panzern zu koppeln.

Die Bundesregierung war jetzt besorgt, dass die amerikanische Regierung weiter scheibchenweise für Europa wichtige Verhandlungspositionen aufgab, ohne Gegenkonzessionen von sowjetischer Seite zu fordern:

- So war der Bundeskanzler bestürzt, als Präsident Carter die Produktion des B 1-Bombers einseitig einstellte, ohne sie in die SALT-II-Verhandlungen einzubringen.
- Die Bedrohung für Europa wuchs, als Washington in den Verhandlungen mit Moskau erreichte, dass der neue sowjetische Backfire-Bomber nicht mehr gegen Nordamerika eingesetzt werden sollte.
- Die Bundesregierung war überrascht, dass die USA bereit waren, mit den Sowjets über die Begrenzung von Marschflugkörpern (Cruise Missiles) zu verhandeln, ohne die europäischen Interessen an diesen neuen Systemen zu berücksichtigen.
- Nach alledem würde es verheerend sein, nunmehr auf die Neutronenwaffe zu verzichten, ohne Gegenleistungen der Sowjetunion anzustreben.

Wenn Gegenpositionen aufgebaut werden sollten, mussten sie für Moskau überzeugend sein. Das Angebot, zu einer internationalen Vereinbarung über Rüstungsbegrenzungen zu kommen, würde nur dann Eindruck machen, wenn für den Fall des Scheiterns konkrete Schritte für die Einführung der Neutronenwaffe festgelegt wurden. Darum verwandte der Bundeskanzler so viel Mühe auf die Gespräche mit europäischen Nachbarn: Belgien, die Niederlande und Italien sollten einer Stationierung zustimmen, genauso wie die Bundesrepublik.

Zwischen den Sitzungen des Bundessicherheitsrats mussten neue Beschlussvorlagen erarbeitet und Pressereaktionen zu Stellungnahmen aus Washington und anderen Hauptstädten abgegeben werden. Die Abstimmung zwischen van Well, Blech und Ruth im AA, Stützle und Tandecki im Bundesverteidigungsministerium und Abteilung 2 im Bundeskanzleramt war oft nicht einfach. Bundeskanzleramt und BMVg legten die Betonung darauf, dass die Entscheidung über die Produktion der Neutronenwaffen Sache der Amerikaner war und in die Abrüstungsbemühungen eingebettet werden müsse, das Auswärtige Amt neigte dazu, die Ankündigung zusätzlicher Systeme, falls die Rüstungskontrollbemühungen scheiterten, deutlicher herauszustellen.

Am 20. und 22. März 1978 waren die entscheidenden Beratungen des NATO-Rats. Der BSR wollte die Haltung der Bundesregierung hierfür am 14. März 1978 festlegen.

Kurz zuvor erhielt ich einen Sprechzettel, den der amerikanische Geschäftsträger in Bonn, Mehan, im Auswärtigen Amt übergeben hatte und in dem er mitteilte, die US-Regierung strebe in Brüssel einen Beschluss an, der zu einem Kommuniqué mit den folgenden Elementen führen solle:

- Der Beginn der Produktion ist eine nationale Entscheidung der USA.
- Das Bündnis bestätigt das Angebot, die Neutronenwaffen in Rüstungskontrollverhandlungen einzubringen.
- Die Verbündeten sind bereit, zur Stationierung zu schreiten, wenn nach zwei Jahren die Rüstungskontrollverhandlungen keinen Erfolg bringen.

Ich hatte das Papier sofort dem Bundeskanzler zugeleitet. Er legte den Vorschlag seinen Bemühungen um eine Kompromissformel im BSR und um einen einvernehmlichen Beschluss im Bündnis zu Grunde.

Der Bundessicherheitsrat (BSR) beschloss am 14. März 1978, die Bundesregierung werde in der Sitzung des NATO-Rates am 22. März einen den jüngsten amerikanischen Überlegungen entsprechenden Beschluss des Bündnisses mittragen. Der Bundesaußenminister wurde beauftragt, bei den Konsultationen im Bündnis für die Option »Neutronenwaffe gegen Panzer« einzutreten. Sollte der NATO-Rat der Option »Neutronenwaffe gegen SS-20« den Vorzug geben, sollte der Vertreter der Bundesregierung auch dieser Linie zustimmen.

Das war der übereinstimmende Beschluss der Mitglieder des BSR. Zwischen dem deutschen und dem amerikanischen Beschlussvorschlag bestanden keine grundlegenden Unterschiede. Daher war eine Einigung auf dieser Grundlage zu erwarten.

Der Koalitionspartner FDP trug diese Linie mit. Der Verteidigungsminister der SPD Apel und der Generalinspekteur unterstützten den Bundeskanzler. Helmut Schmidt hatte den schwierigsten Part übernommen. Er musste den Vorsitzenden seiner Partei, Willy Brandt, und den Vorsitzenden der Fraktion im Bundestag, Herbert Wehner, über den Beschluss des Bundessicherheitsrats unterrichten.

Beide hatten sich bereits skeptisch zur Neutronenwaffe geäußert. Die Telefonate waren letztlich erfolgreich, aber ohne jede Wärme.

Der Weg war frei, dass der deutsche Vertreter in der NATO, Botschafter Rolf Pauls, bei einer Einigung in den Konsultationen des Bündnisses mitwirken konnte.

Unmittelbar vor den Beratungen des NATO-Rates kam die große Überraschung aus Washington. Die abschließenden NATO-Konsultationen sollten sine die verschoben werden. Die offizielle amerikanische Begründung für die Verschiebung – die Lage im Libanon, der Amerika-Besuch des israelischen Premierministers Begin – überzeugte niemanden. Amerikanische und deutsche Zeitungen äußerten die Vermutung, der Grund für die Verschiebung seien Zweifel von Präsident Carter, ob die Alliierten wirklich zur Stationierung der Neutronenwaffe bereit sein würden.

Hinterher erfuhren wir, dass Carter die Verschiebung gegen den Rat seines Außenministers Cyrus Vance und seines Verteidigungsministers Brown beschlossen hatte.

Warren Christopher in Hamburg

Am 28. März 1978 wurde das Bundeskanzleramt unterrichtet, der stellvertretende amerikanische Außenminister, Staatssekretär Warren Christopher, werde dem Bundeskanzler eine persönliche Botschaft von Präsident Carter zum Thema Neutronenwaffe überbringen.

Helmut Schmidt war in seiner Heimatstadt. Ich flog nach Hamburg. Am 31. März saßen wir beide in der Hansestadt und warteten auf die Erläuterungen des Emissärs aus Washington.

Der Bundeskanzler hatte sein Ansehen als sachverständiger Kenner in Sicherheitsfragen in die Waagschale geworfen und sein persönliches Verhältnis zu den beiden wichtigsten Persönlichkeiten seiner Partei aufs Spiel gesetzt, um die Zustimmung der Bundesregierung zu ermöglichen. Jetzt hatte Präsident Carter sein Angebot zurückgezogen.

Warren Christopher, begleitet von Botschafter Walter J. Stoessel und dem zuständigen Leiter der Europa-Abteilung im State Department, trug die Botschaft des Präsidenten knapp, sachlich und mit der nüchternen Präzision eines gewieften amerikanischen Anwalts vor.

Der Präsident habe eine starke Abneigung gegen die Entscheidung, die Neutronenwaffe zu produzieren. Diese neuen Waffen seien auf Vorbehalte in der freien Welt und im Senat gestoßen. Sie hätten hohes Potential, das Bündnis zu spalten. Für die Verteidigung hätten die Neutronenwaffen nur marginale Bedeutung. Die Bemühungen, die Neutronenwaffe als Handelsobjekt für Verhandlungen der Rüstungsbegrenzung zu verwenden, seien nicht viel versprechend. Es sei schon kontrovers, was als Gegenleistung gefordert werden solle.

Der Bundeskanzler antwortete beherrscht, klar und deutlich. Mit dem Unterton der Enttäuschung schilderte er sein Erstaunen über die neue Entwicklung. Er berichtete eingehend und mit großem Nachdruck über die positive Meinungsbildung im Bundessicherheitsrat. Am Ende der Beratungen hätte die deutsche Linie zu fast 100 Prozent dem übermittelten amerikanischen Gesprächsführungsvorschlag für die Sitzung des NATO-Rates am 20. März entsprochen.

Der Bundeskanzler sagte abschließend, Bundesminister Genscher werde die Antwort der Bundesregierung überbringen.

Noch am gleichen Abend habe ich mit Ruth und Stützle die Papiere für die Gespräche des Bundesaußenministers in Washington ausgearbeitet.

Bundesminister Genscher führte am 4. April in Washington Gespräche mit Präsident Carter, Außenminister Vance und Verteidigungsminister Brown. Am 5. April berichteten Bundeskanzler und Bundesminister Genscher dem Kabinett.

Die Ereignisse überschlugen sich. Am 7.4. verkündete Präsident Carter seine Entscheidung: Die Einführung und Stationierung von Neutronenwaffen wurde in der Schwebe gehalten. Die Erklärung hielt die Möglichkeit offen, die Option der Neutronenwaffe für Rüstungsbegrenzungen zu nutzen. Sie schloss eine weitere Modernisierung der in Europa vorhandenen nuklearen Waffen ein.

Am gleichen Tag diskutierte der NATO-Rat über diese Fragen.

Am 8.4. gab der Bundeskanzler eine erste Unterrichtung in der Gemeinsamen Sitzung des Auswärtigen Ausschusses und des Verteidigungsausschusses des Deutschen Bundestags. Für den 13.4. wurde eine umfassende Regierungserklärung angekündigt. Hektik und Zeitdruck waren ungeheuer.

Am 11. April gab der Bundeskanzler um 20.00 Uhr ein Abendessen für den tschechoslowakischen Ministerpräsidenten Chnoupek. Nach dem Abendessen wollte der Bundeskanzler den Entwurf für die umfangreiche Regierungserklärung in Händen haben. Karin saß im Abendkleid bei mir im Büro. Bis 20.15 Uhr machte ich die letzte Abstimmung mit Klaus Blech. Karin und ich kamen zu spät.

Am nächsten Tag arbeiteten wir bis 23.00 Uhr an der Regierungserklärung. Nachts um 0.30 Uhr rief der Bundeskanzler mich zu Hause an und bat um den vollen Wortlaut der von der CDU eingebrachten Resolution für die Debatte am nächsten Morgen.

Die Regierungserklärung des Bundeskanzlers vor dem deutschen Bundestag am 13. April 1978

Der Bundeskanzler gab am 13. April eine große Erklärung vor dem Deutschen Bundestag ab. Nach einem knappen Bericht über die Tagung des Europäischen Rats vom 7. und 8. April in Kopenhagen schilderte er eingehend die Entwicklung der letzten Monate zur Frage der Neutronenwaffen. Meine Abteilung hatte dem Bundeskanzler einen Entwurf ausgearbeitet, der die vertraulichen Beratungen und die geheimen Vorlagen für Bundessicherheitsrat und Kabinett seit Herbst 1977 ausführlich und in großer Offenheit darlegte. Die Regierungserklärung wurde vom Bundestag gut aufgenommen.

Rückblickend lässt sich sagen, dass die Wochen im Frühjahr 1978 die Geburtsstunde für den Doppelbeschluss waren, der dann vom Bündnis vier Jahre später am 12. Dezember 1982 gefasst wurde. In den bilateralen Konsultationen und in den Beratungen des NATO-Rates über die Einführung der Neutronenwaffe hatte die von der Bundesregierung stark favorisierte Idee an Boden gewonnen, die Option der Neutronenwaffen für Rüstungsbegrenzung zu nutzen. Zwischen Washington, London und Bonn herrschte Übereinstimmung über diesen integrierten Ansatz: Modernisierung und Angebot für Rüstungsbegrenzungsverhandlungen.

Die eingehende Information des Deutschen Bundestags und der deutschen Öffentlichkeit über die vertraulichen Überlegungen im Bundessicherheitsrat und über die Beratungen mit den Verbündeten, die umfassende Darstellung der Problematik und der geplanten deutschen Zusagen führten nicht zu ernsthaften Protesten. Es gab keine Demonstrationswelle, keinen Aufschrei wie später im Dezember 1982. Die Parlamentsdebatte war kurz und unaufgeregt. Die innenpolitische Diskussion hatte noch nicht begonnen. Die Propagandawelle aus der Sowjetunion und der DDR hatte noch nicht eingesetzt. Damals wäre es leichter gewesen, die Öffentlichkeit für den integrierten Doppelansatz, rüstungskontrollpolitische Nutzung und notfalls Stationierung, zu gewinnen.

Breszinski hat sich später in seinen Erinnerungen beschwert, keine mit seinem Draht zu London vergleichbare direkte Verbindung zu Bonn gehabt zu haben. Seine Perspektive für den Ansprechpartner war zu anspruchsvoll – sein Ansprechpartner in London war der Außenminister. Er schreibt selbst, dass er bei seiner ersten Begegnung mit dem Bundeskanzler zu forsch aufgetreten ist.

Ich hatte David Aaron, dem Stellvertreter Breszinskis im Stab des Weißen Hauses, schon bei dessen erstem Besuch in Bonn mit Vizepräsident Mondale und später bei den Besuchen von Bundeskanzler Schmidt in Washington wiederholt eine direkte, persönliche Verbindung angeboten. Reisen nach Washington, wie sie spätere Nachfolger durchgeführt haben oder wie meine Kurzflüge nach London waren zu jener Zeit nicht denkbar. Die Verbindung zu Aaron sollte sich erst in der nächsten Runde der Bemühungen um einen Doppel-Beschluss erwärmen und bewähren.

Es fehlte zu jener Zeit auch noch an ausreichenden Vorarbeiten. Bei der Hardware für die Modernisierung waren – wie wir im Kanzleramt mit Überraschung feststellten – die Überlegungen der Militärs und der High-Level-Group für eine verbesserte Lance und für Cruise Missiles weit fortgeschritten. Aber es fehlte ein vergleichbares Konzept für die Komponente der Rüstungsbegrenzung. Die Verbündeten auf beiden Seiten des Atlantiks mussten erst ihre unterschiedlichen Einstellungen zu den eurostrategischen Systemen sowie zur Bedrohungsanalyse für Europa annähern und Elemente für ein Rüstungskontrollangebot an die Sowjetunion erarbeiten. So blieb diese Runde trotz des großen persönlichen Einsatzes der politischen Führer in Bonn, London und Washington ohne erfolgreichen Abschluss.

Die für den Bundessicherheitsrat verantwortliche Abteilung 2 hatte seit Beginn der Beratungen über die Neutronenwaffe im Herbst 1977 hart und pausenlos gearbeitet. Die Enttäuschung war groß. Aber es blieb keine Zeit, sich der Erschöpfung hinzugeben oder den Kopf hängen zu lassen – der Besuch von Generalsekretär Breschnew stand vor der Tür.

Generalsekretär Breschnew

Vom 4. bis 7. Mai 1978 kam Breschnew zum Staatsbesuch nach Deutschland. Monatelang hatte der Bundeskanzler die Begegnung mit großer Sorgfalt vorbereitet.

Eine meiner Aufgaben war es, sicherzustellen, dass die Verhandlungen über das deutsch-sowjetische Wirtschaftsabkommen fristgerecht bis zu Breschnews Besuch abgeschlossen waren.

Mit der Unterzeichnung während des Besuchs wollte der Bundeskanzler für die wichtigen und zukunftsträchtigen Wirtschaftsbeziehungen eine vertragliche Grundlage schaffen, die bis ins 21. Jahrhundert reichen würde. Die Verhandlungen lagen im Auswärtigen Amt bei Minister Genscher und Staatssekretär Peter Hermes in den besten Händen. Meine Aufgabe war es, den Bundeskanzler sofort einzuschalten, wenn es Schwierigkeiten von sowjetischer Seite oder aus deutschen Kreisen gab, die den Abschluss gefährdeten.

Der Schwarze wird Ihnen berichten

Parallel liefen Gespräche über eine deutsch-sowjetische Gemeinsame Politische Erklärung. Sie wurden von Staatsekretär van Well und dem sowjetischen Botschafter Valerian Falin geführt. Am 26.4. wurden van Well und ich spät abends zum Bundeskanzler und Bundesaußenminister gebeten, die den Entwurf für die Erklärung überarbeitet hatten, und erhielten Weisungen für die Formulierungen. Am 29.4. war ich in Hamburg, als Falin dem Bundeskanzler eine persönliche Botschaft von Generalsekretär Breschnew überbrachte. Der Bundeskanzler unterrichtete Minister Genscher, der in Berlin war, so gut es ging über eine ungeschützte Leitung: »Der ›Schwarze‹ wird Ihnen berichten, der ›Holländer‹ soll mit seinem Gesprächspartner verhandeln.« Als ich van Well (der mit Letzterem gemeint war) unterrichtete, fragte er mich, ob »schwarz« sich wohl auf meine Parteizugehörigkeit bezöge oder auf meine Haarfarbe.

Für die Verhandlungen war das Interview sehr hilfreich, das Breschnew Ende April/Anfang Mai 1978 dem »Vorwärts« gegeben hatte. Es enthielt neue, aufgeschlossene Aussagen zur Abrüstung, insbesondere auch zur Verhältnismäßigkeit, zu Parität und Gleichgewicht des Rüstungsstandes und der Abrüstungsbemühungen. Diese Aussagen wurden wichtiger Bestandteil der gemeinsamen Erklärung zum Abschluss des Besuchs.

Der Bundeskanzler bereitete sich persönlich eingehend auf die Diskussion über die Mittelstreckensysteme vor. Ich flog nach London, um von den britischen Geheimdienstexperten und vom International Institute for Strategic Studies die letzten Zahlen über die atomaren Mittelstreckensysteme – Raketen, Flugzeuge und andere Flugkörper wie Cruise Missiles, die mit nuklearen Sprengköpfen ausgerüstet werden konnten – einzuholen. In der Abteilung bereiteten wir für den Bundeskanzler eine einfache graphische Darstellung vor, in der die vorhandenen Systeme – Warschauer Pakt in Rot, Nato in Blau – gegenübergestellt wurden. Helmut Schmidt hatte sich neben den Blöcken, die die Gesamtzahl darstellten, handschriftlich die Größenordnung der einzelnen Systeme eingetragen.

Am Spitzengespräch des Bundeskanzlers mit dem Generalsekretär am 5. Mai 1978 nahmen auf sowjetischer Seite Andrej Michaelowitsch Alexandrow und Anatoli Iwanowitsch Blatow und auf deutscher Seite ich als notetaker (Protokollant) teil.

Breschnew wirkte älter als erwartet. Bei seinen Ausführungen klammerte er sich an seine Papiere. Erst im anschließenden Gespräch kam es zu einem Austausch von Argumenten.

Nach kurzer Erörterung der von Breschnew eingeführten Gravamina – kritische deutsche Presseberichte über die Sowjetunion, die Sendungen von Radio Free Europe und Radio Liberty, Entsendung Berliner Parlamentarier ins Europa-Parlament – kamen beide zum wichtigsten Punkt, den Sicherheitsfragen und militärischen Problemen.

Breschnew legte dar, Deutschland gebe Milliarden für die Rüstung aus. Die Sowjetunion erwarte, dass die Bundesrepublik nicht eine Erhöhung ihrer militärischen Macht anstrebe. Die Sowjetunion unterhalte keine geringen Streitkräfte und müsse für deren Unterhaltung bedeutende Summen aufwenden, aber die Vereinigten Staaten verfügten über ein großes nukleares Arsenal, mehr als 1.000 Interkontinental-Raketen, über 650 Raketen auf U-Booten, über mehr als 400 strategische Bomber. Die USA könnten mehr als 10.000 Sprengköpfe gegen die Sowjetunion einsetzen. Zurzeit arbeiteten die USA an noch wirksameren Waffen. In Mitteleuropa seien NATO-Streitkräfte von ungefähr 1 Million Soldaten stationiert. Es gebe dort ein ungefähres Gleichgewicht im konventionellen Bereich.

Nach einem langen Monolog Breschnews kamen die knappen, konzentrierten Antworten des Bundeskanzlers. Er sagte, er habe keine Sorge, dass die Sowjetunion angreife, solange die Führung in den Händen des Generalsekretärs liege. Aber er mache sich Gedanken über spätere Zeiten, wenn andere Generationen die Führung übernähmen. Sorge bereiteten uns drei Bereiche: Die Panzerüberlegenheit des Warschauer Paktes in der Mitte Europas, die Überlegenheit bei den Mittelstrecken-Raketen und bei den Bombern.

Der Bundeskanzler legte die Darstellung des Kräftevergleichs bei den Mittelstreckensystemen auf den Tisch und bat um Überprüfung der Zahlen. Er wies besonders auf das Problem der SS-20 hin. Dieses System falle unter die eurostrategischen Systeme. Er habe mit Genugtuung gehört, dass die Sowjetunion bereit sei, auch über die Waffen im Mittelstreckenbereich zu verhandeln. Er würde es sehr begrüßen, wenn es zu Verhandlungen zwischen Sowjetunion und USA über diese Systeme kommen würde. Er habe den Hinweis auf die langen Grenzen der Sowjetunion und auf die Volksrepublik China verstanden. Seine Besorgnisse richteten sich auf den Reduzierungsraum in Mitteleuropa.

Zu Carter und Breschnew sagte der Kanzler: Präsident Carter sei interessiert, mit Breschnew zusammenzutreffen. Er habe den ernsthaften Wunsch, SALT II zum Erfolg zu führen. Es gebe Widerstände in Teilen der amerikanischen Öffentlichkeit und im Kongress. Der Vertrag bedürfe der Ratifikationsmehrheit im Senat. Von Bonn aus gesehen würden die Dinge auch beeinflusst von der Entwicklung in Afrika, in Somalia, in Äthiopien und in Angola.

Die Bundesregierung wünsche Gleichgewicht. Dies könne erzielt werden durch Reduzierung der Rüstung oder durch Aufrüstung. Er trete von ganzem Herzen für Rüstungsbegrenzung ein.

Am folgenden Tag führte ich im Auftrag des Bundeskanzlers ein Gespräch mit den außenpolitischen Beratern von Breschnew, Alexandrow und Blatow. Ich übergab Alexandrow eine Liste von Härtefällen ausreisewilliger Volksdeutscher. Alexandrow sagte die Prüfung aller Fälle und Weiterleitung an die zuständigen Behörden zu.

Ich versuchte, Alexandrow die Darstellungen zum Ost-West-Kräfteverhältnis zu übergeben, die der Bundeskanzler Generalsekretär Breschnew am Vortrag gezeigt hatte. Alexandrow war aber nicht bereit, weiter als sein Chef zu gehen und die Graphik entgegenzunehmen. Er nahm in unserem Gespräch allerdings Kenntnis von den Zahlen. Ich habe angeregt, dass er die Relation der Panzer, der Flugzeuge und der Mittelstrecken-Raketen in Ost und West überprüfen lasse und mir die sowjetischen Zahlen übermittele. Alexandrow sagte zu, er werde sich diese Anregung durch den Kopf gehen lassen. Zu weiterer Festlegung war er nicht bereit.

Am Abend fuhren Karin und ich zu der großen Hochzeit von Karins Patenkind Monika Barten am Fuße des Hochsauerlandes.

Am 7. Mai unterrichtete der Bundeskanzler Präsident Carter über die Gespräche. Sie seien in freundlicher Atmosphäre verlaufen; Breschnew sei bemüht gewesen, Kontroversen herunterzuspielen. Breschnew habe sich in einem Vier-Augen-Gespräch ausführlich nach der Meinung des Bundeskanzlers über Präsident Carter erkundigt. Breschnew habe in diesem Zusammenhang nahezu inquisitorisch gefragt. Er, der Bundeskanzler, hätte die friedlichen Absichten von Präsident Carter und seine Entschlossenheit, SALT II zu einem guten Ende zu führen, betont.

Zum gesundheitlichen und psychischen Zustand des Generalsekretärs sagte der Bundeskanzler, er kenne ihn seit fünf Jahren. Breschnew sei nicht mehr so stark wie damals. Er sei aber nach wie vor die bestimmende Kraft im Politbüro und wohl auch noch in der Lage, die Grundlinien der sowjetischen Politik zu bestimmen. Man könne ihn nicht als gebrechlich bezeichnen; sein Friedens- und Verständigungswille sei nach wie vor bestimmend und klar.

Der Bundeskanzler berichtete Carter, er habe Breschnew eine graphische Darstellung des Kräfteverhältnisses bei den Mittelstreckensystemen gezeigt, die Breschnew kommentarlos zur Kenntnis genommen habe. Wichtig sei jedoch, dass Breschnew Verhandlungsbereitschaft für Waffen des Mittelstreckenbereichs zu erkennen gegeben habe. Diese Waffen sollten allerdings weder in die laufenden SALT- noch in die MBFR-Verhandlungen eingeführt werden.

Das wichtigste Ergebnis dieses Besuchs war die gemeinsame Feststellung in der Schlusserklärung: »Beide Seiten betrachten es als wichtig, dass niemand militärische Überlegenheit anstrebt. Sie gehen davon aus, dass annäherndes Gleichgewicht und Parität zur Gewährleistung der Verteidigung ausreichen.« Diese Erklärung bekräftigte für die Ost-West-Verhandlungen die Grundsätze Gleichheit und Parität und zeigte unseren westlichen Verbündeten, dass die Bundesregierung mit ausdauernder Geduld die Haltung der Sowjetunion erfolgreich beeinflussen konnte.

Besuch bei den amerikanischen Panzertruppen

Beim Deutschlandbesuch Präsident Carters vom 13.-15. Juli 1978 wurde ein Abstecher von Bundeskanzler und amerikanischem Präsident zu den amerikanischen Truppen in Deutschland eingeschoben. Der Bundeskanzler wollte so die Verbundenheit auch im militärischen Bereich deutlich machen. Gleichzeitig wollte er die Gelegenheit nutzen, dem amerikanischen Präsidenten das hohe Niveau der deutschen Verteidigungsbereitschaft vorzuführen.

Am Morgen des 14. Juli waren deutsche und amerikanische Panzertruppen auf dem Übungsgelände in Erbenheim bei Wiesbaden angetreten.

Das Programm sah vor: »Begrüßung durch den amerikanischen Commander Blanchard und den deutschen Inspekteur des Heeres Generalleutnant Hildebrandt. Präsident und Bundeskanzler besteigen ein Armeefahrzeug. Sie werden begleitet von einem Kommandeur der US-Brigade und der deutschen Panzerbrigade 14. Fahrt entlang der Rollbahn, vorbei an aufgestelltem Militärgerät (Panzer, Artillerie etc.), Möglichkeit zu kurzen Ansprachen von der Ehrentribüne, Gespräche mit den Mannschaften.«

Der Eindruck war unvergesslich. Erst besichtigten Bundeskanzler und US-Präsident die amerikanischen Truppen. Die Sherman-Panzer älterer Bauart machten einen mitgenommenen und wenig gepflegten Eindruck. Die GIs standen in lockerer Haltung neben ihren Fahrzeugen. Sie bemühten sich, Haltung anzunehmen, als Präsident Carter und der deutsche Bundeskanzler sich näherten, was ihnen allerdings nur teilweise gelang.

Dann folgte die deutsche Panzertruppe. Die jungen Bundeswehrsoldaten standen neben nagelneuen Leopard-Panzern. Sie hatten ihre Fahrzeuge für den Besuch bestens geputzt und hergerichtet. Ihre Haltung war vorbildlich. Man sah ihnen an, es machte ihnen Freude, dem Präsidenten des großen verbündeten Landes ihre Einsatzbereitschaft zu zeigen.

Der Unterschied in Aufmachung und Auftreten der beiden Truppen ist auch mir als weißem Jahrgang stark aufgefallen und hat sich tief eingeprägt. Ich habe später als Staatssekretär und als Botschafter in Washington vielfach Begegnungen mit amerikanischen Offizieren und Soldaten gehabt.

Der Eindruck in Erbenheim war einmalig und hat sich nicht wiederholt. Es war der Tiefpunkt der Demoralisierung der amerikanischen Streitkräfte nach dem verlorenen Vietnam-Krieg. Das Ansehen der Truppe hatte durch die Demonstrationen und die innenpolitischen Auseinandersetzungen in den USA stark gelitten. Die Truppen hatten in den USA, und mehr noch in Übersee, Drogenprobleme.

Unter Präsident Reagan begann kurz darauf eine durchgreifende Reform von Ausbildung und Ausrüstung der amerikanischen Streitkräfte.

Eine Dekade später erlebte ich als Botschafter in den USA die geballte Kampfkraft amerikanischer Flugzeugträger. Ich sah die Effizienz amerikanischer Flugzeugvorführungen. Bei Vorträgen in der Marineakademie Annapolis erhielt ich Einblick in den hohen Bildungsstand von Kadetten und Offizieren. Ich sah die Präzision moderner amerikanischer Waffensysteme und besuchte die Kommandozentrale für strategische Nuklearwaffen in Nebraska.

Nach diesen Besuchen schien das Erlebnis in Erbenheim wenige Jahre zuvor einer völlig anderen Welt anzugehören. Auch dies war ein Beweis für die große Fähigkeit der amerikanischen Nation, sich in kürzester Zeit umzustellen und neuen Anforderungen dynamisch anzupassen.

Spionage in Abteilung 2

Neben dem Einsatz engagierter Kollegen aus dem Höheren Dienst wurde Abteilung 2 unterstützt durch eine Gruppe hart arbeitender und überaus loyaler Sekretärinnen. Sie stellten sicher, dass bei plötzlichen Anforderungen des Kanzlerbüros für Besucher, Telefonate oder Anfragen bis in den späten Abend die nötigen Unterlagen und Stellungnahmen der Abteilung für den Bundeskanzler ohne jede Verzögerung gefertigt werden konnten. Schnelligkeit war essentiell. Eine Gesprächsunterlage, die dem Bundeskanzler erst fünf Minuten nach Beginn der Unterredung vorgelegt werden konnte, war wertlos, vertane Liebesmüh.

Am 4. Mai 1978 kam abends nach Ende der Dienstzeit der Sicherheitsbeauftragte des Bundeskanzleramts zu mir. »Herr Ruhfus, es tut mir leid, wir haben in Ihrer Abteilung einen Spionagefall. Es handelt sich um eine der Sekretärinnen.« Ich antwortete: »Lassen Sie mich nachdenken.« Dann fragte ich: »Ist es Frau Kahlig-Scheffler?« Er war überrascht. »Ja, das ist richtig.«

Der Kreis war überschaubar. Wir waren durch ständige Schulung über die Geheimhaltungsvorschriften darauf hingewiesen, dass besonderer Diensteifer verdächtig sein konnte. Frau Kahlig-Scheffler war mir mehrfach angenehm aufgefallen, da sie auch zu späten Abendstunden immer wieder bereitwillig dringende Schreibarbeiten übernahm. In der Abteilung war sie eine geschätzte Mitarbeiterin.

Sie war eine von den alleinstehenden Frauen, auf die der Nachrichtendienst von Markus Wolf bevorzugt einen Mitarbeiter »mit Charme« ansetzte.

Die Aufdeckung machte uns viel zusätzliche Arbeit. Ministerialdirektor Günter Gnodtke, der frühere Leiter der Rechtsabteilung des Auswärtigen Amtes, war beauftragt worden, zu prüfen, ob und wie weit Staats- und Landesverrat vorlag. Mein Vertreter Hans Werner Loeck und ich mussten alle Vorgänge der letzten Jahre durchgehen, die »vertraulich«, »geheim« oder »streng geheim« eingestuft waren und zu denen Frau Kahlig-Scheffler Zugang gehabt hatte.

Es handelte sich um viel Papier, aber im Endergebnis war der wirkliche Schaden glücklicherweise begrenzt. Ein großer Teil der geheimen Unterlagen enthielt Zahlen, Fakten und Einschätzungen, die nur vor Beginn von bilateralen Verhandlungen, vor einem Staatsbesuch oder vor großen Gipfeltreffen schutzbedürftig waren. Hatten die Verhandlungen begonnen, war der Gipfel erfolgreich abgeschlossen, waren sie entweder überholt oder vom Bundeskanzler bzw. seinem Regierungssprecher Klaus Bölling der Presse mitgeteilt worden.

Es blieb ein überschaubarer Stapel von vertraulichen Unterlagen, vor allem des Bündnisses, von Korrespondenzen des Bundeskanzlers mit anderen Staats- und Regierungschefs, deren Verrat die Interessen der Nato oder eines anderen Landes schädigte. Im Großen und Ganzen hatte Frau Kahlig-Scheffler Informationen vermittelt, die der anderen Seite einen zeitlichen Vorsprung von Wochen oder Tagen gaben. Im Fall Guillaume beispielsweise wog der Verrat viel schwerer, da es sich dabei um Unterlagen von Verhandlungen handelte, bei denen die DDR der Verhandlungspartner war, und dank derer die Gegenseite unsere Position kannte, ehe sie überhaupt auf den Tisch gelegt wurde.

Frau Kahlig-Scheffler wurde rechtskräftig verurteilt. Mir tat sie leid. Sie war eine tüchtige, hilfsbereite Mitarbeiterin, die den besonderen Umständen der deutschen Teilung und der DDR-Spionage zum Opfer gefallen war.

Vierergipfel in Guadeloupe

Zum Jahreswechsel 1978/79 zeichneten sich weit reichende Änderungen in der weltpolitischen Lage ab. Die USA standen vor der Aufnahme diplomatischer Beziehungen mit der Volksrepublik China. Die Sowjetunion hatte die Abkühlung ihrer Beziehungen zur anderen Supermacht signalisiert, indem sie die Unterzeichnung des unterschriftsreifen SALT-II-Vertrags hinausschob. In Europa wuchs die Sorge über einen möglichen Rückschlag in der Ost-West-Entspannungspolitik. Die Bemühungen um die Einführung der Neutronenwaffe waren gescheitert. Gegen das wachsende Machtgefälle zwischen der Sowjetunion und den USA im Bereich der Europa bedrohenden Mittelstreckenraketen gab es kein Konzept.

Im nahöstlichen Spannungsbogen von Iran bis nach Ägypten und zur Türkei wuchsen die Probleme. Zwar hatten die Verhandlungen in Camp David Fortschritte gebracht und den Weg für den israelisch-ägyptischen Friedensvertrag geebnet (er wurde am 26.03.1979 unterzeichnet), gleichzeitig steigerten sich die Unruhen und Turbulenzen im Iran. Am 4.11.1979 besetzten revolutionäre Garden die amerikanische Botschaft in Teheran. Die Türkei versank zunehmend in wirtschaftlichem Chaos und in bürgerkriegsähnlichen innenpolitischen Auseinandersetzungen.

Die Zusammenarbeit zwischen den USA, Großbritannien, Frankreich und Deutschland wurde immer wichtiger für die transatlantische Zusammenarbeit und für neue Anstöße im Bereich des Bündnisses. Im Auswärtigen Amt hatten meine Kollegen und ich wiederholt über Formen und Ebenen nachgedacht, die Vierer-Konsultationen ermöglichen und auch nach außen überzeugend begründen würden. Der einzige Kreis, der viele Jahre die Abstimmung dieser vier ermöglichte, waren die Treffen der Außenminister am Vorabend der Frühjahrs- und Herbstkonferenzen des NATO-Bündnisses.

Für die wirtschaftlichen Themen hatten Giscard d'Estaing und Helmut Schmidt mit dem jährlichen Weltwirtschaftsgipfel eine erfolgreiche Praxis angestoßen, die brennenden Finanzfragen, die Fragen der Energiepreisexplosion, die Probleme der Binnenkonjunktur und der weltweiten wirtschaftlichen Entwicklung im vertraulichen Kreis der Hauptakteure zu erörtern. Jetzt verlagerte sich der Schwerpunkt der Themen der westlichen Politik:

Die vier Berater beim Gipfeltreffen in Guadeloupe, Januar 1979.
Von rechts: Lord Hunt, Chef des Cabinet Office London, Jacques Wahl, Generalsekretär des Elysée, Spig Brzezinski, Sicherheitsberater von Präsident Carter und Ruhfus

Nach Wirtschafts- und Währungsproblemen kehrte der frühere Vorrang der Sicherheitspolitik zurück.

Viele der globalen Herausforderungen konnten in den bestehenden westlichen Organisationen nicht behandelt werden. Das Nordatlantische Bündnis war nach seiner Anlage und Struktur noch nicht für die globalen Fragen ausgelegt. Der Europäischen Gemeinschaft gehörten die USA nicht an.

In Guadeloupe nun fand zum ersten Mal ein Vierertreffen auf der Ebene der Staats- und Regierungschefs statt. Sie wurden begleitet von jeweils einem Berater; das waren Zbigniew Brzezinski, der Sicherheitsberater des amerikanischen Präsidenten, Jacques Wahl, der Generalsekretär im Elysée, Sir John Hunt, der Leiter des Cabinet Office von Downing Street, und ich. Für Bundeskanzler Schmidt war die Teilnahme an einem derartigen weltpolitischen Tête-à-tête die Anerkennung für seine erfolgreiche Wirtschafts- und Außenpolitik, für seine geachtete internationale Position.

Es gab keine vorher festgelegte Tagesordnung. In der Abteilung hatte ich mich mit von der Gablentz, Graf Rantzau, Zeller und Genschel intensiv beraten über die Themen und die Papiere, die wir dem Bundeskanzler vorbereiteten: Eintritt Chinas in die Weltpolitik, die Reaktion in Moskau, die Auswirkungen auf die Entspannung, die wichtigsten Vorhaben und Verhandlungen über die Rüstungsbegrenzungen sowie der nahöstliche Spannungsbogen vom Iran bis Ägypten und zur Türkei.

So kam ich nach Guadeloupe, gespannt, ob sich unsere Einschätzung über Inhalt und Verlauf der Gespräche als richtig erweisen würde.

Die erste Begegnung am 5. Januar vormittags war ein Acht-Augen-Gespräch ohne Begleitung. Es folgten zwei Sitzungen am Nachmittag des 5. und Vormittag des 6., bei denen auf Vorschlag des Gastgebers Giscard d'Estaing auch die teilnehmenden Mitarbeiter keine Protokollnotizen machen sollten. Die Regierungschefs und ihre Berater saßen in der angenehmen Wärme dieses vom Klima begünstigten Breitengrades. Ein Palmendach schützte vor der Sonne. Die in den Wintermonaten übliche Brise sorgte für Wohlbefinden. Hier saßen die Regierungschefs in einem typischen Touristenmilieu der gehobenen Klasse und tauschten ihre Gedanken über die brennenden Fragen der Weltpolitik aus.

Der Kontrast hatte für mich etwas beinahe Irreales. Die Kollegen aus London, Paris und Washington waren an derartige Begegnungen in schönen, klimatisch angenehmen, exotischen Plätzen, die zu ihrem Land gehörten oder ihnen aus früherer Kolonialzeit verbunden waren, gewöhnt. Für mich war es ein neues Erlebnis.

Doch die Gedanken konnten nicht lange abschweifen. Die Entscheidung von Giscard d'Estaing, keine Notizen zuzulassen, stellte erhebliche Anforderungen an unser Erinnerungsvermögen und unsere Konzentrationsfähigkeit.

Selbstverständlich kannten wir die Gedanken unserer Chefs. Für die Ausführungen der übrigen Teilnehmer halfen die guten persönlichen Beziehungen zu den anderen Beratern, so dass ich beim Fertigen der Protokolle zu wichtigen Details auch noch einmal persönlich nachfragen konnte.

Im Übrigen konnte ich mich auf das ausgezeichnete Erinnerungsvermögen des Bundeskanzlers verlassen, dem üblicherweise bei der Durchsicht der Protokolle auch kleine Ungenauigkeiten oder Unschärfen nicht entgingen, die er mit seinem grünen Stift knapp präzisierte oder richtig stellte.

Carter eröffnete das Gespräch zu China mit einem Hinweis auf den Ende Januar bevorstehenden Besuch von Deng Xiaoping. Er wolle mit der Normalisierung der amerikanischen Beziehungen zur Volksrepublik China den

Westen stärken. Das Verhältnis zur Sowjetunion solle jedoch nicht beeinträchtigt werden. Der Dialog mit Moskau habe für seine Regierung weiterhin große Bedeutung.

Bei der Diskussion über mögliche Konsequenzen wurde ein Präventivschlag der Sowjetunion gegen China von allen vier Staatsmännern als völlig unwahrscheinlich bezeichnet. Gleiches galt für die Spekulationen über eine Versöhnung zwischen Moskau und Peking, die eine überwältigende Konzentration von Macht schaffen würde. Alle vier betonten in unterschiedlicher Form, dass die Normalisierung der Beziehungen zu China zu niemandes Lasten gehen solle, vor allem nicht zu Lasten der Entspannung.

Die vier stimmten überein, dass man beim Ausbau der Beziehungen sich nicht von der Erwartung milliardenschwerer Großgeschäfte leiten lassen sollte. Wirtschaftliche Lieferungen und technologischer Transfer sollten normal laufen und nicht durch besondere Präferenzen gefördert werden.

Unterschiedliche Tendenzen zeigten sich bei der Frage der von Peking erhofften Waffenlieferungen. Breschnew hatte in gleich lautenden Briefen an Paris, London und Bonn und andere Hauptstädte auf die Brüchigkeit der Entspannung verwiesen, falls der Westen Peking mit Waffen versorgen würde, und mit einem neuen Brief an alle vier teilnehmenden Regierungen diese Warnung noch verschärft.

Der Bundeskanzler befand sich mit Präsident Carter in der komfortablen Position, dass sie beide auf die Zurückhaltung ihrer Länder hinweisen konnten. Er werde in seiner Antwort an Breschnew darauf abstellen, dass die Bundesrepublik in ständiger Praxis ihre Waffenlieferungen auf den Bündnisbereich beschränke. Ferner werde er darauf hinweisen, dass die Unteilbarkeit der Entspannung auch für Waffenlieferungen aller Staaten gelten müsse.

Callaghan und Giscard d'Estaing behielten sich eine flexiblere Politik vor. Callaghan: eine Lieferung von 50 Harrier-Flugzeugen sei nur Draufgabe für einen begehrten chinesischen Großauftrag. Giscard sagte für Frankreich, es sei nur an die Lieferung von Verteidigungswaffen kürzerer Reichweite gedacht, wie Milan-Raketen und Hubschrauber, nicht dagegen an Offensivwaffen oder an die Lieferung von Militärtechnologie.

Die vier stimmten überein, es gelte, den Entspannungsprozess zu erhalten und der Sowjetunion auch wegen China keine Vorwände zu liefern, den strategischen Dialog in eine Sackgasse zu steuern. Giscard, Callaghan und Schmidt plädierten nachdrücklich für die Ratifizierung des SALT-II-Vertrages im amerikanischen Senat. Sie wollten ohnehin vorhandenen Bedenken der Senatoren nicht durch substantiierte europäische Anregungen oder Forderungen Auftrieb geben und die Annahme des Vertrages vereiteln.

Andere Probleme – wie die Einbeziehung der für Europa bedrohlichen Kernwaffen mittlerer Reichweite – sollten erst in der dritten SALT-Runde verhandelt werden.

Hier wurden unterschiedliche Interessen sichtbar. Giscard widersetzte sich jeder Erosion der nuklearen Unabhängigkeit seines Landes und weigerte sich nachdrücklich, die französischen Nuklearwaffen in einen Verhandlungstopf einzubringen.

Callaghans Erklärungen waren weniger explizit, ließen jedoch keinen Zweifel, dass auch die englischen Systeme nicht in internationale Verträge über Begrenzung der nuklearen Kapazität einbezogen werden sollten.

Giscard merkte an, die Haltung Moskaus gegenüber der Bundesrepublik habe sich gewandelt. Er sah bei der Verbesserung den Respekt für die Person und die Politik des Bundeskanzlers. Callaghan äußerte, Moskau spiele die deutsche Karte und betrachte Bonn als neuen Vorzugspartner in Westeuropa.

Der Bundeskanzler trat Mutmaßungen und Verdächtigungen, die Bundesrepublik könne und wolle sich politisch stärker profilieren, mit Nachdruck entgegen. Er warb um das Verständnis der anderen Konferenzteilnehmer für die Haltung der Bundesrepublik. Deutschland tue alles, um eine Sonderposition zu vermeiden. Er zählte die spezifischen westdeutschen Verwundbarkeiten auf, die Härten der deutschen Teilung, die verletzliche Lage Berlins, die Last der Verbrechen der Nazidiktatur. Besonders seine Sorge, die fortdauernde Berichterstattung ausländischer Medien über die deutsche Vergangenheit könne in zehn oder zwanzig Jahren zu abträglichen Reaktionen in der deutschen Bevölkerung führen, die dann an diesen Ereignissen keinen persönlichen Anteil mehr gehabt habe, machten nachhaltigen Eindruck.

Giscard d'Estaing sah die Lösung dieser Probleme in der Einbindung der Bundesrepublik Deutschland in die westliche Gemeinschaft.

Das Gespräch wandte sich der Zukunft der strategischen Rüstungsbegrenzung zu. Die drei europäischen Teilnehmer sagten dem amerikanischen Präsidenten zu, sie wollten den Abschluss von SALT II am Ende der Konferenz öffentlich unterstützen. Danach fragte Giscard nach den Plänen für SALT III (das dritte Abkommen der Strategic Armament Limitation Talks).

Carter nannte als Ziel die weitere Reduzierung der interkontinentalen Raketen und die Verbesserung der Verifikation. Er hob die technischen Fortschritte der Sowjetunion hervor. Die sowjetischen Nuklearraketen könnten jetzt mit einem Erstschlag 85-90 verbunkerte amerikanische Systeme ausschalten und auch die Command-and-Control-Verbindungen gefährden. Er berichtete über neue amerikanische Entwicklungen im Bereich der seegestützten interkontinentalen Raketensysteme und gab einen Überblick über die Möglichkeiten der Vereinigten Staaten, die nuklearen Systeme im Mittelstreckenbereich zu verbessern: modernisierte Pershing-II-Raketen, luftgestützte, bodengestützte und seegestützte Cruise Missiles (Marschflugkörper). Er könne den Kongress allerdings nur um die erforderlichen Mittel in Höhe von 2 Milliarden US-Dollar bitten, wenn sichergestellt sei, dass die neuen Systeme auch in Europa stationiert würden.

Er sei bereit, die Mittelstreckensysteme in SALT III einzubeziehen. Hierzu benötige er allerdings die Kooperation der europäischen Verbündeten.

Jim Callaghan antwortete. Er verwies auf seine Gespräche mit dem Bundeskanzler und regte an, innerhalb von 6 Monaten ein Konzept zu erarbeiten, was gegen die Unausgewogenheit im Bereich der Mittelstreckensysteme getan werden solle.

Giscard d'Estaing berichtete, Gromyko habe im Gespräch über die Mittelstreckenproblematik heftig reagiert und auf die westlichen Systeme zur Vorneverteidigung verwiesen. Er, Giscard, glaube nicht, dass es dem Westen möglich sein werde, für den Abbau der sowjetischen SS-20-Raketen die Verringerung bestehender westlicher Systeme als Gegenleistung anzubieten. Er wandte sich kategorisch gegen eine Einbeziehung der französischen und der britischen Systeme. Daher könnten die sowjetischen Mittelstreckensysteme wie die SS-20 nur im Zusammenhang mit erst noch zu schaffenden westlichen Systemen in SALT III einbezogen werden. Paris werde allerdings bereit sein, eigene französische Cruise-Missiles-Programme gleichzeitig mit der Entscheidung der Verbündeten über die Einführung der amerikanischen Marschflugkörper anzukündigen.

Jetzt wandten sich die Blicke dem Bundeskanzler zu. Man spürte, wie die Spannung wuchs. Alle am Tisch hatten das Gefühl, dass die Begegnung sich einem entscheidenden Punkt näherte. Sie hatten den unglücklichen Ausgang der Neutronenwaffen-Debatte noch in lebendiger Erinnerung.

Der Bundeskanzler erläuterte seine Haltung ruhig, konzentriert und ohne sichtbare Anspannung. Die Thematik und die Argumente waren ihm aus vielen Gesprächen während der vergangenen Monate mit führenden Persönlichkeiten aus Ost und West bestens vertraut. In der Abteilung sagten wir gelegentlich scherzhaft, wenn man ihn nachts wecken und ihm ein Mikrophon vorhalten würde, würde er seine Version lückenlos und meisterhaft herunterspulen, auf Deutsch oder auf Englisch.

Gleichgewicht und umfassender, gesamtpolitischer Ansatz müssten für die konventionellen Waffen und für die Mittelstreckenraketen ebenso gelten wie für die Interkontinentalraketen. Sowjetische Mittelstreckensysteme bedrohten nicht nur Europa, sondern auch den Nahen und Mittleren Osten sowie Teile Ostasiens. Helmut Schmidt erläuterte die Lücke zwischen den taktischen Systemen und den interkontinentalen Nuklearwaffen im Westen, die den Sowjets mit ihrem Übergewicht der Mittelstreckensysteme in einigen Jahren ein politisches Druckmittel in die Hand geben könnte. Die Bundesregierung werde bereit sein, sich an einer Modernisierung der Taktischen Nuklearwaffen zu beteiligen, wenn diese Modernisierung nicht auf die Bundesrepublik beschränkt bleibe. Die Bundesregierung dürfe nicht in eine Sonderstellung gebracht und damit dem gezielten sowjetischen Druck ausgeliefert werden.

Nach diesen positiven Reaktionen bot Carter an, die drei Verbündeten sollten über diese Frage Gespräche mit dem amerikanischen Verteidigungsminister Brown führen.

Ich war gespannt auf die Reaktion von Helmut Schmidt. Der Bundeskanzler schlug vor, die Aufgabe nicht den Verteidigungsministern zu übertragen, sondern den Außenministern. Das reflektierte die Erfahrung der letzten Jahre, dass die Verteidigungsministerien sich leichter tun, die notwendigen Schritte für zusätzliche Bewaffnung und Rüstung zu planen. Die Rüstungsindustrie, besonders in den USA, lieferte bereitwillig Ideen und neue kostspielige Systeme. Die Außenministerien waren zwar ebenfalls zuständig für die internationalen außenpolitischen Aspekte der Verteidigung, aber eben auch für die Bereiche Abrüstung, Rüstungsbegrenzung und Rüstungskontrolle.

Über die wichtige Frage des weiteren Vorgehens kam es noch nicht zu einer einvernehmlichen Lösung.

Das Gespräch wandte sich, über die Wirren im Iran und die möglichen Konsequenzen für den Weltenergiemarkt, der Türkei zu. Angesichts der gefährlichen Entwicklung im nahöstlichen Krisenbogen sahen die vier Staatsmänner eine wachsende politische Bedeutung des Landes am Bosporus. Präsident Carter verwies auf die katastrophale Wirtschaftslage der Türkei. Die USA seien bereit, sich an einem Konsortium unter der Führung eines anderen Partners zu beteiligen.

Nach der Sitzung hatten der Bundeskanzler und ich vor dem Abendessen einen kurzen Gedankenaustausch über das Treffen. Wir begrüßten den Durchbruch: Zum ersten Mal zeichnete sich eine Übereinstimmung der vier westlichen Mächte über einen parallelen Ansatz ab: Stationierung von neuen Systemen durch das Bündnis, verknüpft mit einem konkreten Alternativangebot, das Gleichgewicht durch Abrüstungsmaßnahmen zu stabilisieren. Präsident Carter hatte ferner zugesichert, die vernachlässigten Grauzonensysteme in SALT III einzubeziehen.

Es kam nun darauf an, am nächsten Tag möglichst konkrete Schritte für die Fortsetzung der Gespräche festzulegen. Auch die Bundesrepublik müsse ihren Beitrag zu dem guten Ergebnis der Gespräche leisten, indem sie ihre traditionell guten Beziehungen zur Türkei einsetzte.

Am nächsten Morgen bot der Bundeskanzler an, die Bundesregierung werde die Initiative für ein Expertentreffen der vier zum Thema Türkei übernehmen. Zur Frage, wie die Probleme der Mittelstreckenraketen weiter behandelt werden sollten, schlug Carter vor, der stellvertretende National Security Advisor David Aaron werde die drei europäischen Hauptstädte besuchen, bevor Präsident Carter und Generalsekretär Breschnew sich treffen würden. Als Deckmantel könnte die Unterrichtung über den Besuch von Deng Xiaoping in Washington dienen.

Der Bundeskanzler betonte die Notwendigkeit, dass Aaron mit möglichst klaren, präzisen amerikanischen Vorstellungen nach Europa komme.

Das Treffen in Guadeloupe endete mit einer freundlichen Pressekonferenz, in der die Teilnehmer die Politik von Präsident Carter gegenüber China unterstützten und die Bedeutung des Abschlusses von SALT II unterstrichen. Alle dankten Präsident Giscard für die Ausrichtung dieses Gipfels, das einen guten, erfolgreichen und überaus nützlichen Austausch über die aktuellen Fragen der Weltpolitik ermöglicht hatte.

Für mich begann die Arbeit auf der Bahama-Insel Eleuthera, wo Helmut Schmidt vor dem Rückflug einen Zwischenaufenthalt einlegte. Ich musste aus meinen Erinnerungen und aus den Stichworten, die der Bundeskanzler mir gegeben hatte, einen zusammenfassenden Überblick über die Gespräche festhalten. Der Vierer-Gipfel hatte auch in der Öffentlichkeit starke Beachtung gefunden. Das Interesse und die Neugier in Bonn waren lebhaft. Daher musste zunächst ein ausführlicher Drahtbericht an das Bundeskanzleramt und an das Auswärtige Amt gefertigt werden.

Die Zufriedenheit über den ersten Vierergipfel war groß. Es bestand die Erwartung, dass weitere Gipfel folgen würden.

Es kam allerdings anders. Auch weiterhin gab es sprunghafte Veränderungen in der internationalen Politik, die eine Abstimmung auf höchster Ebene wünschenswert gemacht hätten. Aber die Schwäche der amerikanischen Führungsmacht unter Carter wich der energischen, selbstbewussten Politik unter Präsident Reagan; Jim Callaghan, Helmut Schmidt und Giscard d'Estaing schieden aus ihren Ämtern.

So blieb Guadeloupe ein einmaliger Ansatz, aber ein wichtiges Ereignis. Hier wurde der Weg für den – für Europa und Deutschland so wichtigen – Doppel-Beschluss der NATO geebnet. Hier zeigte sich auch, dass die Bundesrepublik unter Bundeskanzler Helmut Schmidt gut drei Jahrzehnte nach Kriegsende ein überragendes Ansehen gewonnen hatte, das sie so schnell nicht wieder erreichen sollte.

Es war erstaunlich, wie anders die Konferenz verlaufen war als die üblichen Gipfelbegegnungen in den Hauptstädten mit minutiös geplantem Ablauf, striktem Protokoll und der strengen Beachtung der Rangordnung.

In der fernen Karibik traten die innenpolitischen Sorgen zurück, die Unterrichtung aus den Hauptstädten war stark reduziert. Die britischen Kollegen Lord Hunt und Sir Clive Rose hatten sogar Schwierigkeiten, Informationen über die große Streikbewegung in England an Premierminister Callaghan heranzubringen. Die Tatsache, dass Callaghan gebräunt vom Gipfel zurückkehrte, während das Land in Streiks versank, trug dazu bei, dass er die Wahlen zum Unterhaus im Frühjahr des gleichen Jahres verlor.

Für Helmut Schmidt blieb nur ein Wunsch unerfüllt. Während Loki Schmidt in Guadeloupe einen halben Tag lang einen großen Trimaran steuern konnte, machte die starke Brandung der Bahamas eine Segeltour des passionierten Seglers unmöglich. Dennoch kehrte die Delegation zufrieden und wohlgemut nach Bonn zurück.

Das heiße Eisen schmieden: Der Stufenplan

Guadeloupe brachte für die Bundesrepublik zwei konkrete Aufträge. Das zugesagte Treffen für Hilfen an die Türkei war beim Auswärtigen Amt, beim Bundesverteidigungsministerium, Bundesfinanzministerium und Bundeswirtschaftsministerium in bewährten Händen.

Für das Bundeskanzleramt blieb vor allem der neue Ansatz im Mittelstreckenbereich. Es galt, das heiße Eisen zu schmieden. Von England und Frankreich war keine Initiative zu erwarten. Präsident Carters Vorschlag, wie weiter vorgegangen werden solle, war vage geblieben. Seine Aussagen zu möglichen Inhalten waren noch weniger deutlich gewesen.

Unmittelbar nach der Rückkehr nach Bonn setzte ich mich mit meinen Mitarbeitern in der Abteilung zusammen. Mit von der Gablentz, Graf Rantzau und Genschel erarbeitete ich für den Bundeskanzler eine eingehende Analyse der Situation nach Guadeloupe, einen Vorschlag für einen konkreten inhaltlichen Ansatz und einen Fahrplan für das weitere Vorgehen.

Die Bundesregierung sollte für das Gespräch mit Aaron nach dem Besuch von Deng Xiaoping gut gerüstet sein. Am 16. Januar 1979 legte ich dem Bundeskanzler die Schlussfassung des mehrfach überarbeiteten Papiers zum Thema »Treffen in Guadeloupe, Konsequenzen für die Abrüstungs- und Verteidigungspolitik« vor.

Wir schilderten die Position der Konferenzteilnehmer in Guadeloupe und beschrieben danach drei mögliche Optionen:
Option eins: die Entwicklung weiterlaufen lassen und abwarten, ob im Herbst 1980 eine neue, führungsbereite amerikanische Regierung gewählt wird. – Dagegen sprach: Die Sowjetunion könnte ihr Übergewicht im Mittelstreckenbereich ungehindert weiter ausbauen. Die Verbündeten würden weiterhin versuchen, sich gegenseitig den schwarzen Peter zuzuschieben.
Option zwei: Die Bundesregierung erklärt ihre Bereitschaft zur Stationierung modernisierter Träger, ohne Klarheit über die Entscheidung der anderen Europäer zu haben. – Das könnte zu Verdächtigungen führen, die Bundesrepublik strebe im militärischen Bereich eine deutsche Führung an, sie wolle näher an nukleare Waffen herankommen – und damit Tür und Tor für entsprechende Propaganda des Warschauer Pakts öffnen.
Option drei: Die Bundesrepublik setzt sich im Bündnis für zügige Entscheidungen über ein gemeinsames Konzept für die Modernisierung der taktischen Nuklearwaffen ein, für beschleunigte Beschlüsse über eine abgestufte Teilnahme der anderen Europäer an einem Modernisierungsprogramm und die gleichzeitige Erarbeitung von konkreten Rüstungskontroll- oder Abrüstungsvorschlägen in der Allianz.

Es folgte eine Liste konkreter Anregungen für beschleunigte Arbeit in den Gremien der NATO, für einen gemeinsamen Beschluss des Bündnisses über die Modernisierung, über die abgestufte Beteiligung an dem Modernisierungsprogramm – je nach den Besonderheiten und Möglichkeiten der einzelnen Mitgliedstaaten – sowie über die Nutzung der Rüstungskontrolle zur Stabilisierung des Gleichgewichts.

Wir sahen als denkbare Lösung den nachstehenden *Stufenplan*:
- Produktionsentscheidung über ein Minimum von weitreichenden taktischen Nuklearsystemen
- die Darstellung dieser Entscheidung als Ergebnis des sowjetischen Verhaltens und als Voraussetzung für unsere Fähigkeit, in Rüstungskontrollverhandlungen auf diesem Gebiet einzutreten
- Bereitschaft zur Fortsetzung der Produktion oder zur Stabilisierung durch Abrüstungsmaßnahmen, je nach sowjetischem Verhalten,
  Ausarbeiten konkreter Rüstungskontroll- und Abrüstungsvorschläge für diesen Bereich im Bündnis.

Es folgten Überlegungen für gemeinsame Schritte des Bündnisses, um diese Linie den Warschauer-Pakt-Staaten nahe zu bringen, um die Öffentlichkeit in den Nato-Staaten und vor allem auch in der Bundesrepublik zu unterrichten und zu gewinnen.

Die Aufzeichnung enthielt abschließend Empfehlungen für eine zügige Behandlung in Bonn: Gespräche des Bundeskanzlers über die Ergebnisse und Konsequenzen von Guadeloupe mit dem Bundesaußenminister und Verteidigungsminister, mit den Partei- und Fraktionschefs der Koalitionsparteien, und Aufträge an das Auswärtige Amt und an das Bundesverteidigungsministerium, eine Vorlage auf der oben skizzierten Linie für den Bundessicherheitsrat zu fertigen.

Der Bundeskanzler hat dieses Papier mit der gewohnten Genauigkeit und Intensität durchgearbeitet, mit Unterstreichungen und Anmerkungen. Zum »Stufenplan« bemerkte er »wohl r« = richtig. Schon nach 6 Tagen, am 22. Januar, erhielt ich den genehmigten Aktionsplan zurück und ging auf meiner Ebene an die Arbeit. Ich führte im Auswärtigen Amt ausführliche Gespräche mit dem Leiter der politischen Abteilung im AA Klaus Blech und mit dem Abrüstungsbeauftragten Friedrich Ruth, im Bundesverteidigungsministerium mit General Tandecki und dem Leiter des Planungsstabes Walter Stützle.

Die Abstimmung im Kreis der Kollegen wurde dadurch erleichtert, dass der »Stufenplan« nach Guadeloupe auf den Elementen aufbaute, die bereits im Bundessicherheitsrat für die Zustimmung zur Neutronenwaffe erarbeitet und gebilligt worden waren.

Der Bundeskanzler hatte die schwierige Aufgabe, seine Kabinettskollegen, die Führung der Koalitionsparteien und der Fraktionen zu unterrichten. Innerhalb der SPD war die Stimmung zu einer möglichen Nachrüstung spürbar skeptischer und zurückhaltender geworden.

Die Zeit drängte. Aaron hatte seinen Besuch für den 5./6. Februar angekündigt. Bundesminister Apel wollte am 19. Februar zu Gesprächen mit seinem amerikanischen Kollegen Brown nach Washington fliegen. Die Sitzung der High-Level-Group war in den USA vom 28. Februar bis zum 1. März 1979 vorgesehen.

David Aaron kam wie vorgesehen nach Bonn. Er berichtete über den Besuch von Deng Xiaoping in Washington. Die Gespräche seien gut verlaufen. Deng sei bemüht, den neuen Kurs in China unumkehrbar zu machen. Der Westen solle durch wirtschaftliche Zusammenarbeit und durch Ausbildung chinesischer Studenten zur Festigung der neuen Linie beitragen.

Zum Thema Modernisierung der TNF ergaben die Gespräche mit Aaron weitgehende Übereinstimmung mit dem Stufenplan, den der Bundeskanzler gebilligt hatte. Wir stellten fest, dass die Beratungen der High-Level-Group im Bereich der Modernisierung weit fortgeschritten waren. Umso wichtiger war es jetzt, sobald wie möglich die Arbeitsgruppe ins Leben zu rufen, die sich mit dem Abrüstungs- und Rüstungskontrollbereich befassen und die Vorstellungen des Bündnisses entwickeln sollte.

Wir sprachen über die abgestufte Mitwirkung der übrigen europäischen NATO-Mitglieder bei dem Beschluss des Bündnisses und der Stationierung, insbesondere über die Beteiligung der Niederlande, Italiens und Großbritanniens. Rom, Den Haag und London waren weitere Stationen auf der Reise von David Aaron in Europa.

Ich hatte den Eindruck, dass wir bis in die Details weitgehend übereinstimmende Meinungen hatten. David Aarons Eintreten für den kombinierten Ansatz Modernisierung und Abrüstung war klarer und bestimmter, als es die Ausführungen von Carter und Brzezinski in Guadeloupe gewesen waren.

Blech, Ruth und ich stimmten nach einem gemeinsamen Mittagessen mit Aaron überein, dass wir in den Gesprächen wichtige Klärungen und Fortschritte erzielt hatten.

Der außenpolitische Berater von Premierminister Callaghan, Sir Clive Rose, kam am 28. Februar nach Bonn. Er berichtete, Callaghan und die zuständigen Minister würden sich in wenigen Tagen mit den Problemen der Grauzone und der Modernisierung der taktischen Nuklearwaffen befassen. Die britische Arbeitsebene sei, wie Bonn, für eine kombinierte Behandlung von Modernisierung und Abrüstungsmaßnahmen. Der Besuch von Aaron in Bonn und London hatte nach britischer Einschätzung dazu geführt, dass die US-Administration die Bedeutung der engen Verbindung dieser beiden Elemente jetzt deutlich erkannt hatte.

Washington scheine nunmehr bereit zu sein, dass sich innerhalb des Bündnisses eine besondere Arbeitsgruppe mit den Fragen der Abrüstung und der Rüstungskontrolle befasse. Allerdings zögerten die USA, den Vorsitz in der Gruppe zu übernehmen oder die Initiative zu ergreifen. Auch waren die Amerikaner nach britischer Sicht noch nicht darauf eingestellt, von sich aus bei anderen Verbündeten, insbesondere bei Belgiern und Niederländern, bilateral auf eine Beteiligung bei der Modernisierung taktischer nuklearer Systeme hinzuwirken.

Am 24. März 1979 schrieb Aaron mir aus dem Weißen Haus und berichtete über seine Gespräche in Brüssel, Den Haag und Rom. Er habe den verbündeten Regierungen nahe gelegt zu versuchen, bis zum Jahresende 1979 einen Konsens über Modernisierung und Rüstungskontrolle im Rahmen des Bündnisses zu erzielen. Italien wollte allerdings nur schrittweise vorgehen, um die TNF-Modernisierung nicht zu einem Thema für die italienischen Wahlen werden zu lassen, die voraussichtlich im Sommer 1979 stattfänden. Auch die Holländer baten, mit dem Datum flexibel bleiben zu dürfen. Ferner warfen sie die Frage auf, ob das Bündnis im Zusammenhang mit der Entscheidung über die Stationierung von taktischen Nuklearwaffen großer Reichweite das Gesamtniveau nuklearer Systeme durch die Reduzierung der Kurzstreckensysteme und einiger Gefechtsköpfe senken könne. Die Gesprächspartner seien übereinstimmend dafür eingetreten, die bevorstehenden Ministertreffen im Defense Planning Committee, im Nuclear Planning Committee und dem NATO-Rat dazu zu benutzen, das Bewusstsein der Öffentlichkeit für die sich aus der Modernisierung der sowjetischen Mittelstreckenraketen ergebenden Probleme zu schärfen. Er sagte zu, mich weiter über die Entwicklung der Überlegungen in Washington auf dem Laufenden zu halten.

Der »Stufenplan« lag nun in den Händen der Fachleute des Bündnisses. Er konnte seinen Weg gehen – über die Experten in der Defence Planning Group, in der Nuclear Planning Group und im Military Committee – zu den Ministertreffen des NATO-Rates.

Frankreich war auf Grund seiner Sonderstellung zur NATO außen vor. Großbritannien, die USA und Deutschland setzten die Zusammenarbeit und Abstimmung nach Guadeloupe erfolgreich fort.

Das Zieldatum Ende 1979 konnte nicht eingehalten werden. Aber am 12. Dezember 1982 haben alle Verbündeten im Ministertreffen des NATO-Rates den viel gepriesenen, aber auch lautstark kritisierten Beschluss über die Nachrüstung gefasst. Wenn man den Inhalt des Beschlusses vom Dezember 1982 vergleicht mit dem Stufenplan vom Januar 1979, so ist festzustellen: Der größte Teil der geplanten Elemente ist fast vier Jahre später vom Bündnis indossiert und in die Tat umgesetzt worden: Modernisierung von Pershing und Einführung von Cruise Missiles, drei Jahre Zeit für die Rüstungskontrollverhandlungen (so lange brauchten die USA für die Produktion von Pershing), gemeinsamer Beschluss des Bündnisses zur Stationierung auch in England, Holland und Italien.

Die Freundschaft Schmidt – Callaghan

Die freundschaftliche Verbindung zwischen dem Bundeskanzler und dem britischen Premierminister bewährte sich bei einer Reihe von praktischen Problemen.

Schon wenige Wochen nach meinem Dienstantritt wurde ich als notetaker zu einem Telefongespräch des Bundeskanzlers mit Premierminister Callaghan gebeten. Downing Street hatte uns kein Thema genannt.

Ohne lange Einleitung kam Jim Callaghan zur Sache: »Helmut, we need your help.« Er bat um Hilfe bei den englischen Zahlungsbilanzproblemen. Großbritannien benötige dringend Kredite des Internationalen Währungsfonds. Sonst sei die internationale Zahlungsfähigkeit in Frage gestellt. Es drohten Spekulationen gegen das Pfund mit der möglichen Folge, dass die britische Währung abgewertet werden müsse.

Helmut Schmidt sagte spontan seine Unterstützung zu. Deutschland war, dank der günstigen Zahlungsbilanzsituation und der dynamischen Entwicklung unserer Exporte nach der ersten Ölkrise, in der Lage zu helfen. Es gelang, ein internationales Sicherheitsnetz für das Pfund Sterling zu schaffen.

Callaghans Worte »Helmut, we need your help« haben mich sehr berührt. Wer die Engländer und ihren Nationalstolz kennt, weiß, wie schwer dieser Bittgang für den britischen Premierminister war.

Ich erinnerte mich an meine ersten Besuche in England während der Oberschulzeit. Mir gingen Bilder durch den Kopf, wie ich 1949 aus dem total zerbombten Ruhrgebiet in die blühende Weltstadt London kam. Großbritannien war der Sieger in Europa, das Land, das der Nazi-Aggression widerstanden hatte und Hitlers Regime erfolgreich niedergekämpft hatte.

Und nun, drei Jahrzehnte später, musste Callaghan den Verlierer um Hilfe für das traditionsreiche Pfund bitten. Er tat dies mit britischem Stil und britischer Selbstbeherrschung, aber man merkte ihm an, dass ihm dieses Gespräch nicht leicht fiel.

Das war der Tiefpunkt der britischen Wirtschafts- und Zahlungsbilanzprobleme. Die britische Vitalität und die rigorose Führung von Premierministerin Margret Thatcher sollten schon bald zu einem Wechsel und zu einem neuen Aufstieg führen.

Airbus

Ein weiterer Bereich, den Premierminister Callaghan und der Bundeskanzler ihren Beratern ans Herz legten, war die Beteiligung Großbritanniens an dem Airbus-Projekt. Großbritannien war dabei, die britische Luftfahrtindustrie umzustrukturieren. Die britischen Flugzeugfirmen hatten sich zur British Aero Space Corporation zusammengeschlossen.

Großbritannien sah sich auch nach dieser Fusionierung nicht in der Lage, ein neues Mittelstreckenflugzeug allein zu entwerfen und herzustellen. Gespräche mit den amerikanischen Gesellschaften McDonald Douglas und Lockheed hatten ergeben, dass für eine britisch-amerikanische Kooperation keine Aussicht bestand.

Daher war Großbritannien an der Beteiligung an einem europäischen Gemeinschaftsprojekt interessiert. (Frankreich wollte einer britischen Beteiligung zustimmen, wenn eindeutig klar war, dass es keinen britisch-amerikanischen Alleingang geben werde.)

Ich habe mich bei den Ressorts in Bonn und den deutschen Unternehmen für die Einbeziehung von Großbritannien eingesetzt. Auf deutscher Seite gab es keine Einwände; ein größerer Kreis von erfahrenen Produzenten wäre für alle vorteilhaft. Auf Wunsch von Downing Street haben wir uns auch bei den zuständigen Stellen in Paris für die britische Beteiligung eingesetzt. So habe ich mehrfach mit den Mitarbeitern von Generalsekretär Jacques Wahl im Elysée gesprochen.

Wenig später wurde mir der »Knight of the British Empire« für Verdienste um die deutsch-britische Zusammenarbeit verliehen. Nun zeigte sich, wie sehr der britischen Regierung an einer Beteiligung an dem Projekt gelegen war.

Terrorismus

Seit Jahren terrorisierten junge Extremisten unser Land. Von Banküberfällen und Bombenanschlägen gegen militärische Einrichtungen gingen sie über zu Ermordung und Entführung bekannter Persönlichkeiten.

Die Terroristen töteten den Präsidenten des Arbeitgeberverbandes, Hanns-Martin Schleyer, den Vorstandsvorsitzenden der Dresdner Bank, Jürgen Ponto, das Vorstandsmitglied von Siemens, Kurt Beckurts, und den Vorstandsvorsitzenden der Stahlwerke Hoesch, Detlef Rohwedder.

Mit dem Attentat auf die Botschaft in Stockholm und mit der Ermordung des Direktors der politischen Abteilung des Auswärtigen Amts, Gerold von Braunmühl, wandte sich die Baader-Meinhof-Bande dem Auswärtigen Dienst zu.

Die Gefährdung strahlte auch auf unser privates Leben aus. Ich musste mit Begleitschutz zum Büro fahren. Ehe ich in den Dienstwagen stieg, durchkämmten Beamte des Bundesgrenzschutzes Einfahrt und Garten.

Mogadischu

Am 13. Dezember 1978 wurde ein Lufthansajet mit 86 Passagieren und 5 Mann Besatzung auf dem Flug von Mallorca nach Frankfurt entführt. In einem Ultimatum an Bundeskanzler Schmidt forderten die Entführer, zwei arabische Männer und zwei Frauen, die Freilassung der elf inhaftierten Mitglieder der Baader-Meinhof-Bande.

Der Bundeskanzler bildete einen großen Krisenstab, aus Mitgliedern des Kabinetts, führenden Vertretern der Regierungsparteien und der Opposition.

Der frühere Staatssekretär im Bundesverkehrsministerium und spätere Chef der Lufthansa Heinz Ruhnau und ich erhielten vom Bundeskanzler einen Sonderauftrag: Wir sollten die Überlegungen und die Entscheidungen des Krisenstabes mit verfolgen und sicherstellen, dass keine Möglichkeit übersehen würde, Unterstützung durch befreundete Länder einzuholen.

Abends lieferten wir eine kurze Zusammenfassung an den Bundeskanzler, mit Vorschlägen für die rechtzeitige Entsendung von GSG-9-Beamten, Vorwarnung von Regierungen, deren Flugplätze möglicherweise als nächste angeflogen werden konnten, für Telefonanrufe des Bundeskanzlers bei befreundeten Regierungschefs etc.

Am Freitag, dem 14.12, rief mich der Bundeskanzler zu sich. »Herr Ruhfus, Sie müssen sofort nach London fliegen. Premierminister Callaghan hat die Hilfe seiner Terrorismusexperten angeboten.« Die Bundeswehrmaschine wurde schon aufgetankt.

Karin und ich hatten für diesen Abend seit Wochen eine Reihe von Botschaftern und Persönlichkeiten aus Finanzwelt und Wirtschaft zu einem größeren Abendessen in unserem Haus eingeladen.

Viel Energie für gesellschaftliche Aktivitäten hatten wir nicht frei. Aber ab und zu versuchten wir, Freunde und Bekannte aus der Banken- und Finanzwelt nach Bonn einzuladen und mit Vertretern des diplomatischen Corps zusammenzubringen. Das erforderte großen persönlichen Einsatz von Karin und finanzielle Opfer von uns beiden.

Die Bundeswehr hoffte, dass wir am gleichen Abend zurückfliegen würden. Ich wurde von erfahrenen Beamten der GSG 9 begleitet. Die britische Regierung hatte alles gut vorbereitet. Wir führten ein Gespräch mit dem Leiter des Amts des Premierministers, Lord Hunt, und mit Experten. Der Botschafter der Vereinigten Arabischen Emirate wurde hinzugezogen.

Alle Teilnehmer rieten, den Forderungen der Entführer nicht nachzugeben. Wenn alle Verhandlungsmöglichkeiten erfolglos ausgeschöpft wären, müsste eine Polizeiaktion durchgeführt werden.

Aus dem Sitzungsraum telefonierte ich mit dem Verteidigungsminister der Vereinigten Arabischen Emirate, Scheich Mohammed. Ich wies ihn auf die bevorstehende Ankunft von Staatsminister Wischnewski hin und bat ihn sicherzustellen, dass die entführte Maschine in Dubai festgehalten würde.

Er erklärte sich bereit, mit Wischnewski und den ihn begleitenden Experten eng zusammenzuarbeiten. Die Maschine werde in Dubai aufgehalten.

Mit den britischen Vertretern vereinbarte ich, dass die britische Regierung uns Flashbangs (Leuchtgranaten) zur Verfügung stellte und dass zwei englische Sicherheitsexperten der deutschen Delegation zugeteilt würden. Die Leuchtgranaten hatten britische Experten im Kampf gegen Terroristen in Nordirland entwickelt und erprobt. Sie blendeten die Terroristen und gaben der staatlichen Spezialeinheit die Überraschungsminute, die die Überwältigung der Terroristen ermöglichte.

Die Zusage des Verteidigungsministers, die Maschine in Dubai zu halten, wurde leider vom örtlichen Personal am Flughafen unterlaufen.

Es erforderte Zeit, die Flashbangs herbeizuschaffen, sie und die Experten in unsere Bundeswehrmaschine aufzunehmen.

In der Zwischenzeit musste ich Karin vertrösten, dass sich unsere Rückkehr immer weiter verzögerte. Als ich morgens um drei Uhr nach Hause kam, hatte sie den ganzen Abend erfolgreich durchgezogen.

Wir wurden für alle Widrigkeiten entschädigt, als die Leuchtgranaten frühmorgens am 15. halfen, die Geiseln zu befreien.

Sondergeneralversammlung der Vereinten Nationen für Abrüstung

Der Bundeskanzler hatte in seiner politischen Laufbahn, auch als Autor von Büchern, viel Zeit und Energie für Rüstungskontrolle und Abrüstung aufgewandt. Er hatte daher seine Teilnehme an der Sondergeneralversammlung zu diesem Thema schon frühzeitig festgelegt und Weisung gegeben, seine Rede vor diesem Forum solle etwas Besonderes werden. Sein Redenschreiber Ministerialdirigent Bauer und ich hatten Anregungen und Formulierungsvorschläge von sachkundigen Journalisten wie Kurt Becker und Theo Sommer sowie von anderen Experten eingeholt und sorgfältig überarbeitet.

Am 25. Mai 1978 startete in Bonn die Sondermaschine der Bundeswehr zum Flug nach New York. Im vorderen Teil saßen der Bundeskanzler und seine Frau, umgeben von den Angehörigen der Delegation in der vom Protokoll ausgearbeiteten Sitzordnung.

Ungewöhnlich war, dass neben mir Karin saß. Der Bundeskanzler hatte sie eingeladen, mit der Delegation nach New York und Washington zu fliegen.

Als der Steward das Mittagessen servieren wollte, hatte der Bundeskanzler die Presse durchgesehen und den Entwurf für seine Rede vor den Vereinten Nationen gelesen. Er drehte sich zu mir um: »Herr Ruhfus, das soll ich morgen in New York vortragen? Die Rede muss völlig überarbeitet werden.«

Das Mittagessen fiel aus. Statt Kaviar und Steinbutt gab es Kaffee und trockene Biskuits. Klaus Blech, Friedrich Ruth und ich setzten uns zum Bundeskanzler. Karin flüchtete in den hinteren Teil der Maschine zu journalistischen Freunden aus der Zeit des Pressereferats.

Es folgte eine intensive Redaktionssitzung, die den ganzen Flug dauerte und in der die Rede von Anfang bis Ende neu verfasst wurde. Helmuth Schmidt verfügte über unvergleichliche Kenntnisse in den Fragen von Macht und Gleichgewicht, von Sicherheit, Rüstung und Abrüstung.

Nach der Ankunft in New York gab ich den im Flugzeug geschriebenen Text an den Chef des Sprachendienstes, Dolmetscher Weber. Die Rede sollte in Englisch gehalten werden. Das Fachchinesisch der Rüstungs- und Abrüstungsthematik war so kompliziert, dass Blech, Ruth und ich während der folgenden Nachtstunden den englischen Redetext eingehend durchsehen mussten.

Die Rede in New York wurde ein Standardwerk, aus dem wir auch später immer wieder zitierten.

Der Bundeskanzler erklärte eingangs: »Ich spreche für ein Land, das keine Großmachtpolitik betreiben kann und keine betreiben will.« Anschließend gab er einen umfassenden Überblick über die Gefahren, die die Welt bedrohten, sowie über die Methoden, ihnen zu begegnen, der weit über den bescheidenen Beginn seiner Ausführungen hinausging.

Er betonte, wie nötig »Vorhersehbarkeit und Berechenbarkeit des politischen und militärischen Verhaltens« sind. An beide Supermächte richtete er die Mahnung, vier Richtlinien zu beachten: Provokationen vermeiden; die eigenen Optionen unmissverständlich klar machen; gefährliche Situationen durch Kompromissbereitschaft entschärfen und, viertens, den Beteiligten die Wahrung ihres Gesichts ermöglichen.

Es folgte eine Agenda der Aufgaben und Probleme, die ihrer Lösung harrten, und eine Prioritätenliste für deren Behandlung.

Als die Sonne über dem East River aufging, fiel ich erschöpft ins Bett.

Am 28. Mai fanden Karin und ich Zeit für einen kurzen Besuch des Metropolitan Museum in New York und für einen deprimierenden Abstecher in den verfallenden und hoffnungslosen Stadtteil Harlem.

Nach den Gesprächen mit der Regierung Carter in Washington und dem NATO-Gipfeltreffen musste ich auf dem Rückflug den außenpolitischen Teil der Regierungserklärung verfassen. Ankunft in Bonn: 6.00 Uhr. Abgabe der Erklärung vor dem Deutschen Bundestag: 9.00 Uhr. Danach habe ich 24 Stunden geschlafen, nur kurz unterbrochen von einem Mittag- und einem Abendessen.

Reisen mit dem Bundeskanzler waren nie erholsame Vergnügungsveranstaltungen. Es tat mir sehr leid, dass Karin eine besonders anstrengende Dienstreise erwischt hatte für ihre erste Erfahrung, auf die sie sich so gefreut hatte.

Besuch beim polnischen Ministerpräsidenten Gierek in Hela

Helmut Schmidt wusste bei allem harten Einsatz auch die schönen Seiten des Lebens zu genießen und Freundschaften zu pflegen.

Die Reise zu dem polnischen Ministerpräsidenten Gierek im August 1979 war keine Staatsvisite, sondern ein persönlicher Besuch in Giereks Ferienort auf der Halbinsel Hela.

Der Hamburger Bankier Erik Warburg hatte sein Schiff zur Verfügung gestellt. Die »Atlanta« war keine sportliche Yacht für Regatten, sondern ein breit ausgelegter, traditioneller Ostsee-Segler.

Bei herrlichem Sommerwetter fuhren wir über Bornholm in die Danziger Bucht. Die Gastfreundschaft des weltgewandten Hamburger Bankiers und seines sympathischen Sohnes und die entspannten Gespräche an Bord machten die Reise zu einem schönen Erlebnis.

Aus Gründen der Sicherheit und auch, um im Bereich des Warschauer Paktes über eine geschützte Verbindung nach Bonn zu verfügen, wurden wir von einem Schiff der Bundesmarine begleitet. Die »Najade« folgte uns in größerem Abstand.

Als wir am 17. August morgens in die Nähe von Hela segelten, kam dichter Nebel auf. Die polnische Marine sollte uns ein Boot entgegensenden, um uns in den Hafen zu lotsen. Wir hörten den polnischen Funkverkehr und versuchten, uns zu melden. Aber die polnische Marine wusste offenbar mit dem aus Holz gebauten Ostseesegler nichts anzufangen. Und gerade jetzt war die Verbindung zur »Najade« verloren gegangen. Es wurde spannend. Immerhin befanden wir uns im Grenzbereich des sorgsam abgeschirmten Warschauer Paktes.

Bei der Audienz des Bundeskanzlers begrüßte der Papst auch dessen Begleiter

Als die Sonne durchbrach und der Nebel sich auflöste, wich auch die Aufregung. Wir konnten planmäßig einlaufen.

Der Kommandant der »Najade« besprach mit mir, dass während der Gespräche des Bundeskanzlers ein ständiger Bereitschaftsdienst eingerichtet würde. Die übrige Besatzung sollte zu einer Besichtigungstour an Land gehen.

Im Laufe des Tages erfuhr ich, dass der private Landgang der ganzen Mannschaft in der schmucken Marineuniform stattfand. Zu dieser Zeit liefen in Polen die Vorbereitungen für die Feierlichkeiten aus Anlass des 40. Jahrestages des deutschen Überfalls auf Polen. Und nun besuchte wenige Tage vorher eine Schiffsbesatzung der Bundeswehr in voller Montur den erinnerungsträchtigen Kriegsschauplatz der »Westerplatte«. Hoffentlich gab es keine Zwischenfälle. Ich verschonte den Bundeskanzler, saß aber sorgenvoll in den Verhandlungen. Nun mussten die Dinge ihren Lauf nehmen.

Das intensive Gespräch mit Edward Gierek, Außenminister Josef Cyrek, Parlamentspräsident Babiuch und anderen Politikern verlief in ungewohnter Offenheit. Die Ferienatmosphäre trug – ähnlich wie zu Jahresbeginn in Guadeloupe – zum ungezwungenen Meinungsaustausch bei, auch über kontroverse Fragen der Sicherheitspolitik und der Rüstungskontrolle.

Sobald ich am Nachmittag die Gespräche verlassen konnte, ließ ich mir vom Landgang der Besatzung berichten. Meine Besorgnis war glücklicherweise überflüssig gewesen. Die Matrosen waren überall korrekt und teilweise sogar ausgesprochen freundlich aufgenommen worden. Als man sie als Soldaten der westdeutschen Bundeswehr erkannte, waren sie an einigen Orten sogar in die Kneipe eingeladen worden. Sie berichteten, manche hätten ihnen bei fortgeschrittenem Alkoholkonsum gesagt, das nächste Mal sollten Deutsche und Polen sich gegen den übermächtigen östlichen Nachbarn zusammentun.

So war ihre Aufnahme bei der Bevölkerung ähnlich freundlich wie das Klima auf der Ebene der Chefs.

Besuche des Bundeskanzlers in Übersee – Begleitung durch hochrangige Gäste

Der Bundeskanzler ließ sich bei großen Auslandsreisen oft von führenden Vertretern der Politik, der Industrie, der Gewerkschaften und des kulturellen Lebens begleiten. Er legte Wert auf eine zuvorkommende und zuverlässige Betreuung seiner Gäste. Die Chefs großer Unternehmen oder mitgliedstarker Gewerkschaften waren auch ihrerseits gewohnt, hohe Ansprüche zu stellen. Für Staatsbesuche und offizielle Reisen hatten wir die zuverlässige Unterstützung des Auswärtigen Amts. Vorbereitung, Organisation und Betreuung während des Besuchs der Sondergäste lagen dagegen weitgehend in der Hand des Bundeskanzleramtes, mit Unterstützung der deutschen Auslandsvertretung vor Ort.

In vielen Ländern war eine derartig hochrangige, aber inoffizielle Delegation ungewohnt. Es bedurfte oft intensiver Bemühungen, um geeignete Gesprächspartner für die prominenten Teilnehmer zu gewinnen. Meist zielten wir auf Handels-, Industrie- oder Finanzminister. Wenn die Gespräche dann zustande kamen und der Bundeskanzler seine Gäste einführte, waren die ausländischen Gesprächspartner angetan bis begeistert über die sachkundigen Diskussionen.

Ein eindrucksvolles Beispiel war der Abstecher während einer Amerika-Reise nach Chicago. Die Stadt am Lake Michigan, die sich immer rühmte,

Im Flugzeug: Ruhfus berichtet dem Bundeskanzler, Frau Schmidt und der Delegation

viele Rekorde zu halten, hatte ein Treffen der Begleiter des Bundeskanzlers mit prominenten Vertretern aus Wirtschaft, Finanz und Politik des Staates Michigan arrangiert.

Der Bundeskanzler stellte seine Delegation persönlich vor. Zu Eugen Loderer führte er aus: »Chef der IG Metall, der größten demokratischen Gewerkschaft der Welt«. Die Mienen der amerikanischen Gesprächspartner waren aufmerksam und neugierig, dann ungläubig, skeptisch. Der Bundeskanzler sah, dass die Amerikaner Zweifel hatten. Daraufhin richtete er an Eugen Loderer die Frage: »Eugen, wie viele Mitglieder hat deine Gewerkschaft?« Loderer antwortete: »Über zwei Millionen.« Der Bundeskanzler fragte in die Runde: »Gibt es hier eine Gewerkschaft, die mehr aufbringt?« Der Eindruck war stark.

Saudi-Arabien

Im Frühjahr 1976, wenige Wochen nach meinem Wechsel ins Bundeskanzleramt, reiste Helmut Schmidt nach Saudi-Arabien.

Die zweite Erdölkrise hatte die Preise für Rohöl in schwindelnde Höhen getrieben. Die Industrieländer ächzten unter Zahlungsbilanzdefiziten, wirtschaftlichen Problemen und steigender Arbeitslosigkeit.

Deutschland hatte die erste Ölkrise durch drastische Erweiterung der Exporte gut verkraftet. Bei der zweiten Erhöhung der Ölpreise geriet auch die deutsche Leistungsbilanz 1979 zum ersten Mal ins Defizit.

Der Bundeskanzler wollte mit den Saudis besprechen, was getan werden könne, um die immens gestiegenen Einnahmen der OPEC-Länder teilweise wieder in die Industrieländer zurückzuschleusen, sei es durch Einkäufe der Ölländer in den Industriestaaten oder durch die Verwendung der Überschusseinnahmen zur Einräumung günstiger Kredite für die Industrieländer.

Beim ersten Essen, das Kronprinz Fahad für den Bundeskanzler gab, saßen Dieter Hiss, damals Leiter der Wirtschaftsabteilung des Bundeskanzleramts, und ich neben einem saudischen Würdenträger.

Wir tasteten uns langsam heran und fragten vorsichtig nach seinem Aufgabenbereich. Er berichtete unaufgefordert, er sei verantwortlich für die Anlage und die Verwaltung der Einkünfte aus den Ölverkäufen. Er legte seine Stirn in Falten. Jeden Tag flössen viele Millionen Dollar an Einnahmen nach Riad. Seine Aufgabe sei es, für diese riesigen Zuflüsse geeignete Investitionen in anderen Teilen der Welt zu finden. Sie sollten profitabel sein. Vor allem müssten sie sicher sein. Er schilderte mit bewegten Worten, wie schwer es sei, bei der schlechten wirtschaftlichen Lage in vielen Industrieländern gute Anlageobjekte zu finden, die auf längere Sicht eine gesicherte Investition sein könnten. Dieter Hiss und ich sahen uns an: Auch hier also gab es Herausforderungen und Schwierigkeiten. Die Probleme dieses Gesprächspartners hätten wir gerne gehabt!

Bis in die Nacht hinein hatten Ministerialdirektor Lahn und ich an einer Eingangserklärung für die Pressekonferenz am nächsten Morgen gearbeitet. Der Bundeskanzler hatte in der Regel keine Bedenken, sich frei vor der Presse zu äußern. Für das delikate Thema der deutschen und europäischen Nahost-Politik nun hatte er um einen vorbereiteten Text gebeten. Lothar Lahn und ich kamen daher zu spät zum Frühstück. Die Chefs der Exportunternehmen, der Energiekonzerne und der Banken, die als inoffizielle Delegation den Bundeskanzler begleiteten, hatten ihr Frühstück schon beendet.

Nach uns kam Willy Korff, der Eigentümer der Korff Stahl AG, die später schwere Zeiten hatte. Er war ein junger und dynamischer Unternehmer und persönlicher Freund. Ich hatte mich gefreut, dass der Bundeskanzler ihn zu seiner inoffiziellen Delegation eingeladen hatte.

Willy Korff war noch unausgeschlafener als Lothar Lahn und ich. Er hatte die Gelegenheit genutzt und bis spät in die Nacht hinein über die Lieferung eines Stahlwerks mit der von ihm entwickelten Produktionsmethode verhandelt. In den frühen Morgenstunden hatte er den Durchbruch erzielt und den Auftrag für ein Stahlwerk in Saudi-Arabien an Land gezogen.

Es war ein schöner Erfolg, und er passte gut in die Linie des Bundeskanzlers, die deutsche Zahlungsbilanz durch Exporte von Investitionsgütern in die zahlungskräftigen Ölländer zu entlasten.

Ägypten

Die letzten Tage des Jahres 1977 verbrachte der Bundeskanzler auf Einladung des ägyptischen Staatspräsidenten am Nil. Der persönliche Mut und die staatsmännische Weitsicht von Anwar el Saddat, die in den Gesprächen spürbar waren, machten auf mich einen starken Eindruck.

Jahre später hatten Karin und ich einen Tag, nachdem die Meldung von seiner Ermordung kam, zu einem großen Tanzfest in unserer Londoner Residenz eingeladen. Wir hatten eine Modenschau eingeflogen, dazu bayerische Spezialitäten, Münchner Bier und Musikanten eines Blasorchesters. Ein großer Kreis prominenter englischer Gäste hatte zugesagt.

Ich war so betroffen, dass ich ernsthaft erwog, die lange und mit großem Einsatz vorbereitete Veranstaltung abzusagen. Schließlich einigten Karin und ich uns darauf, dass wir an dem Abend festhielten, aber das Tanzen strichen und dies den Gästen in der Begrüßungsrede mit unserer Bewunderung für Sadat erläuterten. Es war so ein etwas reduziertes, aber gleichwohl sehr gelungenes Fest.

Singapur

Im Anschluss an den Weltwirtschaftsgipfel in Tokio besuchte der Bundeskanzler Ende 1979 Singapur (13.-14. Oktober). Das lange, mehrstündige

Bundeskanzler und Berater während einer Hafenrundfahrt in Singapur, Oktober 1979

Gespräch mit Präsident Lee Kuan Yew war ein faszinierender Dialog von zwei der weltbesten in Regierungsverantwortung stehenden Ökonomen über die Fragen der Weltwirtschaft und der Weltfinanz. Der Bundeskanzler und der Präsident von Singapur waren sich weitgehend einig über die Probleme, über die zu ihrer Lösung erforderlichen Maßnahmen und auch in ihrer skeptischen Sicht einiger der verantwortlichen Mitspieler in Asien und in anderen Teilen der Dritten Welt.

Es wurde deutlich, mit welcher Klugheit, aber auch mit welcher Härte Lee Kuan Yew die Entwicklung des Stadtstaates zu einer Insel der Prosperität und Stabilität in der Umgebung von krisenanfälligen Nachbarstaaten vorantrieb.

Als wir das Präsidentenpalais verließen, begleitete Lee Kuan Yew uns durch den Park. Der asketisch wirkende Präsident zeigte menschliche Züge, als er uns erzählte, wie er in diesem Park einen kleinen Golfplatz angelegt hatte. Ein zufriedenes Lächeln kam auf seine Lippen, als er schilderte, wie er vor einigen Monaten auf Loch 3, das wir gerade überquerten, ein »hole in one« gespielt hatte.

Lateinamerika

Bei dem Besuch in Brasilien, Peru und der Dominikanischen Republik (3. bis 12. April 1979) verliefen die Gespräche über die weltweiten Probleme, die bilateralen Beziehungen und die Zukunftschancen in erwarteten Bahnen. Überall setzte der Bundeskanzler sein großes internationales Ansehen ein, um deutsche wirtschaftliche Interessen zu fördern. Bei den politischen Gesprächen war er bereit, sich auch für Detailanliegen der deutschen Außenpolitik zu engagieren.

Beispielsweise störte es die Bundesregierung, dass die Staaten der Dritten Welt bei Resolutionen der Vereinten Nationen, die Rassismus und Apartheid kritisierten, die Bundesrepublik pauschal mit einbezogen.

In Lima, in Brasilia und in Santo Domingo brachte Helmut Schmidt dieses Thema zur Sprache und konstatierte, die Bundesregierung halte sich strikt an die Resolutionen der Vereinten Nationen und könne Kritik und Verurteilung unseres Landes nicht verstehen.

Die jeweiligen Regierungschefs reagierten verdutzt; sie schauten Hilfe suchend zu ihren Außenministern oder deren Vertretern. Auch diese reagierten verlegen. Schließlich sagten sie Abhilfe oder eine gründliche Überprüfung zu.

Als der Bundeskanzler mich fragte, wie ich mir dieses Verhalten erklärte, erzählte ich ihm eine Anekdote, an die ich mich aus Nairobi erinnerte. Ein neu ernannter afrikanischer Botschafter bei den Vereinten Nationen fragte nach seinen Weisungen. Das Außenministerium telegrafierte ihm: »Machen Sie keine Fehler.« Er fragte telegraphisch zurück: »Was sind Fehler?« Darauf die prompte Antwort aus seiner Hauptstadt: »Das werden wir von Fall zu Fall entscheiden.« Bei den Themen Rassismus und Antikolonialismus ließen viele Regierungen in Übersee ihren Delegationen bei den Vereinten Nationen freie Hand, mit der Mehrheit der dritten Welt zu stimmen, solange sich kein Widerspruch meldete.

Abschied vom Bundeskanzleramt

Beanspruchung und Belastung im Bundeskanzleramt waren enorm. Daher wollte ich die vorgesehene Zeit von vier Jahren gerne einhalten. Ich fühlte im Auswärtigen Amt vor, welche Möglichkeiten zur Versetzung ins Ausland bestünden. In der Personalabteilung wies man auf die bevorstehende Pensionierung von Botschafter Ruethe in London hin.

Als ich in einer ruhigen Minute mit dem Bundeskanzler sprach, zeigte er großes Verständnis für die Wahl von Großbritannien. London war noch immer ein internationales Zentrum. England war ein wichtiger, wenn auch nicht einfacher Partner in der Europäischen Gemeinschaft. Helmut Schmidt hatte wie ich eine große Sympathie für die Briten. Zu Premierminister Callaghan hatte ich während meiner Zeit im Bundeskanzleramt wiederholt Kontakt gehabt.

Ich sah, dass ein Wechsel des Beraters für den Bundeskanzler Umgewöhnung und neue Einarbeitung bedeuteten. Ich gab mir daher große Mühe, einen guten Nachfolger zu finden. Meine Wahl fiel auf Joachim Eick. Er hatte für Willy Brandt hervorragende Arbeit geleistet, er wurde von ihm und den anderen Persönlichkeiten in seiner Umgebung sehr geschätzt.

Die Vorstellung von Jochen Eick bei Helmut Schmidt war erfolgreich. Wir machten Pläne für die Einarbeitung im Herbst 1979.

Im August kam die überraschende und erschütternde Nachricht aus Pretoria. Botschafter Eick hatte einen bösartigen, unheilbaren Gehirntumor. Eine Versetzung in das Bundeskanzleramt war ausgeschlossen.

Die Planung für London war schon angelaufen. Jetzt musste für meine Nachfolge eine neue Lösung gefunden werden. Der Bundeskanzler entschied sich für Botschafter Berndt von Staden. Er hatte stets eine große Wertschätzung für dessen unabhängiges Urteil, seine außenpolitische Umsicht und Erfahrung gehabt. Staden war einer der besten Kollegen, die er als außenpolitischen Berater gewinnen konnte.

Für Berndt von Staden war der Wechsel nicht leicht. Aus der eigenständigen Arbeit als Botschafter in Washington, im weiten Land unseres wichtigsten Verbündeten, als Chef einer großen Mannschaft, war die Versetzung zur kleinen Gruppe des Bundeskanzleramtes mit den Beschränkungen des Dienstes im Inland eine tief greifende Umstellung. Ich hatte große Hochachtung, mit welcher Disziplin und Haltung von Staden sich in die neue Lage einfügte.

Vier Jahre hatte ich die positiven Seiten erlebt, den steilen Aufstieg von Helmut Schmidt zu einem der erfolgreichsten Bundeskanzler in Deutschland, zu einem der angesehensten Regierungschefs seiner Zeit. Deutschland hatte unter Schmidts Führung die Ölkrise mit am besten überstanden. 30 Jahre nach Kriegsende zählte die Bundesrepublik zu den wohlhabendsten Staaten der Welt. In Guadeloupe hatte der deutsche Bundeskanzler Seite an Seite mit den Staats- und Regierungschefs der drei wichtigsten westlichen Länder gesessen.

Für von Staden folgten Jahre, in denen die innenpolitischen Probleme wuchsen. Helmut Schmidt wirkte führend in der Weltpolitik, er regierte souverän die Bundesrepublik. Aber die eigene Partei entglitt ihm. Die große Mehrheit der SPD stimmte gegen den NATO-Doppelbeschluss; Pazifismus und Kritik an den Verteidigungsausgaben nahmen zu, auch an der Politik des neuen amerikanischen Präsidenten Ronald Reagan.

Als die Partei sich später, 1997, mit Helmut Schmidt versöhnte und der Vorsitzende Scharping zu einem gemeinsamen Abendessen einlud, saß ich zwischen den Politikerinnen Wieczorek-Zeul, Däubler-Gmelin und Anke Fuchs. Wieczorek-Zeul und Däubler-Gmelin, die zu den Kritikerinnen in der Partei gehört hatten, räumten ein, ihre Gegnerschaft gegen Helmut Schmidts Politik sei überzogen gewesen. Anke Fuchs, die zu den Hamburger Getreuen zählte, lastete Helmut Schmidt an, in jener Zeit habe sein Kampfgeist nachgelassen. Es war bewegend, dieser Rückschau zuzuhören, die noch einmal zeigte, wie angeheizt damals die Emotionen waren.

Helmut Schmidt selbst sprach im November 1982 nach seinem Rücktritt vor der Fraktion davon, dass die Partei ihm in der Sicherheitspolitik und in Teilbereichen der Wirtschaftspolitik ihre Unterstützung versagt hatte.

Ich hatte Skrupel, den Bundeskanzler zu verlassen. Er verlor im Herbst 1979 eine Reihe seiner engsten Mitarbeiter. Der Staatssekretär im Bundeskanzleramt Schüler wechselte in den Vorstand der Kreditanstalt für Wiederaufbau. Horst Schulmann, der Abteilungsleiter Wirtschaft, wurde Staatssekretär im Bundesfinanzministerium, der Leiter von Abteilung 3 Kultur und Erziehung, Konow, wurde Leiter der Staatskanzlei von Nordrhein-Westfalen.

Ich fand es sehr großzügig, dass Helmut Schmidt bereit war, sich von den Mitarbeitern zu trennen, mit denen er jahrelang gearbeitet hatte, und sich auf neue Ratgeber umzustellen.

Ich tröstete mich mit dem Gedanken, dass das Problem der Nachrüstung, das uns Jahre beschäftigt hatte, Ende 1979 außenpolitisch im Bündnis auf dem richtigen Weg war. Die Beziehungen zu Washington hatten die anfänglichen Schwierigkeiten hinter sich gelassen, die Zusammenarbeit mit Giscard d'Estaing war besser denn je, und auch die Verbindung zu Breschnew hatte sich bewährt, die Erklärung nach dessen Bonner Besuch hatte die Tür geöffnet für Bemühungen um mehr Gleichheit im Abrüstungsbereich.

Mit Berndt von Staden bekam der Bundeskanzler einen ausgezeichneten Nachfolger für mich, der aus dem Stand in die Arbeit eintreten konnte.

Schüler, als Chef des Bundeskanzleramtes, gab einen großen Empfang für Karin und mich und dankte uns in einer anerkennenden und warmen, persönlichen Rede für vier Jahre harter Arbeit. Helmut Schmidt fand beim Abschiedsgespräch herzliche und anerkennende Worte für meine Mitarbeit. Er kündigte an, dass er schon bald nach London kommen werde und dass er sich freue, die persönliche Verbindung zu Karin und mir dort fortzusetzen.

Karin und ich konzentrierten uns froh und erwartungsvoll auf die Vorbereitungen für London.

London (1980-1983)

Zu Beginn des Jahres 1979 hatte ich in Guadeloupe erlebt, mit welcher Sorge die Mitarbeiter von Premierminister Callaghan die Massenstreiks in England verfolgten.

Bundeskanzler Schmidt und Premierminister Callaghan hatten verabredet, dass die nächsten Konsultationen der Regierungschefs vom 10.-12. Mai 1979 in London stattfinden sollten. Die Wiederwahl von Labour war gefährdet, die Siegesaussichten der Konservativen unter der dynamischen, kämpferischen Führung der neuen Kandidatin Margaret Thatcher für die Wahl zum Unterhaus am 3. Mai 1979 wuchsen schnell.

Im Auftrag des Bundeskanzlers erkundigte ich mich beim Chef von Downing Street 10, Lord Hunt, ob der von ihm und Premierminister Callaghan vereinbarte Termin für die Konsultationen der Regierungschefs verschoben werden sollte. Lord Hunt rief einige Tage später zurück. Er habe im Auftrag des Premierministers mit dem Führer der Opposition geklärt, der Termin für das Treffen der Regierungschefs solle unabhängig von dem Wahlausgang beibehalten werden.

Während der Regierungszeit von Ted Heath, Harold Wilson und Jim Callaghan in den 70er Jahren hatte der als »Englische Krankheit« bezeichnete Prozess die britische Wirtschaft geschwächt. Die Gewerkschaften hatten ihre traditionell starke Rolle genutzt, um hohe Steigerungen der Nominallöhne durchzusetzen und die vorhandenen Arbeitsplätze abzusichern, ohne die Produktivität und Wettbewerbsfähigkeit der betroffenen Unternehmen oder die gesamtwirtschaftlichen Interessen des Landes hinreichend zu berücksichtigen. Die internationale Wettbewerbsfähigkeit der britischen Industrie sank. Die Regierung versuchte, durch ihre Geld- und Währungspolitik zu helfen. Hohe Inflationsraten 1975 bis zu 25 Prozent, steigende Defizite der Handels- und der Zahlungsbilanz sowie wachsende Arbeitslosigkeit schwächten die Wirtschaft.

Jim Callaghan konnte durch einen Sozialvertrag mit den Gewerkschaften zwei Jahre lang den Anstieg der Nominallöhne und der Inflationsrate bremsen. Als die Gewerkschaften diesen Vertrag Anfang 1979 kündigten, folgte eine große Streikwelle und schließlich das umwälzende Wahlergebnis im Mai 1979. Nach 16 Jahren übernahm erstmals wieder eine konservative Regierung die Verantwortung. Unter der Führung von Margaret Thatcher hatten die Konservativen eine solide Mehrheit, die ihnen für die bis Mai 1984 dauernde Legislaturperiode eine arbeitsfähige Mehrheit im Parlament sicherte.

Die neue Mannschaft legte sofort ein eindrucksvolles Tempo vor. Die englisch-deutschen Konsultationen fanden nur wenige Tage nach dem erstmaligen Zusammentreten des neuen Parlaments (9.05.1979) statt und noch vor der traditionellen Eröffnungszeremonie mit der Rede der Königin am 16.05., die praktisch die Regierungserklärung des neuen Kabinetts sein würde.

Hier zeigten sich die Vorzüge des auf Mehrheitswahlen beruhenden Parlamentssystems. Der Premierminister, der zugleich der Vorsitzende seiner Partei war, hatte präzise Vorstellungen für die Akzente, die seine neue Regierung setzen würde. Die Mitglieder seines Kabinetts hatten sich als Angehörige des Schattenkabinetts schon seit langem in die Aufgaben ihrer Ressorts eingearbeitet. Es gehörte zur Tradition des Ministerwechsels in London, dass der neue Amtsinhaber nur völlig ausgeräumte Schreibtische vorfand.

Ursprünglich war an Konsultationen der Regierungschefs und der Außenminister gedacht. Der Kreis wurde auf Finanzminister und Verteidigungsminister ausgedehnt.

Es war eindrucksvoll, wie die neuen Kabinettsmitglieder sich zu den aktuellen politischen Fragen aus ihren Bereichen gut informiert und problemlos äußerten, obwohl sie ja noch kaum Zeit gehabt hatten, sich in ihren neuen Ministerien umzusehen, mit den Mitarbeitern zu sprechen oder gar Akten zu studieren.

Die neue Premierministerin bestätigte eine konstruktive und kooperative Mitarbeit in der Europäischen Gemeinschaft, aber ihre Worte »We shall judge what British interests are and we shall be tough in defending them« kündigten an, dass sie an bestimmten Punkten, wie dem britischen Finanzbeitrag und der EG-Agrarordnung, resolut für Änderungen eintreten würde. Die neue Regierung beabsichtigte, die britischen Verteidigungsanstrengungen innerhalb der NATO zu verstärken, sie würde die Bemühungen um Abrüstung und Entspannung fortsetzen. Ein außenpolitisches Sonderthema war die Lösung des schon lange schwelenden Rhodesien-Problems.

Der wichtigste neue Ansatz war die Wirtschaftspolitik. Premierministerin Margaret Thatcher und Schatzkanzler Sir Geoffrey Howe sahen ihre Hauptaufgabe in der neuen Orientierung der Wirtschaftspolitik: Zurückdrängen des übermächtigen Einflusses der Gewerkschaften, Stärkung des privaten Sektors durch neue Leistungsanreize, Abbau der Abhängigkeit der Wirtschaft vom Staat, nicht mehr Umverteilung, sondern mehr Wertschöpfung durch neue Industrien.

Premierministerin Thatcher betonte schon bei der ersten Begegnung ihre Nähe zu den wirtschaftspolitischen Vorstellungen des Bundeskanzlers – sie könne in der Wirtschaftspolitik viel von dem deutschen Kanzler lernen.

Helmut Schmidt erwiderte humorvoll: Er hätte zwei Bedenken. Die Betonung der Nähe der konzeptionellen Vorstellungen für die Wirtschaftspolitik könnte für beide Parteien zu Schwierigkeiten führen. Im Übrigen würde ihm ohnehin der Vorwurf gemacht, er habe einen Hang zum Schulmeister.

So vermittelten schon die ersten Gespräche den Eindruck, dass die konservative Premierministerin und der sozialdemokratische Bundeskanzler in ihren außenpolitischen Vorstellungen und in ihrer wirtschafts- und finanzpolitischen Konzeption viele Gemeinsamkeiten hatten.

Nach den Jahren, in denen die Regierungen Wilson und Callaghan auf Grund der starren Haltung ihrer Partei an der wirtschaftlichen Malaise nur herumgedoktert hatten, trat eine neue Mannschaft an, die unter der engagierten Führung eines erstmals weiblichen Premierministers die wirtschaftlichen Probleme erkannt hatte und neue wirtschaftliche Wege versuchen würde.

Hier war gleich die erste praktische protokollarische Frage zu klären, wie sollte die Anrede sein: »Frau Premierministerin« oder »Madam«? Die klare Antwort aus Downing Street war: »Just Prime Minister.«

Zu unserem Programm gehörte auch ein Gespräch mit dem nunmehrigen Führer der Opposition, Jim Callaghan. Es war kurz, aber bewegend. Jim Callaghan und Helmut Schmidt hatten in den gemeinsamen Jahren als Regierungschefs eng und gut zusammengearbeitet. Ich hatte von Anbeginn meiner Zeit im Bundeskanzleramt miterlebt, wie sie sich gegenseitig vertrauten und unterstützten.

Der Anfang in London

Nach einem Kuraufenthalt, um die Batterien nach der Zeit im Kanzleramt wieder aufzuladen, begann im Februar 1980 die neue Tätigkeit in London. Eine der großen, traditionellen Botschaften zu übernehmen, war eine Herausforderung. Durch die Jahre im Bundeskanzleramt war ich auf die politische Arbeit vorbereitet. Im inneren Dienstbetrieb kam mir die Erfahrung aus der Zeit in Nairobi zugute.

In Alfons Böcker hatte ich einen engagierten, erfahrenen und sympathischen Kollegen als Gesandten an meiner Seite. Wenn man einen guten Vertreter hat, empfiehlt es sich, die Botschaft zunächst in seiner Regie in den bewährten Gleisen weiterarbeiten zu lassen. So hat der neue Botschafter Zeit, die unvermeidlichen Antrittsbesuche bei Regierung, Parlament, Parteien und den wichtigen diplomatischen Kollegen zügig hinter sich zu bringen.

Vorweg galt es, die Umstellung der Lebensbedingungen für die Familie zu regeln und die Residenz fit zu machen für die Aufgaben der gesellschaftlichen Repräsentation.

Unsere jüngste Tochter Antje war schnell bei der Deutschen Schule in London angemeldet. Unsere zweite Tochter Maren musste in Bonn bleiben und sich dort durchs Abitur beißen. Gottfried und Beatrice Haas hatten angeboten, dass sie bei ihnen wohnen konnte. Das war eine große Hilfe. Wir haben Maren später mit einem Studienjahr im Trinity College in Oxford entschädigt.

Unsere älteste Tochter Andrea wollte die London School of Economics besuchen. Ihre Voraussetzung war: nur zusammen mit ihrem Freund Wolfgang Sprehn. Karin und ich mochten Wolfgang gern. Eine kleine Wohnung unter dem Dach stand zur Verfügung. Problematisch war die enge Verbindung von Residenz und Büro. Wegen der Gefahr der Baader-Meinhof-Terroristen musste der Eingang der Residenz geschlossen bleiben, die Kontakte der Familie zur Außenwelt gingen über die Korridore der Botschaftsbüros und über den dienstlichen Eingang.

Wir hatten etwas Bedenken, hier die Partnerschaft unserer Tochter vor den Augen der ganzen Botschaft stattfinden zu lassen. Aber die Familie hatte genug unter meinem Beruf gelitten. Also waren Karin und ich bereit, eventuelles Stirnrunzeln einiger Mitarbeiterinnen oder Mitarbeiter in Kauf zu nehmen.

Der klassizistische Bau am Belgrave Square, eingerichtet mit den von Botschafter von Herwarth umsichtig erworbenen antiken Möbeln, war eine schöne Residenz. Aber sie musste renoviert werden. Wir zogen es vor, mit Wackelkontakten und Steckdosen unterschiedlicher Machart, mit tropfenden Wasserhähnen und zugigen Fenstern zu leben, um während des ersten Jahres in London den Umzug in ein Ersatzquartier zu vermeiden.

Der Preis war allerdings manchmal hoch. Der erste, drastische Zwischenfall ereignete sich bei dem Abendessen, das wir für den CSU-Vorsitzenden Dr. Franz Josef Strauß am 24. April 1980 gaben. Das Interesse an dieser kantigen und angesehenen bayerischen Persönlichkeit war groß. Eine illustre Gruppe von Londoner Gästen hatte zugesagt. Deutsche und englische Fernsehjournalisten drängten sich, Aufnahmen von der Abendveranstaltung zu machen. Ich hatte, gewitzt aus meiner Erfahrung im Pressereferat, die Hausverwaltung nachdrücklich gebeten, sicherzustellen, dass das veraltete Elektrizitätsnetz die hohe Stromlast der starken Fernsehlampen tragen konnte. Doch es kam, wie es kommen musste: Im Höhepunkt der Begrüßung der Gäste gingen alle Lampen aus. Der Hausmeister und die technischen Mitarbeiter suchten fieberhaft nach der Ursache.

Der Botschafter und seine Frau vor der Fahrt in den Buckingham Palast

Wir standen im Dunkeln. Aus der Küche kamen alarmierende Nachrichten. Der italienische Koch, der Wert darauf legte, dass seine Speisen al dente angerichtet wurden, hatte noch nichts auf den Platten. Die Lammfilets sollten gerade erst in den Elektroherden angesetzt werden.

Wir zündeten alle vorhandenen Kerzen an. Bei der Prominenz aus London half der britische Sportsgeist, die Haltung zu wahren. Auch Ministerpräsident Strauß nahm die Situation mit Humor. Als nach einer knappen Stunde die Sicherungen mit dicken Kabelbrücken überlistet waren, konnten wir endlich zu Tisch zu gehen. Ich versuchte, mit einigen launigen Worten über die Tücken der Technik – die dann von Oppositionsführer Callaghan und Ministerpräsident Strauß aufgegriffen wurden – das Beste aus der Situation zu machen. Es folgte eine überaus spannende Diskussion über politische Werte und pragmatische Lösungen zwischen dem sozialdemokratischen und aus den Gewerkschaften kommenden Labourchef Callaghan und dem konservativen Führer der CSU. Das Abendessen wurde so noch ein Erfolg.

Strauß ließ Karin am nächsten Morgen ein Erinnerungsstück aus Nymphenburg übergeben, mit Dank für den gelungenen Abend.

Die ersten Gäste

Schon vor unserer Abreise hatte Günter van Well angekündigt, dass er mit seiner Frau Caroline wenige Tage nach unserer Ankunft am 21. Februar zu den üblichen Staatssekretärskonsultationen mit dem Permanent Undersecretary Michael Palliser nach London kommen würde.

Als sich beide gerade in der Adenauer-Suite, den offiziellen Gästeräumen der Residenz, eingerichtet hatten, kam ein Anruf aus dem Bundeskanzleramt: Helmut Schmidt möchte am Wochenende seine Tochter in London besuchen. Er würde gerne mit seiner Frau in den offiziellen Gästeräumen der Botschafterresidenz wohnen.

Nun war höchste Eile geboten. Erst musste ich Günter und Caroline schonend beibringen, dass sie die offiziellen Gästezimmer für den Bundeskanzler räumen und in eine kleinere Wohnung unter dem Dach umziehen mussten. Dafür galt es, die Ersatzwohnung einzurichten. Sodann musste die Adenauer-Suite hergerichtet und unsere eigene Residenzwohnung fertig gestellt werden. Karin, der Hausmeister Forse, die Mannschaft der Residenz und ich klebten die eingekauften Teppichböden, hängten die Vorhänge auf und die Bilder an die Wand.

Als Helmut und Loki Schmidt zwei Tage später eintrafen, stolperte der Bundeskanzler über eine schlecht geklebte Teppichnaht. Er machte einige skeptische Bemerkungen zu Platz und Qualität einiger unserer Bilder. Als Karin in norddeutscher Offenheit schilderte, wie wir alles in 48 Stunden fertig gestellt hatten und dass es sich nicht um bundeseigene, sondern um uns privat gehörende Bilder handelte, schlug die Skepsis sofort um in freundliche Anerkennung.

Dass die Tochter Susanne Schmidt nach London übersiedelte, führte zu wiederholten Besuchen in unserer Residenz. So konnten wir die dramatischen innenpolitischen Veränderungen in Bonn in den Jahren 1980-1982 aus Schilderungen des Bundeskanzlers unmittelbar verfolgen.

Gleichzeitig boten die Besuche Gelegenheit, Premierministerin Thatcher und andere führende Politiker zu Essen für den Bundeskanzler einzuladen. Es war ein besonders eindrucksvoller und sympathischer Abend, als der Bundeskanzler am 4. Dezember 1980 dem von ihm sehr geschätzten Bildhauer Henry Moore persönlich das Bundesverdienstkreuz überreichte.

Der Bundeskanzler überreicht bei einem Essen in der Residenz das Bundesverdienstkreuz an seinen Freund Henry Moore

Der Personalrat

Schon bald nach meinem Dienstantritt sagte der Kanzler der Botschaft zu mir: »Wir haben schon länger keine Sitzung des Personalrats mit dem Botschafter gehabt.«

Seit meiner Zeit in der Bank und in den Stahlwerken lag mir ein gutes Betriebsklima sehr am Herzen.

Der Termin wurde angesetzt. Auf die Frage nach den Themen hörte ich: »Die Mitglieder des Personalrats werden ihre Anliegen vorbringen.« So ging ich wohlgemut und aufgeschlossen in die erste Sitzung. Nach einigen freundlichen Eingangsworten, in denen ich meine Bereitschaft zu enger und guter Zusammenarbeit betonte, kam der Personalrat schnell zur Sache. Die Jacken wurden ausgezogen, die Ärmel hochgekrempelt. Zu meinem Erstaunen packten Personalrat und Verwaltungschef der Botschaft den Gesetzestext des Personalvertretungsgesetzes aus, dazu dicke Kommentare zum Gesetz, und legten sie vor sich auf den Tisch.

In guter Rollenverteilung wurden vom Personalrat die Probleme vorgetragen, die Belegschaft und Leitung von Auslandsvertretungen in der Regel beschäftigen. Hier war nur neu, dass die Anliegen jeweils mit ausführlichen Hinweisen auf die Paragraphen des Gesetzes, auf die Erläuterungen des Kommentars und selbst auf die letzten Entscheidungen von Sozial- und Arbeitsgerichten untermauert wurden. Die Verwaltung wiederum begründete aus den gleichen Quellen ihre zumeist entgegengesetzte und ablehnende Haltung.

Alle blickten erwartungsvoll auf mich. Ich hatte noch nicht einmal ein Gesetz oder einen Kommentar. So vertagte ich die Sitzung und beraumte einen neuen Termin an.

Die nächsten Sitzungen zeigten deutlich: Das Klima zwischen Verwaltung und Personalrat war schon seit längerem hoffnungslos vereist. Auf der einen Seite standen jüngere, ehrgeizige Mitglieder der Belegschaft, die mit immer weitergehenden Forderungen ihre Positionen ausbauen wollten. Der Personalrat war nicht nur zuständig für die Mitarbeiter im Büro der Botschaft, sondern auch für das deutsche, vom Bund bezahlte Hauspersonal in der Residenz. Probleme in unserem Haushalt oder bei der Betreuung der Gäste wurden so von den Botschaftsvertretern an sich gezogen und erörtert.

Auf der anderen Seite stand der Chef der Verwaltung, kurz vor dem Ruhestand. Monatelang musste ich mich in den Sitzungen bemühen, die Spannungen abzubauen.

Schließlich wurde das Problem durch Ruhestände und Versetzungen gelöst. Sobald Neuwahlen angesetzt waren, habe ich einen von mir und in der Botschaft weit geschätzten jüngeren Beamten dafür gewonnen, für den Personalrat zu kandidieren. Ich sicherte ihm zu, dass die Leitung alles tun werde, um das Klima zu pflegen. Was Personalrat und Verwaltung in Bonn für den Auswärtigen Dienst vereinbarten und festlegten, sollte auch maßgebend sein für Botschaft und Belegschaft in London.

Leitung und Personalrat hatten fortan eine ausgezeichnete und auch für die Belegschaft ergiebige Zusammenarbeit. Ich habe daraus für meine spätere Verwendung, vor allem in Washington, gelernt, mich jeweils zum frühestmöglichen Zeitpunkt vor Wahlen um einen qualifizierten, guten Kandidaten zu bemühen.

Hans Günter Gnodtke war für mich nicht nur ein geachteter, beliebter und erfolgreicher Vorsitzender des Personalrats. Er war auch der erste Beamte im höheren Dienst, der gemeinsam mit seiner Ehefrau an der gleichen Auslandsvertretung eingesetzt wurde.

Ich hatte Herrn Röding, dem Leiter der Personalabteilung, spontan zugestimmt, als er fragte, ob die Botschaft bereit sei, einen ersten Versuch für den Höheren Auswärtigen Dienst zu übernehmen. Die Vertretung sei groß genug. Die Ehepartner könnten nur nicht in der gleichen Abteilung eingesetzt werden. Der Versuch gelang vollauf.

Dienstwagen

Das britische Protokoll hatte Empfehlungslisten für die Antrittsbesuche der Frau des Botschafters ausgegeben.

Als Karin im Wagen des Botschafters auf dem Weg zur Königinmutter war und sich gerade überlegte, wie sie der alten Dame einen möglichst positiven Eindruck von Deutschland, der Botschaft und sich selbst vermitteln konnte, unterbrach John Unwin, der Fahrer des Botschafters, sie mit der wohl eher humorvoll gedachten Bemerkung: »Madam, heute Abend muss ich in die Kirche gehen und beichten.« Karin, aus ihren Gedanken gerissen, fragte: »Warum?«

Unwin, mit der lockeren Ausdrucksweise des Londoner Großstädters und in dem für nicht in London Aufgewachsene eher gewöhnungsbedürftigen Cockney-Tonfall, antwortete: »Weil für die Verwaltung eine dienstliche Begründung für die Eintragung ins Fahrtenbuch gefunden werden muss, die nicht den Tatsachen entsprechen kann.«

Karin war empört. Sie erwog, auf der Stelle auszusteigen. Glücklicherweise hielt sie durch. Der Besuch war ein voller Erfolg. Obwohl Queen Mum aufmunternd und herzerfrischend in ihrer warmen Natürlichkeit gewesen war, kam Karin noch immer erregt in die Botschaft zurück. Hier erledige sie die vom Protokoll vorgeschriebenen Höflichkeitsbesuche. Die Verwaltung zwinge den Fahrer Unwin, andere Fahrtenziele und Fahrtenzwecke anzugeben.

Die Verwaltung ging nicht von ihrer negativen Haltung ab.

Durch persönliche Rücksprache mit dem zuständigen Referatsleiter und stellvertretenden Leiter der Personalabteilung in Bonn konnte ich klären, dass die amtlichen Antrittsbesuche der Frau des Botschafters bei der Frau des Oberhofmarschalls, des Außenministers und den Frauen anderer Kabinettsmitglieder als dienstliche Fahrten eingetragen werden konnten.

Die Personalabteilung half mit einer Abberufung des Leiters der Verwaltung. Mit dem nachfolgenden Kanzler Manfred Hädelt hatten Karin und ich eine vorzügliche Zusammenarbeit.

Die Konsultationen der Regierungschefs in Chequers und die 30. Königswinter-Konferenz in Cambridge

Ende März gab es die beiden wichtigsten deutsch-britischen Begegnungen: die Konsultation zwischen Bundeskanzler und der Premierministerin am 28.03.1980, eingebettet in die jährliche »Königswinter-Konferenz«, vom 27.-29. März 1980.

Das Gipfeltreffen zeigte, wie schon die erste Begegnung Schmidt/Thatcher im Mai 1979, dass die Ansichten beider Regierungschefs in Wirtschaftsfragen und bei außenpolitischen Problemen nicht weit auseinander lagen.

Helmut Schmidt und Margaret Thatcher sahen beide ihre Hauptaufgabe darin, die wirtschaftliche Leistungsfähigkeit ihres Landes zu stärken.

Während Deutschland sich auf dem Höhepunkt des sozialen Ausgleichs und der industriellen Dynamik befand und es darum ging, die marktwirtschaftliche Komponente der sozialen Marktwirtschaft zu erhalten, sah die Premierministerin ihre Ziele darin, erstens, die Übermacht der Gewerkschaften und die Verkrustungen des englischen Arbeitsmarktes abzubauen und, zweitens, auf eine Reform der monströsen, unwirtschaftlichen Agrarpolitik der EG hinzuwirken (zu hohe garantierte Preise, Überproduktion und Subvention der Ausfuhren, um die Butterberge und Milchseen auf dem Weltmarkt abzusetzen). Dieses Ziel deckte sich durchaus mit den Vorstellungen des Bundeskanzlers. Das System der Anpassung der Agrarpreise und der Ausgleichsabgaben war so kompliziert geworden, dass Helmut Schmidt der Ansicht war, nur einige wenige Agrarexperten – wie der Landwirtschaftsminister Ertel, dessen Staatssekretär Rohr und natürlich er selbst – könnten es noch überschauen und verstehen.

Jedoch beide, Premierministerin wie Bundeskanzler, scheiterten an der Agrarlobby in den EG-Ländern, einschließlich der deutschen Lobby, vor allem aber an dem unnachgiebigen französischen Widerstand.

Was die Höhe des EG-Beitrags betraf, half die Bundesregierung Großbritannien, obwohl wir einen großen Teil des Ausgleichs tragen mussten und sich schon nach wenigen Jahren erwies, dass die Höhe der ungerechtfertigten britischen Belastung übertrieben hoch eingeschätzt worden war. Aber dann hielten die Eiserne Lady und ihre Nachfolger unnachgiebig an dem errungenen Ausgleich fest.

Die Haltung zum Europäischen Währungssystem, das Helmut Schmidt und Giscard d'Estaing auf den Weg gebracht hatten, blieb reserviert. Bei Jim

Callaghan lautete die Begründung, das Pfund sei zu schwach, als dass Großbritannien beitreten könne, bei Maggie Thatcher hieß es, durch das Nordseeöl und die Zuflüsse der OECD-Länder für Anlagen in der City sei das Pfund zu stark, um sich in das Europäische Währungssystem einzufügen.

Die Ost-West-Beziehungen und Möglichkeiten der Entspannungspolitik schätzte Margaret Thatcher ähnlich ein wie die Bundesregierung Schmidt/Genscher. Margaret Thatcher war die erste Regierungschefin im angelsächsischen Westen, die die große Bedeutung und die neuen Chancen erkannte, die die Reformen Gorbatschows eröffneten.

Beim Mittagessen in Chequers erhielt ich einen Einblick in die Arbeitsweise der Premierministerin. Der Bundeskanzler war ins Gespräch mit dem Schatzkanzler und anderen Kabinettsmitgliedern vertieft. Ich saß auf der anderen Seite des Tisches neben Frau Thatcher.

Die Premierministerin verwickelte mich in eine intensive Unterhaltung über nukleare Kapazitäten in Ost und West, Leistungsfähigkeit der sowjeti-

Ankunft auf dem Flughafen Benson zu den Konsultationen der Regierungschefs in Chequers. Von links: Außenminister Genscher, Primeminister Thatcher, Bundeskanzler Schmidt, Außenminister Lord Carrington, im Hintergrund Horst Schulmann, Wirtschaftsberater des Bundeskanzlers, Regierungssprecher Kurt Becker, Botschafter Ruhfus

schen Raketen, interkontinental und im Mittelstreckenbereich, westliche Kapazitäten jetzt und nach der Nachrüstung. Was ist nötig für ein ausgewogenes Gleichgewicht? Wie kann es erreicht werden?

Aus dem Bundessicherheitsrat waren mir die meisten Zahlen noch präsent, so dass ich mich behaupten konnte.

Bei unserer nächsten Begegnung erzählte mir Charles Powell, die Premierministerin habe sich wenige Tage zuvor im kleinsten Kreis in Chequers briefen lassen und sich mit der Akribie ihres naturwissenschaftlichen Hintergrundes in die Details der Nuklearstrategie vertieft. Sie hatte offensichtlich ihre neue Meisterschaft in diesem komplizierten Gebiet an mir ausprobiert. Es erinnerte mich an die Arbeitsgespräche, die der Bundeskanzler mit uns im Kanzleramt geführt hatte.

Reden

Anschließend fuhr ich sofort zur Königswinter-Konferenz nach Cambridge. Die traditionsreichen Treffen brachten jedes Jahr einen Kreis angesehener Politiker, Wirtschaftsführer, Journalisten und prominenter Persönlichkeiten aus anderen Bereichen zusammen. Vorbereitung und Organisation lag auf beiden Seiten in den Händen der englisch-deutschen Gesellschaften und der Außenministerien.

Im Frühjahr 1980 hatte ich die Teilnehmer von Königswinter zu einem stilvollen Empfang in der historischen Library eines der ältesten Colleges in Cambridge eingeladen. Mit den anerkennenden Danksagungen verbanden einige englische Freunde den dezenten Hinweis, dass sie sich über einige begrüßende Worte des deutschen Botschafters gefreut hätten. Ich sah, nicht nur für die Arbeit des Pressereferenten gilt, »tue Gutes und rede darüber«.

Fortan habe ich sich bietende Gelegenheiten stets genutzt.

In schneller Folge hielt ich Vorträge vor dem Conservative European Affairs Committee, der Labour Party Foreign Affairs Group, der London Chamber of Commerce und der Diplomatic and Commonwealth Writers Association.

Hinzu kamen viele Reden vor Universitäten und Schulen, bei den Besuchen im Lande, bei den Treffen von Städtepartnerschaften und den jährlichen Begegnungen deutsch-britischer Vereinigungen.

Wichtige Punkte waren immer wieder: Deutschlands großer Beitrag zur westlichen Verteidigung (500.000 Soldaten der Wehrpflichtarmee, die durch Reservisten auf 1,2 Millionen ausgeweitet werden konnten) und die gemeinsamen Interessen an einer realistischen Entspannungspolitik. Die dynamisch wachsenden Handelsbeziehungen zwischen beiden Ländern (die Bundesrepublik hatte 1980 die USA als ersten Handelspartner Großbritanniens abgelöst, Großbritannien war nach Saudi-Arabien Deutschlands zweitgrößter Energielieferant geworden). Zur Mitgliedschaft in der EG verwies ich auf Deutschlands große Hilfe bei der Verringerung der zu hohen britischen Beiträge zur Europäischen Gemeinschaft und auf die Exportchancen, die ein gesicherter Markt von über 200 Millionen Verbrauchern bietet.

In Großbritannien galt – wie später noch stärker in den USA – »You can speak about anything but never over 20 minutes.« Ferner sollte die Rede möglichst mit einigen humorvollen Worten angereichert werden.

Ich habe in London gute Bücher für Anekdoten, geistreiche Pointen und Bonmots gefunden. In meinem Büro hatte ich ferner eine wohl gehütete Sammlung von humoristischen Einlagen internationaler Redner, die ich mir bei den verschiedensten Anlässen gemerkt hatte.

Von Lord Carrington hatte ich notiert: Ein Fernseh-Tycoon wird attackiert, sein Sender bringe nur Unterhaltung und strahle zu wenig Kultur-Sendungen aus. Er antwortete: »Was wollen Sie, wir hatten in der letzten Woche fünf Sendungen mit Politikern und drei mit Diplomaten.« Die Reaktion der Zuhörer: »Das ist doch keine Kultur!«, seine Antwort: »It certainly is not entertainment.«

Aus der UNO hatte ich mitgebracht: Ein Delegierter redet vor einem Ausschuss der VN. Während er Seite um Seite seines dicken Manuskripts vorliest, verlässt ein Delegierter nach dem anderen den Saal. Als er endet, ist nur einer geblieben. Er dankt. »Sir, you are a true Gentleman you waited up to the end of my speech.« Die Reaktion: »Sorry to disappoint you. I just happen to be the next speaker on the list.«

Zur sparsamen und weisen Verwendung des Haushalts der Europäischen Gemeinschaft verwies Lord Carrington auf den Seemann, der nach langer Seereise mit seinem Sold in das Vergnügungsviertel am Hafen entschwindet. Nach einigen Tagen kehrt er ohne einen Penny an Bord zurück. Auf die Frage, wo das Geld geblieben sei, stammelt er, erst halb ernüchtert: »Some of it went on drinks, some of it on women, the rest I must have spent foolishly.«

Von einem italienischen Kollegen hatte ich mir gemerkt: Ein Luftballonfahrer hatte im Nebel die Orientierung verloren. Schließlich sichtet er beglückt einen Fußgänger und ruft hinab: »Wo bin ich?« Die Antwort: »12 Meter über dem Boden im Nebel, 62ster Breitengrad und 57ster Längengrad.« Der Ballonfahrer reagiert: »Sie müssen Diplomat sein.« Der Passant, verwundert: »Woher wissen Sie das?« Der Ballonfahrer: »Ihre Antwort ist freundlich, schnell, korrekt – aber völlig unbrauchbar.«

Witze über Diplomaten waren meist willkommen und die Kollegen hatten den Humor, über sich selbst zu lachen. Nur einmal lag ich völlig daneben. Unser schwedischer Kollege in Nairobi hatte bei einem Essen für Karin und mich in seiner Tischrede gefragt: »Was ist der Unterschied zwischen einem Diplomaten und einem normalen Menschen?« Seine Antwort folgte: »Es gibt keinen. Nur einige Diplomaten wissen es noch nicht.« Ich fand die Geschichte amüsant und nutzte sie einige Tage später in meiner Rede bei einem Essen, das Karin und ich für den Botschafter eines großen Ostblocklandes gaben. Seine Exzellenz fand die Geschichte gar nicht komisch.

Das Echo in Gesprächen und Diskussionen war ermutigend. Die Haltung der englischen Bevölkerung zu Europa wurde positiver. 1975 hatte sich erstmals eine klare Mehrheit für die Mitgliedschaft in der Europäischen Gemeinschaft ausgesprochen. Später gab es temporär einen leichten Rückgang. 1980 stellte ein Meinungsforschungsinstitut die Frage: »Wo sehen Sie die Zukunft Ihres Landes, an der Seite Europas oder an der Seite der USA?« 20 % votierten für Amerika, 80 % für Europa.

Zu den bilateralen Beziehungen hatte das angesehene Institut für Meinungsforschung MORI 1982 eine Umfrage unter Jugendlichen durchgeführt. 64 % sagten, sie hätten »friendly« Gefühle zu Deutschland, nur 7 % beschrieben ihre Haltung als »unfriendly«. Die Ernsthaftigkeit dieser Umfrage wurde schon dadurch bestätigt, dass die Befragten weiter antworteten, sie schätzten deutschen Fleiß und Gründlichkeit höher ein als deutschen Humor. Bei einer Gallup-Umfrage im Auftrag des Sunday Telegraph vom August 1982 nannten auf die Frage: »Which country is Britain's best friend on the continent of Europe?« 27 % die Bundesrepublik Deutschland. Die anderen Europäer folgten in großem Abstand mit nur einstelligen Prozentzahlen.

Die Botschaft hat diese positiven Zahlen in ihrer Öffentlichkeitsarbeit ständig eingesetzt. Ich habe sie in vielen meiner Reden verwandt.

Besuche in Yorkshire

Meine erste Berührung mit England war der Schüleraustausch mit Yorkshire gewesen, das lag nun fast 30 Jahre zurück.

Als die Städte Leeds und Sheffield am 18. Mai 1980 Jubiläen mit ihren Partnerschaftsstädten Dortmund und Bochum feierten, nahm ich teil, um meine Dankbarkeit zu zeigen, um die Verbindung zwischen den Bürgern der Städte zu stärken und um meiner Familie die Schönheiten und die geschichtlichen Stätten des Landes zu zeigen. Ich führte Karin und unsere

Tochter Antje bei strahlendem Frühlingswetter auf dem Rundweg über die Stadtmauer von York. Wir sahen das historische Stadtbild und die berühmte Kathedrale noch im Originalzustand, vor dem späteren Brand. Anschließend zeigte ich ihnen die Yorkshire Dales, wir machten eine Wanderung über die einsamen Hügel mit den traditionellen Steinmauern, die Felder und Wiesen einfassten. Bei meiner ersten Begegnung mit Yorkshire in den Nachkriegsjahren hätte ich mir nie träumen lassen, dass ich drei Jahrzehnte später als Vertreter eines wirtschaftlich erstarkten, politisch wieder respektierten, demokratischen Deutschlands zurückkehren würde.

Die Bergarbeiter und der Bergbau

Schon kurz zuvor hatte Jim Callaghan mich eingeladen, ihn auf einer Reise zu den Bergarbeitern in Yorkshire zu begleiten. Die Einladung des Chefs der Opposition war attraktiv und interessant. Der Bergarbeiter Scargill war der einflussreiche Führer der großen Gewerkschaft der »Miners«. Ihm wurden Verbindungen zu kommunistischen Gewerkschaften in den Warschauer-Pakt-Staaten, unter anderem auch in der DDR, nachgesagt.

Jim Callaghan hielt eine gemäßigte Ansprache, Arthur Scargill, President of the National Union of Mineworkers, präsentierte in eindrucksvoller Rhetorik einen umfassenden Katalog von Forderungen für die Verbesserung des Lebensstandards der Bergleute. Noch interessanter und aufschlussreicher waren für mich die Gespräche mit den jüngeren Bergarbeiterführern in seiner Begleitung. Sie waren zumeist in Yorkshire aufgewachsen, direkt nach Abschluss der Grundschule im Bergbau angelernt worden und in die Gewerkschaft eingetreten. Durch ihre gemeinsame Kindheit in den grauen Städten der Bergbaugebiete, durch die harte Arbeit unter Tage hatten sie ein hohes Maß an Zusammengehörigkeitsgefühl und Solidaritätsbereitschaft. Sie hatten wenig Kenntnis von anderen Teilen Englands, geschweige denn vom Ausland.

Sie merkten schnell, dass ich aus meiner Heimat im Ruhrgebiet und aus meiner Familie von Ingenieuren gute persönliche Kenntnisse des Bergbaus und seiner Probleme hatte.

Als ich ihnen erzählte, dass der Deutsche Gewerkschaftsbund und die IG Bergbau unter ihrem gemäßigten, umsichtigen und einflussreichen Führer Adolf Schmidt die begabten jüngeren Gewerkschaftssekretäre zur Ausbildung an Universitäten entsandten, stieß ich auf Unglauben und Skepsis. Die britischen Gewerkschaftler betonten, ihr Platz sei an der Seite ihrer Kumpels in den Schachtbetrieben und nicht an den Schulen der Oberklasse. »We are we and they are they.« Eine Schilderung der betrieblichen Mitbestimmung in der Montanindustrie an der Ruhr und der Mitarbeit der Gewerkschaftsführer in den Aufsichtsräten der Bergbauunternehmen stieß auf Unverständnis. Wenn man in kämpferischer Auseinandersetzung Verbesserungen für das Los der Arbeiter anstrebe, könne man nicht am gleichen Tisch mit dem Management sitzen.

Als ich in den nächsten Jahren die harten Auseinandersetzungen von Margret Thatcher mit den Gewerkschaften und vor allem den erbitterten Kampf mit der Miners' Union erlebte, habe ich oft an die Gespräche und Begegnungen in Yorkshire gedacht. Ich konnte mir die Not ausmalen, in die die Familien gerieten, als die Mittel der Unterstützungsfonds der Gewerkschaften zu Ende gingen, und auch das hohe Maß an gegenseitiger Hilfsbereitschaft der Familien. Sie reichte aber nicht aus, um die Streiks zum Erfolg zu führen.

Gleichzeitig hat mir die Reise Einblick gegeben in den großen Reichtum an fossiler Energie in Großbritannien.

Aus Bochum wusste ich, dass die deutsche Kohle im Ruhrgebiet aus bis zu tausend Metern Tiefe und darüber hinaus abgebaut werden musste. Mein Bruder Bernd, 1,92 m groß, hatte als Praktikant unter starker physischer Belastung in den Gruben von Ibbenbüren, Ostwestfalen, in kleinen schmalen Flözen Kohlen abgebaut. In England lagerten dicke, breite Kohlevorkommen nahe unter der Oberfläche. Der Abbau dieser reichen Vorkommen war unvergleichlich billiger als der Abbau der sich ihrer Erschöpfung nähernden, schwierigen deutschen Lagerstätten.

Das Nordseeöl

In jenen Jahren begann das Nordseeöl zu sprudeln. British Petrol lud mich zu Gesprächen mit der Forschungsabteilung und der Stabsabteilung des Konzerns ein. Ich war überrascht und beeindruckt, wie sehr der Verlust der Bohr- und Förderrechte im Nahen Osten den Konzern getroffen hatte. Noch mehr faszinierte mich, mit welcher Hartnäckigkeit die Gesellschaft neue Ölvorkommen gesucht und erschlossen hatte.

Im Sommer 1980 flog ich zu einer Bohrinsel in der Nordsee. Das Wetter war ein typisches Nordsee-Tief, windig, wolkig, neblig, die Sichtweite an der unteren Grenze des für einen Hubschrauberflug gerade noch Zulässigen. Nach einigem Zögern wurde die Fluggenehmigung bestätigt, und wir starteten in die Waschküche. Graue Wolken, graues Meer, alles ineinander übergehend. Ich wusste nicht, was ich mehr bewundern sollte, die professionelle Kompetenz, mit der der Hubschrauberpilot seine Armaturen beherrschte, oder seinen unverwüstlichen Humor, dass er uns an den richtigen Ort bringen würde.

Pünktlich am Ende der vorgesehenen Flugzeit tauchte mitten aus Wolken und Nebel die Bohrinsel auf. Der Pilot setzte fachmännisch auf einem überaus kleinen Helikopterlandeplatz auf, mitten in der See.

Die Besichtigung zeigte mir die Leistungsfähigkeit, die harten Lebensbedingungen, die Gefahren, aber auch die attraktive Bezahlung für die Arbeit auf den Bohrinseln.

Bei den Arbeitern auf der Bohrinsel und bei den Transportunternehmen der Schiffe und Hubschrauber, die die Verbindung zu den Inseln sommers wie winters sicherstellten, spürte man etwas vom Geist der Wikinger, die die Nordsee überquert, und von der Abenteuerlust der englischen Seefahrer, die das britische Weltreich aufgebaut hatten.

Bei Planungen für Besuche deutscher Kabinettsmitglieder, Parteiführer und Parlamentarier habe ich mich immer wieder für Besuche im British Petrol Hauptquartier, und, wenn möglich, auch auf einer Nordseebohrinsel eingesetzt. So konnte ich den Gästen aus Deutschland deutlich machen, dass es neben der Englischen Krankheit nach wie vor leistungsstarke, dynamische britische Unternehmen gab.

Die Krone

Während der Abschiedsessen, die für Karin und mich in Bonn gegeben wurden, sprachen einige der Gastgeber von dem neuen deutschen Botschafter »am Court von St. James«.

Mir schien die Bezeichnung überzogen. Dennoch lernte ich bald mit Freude, dass die ungebrochene Tradition auch noch etwas Glanz auf die diplomatischen Vertreter in London warf. Sie brachte nicht nur das höfische Zeremoniell, sondern auch eine rücksichtsvolle Behandlung der Botschafter in verschiedenen Bereichen des täglichen Lebens.

In Afrika war es üblich, das diplomatische Corps als Kulisse bei der Begrüßung von Staatsbesuchen einzusetzen. Je nach Pünktlichkeit der anreisenden Gäste saßen die Exzellenzen dreißig Minuten oder gelegentlich bis zu mehreren Stunden in der Äquatorsonne am Flughafen.

In London wurden die Missionschefs ins Lancaster House oder einen anderen Palast gebeten und dort im wohltemperierten, geschichtsträchtigen

Die Eltern mit den Töchtern Andrea und Antje vor dem Pferderennen in Ascot

Rahmen dem ausländischen Ehrengast vorgestellt und mit gepflegten Getränken versorgt.

Bei den vielen großen Festlichkeiten wie »Trooping the Colours«, »Queen's Birthday«, der Eröffnung des Parlaments oder auch bei besonderen Anlässen wie der Hochzeit von Prince Charles und Lady Diana bot die englische Monarchie eine perfekte, traditionsreiche, militärisch umrahmte Inszenierung, die den Vergleich mit Großveranstaltungen des Vatikans, in Hollywood oder auf dem Roten Platz in Moskau nicht zu scheuen brauchte. Bei diesen Gelegenheiten bekamen die Botschafter vom Protokoll des Hofes und des Foreign Office gut betreute, privilegierte Plätze. Der einzige Preis war: Man musste frühzeitig vor Beginn eintreffen. Aber dann lief das Zeremoniell ohne Gedränge, mit würdigem Aufmarsch der Spitzen des Landes und der verschiedenen politischen und gesellschaftlichen Institutionen minutiös und ohne Pannen ab.

Der erste persönliche Auftakt für dieses höfische Zeremoniell war die Übergabe des Beglaubigungsschreibens des Bundespräsidenten an die englische Königin.

Vor dem Termin am 14. Februar 1980 gab das Protokoll Karin und mir eine ausführliche, schriftliche Darstellung der Prozedur: Anfahrt mit der königlichen Kutsche. Die Damen des Hofes kamen vorher in die Residenz, um den korrekten Sitz von Orden und Schärpe zu kontrollieren; mit dem Oberhofmarschall wurde das Übergabezeremoniell des Beglaubigungsschreibens vorbesprochen und geübt.

Nach der Rückkehr in die Residenz per Kutsche sah der Plan vor, jetzt dürfe man den königlichen Pferden Möhren und Zucker geben. Während dieser Zeit wurden die hilfreichen Mitglieder des Protokolls zu einem Champagner in der Residenz eingeladen.

Anders als dieser streng festgelegte äußere Ablauf der Übergabezeremonie war das Gespräch mit der Königin freundlich und ungezwungen.

In den Tagen zuvor hatten in England Demonstrationen gegen Kernkraftwerke stattgefunden. So kam die Königin auf die Bedeutung und Problematik der Kernenergie für unsere beiden Länder zu sprechen. Der Gedankenaustausch zeigte, dass die Königin aus der regelmäßigen Unterrichtung, zu der der Premierminister jede Woche in den Palast kam, auch über eher ferner liegende technische und wissenschaftliche Themen wie die Nuklearenergie gut informiert war.

Wir sind der Königin wiederholt begegnet, bei Staatsbesuchen, bei Queen's-Birthday-Empfängen im Buckingham Palace. Sie hat uns beim jährlichen Rennen in Ascot in die Royal Box eingeladen. Karin, als frühere Reiterin, die von Kind auf mit Pferden groß geworden war, hatte in dieser Umgebung des traditionellen Derbys leichten Zugang. Die Königin war überrascht zu hören, dass eins der Pferde, die die königliche Kutsche zogen, in der sie als junge Königin zu den Olympischen Spielen in Stockholm eingefahren war, Karin gehört hatte. Karins Vater hatte es an den schwedischen Hof verkauft.

Zu einer der Einladungen aus Anlass von Queen's Birthday im Buckingham Palace begleitete uns unsere Tochter Antje. Als wir zum Buckingham Palace unterwegs waren, bemerkten wir, dass Antje zwar einen kecken Hut aufhatte, aber keine Strümpfe trug. Wir machten ihr Vorhaltungen, das Protokoll für Queen's Birthday sehe ausdrücklich vor: keine unbestrumpften Beine.

Als wir von der Königin begrüßt worden waren, wies Antje triumphierend auf Diana; auch sie zeigte ihre Beine »ohne Strümpfe«.

Besonders eindrucksvoll war das Abendessen im Buckingham Palace am 16. November 1982 anlässlich des Staatsbesuchs von Königin Beatrix und Prinz Claus der Niederlande. Beatrix hatte vor wenigen Jahren die Nachfolge von Königin Juliane angetreten. Es war ihr erster Staatsbesuch in England. Im Buckingham Palace hatte man die Thronfolge in Den Haag eher skeptisch betrachtet. Es hieß, eine Königin kann nicht wie ein Staatsbeamter mit dem Erreichen einer Altersgrenze ihr hohes Amt einfach niederlegen.

Für Königin Beatrix und Prinz Claus fiel dieser Staatsbesuch in die schwere Zeit, als die Erkrankung von Claus ihn und auch die Königin stark belastete.

Beide hatten uns in London zu einer Begegnung zu viert eingeladen. Beide berichteten offen über die Krankheit, und Beatrix erzählte, dass sie darüber nachgedacht habe, ob sie ihr Amt niederlegen solle. Claus und ihre Ratgeber hatten jedoch mit großem Nachdruck abgeraten.

Während des Staatsbanketts im Buckingham Palace war ihnen von alldem nichts anzumerken. Es war ein glanzvolles Ereignis. Beide Monarchinnen hielten eindrucksvolle Reden, in denen sie in mutigen Worten die Jahrzehnte des Wettbewerbs und des Kampfes schilderten, in denen England als aufstrebende Weltmacht den holländischen Kaufleuten in Neu Amsterdam, dem späteren New York, und in vielen anderen überseeischen Gebieten den Rang ablief. Nach langen Zeiten des Zwistes folgte die enge politische und wirtschaftliche Verbindung zwischen London und Den Haag, die sich besonders im letzten Weltkrieg nach dem deutschen Überfall auf die Niederlande und in den Nachkriegsjahren bewährt hatte.

Mich erfüllten bei diesen Reden Gedanken der Bewunderung und der Wehmut. Hier vertraten zwei Frauen ihre Länder, deren Geschlechter aus Hannover und aus Hessen-Nassau stammten und deren Ehepartner aus ursprünglich deutschen Familien kamen. Die königlichen Familien in beiden Ländern hatten es verstanden, sich den innenpolitischen Veränderungen anzupassen und die Zuneigung und Liebe ihrer Bevölkerung zu bewahren. In Holland hatten wir bei der Hochzeit von Beatrix und Claus miterlebt, wie das Land sich in eine Wolke von Orange hüllte, die Farbe des Hauses von Wilhelm von Oranien. In London sahen wir, wie junge Engländerinnen und Engländer nachts am Straßenrand kampierten, um am Morgen des Hochzeitstages Prinz Charles und Lady Diana aus erster Reihe vorbeifahren zu sehen. Was hätte Deutschland erspart werden können, wenn es uns gelungen wäre, eine ähnliche Tradition zu entwickeln.

In England lieferte das Königshaus immer wieder Schlagzeilen für die Massenblätter. Die Nation verfolgte die Ereignisse in der königlichen Familie so, wie andere Länder die Familiendramen in populären Fernsehserien:

das Auf und Ab der familiären Ereignisse, Verlobung, Hochzeit und erste Anzeichen für eine Schwangerschaft, aber auch Krankheit, Tod und Trauerfeierlichkeiten. In den Republiken des Kontinents musste stattdessen das Privatleben von Schauspielern, Sportlern und Politikern als Ersatz herhalten.

Wie in »Dallas« gab es allerdings auch kritische Berichte und Klatsch-Meldungen über die Familie. Die Schwester der Königin, Princess Margaret, und andere Mitglieder können hiervon ein Lied singen.

Das höfische Protokoll hatte seine Feinheiten und auch seine amüsanten Seiten. Ein wesentlicher Teil des kulturellen Austausches zwischen unseren Ländern waren die Assistant Teachers. Eine größere Zahl junger deutscher Lehrerinnen und Lehrer aus den Gymnasien halfen beim Deutschunterricht in englischen Schulen und lernten dabei Land und Leute kennen.

Anfang der 80er Jahre wirkte in Deutschland die 68er-Revolution nach. Gerade unter jüngeren Lehrkräften war die Tendenz hoch im Kurs, sich selbst auszuleben, Formen und Konventionen abzulehnen und lässige Kleidung auch im Unterricht zu tragen.

In London hatte der Hof die populäre Queen Mum, die Mutter von Königin Elisabeth, dafür gewonnen, dass sie die deutschen Gast-Pädagogen am 12. Juni 1981 zu einem Tee einlud. Da ich den Jugendaustausch für besonders wichtig hielt, hatte ich meine Teilnahme sofort zugesagt. Als ich zum Tee kam, traute ich meinen Augen nicht. Hier waren alle korrekt gekleidet, in Schlips und Kragen, die Damen sittsam mit Hut und viele mit Handschuhen, wie es der Hof für eine Nachmittagsveranstaltung vorsah. Queen Mum stand umringt in der Mitte, alle drängten sich, um ihre humorvollen und volkstümlichen Äußerungen und Kommentare mitzubekommen.

Vor einem Abendessen im Buckingham Palace stand Karin vor ihrem Kleiderschrank und sichtete die Abendkleider. Sie hatte eines aus schwarzer Spitze in der Hand, das ihr besonders gut stand. Aber wir erinnerten uns beide: bei Hof weder Schwarz noch Weiß, sonst alle Farben.

Als wir die Schlosstreppe zum Buckingham Palace hochstiegen, begegneten wir der Premierministerin Margaret Thatcher in einem eleganten schwarzen Abendkleid. Wir fragten uns, ob die Premierministerin nicht die gleichen Informationen wie die Botschafter erhalten hatte? Karin machte ihr ein dickes Kompliment über den Schick des Kleides und berichtete von unseren Konsultationen vor dem Kleiderschrank. Margaret Thatcher dankte schmunzelnd und antwortete: »Karin, it is different, the Prime Minister is expected to be in black.« So fein waren die traditionellen Nuancen bei der Kleidung am Hofe.

Karin und ich hatten beim Privatsekretär von Prinz Charles vorgefühlt, wir würden gern in der Residenz ein Abendessen zu seinen Ehren geben. Aber Verlobung, Eheschließung und die ersten Auslandsbesuche des königlichen Paares Charles und Diana warfen alle Pläne über den Haufen.

Stattdessen sind Karin und ich näher mit Princess Margaret in Verbindung gekommen. Wir lernten sie als eine liebenswerte, freundliche und aufrichtige Frau kennen, die die Künste besonders liebte.

Das Stuttgarter Ballett unter John Cranko gab Anfang Juni 1981 ein Gastspiel mit Marcia Haydée in Covent Garden, »Die Kameliendame«. Wir wussten, dass Princess Margaret Cranko sehr schätzte und baten sie, die Schirmherrschaft zu übernehmen. Sie stimmte sofort zu. Es folgten aufreibende Wochen. Neben der Vorbereitung der Gastaufführung organisierten wir ein großes Abendessen in unserem Hause. Cranko und die Stuttgarter waren auch in London sehr angesehen. Das Interesse war groß. Aber es gab auch Probleme. Covent Garden und die britischen Feuerschutzbehörden lehnten einige der besonders gelungenen Bühnenbilder aus Stuttgart ab; sie seien zu feuergefährlich. Das Ballett musste sich im zweiten Akt mit den weniger attraktiven, hauseigenen Requisiten von Covent Garden behelfen. Princess Margaret, der wir dies berichteten, reagierte lakonisch: »Kein unübliches Konkurrenzverhalten unter den Bühnen in London.«

Bei dem anschließenden Abendessen in der Residenz waren die Gäste voller Begeisterung über die ausgezeichnete Aufführung. Princess Margaret fühlte sich wohl im Kreise von Cranko, Marcia Haydée und den anderen Künstlerinnen und Künstlern. Sie wollte sich aus dem anregenden Kreis nicht lösen, und die Gespräche zogen sich bis in die frühen Morgenstunden hin.

Unter den Gästen befanden sich hochrangige Beamte aus Whitehall, führende Politiker und angesehene Publizisten. Viele von ihnen werden an den vollen Arbeitstag gedacht haben, der ihnen bevorstand. Doch keiner verließ die Gesellschaft, solange Princess Margaret anwesend war. Ein eindrucksvoller Beweis für den Respekt, der Mitgliedern der königlichen Familie auch von prominenten Vertretern der englischen Gesellschaft entgegengebracht wurde.

Margaret Thatcher

Meine frühere Tätigkeit als außenpolitischer Berater von Helmut Schmidt und die Einführung in Downing Street gleich bei den ersten Gesprächen nach der Wahl erleichterte mir den Zugang zur Premierministerin und zu ihrem Stab. Mit Lord Hunt, Sir Clive Rose, Michael Alexander und Brian Cartlett hatte ich im Kanzleramt oder in Guadeloupe persönlich zusammengearbeitet.

Später kamen Sir Robert Armstrong und Charles Powell hinzu. Charles und seine Frau Carla waren uns aus ihrer Zeit in der britischen Botschaft in Bonn bestens bekannt. Wir hatten in ihrem gemütlichen Haus in Bad Godesberg fröhliche Partys gefeiert. Carla setzte das gesellige Leben in London fort, ihr italienischer Charme, ihre eigenwillige lombardische Vitalität machten ihr Apartment bald zu einem gesellschaftlichen Zentrum auch in London.

Sir Robert Armstrong war das Musterbeispiel eines umsichtigen, unaufdringlichen, aber überaus leistungsstarken Civil Servant, zugleich ein großer Liebhaber klassischer Musik.

Charles Powell war ein Spitzenabsolvent des englischen Public-School-Erziehungssystems. Brillant, gebildet, auch in Stress-Situationen stets freundlich und entspannt, mit großer Arbeitsintensität und Leistungskraft. Auf sein Wort konnte man sich verlassen. Nach der Beamtenkarriere schlug er eine erfolgreiche Laufbahn in der City ein. Er war in Asien und Nordamerika ebenso zu Hause wie in Europa.

Sein Bruder war später ein ähnlich einflussreicher Berater bei dem Labour-Premierminister Tony Blair. Wenn ich nach einem deutschen Beispiel zweier Brüder suche, die mit gleich großem Erfolg in den beiden konkurrierenden Volksparteien gewirkt haben, dann kommen mir die Gebrüder Vogel in den Sinn: Jochen Vogel, Bundesjustizminister und eines der angesehensten Mitglieder im Kabinett von Helmut Schmidt, und Bernhard Vogel, erfolgreicher Ministerpräsident in Rheinland-Pfalz und später im neuen Bundesland Thüringen.

Margaret Thatcher konzentrierte den größten Teil ihrer erheblichen Energie auf die wirtschaftliche und auf die innenpolitische Entwicklung.

In den ersten Monaten berichtete Charles Powell, dass sie – ähnlich wie wir im Kanzleramt in Bonn – in Downing Street bis in die frühen Morgenstunden an Regierungserklärungen gearbeitet hätten. Der Unterschied war, uns wurde der Kaffee nachts von treuen und unermüdlichen Mitarbeiterinnen im Kanzleramt aufgegossen, in Downing Street kochte die Premierministerin persönlich eine Suppe für ihre noch ausharrenden engsten Mitarbeiter.

Während der Jahre in London erlebte ich, mit welcher Hartnäckigkeit und Entschlossenheit die Premierministerin vorging, um die wirtschaftliche Situation in Großbritannien in den Griff zu bekommen. Sie schaffte es, der Bevölkerung ein neues Vertrauen in die eigene Kraft und in die Zukunft des Landes zu geben. Sie wurde unterstützt von glücklichen Umständen.

Margaret Thatcher kommt zum Abendessen in die Residenz

Das Nordseeöl verbesserte die Zahlungsbilanz. Von den großen Gewinnen der OPEC-Länder floss ein steigender Anteil an die Londoner Börse und in die City. Premierministerin Thatcher nutzte die verbesserte wirtschaftliche und finanzielle Situation und die sichere parlamentarische Mehrheit, um mit einschneidenden Gesetzen die große Macht der Gewerkschaften zu begrenzen.

Der andere Faktor war der siegreiche Krieg um die Falkland-Inseln.

Für einen Kontinental-Europäer meiner Generation war es schwer zu fassen, dass eine brillante Nation, deren außenpolitische Klugheit und Sinn fürs Maßhalten ich stets bewundert hatte, sich plötzlich in ein ungewisses Abenteuer stürzte, tausende von Kilometern entfernt am anderen Ende der Welt. Mit Geschick und Weisheit hatte Großbritannien sich in den Jahren nach 1945 von den Filetstücken seines Weltreichs getrennt und die Länder, abgesehen von dem Mau-Mau-Krieg in Kenia, friedlich in die Unabhängigkeit entlassen.

Lord Carrington hatte als Außenminister ein Meisterstück vollbracht und 1981 für das letzte Problem, Rhodesien/Zimbabwe, in der Lancaster-House-Konferenz eine friedliche Lösung gefunden.

Jetzt fühlte Großbritannien sich düpiert, als die Militärdiktatoren in Buenos Aires auf den Falkland-Inseln im Südatlantik, 800 km vor der argentinischen Küste, bewohnt von 1.800 Menschen, 650.000 Schafen und Millionen Pinguinen, nach einer Nacht- und Nebelaktion die argentinische Flagge aufzogen.

Die Ereignisse überstürzten sich. Lord Carrington übernahm die politische Verantwortung für die überraschende Niederlage und trat zurück. Als die argentinische Regierung nicht bereit war einzulenken, entsandte die britische Regierung wenige Tage darauf einen Geleitzug mit dem Flugzeugträger »Hermes« in den südlichen Atlantik.

Drei Wochen lang verfassten die Botschaften in Buenos Aires und in London täglich eine Übersicht über die Ereignisse um die Falklands. Die »Kriegsberichterstattung« war eine sportliche Übung der politischen Abteilungen der Deutschen Botschaft am Rio de la Plata und der Deutschen Botschaft an der Themse.

Margaret Thatcher war von Anfang an entschlossen, dieses Unrecht nicht tatenlos hinzunehmen. Sie wurde von breiten Teilen der Presse und der Öffentlichkeit unterstützt. Aber die Probleme des weit entfernten Kriegsschauplatzes waren erheblich. Ein besonderes Risiko waren die beiden Dieselbetriebenen U-Boote, die Argentinien von Deutschland gekauft hatte. Die englische Marine konnte den Standort dieser geräuscharmen Schiffe bis zum Ende des Krieges nicht ausmachen. Erst nachträglich erfuhr ich von britischer und deutscher Seite, dass ein argentinisches U-Boot sich lange Zeit in der Nähe der »Hermes« aufhielt und sogar Torpedos auf den Flugzeugträger abfeuerte. Gottlob war die Zielsteuerung nicht ganz richtig eingestellt. Es war nicht auszudenken, was passiert wäre, wenn 35 Jahre nach dem Weltkrieg der Flugzeugträger »Hermes« mit Prinz Andrew an Bord von einem Torpedo versenkt worden wäre, der aus Deutschland stammte.

Die englischen Soldaten leisteten unter schwierigen geographischen und klimatischen Bedingungen Hervorragendes.

Bei einem Besuch in Devonshire und Cornwall waren Karin und ich überrascht, wie stark die Bevölkerung auf dem Lande hinter der Aktion stand.

Die USA halfen. Der britische Botschafter in Washington war in jenen Tagen ein gesuchter Interviewpartner des amerikanischen Fernsehens. Die erfahrene britische Diplomatie verstand es, den militärischen Sieg auch in einen internationalen Erfolg umzumünzen. Die Falklands blieben britisch. Margaret Thatchers Ansehen war auf dem Höhepunkt.

In jenen Tagen habe ich britischen Freunden in Downing Street, aber auch in der Partei der Konservativen, so z. B. dem Parlamentsmitglied Peter Morrison, der gute Verbindung zu Premierministerin hatte, die Frage gestellt, ob die entschlossenen Führungsqualitäten, die Margret Thatcher so überzeugend für ihr Land gezeigt hatte, nicht für die europäische Einigung genutzt werden könnten. Die Antworten waren zurückhaltend und ausweichend. Es hieß, ihre treibende Kraft und Dynamik werde zunächst in England dringend benötigt.

Es dauerte länger, bis sich die Gelegenheit ergab, dass ich die Premierministerin persönlich fragen konnte.

Beim ersten Besuch von Bundeskanzler Kohl zu den Konsultationen der Regierungschefs am 19./20. März 1982 hatte die Premierministerin sich große Mühe gegeben, als Gastgeberin sicherzustellen, dass der Bundeskanzler sich wohl fühlen würde. Sie hatte vorher durch mich im Bundeskanzleramt anfragen lassen, ob der Bundeskanzler für seine Unterbringung in Chequers irgendwelche besonderen Wünsche habe. Abends, als die deutsche Delegation sich in ihre Zimmer zurückgezogen hatte, hielt mich die Premierministerin fest. Vor dem Kaminfeuer erkundigte sie sich, ob für die Gäste alles zufrieden stellend gewesen sei. Ich war beeindruckt, mit welcher Sorgfalt die Premierministerin sich als perfekte Gastgeberin um das Wohl ihrer Gäste in Chequers bemühte.

Wir blickten zurück auf die Konsultationen des Tages. Ich schilderte ihr, wie sehr ich ihre politischen Erfolge in London bewunderte. Jetzt stünden unsere Länder vor der Aufgabe, auf dem Weg voranzuschreiten, den schon Churchill mit seiner Vision der europäischen Einigung vorgezeichnet hatte. Das englische Volk habe sich in den letzten Meinungsumfragen mit eindeutiger Mehrheit zu Europa bekannt. Dies sei, wie ich in London jeden Tag erlebte, für Großbritannien und seine Partner eine große Bereicherung. Nach dem Tode von Charles de Gaulle, von Jean Monnet und Robert Schuman benötige Europa jetzt eine neue herausragende europäische Persönlichkeit. Könne sie nicht der Monnet oder de Gaulle sein, der Europa in der nächsten Runde der europäischen Einigung führt? Die Premierministerin antwortete schnell, sie könne sich diese Aufgabe bei der französischen Haltung zur Führung in Europa und gegenüber der Rolle Englands in der EG derzeit nicht vorstellen. Zunächst sei es ihre Aufgabe, die in England begonnene Erneuerung und Stärkung fortzusetzen.

Trotz ihres freundlichen Tones wurde deutlich, dass ihr die von mir angedeutete Führungsrolle im größeren Kreis von Europa wenig sagte. Sie sah ihre Aufgabe vor allem im eigenen Land auf der Linie der traditionellen eigenständigen britischen Politik.

Gleichwohl ging sie die Probleme des britisch-französischen Verhältnisses tatkräftig an. Sie bemühte sich um einen breiten Dialog der Führungskräfte in beiden Ländern. Dabei ließ sie sich von dem deutsch-britischen Ansatz in Königswinter inspirieren, den sie aus der Teilnahme an mehreren Königswinter-Konferenzen kannte. Das britisch-französische Treffen wurde hochkarätig aufgezogen. Allerdings erlahmte der Elan bald. Übrigens zeigten die Erfahrungen auch bei anderen bilateralen Versuchen, z. B. bei deutsch-niederländischen Begegnungen, bei deutsch-amerikanischen Treffen, dass die Königswinter-Konferenz eine einmalige Errungenschaft war, die sich nur schwer auf die bilateralen Beziehungen mit anderen Ländern übertragen ließ.

Die Europäische Gemeinschaft war für Margaret Thatcher ein Instrument für ihr Herzensanliegen, Großbritannien einen Teil seiner früheren weltpolitischen Bedeutung zurückzugewinnen. Solange die europäische Integration diesem Ziel diente, war sie willkommen. Zusätzliche Bindungen, die die Souveränität und Handlungsfreiheit ihres Landes beschränkten, waren unerwünscht. In jenen Anfangsjahren ihrer Regierungszeit war noch nicht vorauszusehen, dass es einmal ihre Haltung zu Europa sein würde, die Margaret Thatcher später zu Fall brachte.

Ebenso wenig zeichnete sich in den Jahren 1980 bis 1983 die skeptische und widerstrebende Haltung ab, die Margaret Thatcher ein Jahrzehnt später zur Überwindung der deutschen Teilung einnahm. Von Washington aus verfolgte ich, wie sie einen Kreis von Experten einlud, um sich mit dem Problem der deutschen Psyche und der deutschen Einigung zu beschäftigen. Das erinnerte mich an ihren Arbeitsstil. Sie machte sich mit akuten Problemen und neuen Entwicklungen vertraut, indem sie vorhandenen Sachverstand ausschöpfte und zu Rat zog. Als ich aus dem State Department und dem Weißen Haus hörte, mit welchem Nachdruck sie sich in einem langen Telefonat mit Präsident George Bush gegen die deutsche Einheit und für die Stabilisierung zweier deutscher demokratischer Staaten einsetzte, hat mich dies zutiefst überrascht und betroffen. Während meiner Zeit in London hatte ich den Eindruck, dass Margaret Thatcher nicht gerade ein Bewunderer Deutschlands war, aber dass sie das gute Verhältnis zu Bundeskanzler Schmidt hoch schätzte und dass auch sie die neu gewonnene Verbundenheit beider Völker nach zwei blutigen und verlustreichen Weltkriegen für wichtig und wertvoll hielt.

Ich habe an vielen Begegnungen und Gesprächen teilgenommen, an offiziellen und privaten, in Downing Street 10 und in Chequers, mit Bundeskanzler Schmidt, mit Außenminister Genscher, mit dem Bundespräsidenten und anderen führenden Persönlichkeiten der Bundesrepublik. Und ich kann mich nicht an kritische Worte oder skeptische Ausführungen der Premierministerin zur deutschen Vergangenheit, zu Deutschlands Rolle in der Welt erinnern. Es gab Kritik an einzelnen Aspekten der Politik der Bundesrepublik, aber keine generelle Skepsis gegenüber dem Land und gegenüber dem deutschen Volk. Aus meiner Zeit im Auswärtigen Amt und im Bundeskanzleramt sowie meiner Tätigkeit in London war mir wohl bewusst, dass für die britischen Regierungen der ständige Sitz im Sicherheitsrat der Vereinten Nationen, die Rolle des reaktivierten Commonwealth, die Position der vier Siegermächte gegenüber Deutschland und die originären Rechte in Berlin wichtige Elemente der Stellung Großbritanniens in Europa und der Welt waren. Das galt besonders auch für die in der Wolle gefärbt konservative Premierministerin. Aber eine solche Schärfe in ihrer Reaktion hatte ich nicht erwartet.

Als ich nach der Rückkehr aus Washington 1993 den Vorsitz in der Deutsch-Englischen Gesellschaft übernahm und als ich später dem Kreis der Trustees der Deutsch-Britischen Stiftung für das Studium der Industriegesellschaft beitrat, war ich vom veränderten Klima in London schockiert.

Nur 10 Jahre früher, 1982, hatten 60 % der Jugendlichen in Meinungsumfragen »friendly feelings« für Deutschland angegeben. Ein knappes Jahrzehnt später war die Stimmung umgeschlagen. Skeptische Aussagen überwogen; weniger als die Hälfte äußerte sich positiv zu Deutschland. Die Massenblätter wie Daily Star and Sun stilisierten die Fußballspiele der Nationalmannschaft zu Auseinandersetzungen, die mit kriegerischen Vokabeln beschrieben wurden. »Passt auf, Ihr Würste … wir schießen die deutsche Elf in Fetzen.«

Margaret Thatcher hat sich mit der von ihr gewohnten Direktheit zu ihrer Haltung geäußert. Sie schildert in ihren Memoiren, wie der Kreis angesehener Experten aus Großbritannien und anderer Länder Zweifel daran geäußert habe, ob die deutsche Einheit angesichts des unstabilen Charakters der Deutschen wünschenswert und gut für Deutschland sein würde. Mit 80 Millionen Einwohnern entferne sich das vereinte Deutschland von der Gruppe der großen europäischen Nachbarn, die zwischen 50 und 60 Millionen Einwohner haben.

Sie beschreibt in großer Offenheit, wie sie den amerikanischen Präsidenten Bush in einem langen Telefongespräch nahe zu legen versuchte, die deutsche Einheit nicht zu schnell voranzutreiben und stattdessen zwei demokratische deutsche Staaten anzustreben, und wie sie sich bemühte, Mitterand, Gorbatschow und andere Regierungschefs von ihren Bedenken zu überzeugen und die Wiedervereinigung zu verschieben. Diese Schritte erleuchten, welch dramatisches Ereignis die deutsche Einheit für unsere Nachbarn gewesen ist.

Für London bedeutete der erfolgreiche Abschluss der Zwei-plus-Vier-Verhandlungen, dass mit einem Federstrich der Sonderstatus fortfiel, den Großbritannien als Siegermacht des letzten Weltkrieges in Deutschland und in Berlin jahrzehntelang innegehabt hatte.

Margaret Thatcher reflektierte die Gefühle eines großen Teils der britischen Bevölkerung. Nach Abstammung und Jugend wurzelte sie fest in der großen britischen Tradition des 19./20. Jahrhunderts. Sie hat erreicht, dass das britische Volk sich zurückbesann auf die historischen Werte, die das Vereinigte Königreich groß gemacht hatten: Eigenverantwortung, Initiative, unternehmerische Kreativität, Eintreten für Demokratie und Freiheit. Sie fühlte sich wohler im großen Kreis der Anglo-Saxon Community und den englisch geprägten Ländern des Commonwealth. Initiativen für eine Gemeinschaft der Europäer gehörten nicht zu dem historischen Bild. In der englischen Geschichte gab es viele Beispiele für englische Bemühungen um Erhaltung des Gleichgewichts auf dem europäischen Kontinent, bittere Kriege gegen kontinentale Mächte, die die Vorherrschaft in Europa anstrebten, aber es gab nicht das Ziel, diese Vielzahl konkurrierender europäischer Staaten durch führende Mitwirkung von London zusammenzubringen und zu einigen.

Letztlich war es wohl diese einseitige Entschlossenheit – Geoffrey Howe, lange Jahre ihr loyalster Mitstreiter, bezeichnete es als »single-mindedness« (Financial Times 23/24 October 1993) –, die sie zu Fall brachte.

Die kompromisslose und rücksichtslose Zielstrebigkeit, die ihr bei der Bekämpfung der Gewerkschaften und dem Anschub der Wirtschaft so sehr zugute gekommen war, war es, die jetzt bei ihrem eigenwilligen Kampf gegen Veränderungen in Europa und vor allem gegen die europäische Währungsunion zu ihrem Ende als Premierministerin führte.

Ihr Mangel an europäischer Vision brachte Margaret Thatcher in Gegensatz zu Mitgliedern ihres eigenen Kabinetts und zu anderen europäischen Regierungschefs. Diese Meinungsverschiedenheit, gerade auch zwischen Bundeskanzler Kohl und Premierministerin Thatcher, wurde in den folgenden Jahren immer größer. Glücklicherweise habe ich den Vorsitz der Deutsch-Englischen Gesellschaft erst nach deren 40-jährigem Jubiläum übernommen. Zu dieser 40. Begegnung hatten beide Regierungschefs ihre Teilnahme zugesagt. Die Beziehungen zwischen Kohl und Thatcher waren so kompliziert und gespannt geworden, dass der Vorsitzende der DEG Karl-Günther von Hase sich zwischen beide platzierte, um einen einigermaßen glatten Ablauf der Veranstaltung zu sichern.

Zu Karin und mir war die Premierministerin immer höflich und freundlich, und gelegentlich ließ sie hinter der perfekten äußeren Fassade auch menschliche Wärme durchschimmern.

Zum Jahresempfang im Buckingham Palace für das Diplomatische Corps waren die erwachsenen Kinder der Botschafter mit eingeladen. Unseren Töchtern sagte das Zeremoniell des Hofes nicht viel – hier zeigten sich die Nachwirkungen der 68er Revolution.

1983 legte Karin unseren Töchtern nahe: »Kommt einmal mit, es ist Teil der Geschichte und der Tradition. Wer weiß, ob es euch in eurem Leben noch einmal geboten wird, bei einem Empfang bei Hofe dabei zu sein.«

Sie ließen sich überzeugen. Jetzt musste Abendkleidung beschafft werden, teils aus Mutters Schrank, teils von Liberty's.

Das Endergebnis war überaus attraktiv und gut anzusehen. Also fuhren wir als zufriedene Eltern, ich besonders stolz als Vater und Ehemann, mit vier hübschen Damen zum Buckingham Palace.

Beim Rundgang unterhielt sich zunächst die Königin mit unseren Töchtern, nachdem sie an Karin und mich nur einige freundliche Worte gerichtet hatte. Anschließend folgte Diana, die sich mit den Töchtern über die lustigen und amüsanten Seiten des Lebens in London unterhielt. Schließlich kam die Premierministerin. Sie ließ sich von ihnen über ihre Erfahrungen an der London School of Economics berichten, im Trinity College in Oxford und der Deutschen Schule in London. Der Protokollchef musste die Premierministerin mehrfach ermahnen, dass noch eine größere Zahl anderer Diplomaten auf sie wartete.

Unsere Töchter waren überrascht und angetan von dem menschlichen Interesse und der persönlichen Anteilnahme, die sie hinter dem Bild der Iron Lady entdeckten.

Jim Callaghan

Zu Jim Callaghan habe ich während meiner ganzen Zeit in London gute persönliche Beziehungen unterhalten. Ich besuchte ihn regelmäßig, auch als er später durch Michael Foot als Führer der Opposition abgelöst worden war. Sein ausgewogenes Urteil über die Auseinandersetzungen und Entwicklungen innerhalb der Labour Partei war eine wichtige und zuverlässige Quelle für meine Urteilsbildung.

Jim Callaghan interessierte sich weiterhin sehr für die Politik des Bundeskanzlers im Sicherheits- und Abrüstungsbereich und auch gegenüber Moskau. Ich übermittelte ihm Reden und Stellungnahmen des Bundeskanzlers und half mit Ratschlägen für Äußerungen, insbesondere im Bereich der Nachrüstung und Abrüstung.

Im Sommer 1982 waren wir in sein Heim in Sussex eingeladen. Callaghan hatte sich dort einen kleinen Hof – in Westfalen würde man sagen Kotten – gekauft. Trotz der skeptischen Haltung seiner Partei gegenüber der Agrarpolitik der Europäischen Gemeinschaft hatte er die Schlachtprämien der Brüsseler Kommission in Anspruch genommen, um sich von den Kühen zu trennen und zu dem weniger arbeitsintensiven Ackerbau überzugehen.

Seine Frau zeigte uns mit Begeisterung die Schweine und Hühner, die sie auf der kleinen Farm hielt.

Jim Callaghan war ein Beispiel dafür, wie sehr die erfolgreichen Politiker, Beamten, Führer von Industrie und Banken in England sich nach einer erfolgreichen Karriere zum ruhigen Leben auf dem Lande hingezogen fühlen. Nach der aufreibenden Laufbahn suchen sie später Ausgleich in der beschaulichen Umgebung einer Gemeinschaft auf dem Lande.

Reiz und Charme des britischen Landlebens

Aristokraten wie Lord Carrington zogen sich auf den Besitz zurück, der seit Generationen der Familie gehörte. Erfolgreiche, wohlhabende Unternehmer wie Lord Arnold Weinstock, der Chef von General Electric, oder Michael Heseltine kauften und renovierten alte Landsitze, züchteten Pferde, legten Fischteiche an oder pflanzten Bäume in den alten Parks ihres Gutes. Ich war bei den Wochenendeinladungen auf dem Land immer wieder beeindruckt, wie sie und ihre Familien sich im Leben der ländlichen Gemeinschaft engagierten, ja geradezu darin aufgingen.

Auch eine Reihe englischer Diplomaten pflegte das Landleben. Wenn man sie besuchte, wie z. B. Sir Clive Rose in Lavenham in Suffolk an der Ostküste, dann waren wichtige Gesprächsthemen nicht die Londoner Probleme, sondern die Wohltätigkeitspicknicks und andere Veranstaltungen der örtlichen Gemeinden, die Treibjagden auf Fasane und Moorhühner, die Turniere des ländlichen Reitclubs und die örtlichen Fuchsjagden. Ich habe gesehen, wie schnell die Kinder in diese fest gefügte Ordnung des Landlebens einbezogen wurden und sich in dem in Jahrhunderten gewachsenen Lebensstil zu Hause fühlten.

Die Familie von Lord Margadale

Durch die Familie von Lord Margadale lernten wir das Landleben genauer kennen. Seine Tochter Mary war Hofdame der Königin. Sie beriet und betreute Karin und mich bei unseren ersten Begegnungen mit dem Hof und der königlichen Familie.

Ihr Bruder Peter Morrison wurde mir vom Sekretariat der konservativen Partei zugeordnet; er betreute mich bei meinem ersten Besuch auf dem Parteitag der Konservativen in Brighton am 9.10.1980. Mit beiden gab es eine spontane gegenseitige Sympathie, die sich später zu einer Wertschätzung der ganzen Familie entwickelte.

Ein Vorfahre hatte um die Jahrhundertwende, als sich das Ende der überaus beliebten Königin Victoria abzeichnete, die lukrative Idee, schwarze Stoffe für Trauerkleidung auf Vorrat zu produzieren und aufzukaufen. Die Spekulation ging auf. Als die Königin nach langem Leben starb, gab es eine ungeheure Nachfrage nach schwarzer Trauerkleidung. Mit seiner Weitsicht hatte er den Grundstock für das Vermögen seiner Familie gelegt.

Wir wurden schon im Sommer 1981 zu einem Wochenende in Coombe Hill eingeladen, einem herrlichen Landsitz in der schönsten Gegend von Somerset.

Karin und ich hatten versucht, uns vorher über die Besonderheiten einer Einladung auf dem Lande zu informieren. Peter und Mary hatten abgewinkt: »Das ist alles ganz formlos. Macht euch keine Sorgen.« Freunde hatten uns gewarnt. »Packt eure Koffer sorgfältig. Es kann sein, dass euer Gepäck vom Butler ausgepackt wird. Habt auf jeden Fall passende Kleidung bei euch für ein Abendessen im Smoking, für die Jagd oder für Wanderungen in der Umgebung.«

Glücklicherweise folgten wir dem Rat. Als wir vorfuhren, übernahm ein distinguierter Butler Auto und Gepäck. Wir wurden zum Tee gebeten, um dort die Familie und die anderen Wochenendgäste kennen zu lernen. Nach dem Tee wurden wir zu unseren Zimmern geführt. Dort waren unsere Koffer schon ausgepackt und alles vom Butler vorbildlich in die Schränke eingeordnet. Über den Stühlen lagen Smoking und Zubehör sowie Abendkleid; dezenter Hinweis, welche Kleidung für den Abend erwartet wurde.

So ging es weiter. Am nächsten Morgen lagen auf den Stühlen Blazer und Kostüm für den Fall, dass wir His Lordship zum Gottesdienst in der Dorfkirche begleiten wollten. Sportkleidung lag bereit für Frischluftaktivitäten. Nach dem Abendessen wurde gefragt, wer am nächsten Morgen wandern,

Crocket spielen oder die Gegend kennen lernen wollte. Der Abend war unterhaltsam, Wein und Dinner ausgezeichnet. Die Stimmung kam auf den Höhepunkt, als der Hausherr persönlich den Portwein zum Stilton-Käse servierte oder nach Wunsch auch alten V.S.O.P. Cognac.

Ganz anders das Frühstück am nächsten Morgen. Die Damen ließen sich Tee oder Kaffee teilweise auf dem Zimmer servieren, die Herren versteckten sich hinter den Sonntagszeitungen, die vom Butler früh gekauft und ausgelegt worden waren. Nur ab und an unterbrach man die Lektüre, um sich vom Frühstücksbuffet Bacon oder Rühreier nachzuholen. Versuche, zu einer Unterhaltung zu kommen, wurden nicht oder mit kurzen knappen Bemerkungen hinter der Zeitung beschieden. Also blieb einem nichts anderes übrig, als selbst zu einer Sonntagszeitung zu greifen.

Um 9.30 Uhr hieß es, His Lordship geht zur Kirche, wer möchte ihn zum Gottesdienst begleiten. Karin und ich ließen uns indessen von Peter und Mary den herrlichen Besitz zeigen. Wir gewannen einen Eindruck von der hochmodernen, leistungsfähigen Milchwirtschaft und Viehzucht der britischen Großbetriebe.

Dieser Stil des Landlebens galt übrigens noch mehr für die großen Güter in Schottland. Im Herbst wurden Karin und ich zu einem Wochenende auf einen Landsitz der Familie nach Islay eingeladen, eine Insel der äußeren Hebriden, der Westküste Schottlands vorgelagert.

Die schottischen Inseln in der herbstlichen Sonne gaben diesem Teil des Landes einen mediterranen Charakter und erinnerten Karin und mich an unsere Besuche auf den einsamen Außeninseln des Dodekanes in Griechenland.

Der Lebensstil war ähnlich wie auf dem Landsitz in Wiltshire. Nur standen Sport, Jagd und Fischfang hier noch stärker im Vordergrund. Die Jagd auf schottisches Rotwild auf den einsamen Hügeln der Insel erinnerte an die Safaris in Afrika. Kein Ansitzen, sondern Anpirschen, zum Schluss Robben auf dem Bauch durch sumpfige Niederungen oder niedriges Gebüsch – wie in Teilen des Aberdare-Gebirges gegenüber dem Mount-Kenya-Massiv.

Lord Margadale war ein prominentes Mitglied der konservativen Partei. Am vorausgegangenen Wochenende war Premierministerin Thatcher unter den Gästen gewesen.

Lord Margadale war Vorsitzender der örtlichen Kirchengemeinde. Bei unserem Besuch wirkte die ganze Familie zusammen, unterstützt von den Gästen, um ein großes Picknick zu organisieren, dessen Erlös für den Bau eines neuen Kirchturms bestimmt war. Man kochte Marmelade und bereitete Salate vor, die dann angeboten wurden.

Lord Carrington

Wie für viele andere, die ihn näher kannten, war Lord Carrington für mich das Idealbild eines englischen Aristokraten, intelligent, wortgewandt, stets humorvoll und bereit, auch über sich selbst zu lachen. Er war ein Meister in der englischen Kunst des Understatements. Wichtige Aussagen packte er in Nebensätze oder brachte sie vor in der zögerlichen Art, die den Eindruck erweckte, der Gedanke sei ihm gerade erst gekommen.

Bundeskanzler Schmidt schätzte ihn sehr, schon seit sie beide zur gleichen Zeit Verteidigungsminister gewesen waren. Ich teilte diese hohe Meinung vollauf. Vielleicht war ich deshalb zu befangen, um mich sofort nach meiner Ankunft nachdrücklich um enge Kontakte zu bemühen.

Diese Zurückhaltung erwies sich als für das britische Feingefühl gar nicht so verkehrt. Peter und Iona Carrington luden Karin und mich schon bald zu einem sommerlichen Sonntagsbrunch auf ihren Landsitz in Bledlow ein. Es war keine diplomatische Veranstaltung, sondern ein gemütliches Mittagessen im Kreis von Freunden und Nachbarn wie Lord und Lady Arnold Weinstock, Sir Ian Gilmore und anderen Freunden aus Oxfordshire und Buckinghamshire.

Nach diesem Auftakt wurde in dezenter britischer Art, auf Umwegen über Mitglieder des Foreign Office, dann über meinen Vertreter Alfons Böcker, die Aufforderung an uns gerichtet, warum der neue deutsche Botschafter sich nicht zu einem Meinungsaustausch mit dem Außenminister im Foreign Office anmelde. Nun hatte ich bei Schmidt und Genscher erlebt, wie lästig ein Botschafter empfunden werden kann, der ständig höchste Kontakte sucht, ohne konkrete Anregungen oder Anliegen zu haben.

Ich habe den Wink mit dem Zaunpfahl natürlich sofort und gern aufgegriffen. Von da an ging ich in regelmäßigen Abständen zu Peter Carrington ins Foreign Office. In kontinuierlichem Gedankenaustausch, manchmal nur zu zweit, sprachen wir über die aktuellen politischen Probleme und Fragen in unseren Ländern, in Europa und in andern Teilen der Welt.

In unseren Gesprächen lernte ich seine politischen Gedanken gut kennen. Peter Carrington war durchdrungen von seinen Kriegserfahrungen. Eine derartige Tragödie dürfe sich nie wiederholen.

Schon auf Grund seines militärischen Hintergrundes war er ein überzeugter Atlantiker. Die enge Verbindung zu den Vereinigten Staaten war für ihn selbstverständliche Grundlage britischer Außenpolitik. Sein Engagement für Europa kam hinzu. Gemeinsam mit dem früheren Premierminister Edward Heath, der Großbritannien in die Europäische Gemeinschaft hineingeführt hatte, und Schatzkanzler Geoffrey Howe war Lord Carrington in seiner Partei treibende Kraft und setzte sich im Kabinett für eine möglichst aufgeschlossene und konstruktive Haltung gegenüber Europa ein.

Wir tauschten unsere Gedanken aus, wie die Einstellung von Großbritannien zur europäischen Einigung verbessert werden könnte. Er war für eine behutsamere Lösung der von der Premierministerin brutal betriebenen Frage des britischen Beitrags zum Haushalt der Europäischen Gemeinschaft. Er versuchte, die außenpolitische Abstimmung der Mitglieder der Europäischen Gemeinschaft voranzutreiben und die Verteidigungsanstrengungen besser zu harmonisieren. Das Foreign Office entwarf Pläne für eine Aktivierung der Zusammenarbeit innerhalb der Westeuropäischen Union.

In der Ost-West-Politik lagen Premierministerin Thatcher und Lord Carrington ebenso wie Bundeskanzler Schmidt und Außenminister Genscher auf einer Linie: Fortsetzung der Anstrengungen für eine illusionsfreie Entspannungspolitik.

Karin entwickelte eine persönliche Freundschaft mit Iona Carrington. Die beiden organisierten eine Yogagruppe, zu der prominente Damen der Londoner Gesellschaft wie Lady Weinstock, Lady Sieff und andere gehörten.

Am 18. Dezember 1980 gaben Karin und ich ein großes Abendessen für Lord und Lady Carrington. Selten ist mir eine anerkennende und von Herzen kommende Begrüßungsrede so leicht gefallen. Die Botschaft hatte mir aufgeschrieben: »La véritable élégance des diplomates consiste à travailler sans en avoir l'air.« Die Charakterisierung traf mustergültig den stets lässigen, aber immer effizienten und zuverlässigen Arbeitsstil von Peter Carrington; sie machte ihm Freude.

Schon wenige Wochen später rief Peter Carrington uns an und lud uns in seine Stadtwohnung ein, unmittelbar neben dem Belgrave Square. Wir sollten sein neues deutsches Auto bewundern. Er war begeisterter Porsche-Fahrer.

Im Frühjahr 1981 erhielten Karin und ich die gute Nachricht, dass wir den britischen Außenminister und seine Frau während ihres Besuchs in Deutschland begleiten sollten.

Wir schmiedeten gemeinsam Pläne für Besichtigungen in und um Bonn und in Baden-Württemberg. Während der zwei Tage im Musterländle sind wir einander noch näher gekommen.

Im Programm stand: Besuch in Marbach. Bei den Vorbereitungen hatte ich angenommen, es handele sich um den Geburtsort Friedrich Schillers. Ich versuchte, meine Zuneigung zu diesem idealistischen deutschen Dichter zu vermitteln. Als wir in Stuttgart eintrafen, mussten wir feststellen, dass es sich um das Landgestüt Marbach handelte, das man dem Gentleman-Farmer Lord Carrington vorführen wollte.

Noch überraschender war für Lord Carrington der Besuch eines Musterhofes in Trochtelfingen. Wir sahen modernste automatisierte Viehhaltung. Sie entsprach dem Niveau, das Großbetriebe im Vereinigten Königreich längst erreicht hatten, und fand nur mäßiges Interesse. Aber Peter fragte den Bauern nach seinem Land. Der Eigentümer zeigte stolz auf über 60 kleine und kleinste Parzellen in der näheren und weiteren Umgebung seines Hofes. Peter Carrington, der seinen viele Hektar umfassenden Besitz wohlarrondiert um sein altes Gutshaus herum liegen hatte, mochte seinen Ohren und meiner Übersetzung kaum trauen. Er erkundigte sich intensiv. Ich musste ihm die Übernahme der Erbschaftsregelung des Code Napoleons in Südwestdeutschland in Erinnerung rufen, die die strikte Erbteilung vorsah, und verwies etwas kleinlaut auf die mühsamen, seit Jahrzehnten laufenden Bemühungen zur Flurbereinigung.

Am 2. April 1982 begleitete ich den damaligen Bürgermeister von Berlin von Weizsäcker zu einem Gespräch mit Außenminister Lord Carrington ins Foreign Office. Wir erlebten, wie Peter Carrington die Fassung wahrte, gleichwohl aber erbleichte, als ihm die Meldung über den argentinischen Angriff auf die Falklands hereingereicht wurde.

Am Tage darauf brachten deutsche Teilnehmer des jährlichen Königswinter-Treffens in Cambridge von der Sondersitzung des Unterhauses die sensationelle Nachricht mit: Lord Carrington habe als zuständiges Kabinettsmitglied die Verantwortung übernommen und seinen Rücktritt erklärt.

Man konnte mit Fug und Recht fragen, ob die Bewegung argentinischer Schiffe fernab im südlichen Atlantik genügend Indiz war für argentinische Eroberungsabsichten und ob hier von einem Versagen des britischen Auswärtigen Dienstes gesprochen werden konnte und nicht eher von Fehlern der Geheimdienste. In anderen demokratischen Staaten wäre sicher auch erwogen worden, ob es sinnvoll sei, ausgerechnet in einer akuten internationalen Krise sich von dem bewährten und erfahrenen Ressortchef zu trennen. Nicht so in London. Lord Carrington übernahm die Verantwortung – und seinen Hut. Die Premierministerin konnte ihn nicht halten.

Er verlor eine Tätigkeit, die er liebte und die sein Leben erfüllt hatte. Der Westen verlor einen seiner fähigsten Außenminister. Der britischen Innenpolitik ging auf Jahre hinaus ein Vollblutpolitiker verloren und eines der wenigen Kabinettsmitglieder, das der Premierministerin nachhaltig widersprechen konnte. Deutschland verlor einen Freund und Außenminister, der trotz seines militärischen Einsatzes im letzten Weltkrieg für unsere Bemühungen und für unsere Probleme stets aufgeschlossen war. Den Gewinn hatte Lord Weinstock, der Peter Carrington in eine Spitzenposition seiner Unternehmensgruppe General Electric holte.

Peter Carrington hat bei unseren späteren persönlichen Begegnungen nie Zweifel an seiner Entscheidung zu erkennen gegeben. Er zeigte sich mit seiner Tätigkeit in der Wirtschaft zufrieden. Aber bei seiner Berufung zum Generalsekretär der NATO wurde deutlich, dass ihm die außenpolitische Arena gefehlt hatte und wie sehr ihn die Rückkehr in die Weltpolitik freute.

Die Freundschaft zu Iona und Peter Carrington blieb erhalten. Sie kamen trotz dringender NATO-Sitzungen in Brüssel Ende 1987 zu dem Abschiedsessen in Bonn, das der amerikanische Botschafter Rick Burt vor unserer Ausreise nach Washington gab.

2002 feierten Peter und Iona Carrington ihre Diamantene Hochzeit in London. Sie hatten die Menschen eingeladen, die in ihrem Leben eine Rolle gespielt hatten. Viele Gäste waren Freunde und Bekannte, die uns in den gemeinsamen Jahren in London nahe gestanden hatten. Einer von ihnen war der angesehene Verleger Lord George Weidenfeld. Er zog Bilanz und warf einen Blick zurück auf die Jahre, in der Lord Carrington Außenminister gewesen war. Die Überschrift über seinem Zeitungsbericht hieß: »Margaret Thatcher und Lord Carrington begruben ihr Kriegsbeil«. Karin und mich erwähnte er am Rande als das in jener Zeit »besonders geschätzte Botschafterpaar«.

Die Nachfolger Francis Pim und Sir Geoffrey Howe

Nach dem Rücktritt Lord Carringtons berief Premierministerin Thatcher den Führer der konservativen Fraktion im Unterhaus Francis Pim zum Außenminister.

Im Juli 1983 folgte Geoffrey Howe, der frühere Schatzkanzler. Unter beiden Ministern hat sich die gute und vertrauensvolle Zusammenarbeit zwischen Foreign Office und der Botschaft fortgesetzt.

Geoffrey Howe war ein temperamentvoller Waliser, engagiert für Europa, aufgeschlossen gegenüber Deutschland.

Die wenigen Monate bis zum Jahresende, als wir London verließen, reichten nicht, um eine Freundschaft wie die zu Peter Carrington aufzubauen. Aber es blieb ein Gefühl der Zuneigung, das auch später andauerte, als er Vorsitzender der British-German Society war und ich Vorsitzender der Deutsch-Englischen Gesellschaft.

Howes zähes Ringen mit Premierministerin Thatcher über die Europa-Politik hat London viele Monate in Atem gehalten. Schließlich wurden die Meinungsverschiedenheiten so groß und unüberwindlich, dass Howe am 1. November 1990 das Kabinett verließ.

Howe hatte seine Überlegungen, aus dem Kabinett zurückzutreten, aus Loyalität zur Premierministerin immer wieder zurückgestellt. Es hieß zu jener Zeit in London, seine Frau Elsbeth, eine angesehene Journalistin und Politikerin, hätte ihn gedrängt, diesen Schritt zu tun. Er habe immer wieder gezögert, den Rücktritt zu erklären. Man sagte damals: »It took Elsbeth one hour to draft the letter of resignation. It took Geoffrey Howe one year to deliver it to the Prime Minister.«

Die Wahrheit ist wohl eher, dass Geoffrey und Elsbeth Howe auch hier das gute eheliche Einvernehmen wahrten, das ich in unserer Zeit in London erlebt hatte, und letztlich in guter Abstimmung vorgegangen sind. Jedenfalls war der Rücktritt von Sir Geoffrey ein entscheidender Schritt zum Ende der Ägide von PM Thatcher.

Im Foreign Office war ein Kreis hochintelligenter Kollegen mit großer Fachkenntnis und weit reichenden internationalen Erfahrungen versammelt.

Bei Douglas Hurd, dem Staatsminister und späteren Außenminister, faszinierte mich, dass er neben seinen amtlichen Aufgaben in London und im Ausland Zeit fand, gute und spannende Kriminalromane zu schreiben.

Die Staatsministerin Baroness Young war seit ihrer Studienzeit in Deutschland den deutsch-britischen Beziehungen eng verbunden.

Mit dem Permanent Undersecretary Anthony Acland haben Karin und ich unsere persönliche Verbindung später als Botschafter in Washington fortgesetzt.

In den demokratischen Staaten nimmt die Pflege guter Beziehungen zu den Medien, zum Parlament, zu Gewerkschaften und zu anderen gesellschaftlichen Gruppen des Gastlandes immer breiteren Raum ein. Ich habe es sehr bedauert, dass diese Aufgabe mir nicht mehr Zeit ließ, die Beziehungen zu den erfahrenen und kenntnisreichen Kollegen im Foreign Office noch viel intensiver zu pflegen.

Das diplomatische Corps in London

Das diplomatische Corps war eine bunt gemischte Gruppe interessanter Persönlichkeiten. Die Antrittsbesuche waren eine zeitraubende Pflichtkür, die aber, wenn man die halbstündigen Gespräche richtig nutzte, auch gleichzeitig anregende Begegnungen ermöglichte. Die diplomatischen Kollegen konnten einem Neuling, wenn sie denn wollten, mit Rat und Tat gerade in den Anfangsmonaten wichtige Lebenshilfe leisten.

Besonders beeindruckt hat mich der amerikanische Kollege Kingman Brewster. Als ehemaliger Präsident der Universität Yale war er einer der Ersten, die meine Hochachtung vor dem menschlichen und fachlichen Format der Präsidenten der amerikanischen Universitäten begründete.

Sein Nachfolger war John Lewis jr. Bei ihm erlebte ich die Schattenseiten des Berufungsverfahrens für amerikanische Botschafter. Er stammte aus der Familie, der der große Konzern Johnson & Johnson gehörte. Er verdankte seinen Posten der amerikanischen Praxis, dass große Spenden für den Wahlkampf des Präsidenten mit entsprechend begehrten Botschafterposten honoriert wurden.

Seine Kenntnis der Diplomatie war begrenzt, aber seine gewinnende Persönlichkeit schuf Freunde für sein Land. Die fachlichen Aufgaben bewältigte sein hervorragender Gesandter Raymond Seitz. Seitz war später Leiter der politischen Abteilung im State Department und danach amerikanischer Botschafter in London.

John und ich waren einander näher gekommen. Im Frühjahr 1983 trafen wir uns zufällig auf dem Flugplatz in Heathrow. Er schien sehr betroffen zu sein. Als ich ihn nach dem Grund fragte, offenbarte er mir, er habe soeben erfahren, dass Präsident Reagan den amerikanischen NATO-Botschafter Pearce zu seinem Nachfolger in London ausgewählt hätte. Er hatte diese Neuigkeit der amerikanischen Presse entnehmen müssen.

Mein französischer Kollege war Bobby de Margerie, in der dritten Generation »Ambassadeur de France«, ein brillanter Kollege, der in London nicht nur wegen seiner fachlichen Kompetenz, sondern auch wegen seiner großen Kenntnisse in den Bereichen Kunst (er war einige Jahre Generaldirektor der französischen Museen gewesen), Literatur und französischer Lebensstil sehr gut ankam. Wir arbeiteten entsprechend den engen Verbindungen unserer beiden Regierungen gut zusammen. Gleichwohl fiel mir auf, mit welcher Geschicklichkeit er es immer wieder einzurichten wusste, dass er beim Informationsaustausch mehr der Nehmende und ich stärker auf der Seite des Gebenden war.

Der Doyen des Diplomatischen Corps war His Excellency Sir Leckraz Telock, C.B.E. (Commander of the British Empire), High Commissioner von Mauritius seit 1968. Er war ein intelligenter Mann, der die prominente Rolle sichtlich genoss, als Vertreter der großen Gruppe des Diplomatischen Corps aufzutreten und zu sprechen.

Er verhalf dem Diplomatischen Corps zu ungewollter Publizität, als er entschied, dass die Botschafter und Hochkommissare Prinz Charles und Prinzessin Diana zu ihrer Hochzeit ein Bett für 21.000 Pfund Sterling schenkten. Die Presse berichtete amüsiert und kritisch, ein Bett für ein junges Paar sei ja enorm wichtig, aber wie könne man so viel Geld in eine Schlafstätte stecken?

Ehrungen

Die Auszeichnung verdienter Persönlichkeiten im Gastland gehört zu den besonders angenehmen Aufgaben eines Botschafters. Ich habe hiervon gerne und viel Gebrauch gemacht.

Es gab in Großbritannien einen großen Kreis hervorragender Persönlichkeiten, die der Rassenwahn des Nationalsozialismus aus Deutschland vertrieben hatte. Viele standen in hohem Alter.

Mir lag daran, noch vor ihrem Lebensende zu zeigen, dass ihre wissenschaftliche und kulturelle Leistung in Deutschland hoch geachtet und gewürdigt wurde. Daher schlugen wir dem Auswärtigen Amt die Auszeichnung mit hohen Stufen des Bundesverdienstkreuzes vor – für den in Wien geborenen Philosophen Sir Charles Popper, dessen Werke in England und in Deutschland hoch geschätzt wurden; für Anna Freud, die Tochter Siegmund Freuds, die selbst eine international geachtete und anerkannte Psychologin war; für Yehudi Menuhin, der sich schon frühzeitig für die Versöhnung eingesetzt und junge deutsche Musiker gefördert hatte.

Es war bewegend zu erleben, wie sie alle sich Deutschland nach wie vor so verbunden fühlten, dass sie die Ehrung mit Freuden annahmen. Bei Yehudi Menuhin ergab sich eine persönliche Verbindung, die auch später noch andauerte.

Am 14. März 1983 war der hundertste Todestag von Karl Marx. Er ist auf dem Highgate-Cemetery in London begraben. Ich hatte in Osteuropa und in Afrika erlebt, dass seine gesellschaftlichen Lehren von brutalen und unmenschlichen Diktaturen verfremdet und missbraucht wurden. Aber er zählte für mich dennoch zu den großen Deutschen. Deshalb habe ich an seinem Grabmal einen Kranz niedergelegt. Die deutschen Fernsehanstalten haben über die Ehrung berichtet. Die Reaktion im persönlichen Freundeskreis war gemischt. Aus Bonner Regierungskreisen gab es kein Echo.

Wirtschaftliche Beziehungen

Unter der Regierung von Premierministerin Thatcher begann der wirtschaftliche Aufschwung. Die deutschen Ausfuhren nach England stiegen von Jahr zu Jahr. Auch die Zahl der deutschen Niederlassungen wuchs beständig, 1983 waren es etwa 700, davon 500 Verkaufsniederlassungen und 200 Produktionsbetriebe, die insgesamt 60.000 Beschäftigte hatten.

Unter den Chefs der deutschen Unternehmen und Niederlassungen in England hatten wir viele gute Bekannte und Freunde. Christian Strenger, Manfred ten Brink und Rolf Levedag hatten als Vertreter der Deutschen Bank in London die schwierige Aufgabe, die unterschiedlichen Kulturen von Deutscher Bank und englischen Partnern wie Morgan Grenfell unter einen Hut zu bringen.

Martin Landgrebe baute die Präsenz der Deutschen Lufthansa aus. Der Vertreter der AEG Wolfgang Klemm steigerte die Verkäufe in England, obwohl sein Konzern zu Hause immer größere Schwierigkeiten hatte. Dominik von Winterfeld hat die Beteiligung von Hoechst durchrationalisiert. Er hat die Zahl der Beschäftigten abgebaut, ohne dass es zu kritischen Reaktionen in der Öffentlichkeit kam.

Chef der Dresdner Bank war Günther Steffen. Er war gleichzeitig ein rühriger und angesehener Vorsitzender der Deutsch-Britischen Handelskammer in London.

Es ging vorwärts. Mit Eberhard von Kuenheim habe ich bei der Eröffnung der neuen Anlage von BMW eine Ansprache gehalten. Unserem Freund Berni Frey halfen wir bei der Suche nach einem guten Ladenlokal für die Firma Loden Frey in einer der repräsentativen Straßen in London.

Noch zu Beginn unserer Zeit hatte unser italienischer Koch, wenn er Vorschläge für ein leichtes Diät-Abendessen für Karin und mich machen sollte, mit degoutierter Miene gefragt: »And for the Ambassador again Quarrrrk?« Drei Jahre später begannen die deutschen Milchprodukte ihren Siegeszug in den englischen Kettenläden und machten dem Cottage-Cheese große Konkurrenz.

Erfolge in England kamen nicht von selbst. Die Londoner Geschäftsleute schenkten ihren deutschen Konkurrenten nichts.

Auf die Antrittsrede vor der London Chamber of Commerce am 04.03.1982 hatte ich mich gründlich vorbereitet. Mit dem Text einer ausgefeilten Ansprache in der Brusttasche trat ich vor die eindrucksvolle Versammlung dunkel betuchter Vertreter aus Wirtschaft, Finanz und Presse.

Der Vertreter des Präsidiums der Chamber of Commerce, begrüßte mich und führte mich ein. Eingangs erinnerte er daran, er habe während des letzten Weltkriegs die Gastfreundschaft der deutschen Reichsregierung genossen. Er malte seine Erfahrungen als Kriegsgefangener in einem der bekannten Offizierslager aus.

Ich fühlte die Spannung. Wie würde der neue deutsche Vertreter auf diese Herausforderung reagieren? Ich trat ans Mikrofon: Ich meinerseits hätte schon frühzeitig die Gastfreundschaft of Her Majesty's Government kennen gelernt und genossen. Ich schilderte, wie unser Haus in den Bombennächten zerstört worden war, wie unsere kleine Notwohnung als Offiziersmesse beschlagnahmt wurde, und wie wir bettelnd in der Nachbarschaft nach einem Notquartier suchen mussten. Dann aber hätten die britischen Soldaten Mitleid mit uns drei Kindern gehabt und uns großherzig in der Hungerkatastrophe der ersten Nachkriegsmonate geholfen. Ihre mitfühlende Unterstützung habe den Grund gelegt für meine lebenslange Sympathie und Dankbarkeit gegenüber dem britischen Volk.

Es folgte eine gute und inhaltsreiche Debatte über Chancen und Probleme des Ausbaus der deutsch-britischen Wirtschaftsbeziehungen.

Die traditionsreiche große Versicherung Lloyd's hatte mich am 22.09.81 zu einem Gespräch über die Öffnung der Versicherungsmärkte eingeladen. Die Dienstleistungen waren im Rahmen der Europäischen Gemeinschaft hinter der Liberalisierung des Warenverkehrs zurückgeblieben. Die City sah hier eine Stärke der britischen Wirtschaft und drängte mit Macht auf den kontinentaleuropäischen Markt.

Der bewährte Leiter der Wirtschaftsabteilung Kudlich und ich hatten uns gut vorbereitet. Das Essen verlief in höflicher Atmosphäre. Dann kam man zur Sache. Die Geschäftsführung von Lloyd's trug in verteilten Rollen nachdrücklich die Anliegen der britischen Versicherungsgesellschaften vor.

Kudlich und ich antworteten, wo wir Aussichten für Geschäfte sähen und wo noch Öffnungen durch Direktiven der Europäischen Gemeinschaft geschaffen werden müssten. Höflich, aber unnachgiebig wurde uns immer wieder bedeutet, wie denn die Bundesregierung es verantworten könne, den deutschen Bürgern die Vorzüge der traditionsreichen und leistungsfähigen britischen Versicherer vorzuenthalten.

In den folgenden Jahren berichteten die Wirtschaftszeitungen öfter über die finanziellen Probleme und Skandale bei Lloyd's. Ich habe an das sauer verdiente Mittagessen in den historischen Räumen von Lloyd's in der Lime Street zurückgedacht.

Hinter den Kulissen der Residenz – Limu, Mansur und Edgar

Das stilvolle Haus im prominenten Londoner Stadtteil Belgravia war ein überaus attraktiver Rahmen für gesellschaftliche Repräsentation.

Karin und ich hatten viele Veranstaltungen, Frühstückseinladungen ebenso wie fröhliche Feste bis in die späten Abendstunden.

Bei der Vollbeschäftigung in jenen Jahren wurde es schwieriger, die für eine angemessene Repräsentation erforderlichen, einsatzbereiten Mitarbeiter zu finden. Viele Botschaften in London hatten Hilfskräfte aus der Dritten Welt. Überraschungen und ungewöhnliche Lösungen waren dabei nicht immer zu vermeiden.

Als wir einen kurzen Winterurlaub in unserer früheren Wirkungsstätte Kenia verbrachten, rief die Rezeption des Leisure Lodge Club Hotels bei uns an: »Ambassador, you have a visitor.« Fünf Minuten später stand Limukuki in unserem Bungalow: »Mbana, I need your help.«

Während unserer Kenia-Zeit hatten befreundete Farmer uns den damals achtzehnjährigen Massai empfohlen. Seine Anhänglichkeit, sein Geschick und seine Intelligenz hatten dazu geführt, dass wir ihm schon in Kenia immer mehr Verantwortung übertrugen: zunächst als Hausangestellter und schließlich als Hilfskoch – Karin ließ ihn in der Schweizer Hotelfachschule in Nairobi zum Koch ausbilden. Er war sofort bereit, nach London mitzukommen. Wir haben ihn während seiner Arbeit für uns veranlasst, von seinem – für kenianische Verhältnisse – fürstlichen Gehalt zwei einfache Häuser für seine Familie zu bauen, die in Mombasa an der Küste bleiben wollte.

Einen guten pakistanischen Butler vermittelte mir der frühere argentinische Botschafter in Bonn vor seiner Rückkehr nach Buenos Aires. Ehe er andere Angebote annehmen konnte, setzte ich mich ins Auto und fuhr Mansur durch Belgien und Nordfrankreich persönlich nach London. Für Großbritannien hatten wir alle Papiere; die eventuelle Frage nach Durchreisevisa stellte sich für ihn – an meiner Seite – nicht.

Tragisch war der Fall unseres kolumbianischen Angestellten Edgar. Er war ein liebevoller, herzensguter, aber etwas labiler Mensch. Er zog mit seiner Freundin in das Untergeschoss der Residenz. Karin und ich waren mit seiner Arbeit sehr zufrieden.

Zum 25. Hochzeitstag setzten Karin und ich uns für einige Tage nach Mallorca ab. Am Morgen nach unserer Ankunft in Mallorca rief der Gesandte von Alten, der inzwischen als Geschäftsträger nach London versetzt worden war, an: »Jürgen, es ist etwas Schreckliches passiert. Edgar hat sich in der Residenz erschossen.« Die Freundin hatte ihn verlassen. Er hatte sich mein Jagdgewehr geholt und sich das Leben genommen.

Karin und ich flogen sofort zurück nach London. Zwei Tage später war die Verhandlung vor dem Coroner. Die Umstände und Motive waren eindeutig: Selbstmord aus Liebeskummer. Der Fall hat Karin und mich sehr berührt.

Die nervliche Belastung und die Anforderungen, mit begrenzten Mitteln ein großes Haus zu führen, waren erheblich. Bei großen Diners für Regierungsmitglieder und Repräsentanten der königlichen Familie war es Peter Kronberg, der Chef der mit einem Michelinstern ausgezeichneten Küche des nahe gelegenen Hotel Interkontinental, der uns half und ein Gourmet-Essen präsentierte.

Wir versuchten, durch bauliche Ausweichlösungen Erleichterung zu schaffen.

Der größte Erfolg war der Neubau des Kasinos. Es war eine kluge Entscheidung, auf dem Dach des neuen Botschaftsgebäudes eine etwas großzügigere Kantine einzurichten. Das attraktive Kasino mit schlichter, geschmackvoller Einrichtung wurde von den Mitarbeitern der Botschaft schnell angenommen für gesellschaftliche Veranstaltungen. Es war im Westend, günstig gelegen, bot abends nach Dienstschluss gute Parkmöglichkeiten – und es war leichter zu erreichen als noch so attraktive und teure Diplomatenwohnungen in den entlegenen Vororten der Stadt.

Von den Londoner Erfahrungen habe ich profitiert, als der Brand der Residenz in Washington die Gelegenheit bot, auch dort ein attraktives Kasino zu errichten, das den Botschaftsangehörigen Gelegenheit gab, ihre Gäste in der Nähe der Stadt auf das schöne Gartengelände der Botschaft einzuladen.

Reisen

Der große und vielfältige Amtsbezirk des Vereinigten Königreichs, England, Schottland und Nordirland, musste betreut werden und machte manche Dienstreise erforderlich.

London war das überwältigende Kraftzentrum des Landes, das sich dynamisch ausdehnte. Der »Big Bang«, die dramatische Entbürokratisierung und Liberalisierung der Finanzmärkte, machte es zu einem finanziellen und wirtschaftlichen Mittelpunkt für weltweite Kontakte der Europäischen Gemeinschaft. London und der Süden Großbritanniens waren global ausgerichtet, die Verbindung zum Kontinent und zu Deutschland rangierte dahinter.

In den entlegeneren Gebieten des Landes – in Mittelengland, in Schottland und in Wales – war das Interesse am europäischen Kontinent oftmals größer und lebendiger.

Nordirland

Die erste größere Reise nach Nordirland wurde vom Foreign Office angeregt und ermutigt (29.9.1980). Die Londoner Regierung legte Wert darauf, dass der Missionschef möglichst bald einen persönlichen Eindruck von den energischen Anstrengungen der britischen Regierung gewann, eine friedliche Lösung herbeizuführen. Dieses Ziel ist leider, trotz der großen Bemühungen von beiden Seiten, bisher nicht erreicht worden.

Ich kehrte mit dem erschütternden Eindruck zurück, dass die Situation völlig verfahren war. Feindschaft und Bitterkeit zwischen Nordiren und Engländern und Schotten, zwischen Protestanten und Katholiken sind seit Generationen so tief eingegraben, dass eine Lösung noch lange Zeit in Anspruch nehmen wird. Den einzigen Weg für Fortschritte sah ich in der europäischen Einigung, die hilft, die Bedeutung von Grenzen zu überwinden. Deshalb habe ich für Englands Engagement in der Europäischen Union auch die Lösung für dieses atavistische Problem immer als ein zusätzliches Motiv gesehen.

Meine Skepsis wurde schon bald durch das blutige Attentat der IRA auf dem Parteitag der Konservativen in Eastbourne bestätigt, dem Premierministerin Thatcher nur knapp entging.

Die detaillierte Berichterstattung über die Nordirland-Problematik lag in den bewährten Händen der politischen Abteilung. Ich habe nur darauf geachtet, dass von der Botschaft kein vorzeitiger und unberechtigter Optimismus ausging.

Jersey und Guernsey

Die Reise zu den Inseln Jersey und Guernsey ging auf Bundesjustizminister Dr. Jochen Vogel zurück. Er liebte die Inseln, war ein profunder Kenner ihres eigenwilligen und komplizierten Rechts- und Verwaltungssystems. Er forderte Karin und mich auf, ihn bei einem seiner Besuche auf die Inseln zu begleiten.

Ich hatte Dr. Vogel während meiner Zeit im Bundeskanzleramt kennen und schätzen gelernt. Wenn es im Kabinett schwierig wurde, hatte Dr. Vogels abgewogenes juristisches und moralisches Urteil oft entscheidenden Einfluss auf den Gang der Debatte.

Karin und ich hätten uns keinen idealeren Reiseführer oder Reisebegleiter für diese idyllische, von der Hektik des politischen Lebens in den Hauptstädten abgelegene Inselwelt wünschen können. Er zeigte uns die landschaftlichen Schönheiten, er erläuterte uns die unterschiedlichen Grundlagen der Rechtsordnung auf den Inseln, eine interessante Mischung aus angelsächsischem Case Law und kontinental-europäischen Rechtsformen. Wir erfuhren, dass dieses abgelegene Inselparadies von den Schrecken des letzten Weltkriegs nicht verschont geblieben war. Die deutsche Besatzung hatte die Bewohner zur Zwangsarbeit für den Bau von unterirdischen Verteidigungsanlagen herangezogen, was noch heute im Bewusstsein der Bewohner lebendig ist.

Die Orkneys

Als Student in Uppsala hatte ich erlebt, welche Bedeutung die Mittsommernacht für die Bewohner der nördlichen Teile unseres Kontinentes hat. Deshalb wollte ich eine Sommersonnenwende im Norden des Vereinigten Königreichs erleben. Am 21. Juni 1980 landeten Karin und ich mit unserer Tochter Antje auf den Orkneys.

Auf der Fahrt zur Hauptstadt Kirkwall erzählte uns der Taxifahrer über Land und Leute, über Geographie und Geschichte der Inseln. Er war erfreut über die deutschen Besucher aus London. Als wir uns der Bucht von Scapaflow näherten, schilderte er in farbigen Details, wie Kapitän Prien in den ersten Wochen des letzten Weltkriegs in einem U-Boot hier eingedrungen war und die im Hafen ankernden Schiffe der britischen Flotte versenkt hatte. Das gesunkene Schlachtschiff Royal Oak war eine der Perlen der britischen Marine gewesen.

Karin und mich beschlich die Sorge, auch diese Reise, auf die wir uns besonders gefreut hatten, werde wieder im Schatten der Erinnerungen an die Opfer und Grausamkeiten des letzten Krieges stehen. Umso überraschter waren wir am nächsten Morgen. Die Kellnerin brachte uns mit dem Frühstück die Morgenausgabe der Inselzeitung »The Orkadian«. In dicken Schlagzeilen war der Aufmacher »Rousing Welcome for Mrs. Prien«.

Die freundliche Aufnahme der Frau des früheren Kriegsgegners, der stolze und wichtige Teile der britischen Seemacht versenkt hatte, war bezeichnend für die britische Einstellung zu persönlichem Mut, Heldentum und soldatischen Leistungen, selbst, wenn sie den eigenen Interessen großen Schaden zugefügt hatten.

In der Nacht der Sommersonnenwende fuhren wir zum Wideford Hill. Dort beobachteten wir, wie die abendliche Sonne im Meer versank. Auch nachdem sie hinter dem Meereshorizont verschwunden war, beleuchteten noch lange die letzten Strahlen die hoch gelegenen Wolken und färbten sie rosa.

Fast gleichzeitig wurde auf der Ostseite der Inselwelt ein erster Schimmer über dem nachtdunklen Meer sichtbar. Während die Sonne ihre kurze Bahn auf der Schattenseite der Erde durchlief, kündigten die von Wolken aufgefangenen Strahlen ihren Weg in den neuen Tag an.

Für uns war es ein unvergessliches Ereignis. In Kenia stieg die Äquatorsonne jeden Tag morgens und abends fast zur gleichen Zeit aus dem Indischen Ozean oder ging innerhalb weniger Minuten unter. Fast ohne Übergang verwandelte sich Tag in Nacht, Hell in Dunkel. Hier in den nördlichen Breitengraden war die Abend- und Morgendämmerung ein langer Prozess, in dem die Strahlen der untergehenden und der aufgehenden Sonne einander sozusagen ablösten.

Der deutsche Honorarkonsul John D. M. Robertson war ein angesehener und wohlhabender Geschäftsmann. Er besprach mit uns die Möglichkeiten, mehr Kontakte zwischen den Orkneys und Deutschland herzustellen. Gleichzeitig bemühte er sich, uns Schönheiten und Eigenheiten der Inselwelt nahe zu bringen.

Robertson schickte uns zu den schönsten Küsten der Inseln und zu den historischen Sehenswürdigkeiten. Wir waren fasziniert von den neolithischen Grabstätten in Maise Howe und Scara Brae. Die aus großen Steinen und Felsbrocken errichteten Bauten und Grabstätten erinnerten uns an die antiken Stätten, die wir in Griechenland kennen gelernt hatten. Sie waren nach archäologischen Schätzungen zwischen 3.100 und 2.700 a. Chr. errichtet worden und damit mehr als ein halbes Jahrtausend älter als die griechischen.

Die Bauten auf den Orkneys waren viel kleiner als die Burgen und Königspaläste in Mykene und Knossos. Aber die Bearbeitung der Steine und die Wölbung der Gräber verrieten viel handwerkliches Können; die Ausrichtung der Grabkammern zeigte gute Kenntnis von der Laufbahn der Gestirne. All dies in der Steinzeit, ohne die Hilfe von Metallen! Wir waren tief beeindruckt und haben uns hernach für ähnliche historische Stätten in Irland und Nordeuropa interessiert.

Der überraschende Abschied

Im Herbst 1983 fühlten Karin und ich uns auf den britischen Inseln heimisch. Wir hatten Freunde und Bekannte in vielen Teilen des Landes gewonnen und Erfahrungen gesammelt, wie wir unsere Aufgaben und Pflichten mit den schönen Seiten des britischen Lebens verbinden konnten. Großbritannien blühte auf. Deutschlands Popularität stieg.

Ende August reisten wir zum Edinborough Festival. Tagsüber besichtigten Karin und ich das Land und die Küstenstädte in East Lothian. Abends besuchten wir Opernaufführungen und Konzerte. In diesem Jahr war das Gastspiel der Hamburger Oper mit einer avantgardistischen Inszenierung von Mozarts Zauberflöte eine der Hauptattraktionen. Das Abschlusskonzert des Festivals war ein Auftritt der schottischen Dudelsackpfeifer im Schloss über den Dächern der Stadt. Wenn sie »Amazing Grace« spielten, herrschte andächtige Stille, gefolgt von brausendem, nicht enden wollendem Beifall.

Wir waren (19.8.83) zum traditionellen grouse shooting (Moorhuhnjagd) und auf das Schloss des Earl of Mansfield eingeladen, eine der bekannten schottischen Familien, und auf dem Landsitz von Earl und Lady Swindon, Nachfahren einer der alten Familien von Yorkshire (1.10.83). Unterwegs spielten wir eine Runde Golf in Gleneagles, einem El Dorado internationaler Golfspieler.

Weder beim Moorhuhnschießen noch im Golfspiel konnten Karin und ich irgendwelche Lorbeeren erringen. Aber das stilvolle, gepflegte englische Landleben während der Sommerpause war anziehend und wohltuend. Ich sah, wie gekonnt und zugleich angenehm der Earl of Mansfield und Lady Swindon, die beide im politischen Leben Londons eine prominente Rolle spielten, Kräfte für die Wintersaison in der Hauptstadt sammelten.

Im November kam die Überraschung. Minister Genscher rief mich persönlich an, um mir mitzuteilen, dass wir noch vor Jahresende nach Bonn zurückversetzt würden. Ich sollte die Abteilung Dritte Welt im Auswärtigen Amt übernehmen. Aus Haushaltsgründen müsse der neue Botschafter von Wechmar seinen Dienst noch vor Ende dieses Haushaltsjahres in London antreten. Die Personalabteilung erläuterte ergänzend, dass es im Bundestag

Tendenzen gab, im neuen Haushaltsjahr die Gelder für Versetzungen und Umzüge im Auswärtigen Amt zu kürzen oder gar zunächst zu sperren. Daher musste der Versetzungsreigen noch vor Ende des Jahres stattfinden. Botschafter Rüdiger von Wechmar kündigte seine Ankunft aus Rom kurz vor Weihnachten an, um die Kopie seines Beglaubigungsschreibens noch im alten Jahr im Protokoll zu übergeben.

Die Londoner Kollegen im Foreign Office und in Downing Street Nr. 10 waren sehr hilfsbereit. Trotz der gedrängten Termine vor Jahresende organisierten sie die üblichen Abschiedstermine: ein Gespräch mit der Premierministerin am 13.12., ein Farewell-Dinner von Außenminister Geoffrey Howe am 15.12. und eine Abschiedsaudienz bei der Königin am 20.12.

Bei den Abschiedsbesuchen wurde mir immer wieder versichert, dass die deutsch-britischen Beziehungen sich in den letzten Jahren günstig entwickelt hätten. Premierministerin, Außenminister und die Königin fanden anerkennende Worte für den Beitrag, den Karin und ich hierzu geleistet hatten. Ich freute mich über die Wärme des Danks, der dabei zum Ausdruck kam.

Einige englische Freunde, die uns persönlich näher standen, stellten in taktvoller, vorsichtiger britischer Art die Frage, warum die Dritte-Welt-Politik für Bonn auf einmal so dringend geworden sei, dass wir unbedingt noch vor Weihnachten zurückkehren mussten. Ich habe ihnen geantwortet, gerade die Jahre in London hätten mir gezeigt, dass die Welt außerhalb Europas sich dynamisch entwickele und immer wichtiger werde.

Ich sah, dass nach britischer Einschätzung der Wechsel von der Metropole London zur Betreuung der überseeischen Beziehungen in Bonn keine auszeichnende Beförderung war. Aber ich wusste, der Wechsel zwischen Auslands- und Inlandstätigkeit war ein unverzichtbarer Teil des Versetzungsrhythmus. Nach der bisherigen Konzentration meines Einsatzes auf Europa und Afrika war es nun an der Zeit, auch die anderen Regionen und Kontinente näher kennen zu lernen. Karin und ich begrüßten, dass wir wieder näher bei der Familie in Deutschland sein würden.

Der Abschied von der Königin verlief freundlich in den üblichen protokollarischen Formen, ein Tee beim offiziellen Abschiedsbesuch im Buckingham Palace.

Vier Stunden später verließ der Möbelwagen mit unserem Umzugsgut die Residenz. Karin und ich drehten mit Bauzi eine letzte Kurve um den Belgrave Square. Zurück ließen wir schweren Herzens unsere Tochter Antje, die kurz vor ihrem Abitur an der deutschen Schule stand.

Fast zur gleichen Zeit traf unser Nachfolger in Heathrow ein.

Die Abteilung Dritte Welt (1984)

Nach den turbulenten Jahren im politischen, wirtschaftlichen und gesellschaftlichen Leben Londons genossen Karin und ich meine überschaubare Aufgabe eines Abteilungsleiters in Bonn.

Der geographische Zuständigkeitsbereich – von Chile rund um die Welt bis nach Neuseeland und den Philippinen – war groß. Aber ich hatte erfahrene Mitarbeiterinnen und Mitarbeiter; für Lateinamerika: Conrad von Schubert und Herrmann Munz, für den Krisenbereich Naher Osten: Heinz Fiedler, bei Asien konnte ich mich voll auf das brillante Urteil von Reinhard Schlagintweit verlassen. Ich war immer wieder beeindruckt, welch großer Schatz an Fachwissen in den Länderreferaten jederzeit abgerufen werden konnte, auch für entlegene Teile der Welt.

Für Afrika – das sich mit dem Kampf gegen die Apartheid in Südafrika, den Krisen in Angola und Kongo und den Verhandlungen über die Unabhängigkeit Namibias bemühte, die letzten Reste des kolonialen Zeitalters abzuschütteln – hatte ich meine eigenen Erfahrungen, aus Dakar mit den frankophonen und aus Nairobi mit den anglophonen Staaten.

Nach der Rückkehr aus London fiel mir erneut auf, wie sehr die Bonner Innen- und Außenpolitik durch die Probleme des geteilten Landes in unserem gespaltenen Kontinent geprägt war. Im Außenbereich standen Europa West und Europa Ost sowie die transatlantischen Beziehungen im Mittelpunkt des Interesses. Für die anderen Teile der Welt hatten wir keine mit den früheren Kolonialmächten vergleichbaren historischen Bezugspunkte. Neue Anknüpfungspunkte gab es im Bereich des Außenhandels, der überseeischen Investitionen unserer Industrie, der Entwicklungshilfe und der steigenden weltweiten Reiselust unserer Landsleute.

Andere Staaten bemühten sich, ihre überseeische Interessenssphäre zu erhalten oder gar noch auszuweiten. Die USA und die Sowjetunion konkurrierten in der Karibik, in Angola und anderen afrikanischen Staaten, USA und China rangen um Indochina. Die Chinesen wollten über Tansania Eingang nach Afrika finden. Frankreich versuchte, seinen früheren kolonialen Einflussbereich über Sprache und Kultur zu pflegen, England war bemüht, das Commonwealth zu reaktivieren.

Die Bundesregierung verzichtete bewusst auf jeglichen deutschen Versuch, lokale Krisen oder Konflikte in anderen Teilen der Welt zu lösen. Wir wollten das Krisenmanagement der Vereinten Nationen fördern. Die Bundesregierung zog es vor, die regionalen Kräfte zu stärken und die Auseinandersetzungen jeweils im betroffenen Kontinent zu regeln. Daher unsere Unterstützung in Asien für ASEAN, die Förderung der afrikanischen Bemühungen um die ORGANISATION FOR AFRICAN UNITY und auch die Hilfe für eine bessere Zusammenarbeit der zentral- und südamerikanischen Staaten.

In Vorträgen suchte ich Verständnis für die Probleme und die Herausforderungen der Dritten Welt zu wecken und warb für den regionalen Ansatz unserer Außenpolitik in der Dritten Welt.

Bei diesen Gelegenheiten gab es lange Diskussionen, etwa in Frankfurt vor der Steuben-Schurz-Gesellschaft und vor dem Rotary Club unseres Freundes Niels Nielsen oder im Kreise von Industriellen bei unserem Freund Hermann Desch in Aschaffenburg. Ich erinnere mich an eine heiße Auseinandersetzung über den Nahen Osten und die Zukunft des afrikanischen Kontinents.

Damals schon habe ich mit Nachdruck vor dem aufkommenden Terrorismus gewarnt. Vor Bankern in Frankfurt sprach ich am 5. April 1984 von dem »Chaospotential der Dritten Welt«. Ich führte aus: »Bei der wachsenden Interdependenz und internationalen Arbeitsteilung können wir uns von den Auswirkungen der wirtschaftlichen Probleme und der politischen Konflikte der Dritten Welt nicht abschotten. Ungelöste politische Fragen fördern die Tendenz zu Gewalt und Terrorismus.« Ich verwies warnend auf »palästinensische Terroristen, kurdische und armenische Attentäter«.

Daneben blieb Zeit, Freundschaften zu pflegen mit den Nachbarn im Siebengebirge, wie Thommy und Antje Muthesius, Erika und Günter Müggenburg, dem langjährigen Chef der Tagesschau, Christian und Ute Kellersmann, die für unsere Gesundheit sorgten, mit Freunden in Bad Godesberg wie Hitta und Diethelm Doll – Liebhaber der Kunst und Säulen des internationalen gesellschaftlichen Lebens in Bonn – und deren großem Bekanntenkreis.

Karin hatte öfter am Sonntag Abend ein »Open House«, zu dem dann auch unsere Freunde aus der gemeinsamen Zeit in London kamen, Angelika und Christian Brand, Vorstand von JP Morgan Frankfurt und später Vorsitzender der L-Bank in Karlsruhe, beruflich sehr erfolgreich, zugleich den schönen Dingen des Lebens, vor allem der Jagd, zugetan.

Bei einem Besuch in Paris hatte Ulrich Wickert, damals der Vertreter der ARD in Frankreich, Karin in einer Weinlaune zu ihrem Geburtstag eine Jazzband zugesagt. Als der Chef der Musiker vier Tage vor dem Ehrentag kam, um den Ort des Auftritts zu besichtigen, fielen wir aus allen Wolken. Karin lud innerhalb der kurzen verbleibenden Zeit über 60 Freunde ein und organisierte mit unserer portugiesischen Haustochter Louisa aus dem Stand eine heiße Tanzparty.

Mitte der 80er Jahre hatten wir einen Kreis uns nahe stehender Gäste zu Sylvester eingeladen, darunter Wiltrud und Ernst Dieter Lueg, denen wir – er und ich als gebürtige Bochumer und aus der gemeinsamen Anfangszeit im Pressereferat und in der ARD – verbunden waren.

Als wir die Worte des Bundeskanzlers zum Jahreswechsel im Fernsehen hörten, erbleichte Ernst Dieter. Unsere Telefone läuteten Sturm – auf der Suche nach Herrn Lueg.

Das Band war verwechselt worden. Es lief die Aufzeichnung der Ansprache des Bundeskanzlers vom Vorjahr. Ernst Dieter Lueg eilte los und kehrte erst spät zurück, nachdem er Bundespresseamt und Bundeskanzleramt besänftigt hatte. Das Erstaunliche war: Die Ausführungen des Bundeskanzlers und die die Nation bewegenden Fragen waren in jenen Jahren so ähnlich, dass es nur eine begrenzte Zahl an Reklamationen gab.

Staatssekretär (1984-1987)

Im Weltsaal des Auswärtigen Amts fand am 2. Juli 1984 die Amtsübergabe statt.

Bundesminister Genscher schilderte das langjährige Engagement von Hans Werner Lautenschlager in der EG-Kommission, in der deutschen EG-Vertretung und im Auswärtigen Amt, zuletzt in der Position des Staatssekretärs. Ich freute mich sehr über die anerkennenden Worte für Lautenschlager. Zugleich aber dachte ich auch daran, welch breite Spur er hinterließ, die es nun auszufüllen galt.

Genscher schilderte anschließend meine vielfältigen Erfahrungen im Auswärtigen Dienst als gute Grundlage für meine neuen Aufgaben.

Nach dem Dank für das große Vertrauen betonte ich meinen Wunsch, nach Kräften zu einer guten gemeinschaftlichen Zusammenarbeit im Auswärtigen Amt in allen Bereichen beizutragen, gerade auch zwischen der Zentrale und den Auslandsvertretungen. Während der Abordnung zu der bunt zusammengesetzten Mannschaft des Kanzleramts hätte ich das Gefühl der Zusammengehörigkeit im Auswärtigen Dienst besonders schätzen gelernt.

Die Vertreter der Medien waren eingeladen. Das Echo der Presse war freundlich. In der »Frankfurter Allgemeinen Zeitung« schrieb Angela Nakken: »Jürgen Ruhfus besitzt eine pfeilgeschwinde Auffassungsgabe und entscheidet schnell, wenn es um Routineangelegenheiten geht, bedachtsam und abwägend, wenn es knifflig wird. Er gilt als ein Experte der ›Schadensbegrenzung‹, stets auf der Hut und auch außerhalb der Dienstzeit immer erreichbar, auf dass im hochsensiblen, komplizierten diplomatischen Geflecht ›nichts passiert‹.«

Bernt Conrad führte in »Die Welt« aus: »Der 54-jährige Bochumer spielt sich nie in den Vordergrund. Im Hintergrund aber gehört Jürgen Ruhfus zu den effektivsten und kenntnisreichsten deutschen Diplomaten ...«

Ähnlich die Neue Ruhrzeitung, die Stuttgarter Zeitung und Almut Haunschild in der Hannoverschen Allgemeinen: »Ruhfus spielt am liebsten im Hintergrund die erste Geige. Bilderbuchdiplomat wird Genschers neuer Staatssekretär.«

Die Unterscheidung zwischen »Staatssekretär des Auswärtigen Amts« und »Staatssekretär im Auswärtigen Amt« war abgeschafft worden. Die Vertretung des Ministers im Kabinett und die Teilnahme im Ausschuss der Staatssekretäre lagen beim jeweils dienstälteren Kollegen, also Andreas

Meyer-Landrut. Als Jürgen Sudhoff sein Nachfolger geworden war, gingen diese Aufgaben auf mich über.

Mit beiden hatte ich während der ganzen Zeit eine reibungslose und vertrauensvolle Zusammenarbeit. Es gab keine Konkurrenzfragen. Wir waren froh, wenn wir die umfangreiche Arbeit bewältigen konnten.

Mit Andreas Meyer-Landrut verband mich unsere Freundschaft aus der gemeinsamen Zeit in unserer Dachwohnung in Bonn-Beuel. Jürgen Sudhoff hatte ich schon vor Jahren als Nachfolger für die Leitung des Pressereferats empfohlen.

Beide hatten ein längeres und engeres persönliches Verhältnis zu Bundesminister Genscher als ich. Von Hause aus fühlte ich mich den Norddeutschen, wie dem Friesen Gerhard Schröder, dem Hamburger Helmut Schmidt oder dem Lübecker Willy Brandt näher. Vielleicht war auch der Unterschied zwischen meinen westfälischen Wurzeln und der kreativen, impulsiven Persönlichkeit des Ministers aus Halle etwas größer. Aber ich teilte mit meinen beiden Kollegen die Hochachtung für Minister Genschers Brillanz, Einfallsreichtum und seine blitzschnelle Auffassungsgabe, für sein großes außenpolitisches Talent und seine rastlose Einsatzbereitschaft für die Belange unseres Landes.

Als Bürger von Halle und Flüchtling aus Mitteldeutschland hatte Genscher ein emotional engeres Verhältnis zur Überwindung der Teilung unseres Kontinentes und unseres Landes, zur Entspannungspolitik, zu den Menschenrechten in Osteuropa und in der ganzen Welt.

Ich war durch meine Ausbildung in der früheren britischen und amerikanischen Besatzungszone, durch die Studienzeit in England und USA stärker von der angelsächsischen Welt beeinflusst. Und hier hießen die Werte: Freiheit und Glück des Einzelnen, Pragmatismus, Wettbewerb der Spitzenleistungen, Liebe zum Land und die Erhaltung der militärischen Stärke, um Frieden, Freiheit, die demokratische Ordnung und die marktwirtschaftliche Entfaltung zu sichern. Aber auch mir waren Entspannungspolitik, deutsche Einheit, Überwindung der europäischen Teilung Kernanliegen. Ich stimmte voll mit der Außenpolitik des Bundesaußenministers überein. Das galt insbesondere auch für die Europa-Politik der fortschreitenden Integration und der Einbeziehung weiterer europäischer Nachbarn in die Europäische Gemeinschaft.

Aus meiner Erfahrung in London und in USA lag mir sehr daran, die Verbindung zwischen der Europäischen Gemeinschaft und Nordamerika dauerhaft zu festigen und die positiven Erfahrungen der Vertragsgemeinschaft der EG auf das nordatlantische Verhältnis zu übertragen. Ich habe in London dafür geworben, dass die Europäische Gemeinschaft und die Vereinigten

Staaten enge Partner sein müssen. Ich habe mich während meiner ganzen Laufbahn in Amerika dafür eingesetzt, dass die USA die europäische Einheit unterstützen, unabhängig davon, ob gelegentlich wirtschaftliche Interessen in der Landwirtschaft, in der Industrie oder im Handel dem entgegenstanden.

Zur Zeit von Staatssekretär Rolf Lahr, Staatssekretär Sigismund von Braun und Staatssekretär Hans Sachs lag die Europa-Politik in der Hand meiner Vorgänger. Später, als die Position der Parlamentarischen Staatssekretäre geschaffen wurde, hatten Staatsminister Hans Apel und Staatsminister Klaus von Dohnanyi die Vertretung des Außenministers in Brüssel übernommen. Die folgenden Staatsminister Alois Mertes und Jürgen Möllemann setzten andere Prioritäten für ihre Arbeit in der Außenpolitik und überließen die Europapolitik wieder den beamteten Staatssekretären.

So übernahm ich von Lautenschlager die Verantwortung für die Europa-Politik im Auswärtigen Amt, im Kreis der Europa-Staatssekretäre sowie als Vertreter des Bundesaußenministers bei den Tagungen des EG-Ministerrats in Brüssel.

Unter dem Eindruck meiner Erfahrungen in London habe ich zu Anfang mit dem Minister und den Europa-Experten im Auswärtigen Amt über die Koordinierung der Europa-Politik innerhalb der Bundesregierung gesprochen. Würde deutsche EG-Politik nicht schlagkräftiger werden, wenn sie wie in Downing Street vom Cabinet Office im Amt des Regierungschefs festgelegt wurde? Könnte die Rückendeckung durch den Bundeskanzler nicht helfen, die Sonderinteressen der Bundesressorts schneller zu überwinden?

Bundesminister Genscher und die alten Europa-Hasen im Amt überzeugten mich mit dem Hinweis auf andere Verfassungsstrukturen der deutschen Exekutive. In London hatte der Premierminister, wenn die Wahlen bis zum nächsten Urnengang vorüber waren, größte Machtbefugnisse im Kabinett und in der Partei. In Bonn dagegen war die Weisungsbefugnis des Regierungschefs begrenzt durch die Eigenverantwortung der Minister für ihr Ressort und durch das Verhältniswahlrecht, das nach fast jeder Wahl die Bildung einer Koalitionsregierung aus mehreren Parteien erforderlich machte. Da war es sicherer, wenn Außenminister und Auswärtiges Amt als Vorkämpfer und Vertrauensanwalt der europäischen Anliegen wirkten und in diesem Sinne den Ausschuss der Europa-Staatssekretäre leiteten.

Auf dem Weg über die »Seufzer-Brücke« – die Verbindung zwischen Haupthaus und dem direkt am Rhein gelegenen Ministerbau mit den Büros der Staatssekretäre und dem Pressereferat im Kellergeschoss – gingen meine Gedanken zu der neuen Aufgabe. Der Minister hatte eine hohe Schwelle vorgegeben.

Aber es blieb nicht viel Zeit zum Nachdenken. Kurz darauf saß ich im Büro und wurde von Reinhard Schweppe und den Damen im Vorzimmer in die Technik des Arbeitsablaufs eingeführt. Schweppe hatte schon einige Zeit für Herrn Lautenschlager gearbeitet und war ein erfahrener Berater, um für Kontinuität der Bearbeitung zu sorgen. Wir haben unsere gute Zusammenarbeit auch später in Washington fortgesetzt. Ihn zeichneten ein eigenes Urteil aus, persönliche Unabhängigkeit, auch gegenüber den Vorgesetzten, große Arbeitsleistung und starkes Engagement, bis hin zur Bereitschaft, im Dienst der Sache auch gelegentlich anzuecken.

Sein Nachfolger, Krekeler, war ein ebenso einsatzbereiter und begabter jüngerer Kollege. Hinzu kamen ausgezeichnete Damen, insbesondere Frau Lilly Geil und später Frau Gisela Kessler. Sie haben mich verständnisvoll und unermüdlich unterstützt.

Die Staatssekretäre waren verantwortlich, dass das Ministerium die Politik des Ministers umsetzte. Sie mussten sicherstellen, dass die 3.600 Angehörigen des Auswärtigen Dienstes im In- und Ausland zuverlässig und reibungslos zusammenarbeiteten. Wichtiges Organ der Abstimmung war die Direktorenrunde, in der sich Staatssekretäre und Abteilungsleiter jeden Morgen trafen, um die Arbeit zu besprechen und zu verteilen.

Es war auch Aufgabe der Staatssekretäre, dass die Fülle der Informationen, Vorlagen und Anregungen sorgfältig geordnet und überprüft dem Minister zugeleitet wurde. Dabei blieb noch Raum für gelegentlichen Humor.

Einen trocken geratenen Briefentwurf für den Minister an einen führenden Vertreter des Bauernverbandes hatte ich mit der Bemerkung zurückgegeben, in den Brief solle etwas mehr Lyrik für die bäuerlichen Klein- und Mittelbetriebe aufgenommen werden. Ich erhielt darauf postwendend den folgenden Antwortentwurf, zusammen mit einem gelungenen Schreiben:

Wer ackert gegen Wind und Sturm
und lebt im Schatten des Siloturm?
Wer kann sich im Schoße der Parteien
von ökonomischen Zwängen befreien?

Wer produziert wie zu Urvaters Zeiten,
ohne der Konzentration den Weg zu bereiten?
Wer liebt noch die Kuh mit dreitausend Litern
und mag nur bodengerecht füttern?

Wer setzt mit seinen Kosten das Maß
und füllt den Großen Scheuer und Fass?
Wer lässt das Agrarbudget schwellen
und die Regierungen Schwellen fällen?

Wer webt von Schwarz bis Grün ein Band
und ist umworben im ganzen Land?
Die Antwort liegt recht klar auf der Hand:
Es ist der bäuerliche Familienstand!

Neben dieser generellen Verantwortung gab es Sonderaufgaben aus dem Bereich der drei Abteilungen, für die ich zuständig war: Abteilung 4 für Außenwirtschaftspolitik, Entwicklungspolitik und europäische wirtschaftliche Integration, 5: Rechtsabteilung und 6: Abteilung für auswärtige Kulturpolitik.

Beitrittsverhandlungen mit Spanien und Portugal

Im Sommer 1984 gingen die Beitrittsverhandlungen mit Spanien und Portugal in die Schlussrunde. Seit meiner Studentenzeit hegte ich Sympathie und Bewunderung für diesen Teil Europas. In den in Lissabon und in Madrid turbulenten 70er Jahren, nach den Staatschefs Salazar und Franco, hatten wir im Bundeskanzleramt und im Auswärtigen Amt Mario Soares und den sozialistischen Führern in Portugal wie auch der sozialdemokratischen Partei von Felipe Gonzales in Spanien auf dem Wege zur Demokratie geholfen. Von meinen Reisen in Colorado, New Mexico und California hatte ich einen persönlichen Eindruck von den großen historischen Leistungen Spaniens: bis in den Westen der USA und ihren – für Europa wertvollen – Verbindungen zu Süd- und Zentralamerika.

Schon wenige Tage nach meinem Dienstantritt begannen die Sitzungen der Europa-Staatssekretäre und die Gespräche mit den Botschaftern der Beitrittskandidaten in Bonn. Es war ein langer Prozess, bei dem in monatelanger Kleinarbeit die unterschiedlichen Positionen in der Wirtschafts-, Industrie- und Handelspolitik, in der Landwirtschafts- und Fischereipolitik, im Sozialbereich und in der Frage der Einbeziehung des Ferienparadieses Kanarische Inseln einander angenähert werden mussten. Die Berichte der deutschen Vertretung bei der EG in Brüssel, die Vorlagen für das Kabinett, die Vermerke über die Gespräche des Bundeskanzlers, des Außenministers, unserer Botschaften in den EG-Hauptstädten füllten Regale von Akten. Der mühsame Prozess bewegte sich oftmals nur wenige Zentimeter auf das gewünschte Ziel zu. Die Breite der Lebensbereiche, die angepasst werden mussten, erforderte eine ungeheure Koordination innerhalb der Mitgliedsländer und zwischen den EG-Staaten in Brüssel, in den Beitrittsländern und dann am Verhandlungstisch. Der Vielzahl der Sachfragen entsprach ein breiter Strom von Koordinationsberatungen: die Abstimmung auf der Ebene der Referatsleiter, der Abteilungsleiter und der Europa-Staatssekretäre. Danach der Kabinettsausschuss für Europa-Fragen und schließlich das Plenum des Kabinetts.

In Brüssel lag die Koordination in den Händen des ASTV – Ausschuss der Ständigen Vertreter bei der Europäischen Gemeinschaft –, dann bei dem EG-Ministerrat der Außenminister und letztlich beim Europäischen Rat der Staats- und Regierungschefs.

Innerhalb der Zwölf war Deutschland eine treibende Kraft. Im Kreis der deutschen Ressorts spielte das Auswärtige Amt eine vorwärts drängende Rolle. Das Außenministerium hatte den Vorsitz im Kreis der Europa-Staatssekretäre in Bonn.

Meine Aufgabe war es, die Arbeit der Referate und Abteilungen im Auswärtigen Amt anzuregen und anzuleiten, die Sitzungen der Europa-Staatssekretäre durchzuführen und schließlich am Ministerrat teilzunehmen und die deutsche Delegation zu leiten, sofern nicht der Minister persönlich nach Brüssel kam.

Bei den Details der Handels- und Wirtschaftspolitik lagen wir gut im Mittelfeld: besserer Austausch, mehr frisches Obst und Gemüse für unsere Verbraucher, ungehinderter Export der leistungsfähigen deutschen Industrie.

Der Zugang der viel zu großen spanischen Fischereiflotte zum »EG-Meer« warf riesige Probleme auf, aber diese betrafen in erster Linie die großen Atlantik-Küstenländer wie Frankreich, Großbritannien und Irland.

Für uns waren die finanziellen Lasten des Beitritts kritisch, die drohenden Kosten der Marktordnung für die Überschussproduktion von Oliven und Wein, die Forderungen für ein integriertes Mittelmeerprogramm, welches die mediterranen Schon-Mitglieder der Europäischen Gemeinschaft als Ausgleich für Spaniens und Portugals Zugang zu den Märkten mit konkurrierenden Mittelmeerprodukten verlangten.

Das Hauptproblem für die Bundesrepublik aber waren 15.000 spanische Gastarbeiter, die zusätzlich auf den ohnehin schwächer werdenden Arbeitsmarkt drängten, und die damit verbundenen sozialen Lasten, insbesondere die Forderungen an den Kindergeldfonds.

Deutschland zahlte, mit seinem Schlüssel von etwa 30 %, insgesamt den Löwenanteil der generellen Beitrittskosten und auch der zusätzlichen Finanzregelungen, wenn Kompromisslösungen in der Sache durch finanzielle Ersatzleistungen abgefedert werden mussten, wie bei den Marktordnungen für die Überschüsse der iberischen Öl- und Weinproduktion.

Die Kollegen, Staatssekretär Hans Tiedtmeyer im BMF, Staatssekretär Manfred Baden im Bundesministerium für Arbeit, die Staatssekretäre Hans Jürgen Rohr und Walther Florian vom Ministerium für Landwirtschaft sowie die Staatssekretäre Otto Schlecht und Dieter von Würzen vom Bundeswirtschaftsministerium waren alle für Europa engagiert, aber sie mussten auch die Interessen ihrer Häuser vertreten.

Wenn es ernste Schwierigkeiten gab, konnte ich stets auf die Unterstützung von Bundesminister Genscher und letztlich auch des Bundeskanzlers zählen.

Als die deutsche Delegation im Ministerrat wegen der Gastarbeiterprobleme unter Druck geriet, hat Bundesminister Genscher mit seinem Ansehen und politischen Gewicht in wenigen Stunden Verständnis und Respekt für unsere begrenzten Möglichkeiten bei der Kommission und bei den Delegationen erreicht. Er hat den Weg offen gehalten für eine Kompromisslösung, mit der unsere Sorgen berücksichtigt wurden (im Wesentlichen durch Übergangszeiten für die Zulassung der Gastarbeiter und ihrer Familienangehörigen zum Arbeitsmarkt und zum deutschen Sozial- und Kindergeldfonds).

In einer Besprechung des Kabinettsausschusses für Europa kämpfte die Staatssekretärin des Bundesministeriums für Familie, Jugend und Gesundheit verbissen für den Schutz der deutschen Verbraucher vor gesundheitsgefährdenden, nicht genügend kontrollierten Lebensmitteln aus den iberischen Ländern. Der Bundeskanzler beendete diesen Tagesordnungspunkt mit dem sarkastischen Hinweis, er habe nicht das Gefühl, dass den in Mallorca überwinternden deutschen Rentnern durch den Verzehr spanischer Salami und andalusischen Schinkens Schaden zugefügt werde. Bei der Gastarbeiterfrage bot er an, wenn die Beitrittsverhandlungen durch die deutsche Haltung in dieser Frage ins Stocken gerieten, solle der Staatssekretär des Bundesarbeitsministeriums, Manfred Baden, ihn persönlich anrufen.

Das Vorschlagsrecht für die Verhandlungsposition der Europäischen Gemeinschaft lag allein bei der Europäischen Kommission. Der Ausschuss der Ständigen Vertreter und der Ministerrat konnten erst dann tätig werden, wenn die Kommission ihre Vorschläge erarbeitet hatte und wenn die Präsidentschaft die Sitzungen des Ministerrats ansetzte.

Deutschland hatte einen starken Hebel für die Verhandlungen. Im so genannten »Stuttgarter Paket« war bei der Sitzung des Europäischen Rates in

Stuttgart im Herbst 1984, in dem Deutschland präsidierte, die Frage des Beitritts mit der Erhöhung der Eigeneinnahmen der EG verknüpft worden.

Die Bundesregierung drängte EG-Kommissions-Präsident Jacques Delors und seine Mitarbeiter auf zügige Vorlage der Kommissionsvorschläge, wir setzten uns bei den in der EG präsidierenden Ländern (1984 Irland, 1985 Italien) dafür ein, zusätzliche Termine für Ministerräte anzuberaumen, um die umfangreiche Thematik durchzuarbeiten.

In bilateralen Kontakten mit andern Partnerländern, vor allem Frankreich, bemühten wir uns, den Prozess voranzutreiben. Ich flog nach Paris zum Generalsekretär im Elysée, Jean Louis Bianco, und zum Quai d'Orsay; die Leiterin der französischen Delegation Mme Cathérine de Lalumière und der zuständige Direktor Jean Claude Paye kamen nach Bonn, um bei der Suche nach Kompromissen zu helfen.

Ende Februar 1985 ging der Hindernis-Marathon in die Zielgerade. Sonntagmittag trat der Ministerrat der Außenminister zur Abschlussrunde zusammen. Donnerstag frühmorgens verkündete der italienische Außenminister Julio Andreotti den erfolgreichen Abschluss. Dazwischen hatte ein dreitägiger Schluss-Spurt gelegen. Tag und Nacht Plenarsitzungen, Beratungen im Restraint und immer wieder das »Beichtstuhlverfahren«: Einzelgespräche des Vorsitzenden mit den einzelnen Delegationschefs, um auszuloten, wo es noch Spielraum für Kompromisse gab und wo unverzichtbare Interessen der einzelnen Länder berührt wurden. Danach kurze Unterbrechungen. Ein neues Kompromisspapier der Präsidentschaft. Sobald die überarbeiteten Vorschläge vorlagen, stürzten sich die Delegationen auf das Papier, um zu studieren, wo ihre nationalen Interessen berührt wurden, wo neues Entgegenkommen abverlangt wurde.

Nach Abschluss der Abstimmung der Haltung der zwölf Mitglieder folgte die nächste Verhandlungsrunde des Präsidenten und der Kommission mit der spanischen und der portugiesischen Delegation, und der Hindernislauf ging weiter.

Ich hatte mit dem Leiter der Vertretung Gisbert Poensgen und seinem Mitarbeiter Joachim Bitterlich eine hervorragende Mannschaft. Poensgen wurde später Botschafter in dem neuen Mitgliedsland Portugal, Joachim Bitterlich machte eine schnelle Karriere und wurde Berater des Bundeskanzlers, als Helmut Kohl sein Talent entdeckte.

Poensgen und Bitterlich hatten ein meisterhaftes Geschick, die Vorschläge von Präsidentschaft und Kommission in kürzester Zeit zu durchpflügen, die Veränderungen herauszukristallisieren und gleichzeitig zu bewerten, ob sie mit den Vorgaben der Europa-Staatssekretäre oder des Kabinetts noch vereinbar waren oder ob neue Kontakte mit Bonn erforderlich wurden.

Ich lernte Andreotti zu bewundern. Während der Zeit im Bundeskanzleramt hatte ich bei der »Kappler-Affäre« und der Entführung der Lufthansa-Maschine nach Mogadischu sein großes innen- und außenpolitisches Geschick beobachtet. Jetzt erlebte ich sein Stehvermögen, seine Konzentrationsfähigkeit, die es ihm ermöglichten, auch nach mehreren durchwachten Nächten neue Kompromisse zu finden. Während die Delegationen einige Stunden schlafen konnten, arbeitete er mit seinen Mitarbeitern und dem Sekretariat weiter, um das Kompromisspapier für die nächste Verhandlungsrunde vorzulegen. Donnerstag frühmorgens war es so weit, die Verhandlungen waren erfolgreich abgeschlossen. Mitglieder und Kandidaten umarmten sich. Trotz der Müdigkeit und Erschöpfung fuhr ich mit einem großen Glücksgefühl nach Hause.

Das Ergebnis konnte sich sehen lassen. Nach acht Jahren waren diese als historisch bezeichneten Beitrittsverhandlungen erfolgreich beendet. Der Weg war frei für den Beitritt Spaniens und Portugals.

Bei Abwägung der Vorteile und Lasten des Beitritts war das Gesamturteil für die Bundesrepublik Deutschland positiv. Finanziellen Belastungen vor allem durch die Agrarpolitik und bei den Maßnahmen zur Verbesserung der Wirtschafts- und Sozialstruktur standen große politische und wirtschaftliche Vorteile gegenüber: In einem um fast 50 Millionen Einwohner vergrößerten gemeinsamen Markt stiegen die Exportchancen unserer Industrie erheblich.

Die Förderung der wirtschaftlichen und sozialen Stabilität, zu der die EG nun auch auf der Iberischen Halbinsel beitragen konnte, war zugleich ein wichtiger Beitrag für die Sicherung der jungen Demokratien in Spanien und Portugal.

Außenpolitisch eröffnete der Beitritt der neuen Mitglieder, die über historische Beziehungen zu Lateinamerika, aber auch zu einigen afrikanischen Ländern verfügten, neue Perspektiven für die Beziehungen der Gemeinschaft zu diesen Kontinenten.

Die Arbeitsbelastung der Verhandlungen, neben den Routineaufgaben als Staatssekretär in Bonn, war erheblich gewesen. Umso größer war nun die Freude.

Ein Nachspiel folgte im Sommer des gleichen Jahres. Beim Staatsbesuch des spanischen Königspaares im Juni 1985 standen die Freude über den Erfolg der Verhandlungen und die spanische Dankbarkeit für die nachdrückliche Unterstützung der Bundesrepublik Deutschland im Mittelpunkt der Gespräche.

Karin war beim Festessen des Bundespräsidenten neben dem Protokollchef des spanischen Außenministeriums placiert.

Als sie etwas verspätet und gehetzt ihren Platz einnahm, bemerkte ihr spanischer Tischherr: »Hat Ihr Mann etwas gegen Spanien?«

Karins Gegenfrage: »Warum?«

Der spanische Grande, Emilio Pan de Soraluce, höflich, aber etwas spitz: »Der spanische König und die Regierung haben Ihren Mann mit dem Großkreuz des höchsten spanischen Ordens ausgezeichnet. Ihr Mann hat ihn noch nicht einmal heute Abend angelegt. Sie kommen beide verspätet zum Abendessen des Staatspräsidenten für den spanischen König und die Königin.«

Karin entschuldigte sich und mich mit der übergroßen Arbeitsbelastung. Diese sei letztlich auch Spanien zugute gekommen. Sie konnte ihn damit besänftigen, dass ich als Vertreter des Außenministers die deutsche Delegation bei vielen Sitzungen geleitet hatte, in denen der Ministerrat über den Beitritt Spaniens verhandelt hatte.

Das Eis schmolz vollends, als Karin unsere spanischen Freunde im Diplomatischen Corps in Großbritannien und in Kenia erwähnte. Der spanische Botschafter in Nairobi war ein Bruder ihres Tischherrn aus Madrid. Karin und ich waren mit dessen Familie befreundet gewesen, und ich verdankte meinen kenianischen Jagdschein der glänzenden Vorbereitung durch seine Nichte Ines San Roman.

Das war ein glücklicher Ausgang für eine peinliche Situation. Die Arbeitsbelastung führte gelegentlich dazu, dass protokollarische Korrektheiten ihr zum Opfer fielen. Karin hat hierunter nicht nur an diesem Abend, sondern leider auch bei vielen anderen Gelegenheiten mit leiden müssen. Meine Entschuldigung war: In anderen Hauptstädten gerieten die Sicherheitsberater des Präsidenten und die Staatssekretäre durch die Fülle unerwarteter Ereignisse in ähnliche Bredouillen.

Dooge Committee

Schon bald folgte ein weiterer Sonderauftrag in der Europa-Politik.

Die Europäische Gemeinschaft hatte sich seit ihrer Gründung von sechs auf zwölf Mitglieder ausgedehnt, nach Griechenland, Großbritannien, Irland, Dänemark waren jetzt Spanien und Portugal hinzugekommen, die Kommission war auf 17 Kommissare angewachsen. Die innere Struktur hatte mit der Ausweitung nicht Schritt gehalten, sie musste angepasst werden.

Genscher hatte mit seinem italienischen Kollegen frühzeitig auf diese Schwäche hingewiesen und mit dem Genscher-Colombo-Plan umfassende Änderungen vorgeschlagen.

Was geschieht im multilateralen politischen Bereich, wenn sich Probleme auftürmen? Eine Arbeitsgruppe soll Lösungen suchen. Zunächst war ein hohes Niveau im Gespräch, auf der Ebene von Altbundespräsident Carstens. Mitte September überraschte Bundesminister Genscher mich mit der Nachricht, ich solle Beauftragter des Bundeskanzlers im Europäischen Ausschuss werden, dem die Prüfung der institutionellen Fragen übertragen wurde.

Es war ein ehrenvoller Auftrag. Ich sah die Notwendigkeit, über die Anpassung in der Gemeinschaft zu beraten. Aber nun trat zu der normalen Staatssekretärs-Arbeit und den Verhandlungen über den spanisch-portugiesischen Beitritt eine weitere Belastung hinzu. Der Dooge-Ausschuss tagte in Brüssel in schnellem Rhythmus, da schon bis Ende 1984 ein Bericht vorgelegt werden sollte.

In den kommenden Wochen saß ich manchmal ebenso lange an den Konferenztischen in Brüssel wie an meinem Schreibtisch in Bonn. Herr Beutler, der mich zu jeder Tag- und Nachtzeit zuverlässig, auch durch herbstlichen Nebel und winterliches Schneetreiben im Hohen Venn, zwischen Bonn und Brüssel hin- und herfuhr, hatte Kissen und Wolldecken im Wagen, so dass ich mich auf dem hinteren Sitz notfalls schlafen legen konnte. In Bonn hatte ich ein vorzügliches Büro, das mich so weit als irgend möglich entlastete.

Den Vorsitz im Ausschuss hatte Senator James Dooge, ein Vertreter und Freund des irischen Ministerpräsidenten der Regierung, die zu jener Zeit die Präsidentschaft der Gemeinschaft innehatte. Dooge war ein erfolgreicher Geschäftsmann und Politiker, der außerhalb Irlands wenig bekannt war. Er leitete die Beratungen freundlich, gelassen und dennoch sehr zielorientiert.

Von den übrigen Beauftragten kannte und schätzte ich aus London Malcolm Rifkind, ehemaliger Parlamentarischer Staatssekretär im Foreign Office, Wim van Ekelen, Staatssekretär aus Den Haag. Mit dem französischen Vertreter Maurice Faure hielt ich besonders engen Kontakt.

Unsere Arbeitsweise war ungewöhnlich. Wir setzten uns zum Ziel, einen Bericht mit möglichst viel Substanz und konkreten Anregungen zu fertigen. Wer nicht mithalten konnte, hatte die Möglichkeit, seine ablehnende oder abweichende Haltung in Fußnoten kurz und knapp darzulegen. So konnten wir gemeinsame Tendenzen beschreiben und gleichzeitig die nationalen Bedenken sichtbar machen. Alle arbeiteten engagiert und zuverlässig mit – trotz übervoller Terminkalender zu Hause.

Vor einer der abschließenden Sitzungen des Dooge Committees in Brüssel musste ich den Bundeskanzler auf seinem ersten Besuch in China begleiten (6.-13. Oktober 1984).

Nach Abschluss der umfangreichen Gespräche in Peking mit Ministerpräsident Zhao Ziyang und mit dem starken Mann Chinas Deng Xiaoping setzte der Bundeskanzler seinen Besuch in anderen Teilen des Landes fort.

Ich hatte ausführliche Drahtberichte über die Gespräche in Peking gefertigt. Parallel dazu hatte ich auf Weisung des Bundeskanzlers Verhandlungen mit dem chinesischen Erziehungsminister He Dong Chang über einen Ausbau des Studenten- und Wissenschaftsaustauschs, über vermehrten Unterricht an chinesischen Schulen in der deutschen Sprache, über Verbindungen zwischen chinesischen und deutschen Universitäten und vor allen Dingen auch über die Ausstrahlung eines Fernsehsprachkurses für die deutsche Sprache durch eine chinesische Fernsehanstalt geführt.

Abends hatten wir kräftig gefeiert, dass unser Freund Heiner Weiß den Auftrag für den Bau eines Stahlwerkes für seinen Konzern Schloemann-Siemag erhalten hatte.

Mir war es bis zur letzten Minute gerade noch gelungen, alle Berichte abzuschließen. Dann musste ich in Peking ins Flugzeug steigen, um nach einem 30-stündigen Flug mit der belgischen Linie Sabena morgens um 11 Uhr am Konferenztisch im Palais Egmont in Brüssel zu sitzen.

Nach der aufsteigenden Weltmacht China und den kulturellen Beziehungen unseres Landes zu diesem großen alten Kulturland ging es jetzt wieder um die Zahl der Sitze in der EG-Kommission, um neue Aufgabenbereiche der Gemeinschaft, um Finanzen und mögliche Ausgleichsleistungen der reichen Industrieländer aus dem Norden an die südlichen Mitgliedsstaaten.

Ohne Jürgen Trumpf, Ministerialdirigent in der Handelspolitischen Abteilung, und seine Mitarbeiter mit der langjährigen Erfahrung in der Europa-Politik hätte ich diese Arbeit nicht leisten können. Auf Trumpfs Votum: »Dem können wir zustimmen, hier benötigen wir Änderungen«, konnte ich mich stets verlassen. Ich habe ihn auch später nach Kräften gefördert. Seine schnelle Karriere machte ihn zum Chef der Deutschen Vertretung bei der Europäischen Gemeinschaft, zum Staatssekretär und schließlich zum Generalsekretär des Ministerrats in Brüssel, eine zentrale Position der europäischen Zusammenarbeit, die das große Vertrauen zeigte, das die zwölf Mitgliedstaaten ihm entgegenbrachten.

Wir waren nicht an Weisungen der Ressorts gebunden, sondern konnten in eigener Verantwortung unsere Vorstellungen von der deutschen Europa-Politik vertreten.

Nur Staatssekretär Tiedtmeyer hatte mir, in seiner freundlichen, aber direkten westfälischen Art mit auf den Weg gegeben: »Bitte kein Wort zur europäischen Währungspolitik, dem ich nicht vorher zugestimmt habe.«

Im Dezember 1984 legte der Ausschuss dem Rat der Staats- und Regierungschefs einen ersten Bericht vor. Diese Darlegungen fanden so viel Interesse und Zustimmung, dass der Ausschuss gebeten wurde, sie auszuweiten und bald einen abschließenden Bericht zu fertigen.

Kolloquien

Ich bemühte mich, vor der endgültigen Fassung im März 1985 einen gründlichen Überblick über die politischen Vorstellungen für die weitere europäische Entwicklung zu gewinnen, die zu der Zeit in der Bundesrepublik diskutiert wurden.

Mir lag daran, in meinem neuen Aufgabenbereich möglichst festen Boden unter die Füße zu bekommen. Im Bundeskanzleramt hatte ich gesehen, wie man gezielt den vorhandenen Sachverstand in den Universitäten, in den Parlamenten, in den Fachverbänden und innerhalb der Bundesregierung anzapfen und nutzbar machen kann.

Deshalb plante ich, so früh es meine neuen Aufgaben zuließen, kurze Kolloquien über die Europäischen Aufgaben (24.01.85), über die Probleme des deutschen Außenhandels (Februar 85) sowie Begegnungen mit den verschiedenen Mittlern in der Auswärtigen Kulturpolitik im Februar und März 1985.

In späteren Jahren gingen die Behörden in Bonn und Berlin dazu über, sich die Sachkenntnis durch teure Gutachten von Beratungsfirmen liefern zu lassen. In der Mitte der achtziger Jahre suchten wir die interessanten, kenntnisreichen Gesprächspartner ins Auswärtige Amt einzuladen, ihnen in großer Offenheit unsere Sachkenntnis, unsere Sicht der Probleme und möglicher Lösungen konzentriert vorzutragen und dann mit ihnen zügig zu diskutieren.

Die Vorbereitungen in der Sache und die Organisation der Kolloquien brachten für die zuständigen Abteilungen viel Arbeit. Aber sie zwangen uns, unsere Gedanken und Ziele zu ordnen, die Diskussionen gaben uns einen Überblick, was in den interessierten Kreisen unseres Landes gedacht und angestrebt wurde. Die Kosten waren minimal. Wichtig war, das Treffen so zu gliedern, die Diskussionen so zu straffen, dass sich für die prominenten Experten die Anreise lohnte.

Wir hatten Erfolg. Das Echo war groß.

Am 24. Januar 1985 versammelte sich eine hochkarätige Gruppe von Europa-Experten: führende Vertreter des Europäischen Parlaments, der Europäischen Kommission, des Europäischen Gerichtshofs und aus der Wirtschaft; Staatssekretäre und Abteilungsleiter aus den anderen Ressorts und dem Bundeskanzleramt. Aus Mainz sprach Prof. Dr. Werner Weidenfeld, der Leiter des Instituts für Politikwissenschaft der Universität Mainz, zum Thema »Institutionen, alternative Möglichkeiten« und Prof. Rudolf Hrbek, Institut für Politikwissenschaft der Universität Tübingen, über mögliche Alternativen in den Politikbereichen im Zwölferrahmen.

Am Ende des Tages konnte ich aus den Diskussionen die folgenden Schwerpunkte für deutsche Interessen festhalten:

- Zentral ist und bleibt die Vervollkommnung des Binnenmarktes. Dazu kommen neue Formen und neue Bereiche der Integration, die Regionalpolitik, Sozialpolitik, Technologiepolitik und der Umweltschutz. Und vor allem die Harmonisierung im Bereich der Außen- und der Sicherheitspolitik.
- Die Frage der »abgestimmten Integration« oder »Integration in mehreren Kreisen« sollte eher als politisches Druckmittel eingesetzt werden, nicht als ein konkretes Ziel. Zur Form der Vereinbarung: kein voller neuer Vertragsentwurf, aber klare Empfehlungen für die Weiterentwicklung und Ergänzung der bestehenden Verträge für die europäische Einigung.

Über die Beratungen in Brüssel und in Dublin habe ich den Europa-Ausschuss des Bundestages kontinuierlich unterrichtet. Die Berichte wurden gut aufgenommen und unsere Linie wurde von Vertretern aller Parteien unterstützt.

Bei der Behandlung des ersten Berichts des Dooge-Ausschusses im Kabinett im Dezember 1984 gab es keine Einwendungen. Nur Bundesfinanzminister Gerhard Stoltenberg beanstandete, dass ich dem Ausdruck »wirtschaftliche Konvergenz« ohne Vorbehalt zugestimmt hatte. Das könne uns teuer zu stehen kommen. Ich hatte später die Genugtuung, dass der Bundeskanzler beim nächsten Europäischen Rat diesen Begriff widerspruchslos mit passieren ließ.

Der abschließende Bericht im März 1985 enthielt drei Fußnoten mit Einwänden der deutschen Seite. Mein Vorbehalt 1 richtete sich gegen die Beschränkung auf höchstens einen Kommissar pro Mitgliedstaat. Das erschien mir angesichts der Größe der Bundesrepublik Deutschland unannehmbar. Vorbehalt 2 galt der Forderung nach der »wirtschaftlichen Konvergenz«. Es könne nur gehen um die Konvergenz der »Wirtschaftspolitiken«, entsprechend den Bedenken von Bundesfinanzminister Stoltenberg, und Vorbehalt

3 wandte sich gegen einen verfrühten Übergang in eine echte Währungsintegration (Hans Tiedtmeyer ließ grüßen).

Mit nur drei Fußnoten lag ich im unteren Feld der Vorbehalte. Das Gros der Bemerkungen und Fußnoten kam von Möller/Dänemark und von Papantoniou/Griechenland. Der britische Vertreter Malcolm Rifkind hatte einen sehr deutlichen Vorbehalt gegenüber der Ausweitung der Mitentscheidungsbefugnisse des Europäischen Parlaments.

Der Katalog der Anregungen in dem abschließenden Dooge-Bericht konnte sich sehen lassen:
- Große Aufgabe bleibt die Schaffung einer »echten politischen Einheit«
- Vorrangiges Ziel ist die Vervollständigung des Binnenmarktes. Die Sachbereiche sollten künftig ausgeweitet werden. Wichtig ist die zeitliche Festlegung bis 1990
- Die eng umgrenzte Zielsetzung der europäischen Integration sollte durch neue Zuständigkeiten erweitert werden
- Stärkung der Wettbewerbsfähigkeit der europäischen Wirtschaft und Förderung der wirtschaftlichen Konvergenz
- Schaffung einer Technologiegemeinschaft
- Ausbau des europäischen Währungssystems
- Stärkung der Kompetenzen in den Bereichen Umwelt- und Fortschrittspolitik
- Konkrete Maßnahmen für die kulturelle Identität, die als eines der stärksten Bindeglieder zwischen den europäischen Mitgliedsstaaten bezeichnet wird
- Schaffung einer vertraglichen Grundlage für die europäische politische Zusammenarbeit.

Im institutionellen Bereich wurden hervorgehoben
- die herausragende Stellung des Europäischen Rats für Leitlinien und politische Impulse
- die Verstärkung der Befugnisse der Kommission
- die Mitentscheidung des Parlaments bei den Gesetzgebungsakten der Gemeinschaft, in der Form gemeinsamer Beschlussfassung mit dem Rat.

Wichtig war auch die abschließende Erklärung, schon in naher Zukunft solle eine Regierungskonferenz der Mitgliedstaaten einberufen werden, die den Entwurf eines Vertrages über die Europäische Union aushandeln solle.

Die deutsche Delegation hatte wesentliche Beiträge geleistet, vor allem zu den Kapiteln Technologie-Gemeinschaft, Umweltpolitik und Schaffung eines einheitlichen Rechtsraums. Wir hatten für den Ausbau der Europäischen Politischen Zusammenarbeit (EPZ) detaillierte Vorschläge gemacht.

Schließlich hat die deutsche Seite sich stark dafür eingesetzt, die »Subsidiarität« als Grundregel für den Aufbau der EU zu verankern (die Gemeinschaft soll nur regeln, was gemeinsam angefasst werden muss und was nicht auf nationaler oder regionaler Ebene gelöst werden kann). Unsere eingehenden Vorschläge, die Befugnisse des Europäischen Parlaments zu stärken, fanden wenig Unterstützung. Immerhin wurde bei der Beteiligung der Parlamentarier an der Gesetzgebung der Gemeinschaft ein Anfang gemacht.

Die Arbeit des Dooge Committee hat in der Öffentlichkeit nur begrenzte Beachtung gefunden. Es fehlte die spektakuläre Besetzung, um die Phantasie der Journalisten zu wecken. Die hitzigen Diskussionen drangen nicht nach außen. Senator Dooge trug das Ergebnis vor wie das Gutachten eines wissenschaftlichen Beirats, ohne populistischen Appell.

Immerhin zeigte der Dooge-Bericht, dass es eine breite Basis für konkrete Fortschritte gab.

Schon sehr bald, im Sommer 1985, beschloss der Europäische Rat in Mailand, die Regierungskonferenz solle ihre Arbeit aufnehmen. Großbritannien, Griechenland und Dänemark zögerten. Aber es gelang, den Widerstand zu überwinden. Die Verhandlungen der Konferenz verliefen schneller und besser als erwartet.

Am 17. Februar 1986 wurde der Vertrag über die Einheitliche Europäische Akte in Luxemburg unterzeichnet. Und am 1. Juli 1987, zwei Jahre nach der Mailand-Sitzung, wurde sie – bei den Feierlichkeiten zum 30. Jahrestag der Römischen Verträge – in Kraft gesetzt.

Für die Angehörigen des Dooge-Ausschusses war es eine große Genugtuung, dass sich beim redaktionellen Aufbau der Einheitlichen Akte, bei der inhaltlichen Ausgestaltung der Sachbereiche und bei den institutionellen Reformen viele Anregungen unserer Arbeit wiederfanden.

Die Beziehungen Europäische Gemeinschaft – USA

Am 7./8. Juni 1986 musste ich, unterstützt von der zuständigen Expertin Frau Gnodtke, Bundesminister Genscher beim informellen Außenministertreffen der Europäischen Politischen Zusammenarbeit (EPZ) auf Château Marquette bei Heemskerk in den Niederlanden vertreten.

Ich hatte das Glück, dass auf der Tagesordnung die Vertiefung der europäisch-amerikanischen Beziehungen stand. So konnte ich mich mit all meiner Überzeugungskraft im Kreis der EG-Außenminister für dieses mir persönlich sehr am Herzen liegende Anliegen einsetzen. Ich verwies auf die Erfolge der Europäischen Politischen Zusammenarbeit. Die EPZ habe mit den periodisch festgelegten Konsultationstreffen ein wirksames Schema für kontinuierliche, eingehende Abstimmungsgespräche geschaffen. Auch wenn die Europäer von einer gemeinsamen Außenpolitik noch weit entfernt seien, so hätte die Kenntnis der unterschiedlichen Positionen zugenommen und die Annäherung Fortschritte gemacht. Dies sei umso wichtiger für die lebenswichtigen transatlantischen Beziehungen.

Ich habe eine Liste operativer Vorschläge vorgetragen für regelmäßige europäisch-amerikanische Begegnungen auf der Ebene der Präsidenten, der Außenminister, zwischen EG-Kommission und amerikanischem Kabinett.

Später habe ich mit Freude gesehen, dass eine Reihe von Anregungen Eingang fanden in die »Transatlantischen Erklärungen der Europäischen Gemeinschaft zur Partnerschaft mit den USA und Kanada vom November 1990«. Auch wenn die Erklärung Henry Kissingers berühmte Frage nach der »europäischen Telefonnummer« unbeantwortet ließ: Sie war doch ein wichtiger Ansatz für einen breit gespannten, institutionalisierten Dialog der Führungsgremien über den Atlantik.

Das Gesetz über den Auswärtigen Dienst

1984, 1985 begannen die Beratungen im Bundestag über das Gesetz für den Auswärtigen Dienst. Das gesamte Auswärtige Amt arbeitete eng zusammen, um die Zustimmung des Parlaments zu erreichen. Bei den Anhörungen war jeweils ein Staatssekretär anwesend, um das große Interesse der Amtsleitung zu unterstreichen.

Bei den Anhörungen im Bundestag halfen auch die Ehemaligen. Beim Jahrestreffen mit ihnen im Frühjahr 1985 habe ich den Aktiven und den Ruheständlern für ihre Hilfe gedankt und einige ihrer humorvollen Beiträge vorgetragen, mit denen sie unsere Anliegen unterstützt hatten.

Zur Hausverwaltung hieß es, ein schwacher Legationsrat ist leichter zu verkraften als ein schwacher Hausmeister; zur Gliederung des Auswärtigen

Dienstes sagte man, der Stellenplan des Auswärtigen Amts wird mindestens so zuverlässig unter Verschluss gehalten wie der Plan für die nukleare Verteidigung unseres Landes, und den Baufachleuten legte man in den Mund, für sie sei der Botschafter gelegentlich ein pompöses Rindvieh, das große Dienstzimmer braucht, wo man es möglichst nur von weitem erblicken kann.

Von dem verabschiedeten Gesetz war für mich besonders wichtig, dass den Ehefrauen ein wenn auch nur kleiner Teil der Aufwandsentschädigung zur eigenen Verfügung zugewiesen wurde – ein erster Einstieg, um ihren großen lebenslangen Einsatz anzuerkennen.

Nichts geht ohne die Wirtschaft

Die Bundesrepublik verdiente jede dritte Mark im Außenhandel. Industrie und Handel waren für mich Kernbereiche deutscher Stärke und zentrale Aufgabe unserer Außenpolitik.

Während der 60er Jahre hatte ich von Verwandten und Bekannten – nachdem sie Kontakte mit Botschaftern und Konsuln gehaben hatten – gehört: »Eindrucksvolle Kenntnis des Landes und dessen Geschichte, sympathische Vertreter, aber für Informationen über die Wirtschaft und für Handelskontakte wenig brauchbar.« So Karins Onkel, Friedrich Schwab, der in jenen Jahren sein großes Kataloggeschäft »Schwab Überlandversand« ausbaute und insbesondere seine Handelskontakte nach Asien erweiterte. So Willy Korff, der seine Mini-Stahlwerke in viele Teile der Welt verkaufte, und andere.

Andererseits hatte ich rücksichtlose Exportlieferungen der deutschen Industrie erlebt. Die Zuckerfabrik Chemelil war von einem namhaften deutschen Handelsunternehmen in Kenia mitten in der Savanne errichtet worden. Es gab kein Management, das sie betreiben konnte, keinen organisierten Zuckeranbau, der die Herstellung der notwendigen Rohstoffe sicherstellte.

Es kostete harte Arbeit der Botschaft, mit der technischen Hilfe der Bundesregierung Experten für Produktion und Marketing zu finden und gemeinsam mit der Friedrich-Ebert-Stiftung Produktionsgenossenschaften der Zuckerrohrbauern aufzubauen. So konnten wir verhindern, dass in Chemelil eine zwar eindrucksvolle, aber nutzlose Entwicklungsruine aus Deutschland stand.

Ich verwandte viel Zeit und Energie darauf, das gegenseitige Verständnis zu erweitern. Gegenüber der Industrie kam mir zugute, dass Karin und ich als Kommanditisten von August Ruhfus/Neuss und Karin von den Mühlenwerken Rusch persönliche Erfahrungen in Nöten und Erfolgen mittelständischer Unternehmen hatten.

Ich bin zu jedem Attaché-Lehrgang gegangen und habe den jungen Nachwuchsbeamten die Bedeutung der Handels- und Wirtschaftspolitik ans Herz gelegt. Den Nicht-Ökonomen habe ich eingeimpft: Auch wenn man nicht alle volks- und betriebswirtschaftlichen wissenschaftlichen Erkenntnisse beherrscht – jeder Botschafter und Konsul kann in seiner Tasche eine Aufstellung der letzten Statistiken über das Bruttosozialprodukt, die einzelnen Wirtschaftsfaktoren des Landes, die Inflationsraten, Exporte, Pro-Kopf-Einkommen bei sich führen, wenn er zu Gesprächen mit Vertretern der Wirtschaft und der Industrie zusammentrifft. Oft hilft es deutschen Unternehmen schon, wenn der Missionschef Kontakte zu aufgeschlossenen und gut informierten Vertretern des Gastlandes in Banken, in der Handelskammer oder in den Ministerien vermitteln kann.

Ich empfahl, die Botschaft solle von sich aus ein Informationsgespräch anbieten, sobald der Besuch eines deutschen Unternehmers im Gastland bekannt würde. Wenn andererseits einfallsreiche Lobbyvereinigungen der Industrie und des Handels der Botschaft einen Programmentwurf vorlegten, in dem schon ausgedruckt stand: »Sonntag Abend: Cocktailempfang für die Reiseteilnehmer in der Residenz des Botschafters«, riet ich zu der Antwort: »Bitte das Programm ändern in: Informationsgespräch mit dem Botschafter im Konferenzraum der Botschaft, Montag 9.00 Uhr.«

Als ich meine Tätigkeit als Staatssekretär antrat, gab es in der Leitung von Abteilung 4 – der Abteilung für Außenwirtschaftspolitik – Kollegen, die ihre Karriere innerhalb der Abteilung gemacht hatten. Ministerialdirektor Alois Jelonek hatte langjährige Praxis. Die Ministerialdirigenten Werner Ungerer und Jürgen Trumpf waren hervorragende Kenner vor allem der Europa-Politik. Ungerer wurde bald darauf deutscher Vertreter bei der Europäischen Gemeinschaft in Brüssel. Jürgen Trumpf machte später seinen Weg über die EG-Vertretung bis zum Staatssekretär und angesehenen Generalsekretär des Rates der Europäischen Gemeinschaft.

Ich war bestrebt, die Verzahnung von Abteilung 4 mit dem übrigen Hause zu stärken. Bei Vakanzen habe ich bewährte Kollegen aus der politischen Abteilung gefördert, die dort gegenwärtig keine Chancen auf Beförderung hatten, und sie in der Wirtschaftsabteilung für die Leitung von Unterabteilungen vorgeschlagen. Dieter Kastrup hatte ich schon seit Jahren hoch geschätzt. Wilhelm Höynck kannte ich aus der gemeinsamen Arbeit im Bundeskanzleramt. Beide haben sich sehr schnell eingearbeitet und waren schon nach wenigen Monaten von den Wirtschaftsressorts und den Wirtschaftsverbänden überaus geschätzte Gesprächspartner.

Kastrup machte schnell seinen Weg zum Staatssekretär und war schließlich der erfolgreiche Vertreter der Bundesregierung in den Zwei-plus-Vier-Gesprächen zur deutschen Einheit.

Von Anfang an suchte ich in Gesprächen mit den Industrie- und Handelskammern, mit den Industrieverbänden und auch in Interviews, den Gedankenaustausch mit der Wirtschaft und den Kreisen der Industrie zu intensivieren. Schon wenige Monate nach meinem Beginn als Staatssekretär lud das Auswärtige Amt am 2. Februar 1985 zu einem Colloquium ein: »Schwerpunkte unserer Außenwirtschaftspolitik und die Rolle des Auswärtigen Dienstes«. Wir hatten einen hochkarätigen Kreis angesprochen. Das Echo war überraschend gut und positiv.

Als ich die Teilnehmer morgens am runden Tisch im Weltsaal des Auswärtigen Amtes begrüßte, sah ich in der großen Runde namhafte Vorstandsmitglieder deutscher Banken, bekannter deutscher Industrieunternehmen, Spitzenvertreter vom BDI, vom Bundesverband des Maschinenbaus, der Versicherungsgesellschaften, Präsidenten oder Hauptgeschäftsführer der großen Handelskammern wie Hamburg und Frankfurt. Ich sah mit besonderer Freude Freunde und Bekannte wie Siegfried Mann, Hauptgeschäftsführer des BDI, Peter Jungen, ein dynamischer Unternehmer aus Köln, unter den Journalisten den von mir besonders geschätzten Mitherausgeber der FAZ Jürgen Jeske.

Mein Überblick über die außenwirtschaftlichen Vorstellungen, Ziele und Möglichkeiten des Auswärtigen Amtes, der Industrie und Exportwirtschaft zu helfen, führte zu vielen Fragen, kritischen Anmerkungen, aber auch zu einer lebendigen Diskussion und einer großen Zahl praktischer Vorschläge.

Im Frühjahr 1986 organisierte das Auswärtige Amt in Bangkok eine Regionalkonferenz der Botschaften in Südostasien, gemeinsam mit Vertretern der deutschen Wirtschaftsverbände. Am 2. Juli 1987 hatte ich eine längere Diskussion mit den Vertretern der Industrie- und Handelskammer in Wuppertal für das Bergische Land. Am 1. Oktober 1987 eine ähnliche Veranstaltung der Industrie- und Handelskammer Mittlerer Neckar in Stuttgart für das Musterländle.

Verbesserung des Wirtschaftsdienstes

Die Erfolgsstory der deutschen Wirtschaft begann zu verblassen. Der Zahlungsbilanzüberschuss schmolz dahin. Die Exportindustrie musste ankämpfen gegen Protektionismus und Währungsnachteile der überbewerten Deutschmark. In dieser Situation fielen die Bestrebungen des Auswärtigen Amtes, mehr für den Außenwirtschaftsdienst zu tun, auf fruchtbaren Boden. Der Minister half. Es gelang, eine Erhöhung der Haushaltsmittel zur Unterstützung unseres Außenhandels zu erreichen. Die Industrie- und Handelskammern im Ausland wurden verstärkt, die Wirtschaftsreferate in den Botschaften der Schlüsselexportländer erhielten zusätzliche Stellen.

Mit der Abteilung 4 habe ich einen ausführlichen Leitfaden für gute Unterstützung und erfolgreiche Zusammenarbeit mit den deutschen Firmen im Ausland erarbeitet. Die Runderlass-Sammlung erhielt eine lange Liste praktischer Vorschläge, um ein Netzwerk von kenntnisreichen Wirtschaftlern und Finanzleuten im Gastland aufzubauen einschließlich der Anregung, einen Jour fixe mit einem gemeinsamen Mittagessen einzuführen. So könnte ein regelmäßiger Gedankenaustausch stattfinden mit Vertretern der deutschen Industrie und Firmen des Gastlandes, die an Geschäften mit Deutschland interessiert sind.

Die Ausbildung von Nachwuchsbeamten wurde noch stärker auf die außenwirtschaftlichen Aufgaben ausgerichtet. Das Auswärtige Amt übernahm zeitweilig jüngere Führungskräfte der Wirtschaft in die Wirtschaftsdienste der Auslandsvertretungen.

Wenn ich in den 50er, 60er und 70er Jahren von Dakar, von Athen oder von London aus zu Rundreisen und Vorträgen vor den Industrie- und Handelskammern nach Deutschland kam und in Kreisen mittelständischer Unternehmen sprach, gab es öfter Klagen über unzureichende Kenntnisse und mangelnde Unterstützung von Seiten der Auslandsvertretungen. Bei den jetzigen Veranstaltungen hatte ich das Gefühl, die Klagen ließen nach. Jetzt ging es stärker um die praktischen Möglichkeiten, die Zusammenarbeit zu verbessern und die Exporte zu steigern. Es freute mich, dass ich zunehmend positive Reaktionen über die durchgeführten Reformen und die Arbeit der Wirtschaftsabteilung hörte.

Tschernobyl

Am 29. April 1986 brachten die Medien Horrormeldungen über eine Explosion im Kernkraftwerk Tschernobyl und über die großen Gefahren radioaktiver Verstrahlung. Die Telefone des Auswärtigen Amtes liefen heiß: »Ich bin mit einer Reisegruppe in den Karpaten. Reichen die Strahlen bis hierher?« »Ich bin deutscher Industriearbeiter in einem Vorort von Kiew. Wie groß ist meine Gefährdung?«

Die Vertretungen in Kiew, in Minsk, bis hin zu Moskau oder Bukarest wurden überlaufen. Sie baten uns verzweifelt um Informationen. »Was können wir sagen? Wie kann man die unsichtbare Gefährdung ermitteln, wie weit sind die Strahlen lebensgefährlich, wie schädlich ist der Genuss verstrahlter Lebensmittel? Sollen und können wir sofortige Ausreise empfehlen?«

Das Auswärtige Amt hatte umfangreiche Pläne für die Hilfe bei Krisenfällen wie Erdbeben, Flugzeugunglücken oder innenpolitischen Unruhen. Für die Gefährdung durch die neue Atomtechnik gab es bisher keine Handbücher, keine Runderlasse. Die dringenden Anfragen des Auswärtigen Amtes bei den Fachressorts erbrachten zunächst nur wenig.

Die Kollegen und ich haben sofort einen permanenten Krisenstab eingerichtet, der Tag und Nacht für telefonische Auskünfte bereitstand. Ich habe selten eine so engagierte, hilfsbereite, aber zugleich bedrückte Gruppe von Mitarbeitern erlebt.

Ich wandte mich an die Staatssekretäre im Innenministerium, im Ministerium für Forschung und Technologie und an die Vorsitzenden der Gesellschaften für Reaktorsicherheit. Am 30.4. abends habe ich den russischen Geschäftsträger Terechow zu mir bestellt und ihn nachdrücklich um eingehende Informationen über den Unglücksfall, die Bedrohung für die Menschen, die Verstrahlung von Häusern und Lebensmitteln gebeten.

Es half, dass die Gefährdung durch radioaktive Strahlen schließlich auch ein innenpolitisches Problem wurde. Bei der jährlichen Festveranstaltung in Bonn, »Der Rhein in Flammen«, wurde den Zuschauern in diesem Mai geraten, sich gegen möglichen kontaminierten Regen mit Anoraks und Kopfbedeckungen zu schützen.

Schließlich erhielten wir erste Zahlen, welche Strahlenwerte lebensgefährlich, welche weniger bedrohlich waren. Mit diesen Informationen konnten wir zur Beruhigung beitragen.

Diese hektischen Wochen im Krisenstab sind den beteiligten Mitarbeitern und mir noch lange in Erinnerung geblieben. Dieter Kastrup hat später als

Staatssekretär bei meinem Abschied daran erinnert, mit welcher Schnelligkeit wir Tschernobyl »zur Chefsache« in meinem Arbeitsbereich gemacht hatten.

Rüstungsexporte

Zu den heiklen Themen meines Aufgabenbereichs gehörten die deutschen Rüstungsexporte. Nach dem Schrecken der beiden Weltkriege war die Haltung der Bundesrepublik vorsichtig und zurückhaltend. Nur Exporte in Länder der NATO-Allianz wurden zugelassen. Aber unsere Firmen produzierten Qualität. Das weckte Interesse und weltweite Nachfrage.

Die Unternehmen verwiesen darauf, dass sie zur Beschäftigung beitrugen. Mir klang immer noch der Ausbruch von Herbert Wehner in einer der Sitzungen des Bundessicherheitsrates in den Ohren, als es um die Lieferung deutscher Fregatten an den Iran ging: »Ich verabscheue das diktatorische Regime des Schah. Aber wenn es um die Arbeitsplätze deutscher Werftarbeiter geht ...«

Im Bundesministerium der Verteidigung war Staatssekretär Manfred Timmermann für die Rüstungsexporte zuständig. Nachdem wir uns einige Male am Telefon auseinandergesetzt hatten, vereinbarten wir, alle zwei oder drei Monate zu einem Frühstück zusammenzukommen. Die frugale Mahlzeit morgens um 7.30 Uhr – zwei belegte Brötchen und zwei Tassen Kaffee aus der Kantine des Auswärtigen Amts oder des Bundesverteidigungsministeriums – stand in krassem Gegensatz zu dem millionenfachen Wert der beantragten Geschäfte.

Timmermann las vor: »U-Boote für Taiwan.« Ich antwortete: »Können Sie vergessen.« »Leopard-Panzer für Syrien.« Meine Antwort: »Keine Chance.« »U-Boote für Südamerika.« »Darüber kann man reden. Um welche Länder geht es?«

Es entwickelte sich eine gute Zusammenarbeit. Sie vermied, dass das Auswärtige Amt erst dann eingeschaltet wurde, wenn bereits viel Energie und Geld in ein Projekt geflossen waren, mit entsprechendem Ärger über eine Ablehnung aus außenpolitischen Rücksichten.

Daraus erwuchs eine Freundschaft, die auch nach der aktiven Dienstzeit fortbestand. Professor Dr. Manfred Timmermann war einer der wenigen, die frühzeitig vor den kriminellen finanziellen Manipulationen des Vorstandes von Blohm & Voss mit den für die Werften in Mecklenburg-Vorpommern bestimmten Mitteln aus Brüssel gewarnt hatte. Als Controller der Deutschen

Bank begleitete er für sein Haus die erfolgreiche Akquisition der großen amerikanischen Finanzgruppe »Bankers Trust«. Die Begegnungen mit ihm brachten stets ein Bündel neuer Informationen und interessanter Anregungen.

Illegaler Blaupausenexport nach Südafrika

1986 hatte der 10. Bundestag den 4. Untersuchungsausschuss eingesetzt, welcher den Export von Bauplänen für die Produktion von U-Booten nach Südafrika untersuchen sollte. Es sollte geprüft werden, ob ein nicht genehmigter, illegaler Export stattgefunden hatte, ob und inwieweit prominente Persönlichkeiten in die Angelegenheit verwickelt waren, etwa der CSU-Vorsitzende Franz Josef Strauß. Eine Reihe von Staatssekretären und der außenpolitische Berater des Bundeskanzlers wurden als Zeugen oder als Sachverständige gehört.

Auch Bundeskanzler Kohl und Bundesaußenminister Genscher wurden vor den Ausschuss geladen. In der Presse war der Verdacht geäußert worden, im Bundeskanzleramt oder in anderen Bundesbehörden seien Teile der Akten durch den Reißwolf entsorgt worden.

Im Auswärtigen Amt waren alle Unterlagen seitenweise nummeriert und ordnungsgemäß registriert. Ich musste mich durch den Wust der angesammelten Akten kämpfen; mir war es wichtig, die Details zu kennen. Ich musste vermeiden, mich in Widerspruch zum Regierungschef oder zu meinem vorgesetzten Bundesminister zu setzen und durfte keine Ansatzpunkte für eine spätere Vernehmung dieser Persönlichkeiten geben.

Am 5. Februar 1987 um 13.30 Uhr saß ich im Sitzungssaal 1903 NH des Bundeshauses. MdB Dr. Wilfried Penner, der Vorsitzende des vierten Untersuchungsausschusses der 10. Legislaturperiode über die Lieferung von Blaupausen für U-Boote an Südafrika, belehrte den Zeugen Ruhfus über seine Pflichten und seine Rechte. Vor mir saßen die Ausschussmitglieder, hinter mir ein größerer Kreis von Journalisten, die die öffentliche Sitzung verfolgten.

Nach dem ersten Wortwechsel zur Begrüßung heißt es im Protokoll: Vorsitzender Dr. Penner: »Herr Ruhfus, sind Sie Westfale?«

Zeuge Dr. Ruhfus: »Ich bin Westfale.«

Vorsitzender Dr. Penner: »Das höre ich. Herr Ruhfus, Sie haben das Wort.«

Ich schilderte meine Kenntnis des Vorgangs. 1985 hatte die Bundesregierung erfahren, dass von den Firmen Howaldtswerke Deutsche Werft AG und Ingenieurkontor Lübeck stammende Fertigungsunterlagen für den Bau von U-Booten ohne die erforderliche Genehmigung nach Südafrika exportiert worden waren. Der Bundeskanzler war von Premierminister Pieter Willem Botha angesprochen worden. Die Namen von Ministerpräsident Strauß und des Abgeordneten Siegfried Zoglmann wurden genannt. Das Bundeswirtschaftsministerium und das Bundesfinanzministerium waren innerhalb der Bundesregierung für die Aufklärung zuständig. Jetzt sollte der Ausschuss klären, ob und inwieweit dem Bundeskanzler, Ministerpräsident Strauß und einigen Bundesministern Verstöße gegen geltende Gesetze vorgeworfen werden konnten.

Ich beschrieb meine Beteiligung an dem Vorgang als Staatssekretär im Auswärtigen Amt. Es folgte ein nicht unfreundliches, aber bohrendes und hartnäckiges Kreuzverhör durch den Vorsitzenden und die Vertreter der Opposition, MdB Norbert Gansel und MdB Müller, anschließend Fragen der Vertreter der Regierungsparteien, vor allem von MdB Friedrich Bohl.

Die Haltung des Auswärtigen Amts war von Anfang an, von Bundesminister Genscher bis zu den zuständigen Referenten, eindeutig ablehnend gewesen. Dieser Teil der Antworten war relativ leicht.

Aber die Mitglieder des Ausschusses bemühten sich, faktische Aussagen zu erhalten, Bewertungen, Auslegung der Gesetze, die auf das Verhalten des Bundeskanzlers und von Kabinettsmitgliedern sowie von Ministerpräsident Strauß einen Schatten werfen konnten. Sie hatten die Akten des Auswärtigen Amtes vor sich liegen. Meine Aussagen wollten sie bei der wenige Tage später folgenden Vernehmung des Bundeskanzlers und der Bundesminister nutzen.

Ich fühlte hinter mir die Spannung bei den Journalisten. Gottlob hatte ich mich mehrere Tage eingehend über die Rechtslage und über die Aktenlage unterrichtet. Das Protokoll meiner Vernehmung umfasste 85 Seiten. Ich hatte dem Ausschuss keine Ansatzpunkte gegeben, an denen er bei den folgenden Vernehmungen des Bundeskanzlers und der anderen Bundesminister einhaken konnte.

Wettkampf der Großkonzerne

In jenen Jahren begannen die Auseinandersetzungen um die weltweiten Telefonmärkte. Der deutsche Konzern Siemens und das französische Unternehmen Alcatel rangen um den europäischen Markt. Die amerikanischen Großkonzerne versuchten, auf dem europäischen Kontinent Fuß zu fassen.

In Großbritannien war British Telecom privatisiert worden und begann einen dynamischen Aufstieg.

In Deutschland hatte der französische Konzern Compagnie Générale d'Electricité die ITT-Tochter Standard Electric Lorenz in Stuttgart aufgekauft. Siemens war interessiert, das französische Unternehmen CGCT zu kaufen. Hauptkonkurrent war dabei der große amerikanische Konzern ATT.

Der französische Präsident fällte eine diplomatische Entscheidung, er gab den Zuschlag weder Siemens noch ATT, sondern dem schwedischen Konzern Ericson.

Sowohl der Deutsche Botschafter als auch Bundesminister Graf Lambsdorff hatten in Paris für Siemens interveniert. Auch ich hatte mich für Siemens eingesetzt, war aber erst sehr spät eingeschaltet worden. In dieser Situation bat der Chef von Siemens, Dr. Karl Heinz Kaske, Bundesminister Genscher um ein Gespräch. Genscher zog mich zu dem Abendessen hinzu.

Monate vorher, auf dem Flug von Peking nach Brüssel (zur Sitzung des Dooge-Ausschusses Ende 1984), hatte ich neben Kaske gesessen und mit ihm über die Neustrukturierung der großen europäischen Elektrikkonzerne gesprochen.

Kaske war ein erstklassiger Techniker und bekannter Manager. Er wollte jetzt nach dem Fehlschlag hören, wo und wie die Bundesregierung Siemens bei der Neuordnung in Europa Hilfestellung leisten könne. Genscher überließ die Antwort mir.

Ich berichtete über die umfangreichen Stabsabteilungen, die ich in London bei British Petrol, bei General Electric UK, bei British Telecom und anderen Unternehmen kennen gelernt hatte. Es gehe heute nicht mehr nur darum, erstklassige Technik zu entwickeln. Große Konzerne benötigten Fachabteilungen, die die internationalen Regeln des GATT, der OECD und vor allem der Europäischen Union studierten und beeinflussten, die Strategien entwarfen, um ihr Unternehmen in diesem weltweiten Wettkampf optimal zu positionieren und die internationalen Konventionen für sich zu nutzen. Das Auswärtige Amt sei zu größtmöglicher Hilfe bereit, um mit der Industrie eine gemeinsame Sichtweise für Produktion und Vermarktung von zukünftigen Technologien zu erarbeiten.

Die großen angelsächsischen Konzerne zögen angesehene Politiker oder weltweit erfahrene Spitzenbeamte als Berater oder als Leiter von Stabsabteilungen heran. Das System, Ruhestand mit 60 Jahren, sei maßgeschneidert, um Unternehmen die in langen Jahren erworbenen Fachkenntnisse zugänglich zu machen – wie etwa bei Lord Carrington als Präsident für Weinstocks General Electric, beim früheren Staatssekretär des Foreign

Office Michael Palliser oder auch bei Charles Powell und anderen Spitzenbeamten aus dem Stab des Premierministers.

Kaske hörte aufmerksam zu. Siemens hatte unter der Leitung von Professor Kurt Beckurts eine große Abteilung für Forschung und Technologie eingerichtet. (Es war für den Konzern und für die deutsche Industrie ein schwerer Verlust, dass dieser begabte Wissenschaftler und industrielle Stratege von der Baader-Meinhoff-Bande ermordet wurde.) Aber noch fehlte eine Expertengruppe für eine zusammenhängende globale Strategie von Verkauf und Investitionen.

Andere große deutsche Konzerne wurden aktiv. Daimler-Benz schuf eine Stabsabteilung und berief den langjährigen Leiter des Informationswesens der Landesregierung von Baden-Württemberg Matthias Kleinert zu deren Chef. BMW gründete eine neue Abteilung, deren Leitung später Horst Teltschik übernahm.

In der Wirtschaftsabteilung des Auswärtigen Amts wurde ein Fachreferat geschaffen, das die neuen Technologien und die Bildung von Großkonzernen mit Sachkenntnis verfolgte. Klaus Grewlich, Ritter von Wagner und andere haben sich schnell zu respektierten Kennern entwickelt.

Ich habe es mir später im Aufsichtsrat der Adam Opel AG ab 1993 zur Aufgabe gemacht, für den Konzern die Kontakte zur Bundesregierung und zur Landesregierung zu verstärken.

Das 3. Europäisch-Zentralamerikanische Außenministertreffen in Guatemala

Vom 9.-12. Februar 1987 vertrat ich die Bundesrepublik beim 3. Europäisch-Zentralamerikanischen Außenministertreffen in Guatemala.

1969 hatte ich Bundesminister Scheel nach Guatemala begleitet, als er den ermordeten deutschen Botschafter Karl Graf von Spreti heimholte.

Wieder fuhr ich entlang der großen Prachtstraße durch die Hauptstadt an der Kathedrale vorbei, die damals von tausenden stummer Einwohner flankiert war. Welch ein Unterschied. Damals war Guatemala ein vom Bürgerkrieg zerrissenes Land. Jetzt war es Tagungsort der 3. Europäisch-Zentralamerikanischen Außenministerkonferenz.

Wie in Afrika mit der Unterstützung der OAU, wie bei der Kooperation mit den ASEAN-Staaten, bemühten die Mitglieder der Europäischen Gemeinschaft sich auch hier in Zentralamerika, die regionale Zusammenarbeit zu fördern und durch ihre Anwesenheit das friedliche Zusammenleben ehemals zum Teil verfeindeter Staaten zu stärken.

Durch die Reden der lateinamerikanischen Außenminister zog sich wie ein roter Faden der Hinweis auf die europäische Integration als ein Beispiel für eine erfolgreiche Überwindung nationaler Gegensätze. Lateinamerika fühlte sich durch dieses Beispiel ermutigt. Ich begrüßte für die Bundesregierung die Rückkehr Guatemalas in den Kreis der demokratisch verfassten Nationen.

In der Gemeinsamen politischen Erklärung vom 10.02.87 bekräftigten die Mitglieder der Europäischen Gemeinschaft und die Staaten Mittelamerikas, »dass der Frieden in Mittelamerika nur durch einen wahrhaft demokratischen, pluralistischen und alle Menschen einbeziehenden Prozess erreicht werden kann.«

Ich flog zufrieden nach Deutschland zurück. Dies war nach den blutigen Auseinandersetzungen in den vergangenen Jahren ein hoffnungsvoller Ansatz. Die Bundesrepublik Deutschland spielte in diesem Kreis eine geschätzte Rolle.

Türkei

Am 10. Juli 1985 hielt Bundeskanzler Dr. Kohl in Ankara die Abschluss-Pressekonferenz über die Ergebnisse seiner Gespräche in der Türkei. Gleich zweimal sprach der Bundeskanzler davon, beide Regierungschefs hätten »Arbeitsaufträge an unsere Mitarbeiter gegeben«. Später erfuhr ich, dass ich die Leitung der mit diesen Aufgaben betrauten deutschen Delegation übernehmen sollte.

Es war der erste Besuch des Bundeskanzlers in der Türkei und die erste Visite eines westlichen Regierungschefs bei dem neuen Ministerpräsidenten Turgut Özal.

Bei den traditionellen Verbindungen und der engen Verzahnung beider Länder (1,5 Millionen Türken lebten in Deutschland; Deutschland war der größte Handelspartner der Türkei; beide Länder gehörten zur westlichen Verteidigungsallianz) hatte es neben dem eingehenden politischen Meinungsaustausch Gespräche über viele bilaterale Themen gegeben.

Das Hauptproblem war: Der Türkei war im Assoziationsvertrag mit der Europäischen Gemeinschaft in Aussicht gestellt, bis zum 30. November 1986 die Freizügigkeit (d. h. die Möglichkeiten für die Einreise türkischer Bürger) zu erweitern.

Unterzeichnung eines Finanzhilfeabkommens mit der Türkei durch den türkischen Botschafter Oincmen und Staatssekretär Ruhfus

Die Türken waren bereits die weitaus größte Gruppe von Gastarbeitern in Deutschland. Hunderttausende türkischer Bauern im anatolischen Hochland wollten so schnell wie möglich ihren Freunden und Verwandten in das reiche Alemanya folgen. Bei der abnehmenden Wirtschaftskonjunktur aber mussten wir diesen Ansturm auf unseren Arbeitsmarkt verhindern. Es war unmöglich, die vertragliche Zusage einzuhalten. Bis November 1986 mussten wir mit der Türkei eine Ausgleichslösung vereinbart haben.

Aufgabe der Delegationen war es, die Ansätze der beiden Chefs zu einer Paketlösung zusammenzuschnüren. Der Katalog war groß: Deutsche Verteidigungshilfe, gemeinsame Rüstungsproduktion, Finanzhilfe für die Industrieentwicklung in der Türkei, soziale Probleme der türkischen Gastarbeiter, Hilfe für Ausbildung und Unterrichtung der Gastarbeiterkinder, der Kampf gegen die Schlepperbanden, die Asylsuchende aus Iran und Irak durch die Türkei nach Deutschland schleusten, und das Problem, dass Doppelstaatler aus der Türkei nach türkischen Gesetzen ihren Wehrdienst in der Türkei ableisten mussten.

Am 5./6. Dezember 1985 kam der Staatssekretär im türkischen Außenministerium Tezel mit seiner Delegation in das vorweihnachtliche Bonn. Am

6./7. Oktober 1986 war ich zur zweiten Runde im herbstlichen Ankara, begleitet von Staatssekretär Günter Obert (BMF), Staatssekretär Lothar Rühl (BMVg), Staatssekretär Siegfried Lengel (BMZ) und einer größeren Delegation.

Beide Verhandlungsrunden waren mit ausführlichen Papieren im Kreis der beteiligten Ressorts vorbereitet worden. Die Staatssekretäre konnten vieles klären. Die Kapitalhilfe und die Verteidigungshilfe blieben einem Ministergespräch unter der Leitung des Bundeskanzlers vorbehalten. Es war klar geworden, ohne substantielle zusätzliche Verteidigungshilfe bestand keine Aussicht auf Erfolg.

Große deutsche Unternehmen waren sehr interessiert, Fabriken und Anlagen in der Türkei zu bauen, um in dem schnell wachsenden Markt Fuß zu fassen (eine Telefonfabrik, Kernkraftwerke, Anlagen für die gemeinsame Produktion von Schützenpanzerwagen).

Der Bundeskanzler half der von ihm eingesetzten Verhandlungsdelegation. In schwierigen Gesprächen rang er am 3. Oktober, drei Tage vor unserem Abflug nach Ankara, Verteidigungsminister Manfred Wörner, Finanzminister Gerhard Stoltenberg und Bundesminister Jürgen Warnke die Zustimmung ab, dass wir in Ankara 150 ausgemusterte, aber gut instand gesetzte Leopard-Panzer anbieten konnten.

Nach langen, anstrengenden Verhandlungen wurden die beiden Delegationen sich einig. Der zähe Verhandlungsstil, die mediterrane Freude am Feilschen waren mir aus meiner Athener Zeit bestens bekannt. Ich wurde von den Staatssekretärskollegen überaus wirksam unterstützt. Viele weiter reichende Vorschläge und Wünsche der Regierung Özal konnten wir nicht erfüllen.

Aber das »Hilfspaket«, das der Bundeskanzler beim Gespräch mit Ministerpräsident Özal angedacht hatte und das wir für die zweite Verhandlungsrunde konkretisiert hatten, konnte sich sehen lassen: Gewährung einer Rüstungssonderhilfe für 150 instand gesetzte Kampfpanzer, Lieferwert etwa 600 Millionen DM; Gewährung einer Industrialisierungshilfe, vor allem für kleine und mittlere Betriebe, in Höhe von 150 Millionen DM; die Gewährung eines staatlich abgesicherten Hermes-Bürgschaft-Plafonds für die gemeinsame Produktion von Schützenpanzerwagen.

Zu Beginn der Verhandlungen und bei der Abschlusserklärung hatte ich darauf hingewiesen, dass die Bundesregierung die deutsch-türkischen Verhandlungen parallel zu den Verhandlungen zwischen der Europäischen Gemeinschaft und der Türkei über die Freizügigkeit führte. Diese Verknüpfung zwischen Begrenzung der Einreisen und deutscher Hilfe fand nicht die ausdrückliche Zustimmung der türkischen Delegation. Aber die türkische Regierung hat sich an frühere Absprachen von Präsident Evren und Außenminister Vahit Halefoglu mit der Bundesregierung gehalten, unseren Schwierigkeiten in der Frage der Freizügigkeit Rechnung zu tragen.

Noch am gleichen Abend teilte mir Staatsminister Yilmas, der als Außenminister amtierte, mit, er habe Ministerpräsident Özal über das Ergebnis der Verhandlungen unterrichtet. Özal »habe mit Befriedigung reagiert«.

Wir hatten den Weg geebnet für weitere große Projekte unserer Industrie und für eine engere Zusammenarbeit im Bereich der Ausbildung. Und wir hatten erreicht, dass die Türkei unsere Anliegen im Bereich der Freizügigkeit respektierte.

Am 14. April 1987 stellte die Türkei den Antrag auf Beitritt zur Europäischen Gemeinschaft. Damit war die Frage der Freizügigkeit auf eine andere Ebene gehoben. Es gab jetzt eine Reihe von EG-Mitgliedern, vor allem Frankreich und England, die in der Frage der Einwanderung türkischer Gastarbeiter eine noch wesentlich härtere Haltung als die Bundesrepublik einnahmen, da sie fürchteten, die in Deutschland ansässigen Türken würden in ihre Länder weiterwandern.

Die Rechtsabteilung

In den Rechts- und Konsularfragen hatte ich vielfältige praktische Erfahrungen aus verschiedenen Posten in Afrika und in Europa an vorderster Front: Anwerbung tausender Gastarbeiter in Griechenland; Regelung der Meuterei auf einem deutschen Handelsschiff in Dakar, Kauf von Schulgrundstücken und Aufbau deutscher Schulen in Athen, Nairobi und London; Heimschaffung deutscher Touristen, die nach Konkurs oder Insolvenz von drei deutschen Fluggesellschaften in Nairobi gestrandet waren und in der Botschaft gestreikt hatten; organisatorische Bewältigung langer Schlangen von Antragstellern, die in London vor der Botschaft bis zum Chesham Place anstanden.

In der Völkerrechtswissenschaft, in höchstrichterlicher Rechtsprechung, in innerdeutscher Gesetzgebung in Sozial- und Ausländerrecht hatte ich keine Erfahrung. Ich habe zwar 1984-1987 eine größere Zahl von internationalen Verträgen oder Vereinbarungen für die Bundesregierung unterzeichnet. Aber hierbei musste und konnte ich mich stets auf die zuständigen Referate verlassen.

Für mich war es besonders wichtig, dass die Leitung der Rechtsabteilung in den zuverlässigen Händen von Ministerialdirektor Dr. Franz Bertele lag.

Wir haben ausgezeichnet zusammengearbeitet. Ich hatte ihn später als meinen Nachfolger ins Auge gefasst. Aber er wurde schon früher zum Vertreter der Bundesregierung in der DDR im Rang eines Staatssekretärs ernannt. Ich konnte seinem Urteil vertrauen. Er hatte die Rechtsabteilung gut in der Hand.

Einen Ausnahmefall gab es allerdings gleich zu Beginn meiner Tätigkeit als Staatssekretär. Das Kabinett trat, wie zu Helmut Schmidts Zeiten, jeden Mittwoch zusammen. Vorher bereiteten die beamteten Staatssekretäre unter Leitung des Bundesministers im Bundeskanzleramt die Kabinettsitzung vor. Sie stellten fest, welche Vorlagen unter den Ressorts so weit abgestimmt waren, dass sie kabinettsreif waren.

Erst dann wurden die Vorhaben den Ministern zur Entscheidung vorgelegt. Im Auswärtigen Amt war die Wahrnehmung der Staatssekretärsrunde jeweils die Aufgabe des dienstälteren Staatssekretärs. Das Schicksal wollte es, wenige Wochen nach meinem Dienstbeginn war Andreas Meyer-Landrut verhindert und ich musste Ende August 1984 das Auswärtige Amt vertreten.

Für die erste Teilnahme in diesem wichtigen Gremium ließ ich mich vom Kabinettsreferat besonders gut vorbereiten. Auf der Tagesordnung stand die Antwort der Bundesregierung auf die große Anfrage der Opposition, Drucksache 10/2071, zur Fortentwicklung des Ausländerrechts.

Das Parlamentsreferat und die Rechtsabteilung versicherten mir: »Alles paletti, ausführlich gemeinsam abgestimmt.« Klaus Kinkel, damals Staatssekretär im Justizministerium mit guten Verbindungen zu vielen Abgeordneten der FDP, bestätigte mir: »Alles in Ordnung, Text der Antworten ist mit MdB Detlef Kleinert und anderen FDP-Abgeordneten abgestimmt.«

Als Bundesminister Schäuble in der Runde fragte: »Ist der Text von allen Häusern gebilligt?«, schloss ich mich der Zustimmung an.

Nach Rückkehr ins Amt habe ich den Leiter des Ministerbüros Michael Jansen über die Sitzung der Staatssekretäre unterrichtet. Schon kurz darauf wurden Bertele und ich zum Außenminister bestellt.

Minister Genscher kam sofort zur Sache: »Wie konnte das Auswärtige Amt ohne meine Genehmigung zustimmen?« Er ging die Antworten durch und listete aus dem Stegreif eine ganze Reihe von politischen und rechtlichen Bedenken und Vorbehalten gegen Duktus und Inhalt der Antworten auf.

Am gleichen Abend noch ging ein Fernschreiben an das Bundeskanzleramt, das Auswärtige Amt könne dem vorliegenden Entwurf nicht zustimmen. Der Bundesinnenminister wurde gebeten, weitere Besprechungen auf Arbeitsebene einzuberufen.

Bertele und ich wurden angewiesen, dem Minister binnen weniger Stunden Änderungsentwürfe zur Billigung vorzulegen. Jetzt lernte ich im Eiltempo den tiefen Gegensatz zwischen der Haltung der FDP-Politiker wie Burkhard Hirsch und Rudolf Baum und den restriktiven Vorstellungen des von CSU-Bundesminister Friedrich Zimmermann geleiteten Bundesinnenministeriums kennen.

Es ging Minister Genscher nicht nur um die Reaktion auf innerparteilichen Druck und innenpolitische Taktik. Der Minister argumentierte, unsere Haltung Ausländern gegenüber habe Auswirkungen auf das internationale Ansehen unseres Landes. Seine liberale Einstellung entsprach seiner tief verwurzelten persönlichen Erfahrung als politischer Flüchtling aus dem kommunistischen System der DDR. Er interessierte sich für die Schicksale von einzelnen Familien aus der Türkei ebenso wie die von Asylsuchenden und Auswanderungswilligen aus der Sowjetunion und anderen Warschauer-Pakt-Staaten. Die Referate hatten Weisung, dass vor der Ablehnung eines Sichtvermerks für politisch Verfolgte oder von Asylbegehren der Fall jeweils dem Minister persönlich vorgelegt werden musste. Ich war immer wieder beeindruckt, wie genau Minister Genscher auch Details zahlloser Akten der Rechtsabteilung kannte.

Bei der parlamentarischen Anfrage war das Nachzugsrecht der Kinder ein wichtiger Punkt. Viele liberale und religiöse Kräfte in Deutschland setzten sich zu Gunsten der Familienzusammenführung ein. Wir konnten bei den interministeriellen Beratungen darauf hinweisen, dass der Druck wegen des Nachzuges der Kinder eher abnahm.

Das eigentliche Problem waren nicht so sehr die Kinder der bereits in Deutschland wohnenden Familien, sondern der »Nachzug der Ehegatten der zweiten Generation«, die Möglichkeit, dass jungen, in Deutschland lebenden Türken und Türkinnen ein Ehepartner aus Anatolien vermittelt wurde, dem Sprache und Lebensweise in Europa völlig fremd waren, der aber gleichwohl das Nachzugsrecht erhielt. Die Auswirkungen dieser an sich menschenfreundlich gedachten Politik für die Integration dieser sich abschottenden Familien wurden erst später in vollem Umfang erkannt. Im Nachhinein ist es erstaunlich, dass die Wissenschaftler und die innenpolitischen Experten die fatalen Folgen für die Integration dieser schnell wachsenden Volksgruppen nicht viel früher gesehen haben. Wie vielen türkischen Kindern und Ehepartnern hätte man helfen können, wenn man sie mit staatlichem Nachdruck veranlasst hätte, die deutsche Sprache zu lernen und damit ihre Kontakte und beruflichen Chancen im Gastland zu verbessern.

Die Arbeit an dieser umfangreichen parlamentarischen Anfrage (Fragen und Antworten umfassten 30 Druckseiten) war für mich ein unvergessliches Lehrstück. Es blieb glücklicherweise eine einmalige Erfahrung.

Meine früheren Erfahrungen mit griechischen Gastarbeitern waren keine Hilfe, da diese sich von selbst mit Aufgeschlossenheit an die deutschen Gegebenheiten angepasst hatten und schnell die Möglichkeiten des deutschen Marktes zu nutzen wussten.

Seerecht

1974 hatte ich als Leiter der Unterabteilung Vereinte Nationen als stellvertretender Delegationsleiter an der Seerechtskonferenz in Caracas teilgenommen.

Ich war beeindruckt, wie völlig anders die Interessen im Seerecht verliefen als im bekannten Muster des Ost-West-Gegensatzes. Die Solidarität im Rahmen des westlichen Bündnisses trat zurück, die großen Küstenstaaten wirkten unbehindert von ideologischen Differenzen im Sinne ihrer Meeresinteressen eng zusammen. Ich sah gleichzeitig, dass die Mitgliedschaft in der EG der Bundesrepublik Deutschland über die Partner mit langen Küsten neue Perspektiven für künftigen Zugang zur See eröffnete. Hinzu kam die Aussicht, mit dem Internationalen Seegerichtshof eine Einrichtung der Vereinten Nationen nach Deutschland zu holen.

Das Bundeswirtschaftsministerium und auch Kreise der Wirtschaft befürchteten, das Seerechtsabkommen würde uns den Zugang zur Nutzung der Natur- und Bodenschätze erschweren (in den neuen Meereszonen 12 Seemeilen für das Küstenmeer, 200 Seemeilen für die Wirtschaftszone und bis zu 350 Seemeilen für den Festlandsockel) und empfahlen Zurückhaltung. Ich bin dagegen stets für eine Unterzeichnung und Ratifikation des Seerechtsabkommens eingetreten.

Das Auswärtige Amt konnte sich nicht durchsetzten. Am 10. Dezember 1984 lief die Unterzeichnungsfrist für das 1982 verabschiedete Seerechtsübereinkommen der VN ab. Die Bundesregierung entschied am 27.11.1984, wegen schwerwiegender Bedenken gegen die Bestimmungen des Abkommens zum Tiefseebergbau, nicht zu unterzeichnen.

Umso mehr freute ich mich, als die Bundesregierung später nach Revision des Abkommenstextes doch noch unterzeichnen konnte und als der Internationale Seegerichtshof das erste Organ der Vereinten Nationen in Deutschland wurde.

Die Kulturabteilung

Seit meiner AStA-Zeit hatte ich ein persönliches Interesse an Universitäten und Wissenschaftsaustausch. Als Oberschüler und Student hatte ich von Auslandsaufenthalten profitiert.

In Athen, in Nairobi und vor allem in London hatte ich die große Palette der Auswärtigen Kulturpolitik und ihre Akteure kennen gelernt: Goethe-Institut, Deutsche Schule, Deutscher Akademischer Austauschdienst, Deutsch-Englische Stiftung für das Studium der Industriegesellschaft, Max-Planck-Gesellschaft und Deutsche Forschungsgemeinschaft, Inter Nationes, die politischen Stiftungen der großen Parteien, das Angebot von Veranstaltungen, Gastspielen, Ausstellungen, die zahlreichen Austauschprogramme, die Kulturabkommen und vieles mehr.

1982/1983 hatte die Regierung Kohl/Genscher die »Wende« in der Sicherheitspolitik und in der Wirtschaftspolitik herbeigeführt. Leider reichte der reformerische Schwung der neuen Koalition nicht, um auch die Verkrustungen in der Erziehungs- und Bildungspolitik aufzubrechen und die erstarrten Massenuniversitäten durch Wettbewerb zu liberalisieren.

Auch wenn es keine generelle kulturelle Wende gab, bemühten sich führende Persönlichkeiten um neue Ansätze. Genscher trat, unterstützt vom AA, mit Erfolg für die Gründung privater Hochschulen ein und für deren Förderung durch steuerbegünstigte private Stiftungen.

In der CDU/CSU hatten Bundeskanzler Kohl, Ministerpräsident Strauß, die MdBs Anton Pfeiffer, Karl Heinz Hornhues und andere großes persönliches Interesse an der auswärtigen Kulturpolitik und der Verbreitung der deutschen Sprache. Während die Koalitionsregierung Schmidt/Genscher die Autonomie des Kulturaustauschs und seiner Träger, der Mittlerorganisationen, betont hatte, setzten die Kräfte der Union stärker auf eine Steuerung der kulturellen Selbstdarstellung im Ausland durch die Regierung.

Die Auswärtige Kulturpolitik bewegte sich in einem Spannungsfeld zwischen den nachwirkenden Impulsen aus der 68er-Bewegung und andererseits der Rückbesinnung auf bewährte Güter des deutschen Kulturschaffens. Für die Kulturabteilung des Auswärtigen Amts bedeutete dies gelegentlich eine schwierige Gratwanderung.

Die Kulturabteilung hatte seit der Zeit von Ministerialdirektor Dieter Sattler angesehene Leiter, die sich mit Energie und Kreativität für die Verbreitung der Kenntnis der deutschen Kultur im Ausland einsetzten.

Ministerialdirektor Barthold Witte führte diese Reihe eigenständiger und eigenwilliger Persönlichkeiten fort. Sein Weg über eine politische Stiftung, sein Wirken im Kirchentag, sein literarisches Schaffen waren für den Auswärtigen Dienst eine eher ungewöhnliche Bereicherung. Auch sein Vertreter, Ministerialdirigent Helmut Wegener, war ein erfahrener Kollege.

Genscher hatte mir mit auf den Weg gegeben, die grundsätzliche Freiheit des kulturellen Schaffens und die Autonomie der Mittler müssten voll respektiert werden. Gleichwohl möge ich ein Auge darauf haben, dass die Mittler ihre Arbeit nicht zu einseitig nach eigenem Gusto entfalteten.

Ich habe daher schon bald die Vertreter der verschiedenen Mittlerorganisationen zu Gesprächen nach Bonn eingeladen. Diese Begegnungen waren oft persönlich bereichernd, wie mit dem Chef der Max-Planck-Gesellschaft Professor Heinz Staab, dem Präsidenten der Deutschen Forschungsgemeinschaft Professor Hubert Markel, dem Präsidenten der Alexander-von-Humboldt-Stiftung Professor Wolfgang Paul, mit dem Münchner Intendanten Professor August Everding und vielen anderen. Die Vertreter vom Büro der Kultusministerkonferenz haben mich nicht in gleicher Weise beeindruckt.

Die Tagesordnungen bei solchen Begegnungen waren meist gespickt voll. Das Auswärtige Amt war in vielen Fällen Geldgeber oder Förderer. Die Mittler wollten wissen, was sie an Unterstützung erwarten konnten. Wir mussten einen Überblick haben über die Schwerpunkte ihrer Arbeit.

Die eingehende, persönliche Kenntnis der Programme war auch deshalb wichtig, weil die letzten Verhandlungen über den Kulturhaushalt des Auswärtigen Amts oft auf die Ebene der Abteilungsleiter und der Staatssekretäre angehoben wurden. Ich habe auf die Gespräche mit dem Bundesfinanzministerium viel Mühe verwandt. Es war für mich eine große persönliche Befriedigung, dass in meiner Zeit der Kulturhaushalt des Auswärtigen Amts überproportional gesteigert werden konnte, 1985 betrug der Zuwachs 5,8 %.

Bei der Begegnung mit den Spitzen der politischen Stiftungen konnten wir auf eine lange und erfolgreiche Zusammenarbeit in vielen Teilen der Welt – in Kenia, in Spanien und Portugal, in London und Washington – zurückblicken. Andere Länder verfolgten unser arbeitsteiliges und zugleich harmonisches Zusammenwirken zwischen den nichtamtlichen Stiftungen und den offiziellen Auslandsvertretungen mit großem Interesse.

Beim Treffen mit den Vertretern der Rektorenkonferenz, der Hochschulen und der Wissenschaftsverbände ging es vor allem darum, wie wir trotz abnehmender Anziehungskraft unserer überfüllten Universitäten und trotz der teils überalterten Studentenschaft weiterhin qualifizierte ausländische Wissenschaftler und Studenten nach Deutschland holen und als spätere Freunde unseres Landes gewinnen konnten.

Mir lag daran, damit gleichzeitig auch unseren Hochschulen zu helfen, ihnen durch den Austausch von Studenten und Wissenschaftlern, durch weltweite Partnerschaften und das europäische Erasmus-Programm mehr Aufgeschlossenheit für Reformen und für Wettbewerb zu vermitteln. In London hatte ich mit Bewunderung die Spitzenqualifikation junger 24-, 25-jähriger Second Secretaries im Foreign Office beobachtet, wenn sie in einem brillanten, knappen Exposé von wenigen Minuten Sachstand, Probleme und Lösungsvorschläge präsentierten. Im privaten Bereich hatte ich erlebt, dass die Universität Bonn von dem einjährigen Studium unserer Tochter in Englisch und Geschichte am Trinity College in Oxford wegen bürokratischer Beschränkungen der Fakultät nur ganz wenige Kurse für ihr Studium der gleichen Fächer in Deutschland anerkannte.

Besonders schätzte ich den langjährigen Vorsitzenden der Rektorenkonferenz, Prof. Theodor Berchem. Bei einer gemeinsamen Wartezeit auf einem Flugplatz waren wir schon viele Jahre zuvor in ein intensives Gespräch gekommen.

Ich hatte ihm spontan meine Vorstellungen für die Reform unseres Bildungswesens dargelegt: Schule und Oberschule von 13 auf 12 Jahre verkürzen, an den Universitäten während der ersten drei Jahre regulierten College-Betrieb wie in den Vereinigten Staaten mit jährlichen Zwischenprüfungen und dem Abschluss Bachelor-Examen, danach erst die große akademische Freiheit à la Humboldt. Damit könne man die dirigistische Zuteilungsbehörde abschaffen und verhindern, dass etwa 30-50 % der Studenten entweder bei den Examina durchfallen oder nach mehreren Semestern ihr Studium abbrechen oder wechseln; so könne Frustration und Zeitverschwendung der Studierenden verhindert und Geld des Staates gespart werden.

Ich war überrascht, Berchem stimmte mir nachdenklich zu, wies aber auf die Besitzstandsinteressen der Schul-Pädagogen und Universitäts-Professoren hin, die diesen Überlegungen entgegenstünden.

Die Goethe-Institute

Der größte Mittler für das Auswärtige Amt war das Goethe-Institut. Die einzelnen Institute hatten weltweit wertvolle Arbeit geleistet und geholfen, unser kulturelles Ansehen wieder aufzubauen. Sie hatten eine ehrliche Selbstdarstellung gegeben, die nur in Einzelfällen über die Grenzen hinausgegangen war.

Das Institut hatte, durch einen Rahmenvertrag abgesichert, weitgehende Autonomie für seine Arbeit und seine Programme. Die ersten Präsidenten,

Botschafter a. D. Peter Pfeiffer und seine Nachfolger, hatten die Eigenständigkeit des Goethe-Instituts geschickt, geduldig und unaufdringlich ausgeweitet. Der amtierende Präsident Klaus v. Bismarck war eine selbstbewusste, eigenwillige Persönlichkeit. Er hatte vorher in der Sozialarbeit der evangelischen Kirche und als Intendant des Westdeutschen Rundfunks erfolgreich gewirkt.

In London hatte ich mit dem Leiter Koenen und dem Goethe-Institut gut zusammengearbeitet. Aber in anderen Ländern hatte es gelegentlich Ausrutscher gegeben – bei extrem modernistischen Ausstellungen oder bei überzogener, einseitiger Kritik an unserer Gesellschaft. Besonders die vorgeführten deutschen Filme konzentrierten sich öfter auf die drastische Darstellung der Schattenseiten in unserem Lande. Noch am Ende meiner Dienstzeit in Washington habe ich erlebt, dass bei dem Film »Linie 1« – einem deutschen Film über die Subkulturen in Berlin, den ich mir leider vorher nicht angesehen hatte – angesehene Politiker, die Freunde Deutschlands waren, die Vorführung angewidert verließen.

Schon wenige Monate nach meinem Dienstbeginn als Staatssekretär gab es im Januar 1985 eine folgenschwere Begegnung von Bundeskanzler Kohl und Präsident von Bismarck. Der Bundeskanzler hatte dem Präsidenten seine volle Unterstützung für das Goethe-Institut angeboten. Zur Untermauerung dieses Engagements schlug er vor, den früheren Leiter der Deutschen Schule in Brüssel, Oberstudiendirektor Wittmann, der sein Vertrauen habe, als Bindeglied zwischen Goethe-Institut und Bundesregierung in die Führungsmannschaft des Instituts aufzunehmen.

Klaus v. Bismarck antwortete, er sähe nicht, dass er im Präsidium des Goethe-Instituts hierfür eine Mehrheitsentscheidung finden könne. Es war ein kühles Gespräch. Bundeskanzler Kohl war von der Widerspenstigkeit Bismarcks enttäuscht. Bismarck hatte den Eindruck, der Bundeskanzler kenne den Rahmenvertrag nicht, der die Unabhängigkeit des Goethe-Instituts vorsah.

Kurz darauf berief das Präsidium Dr. Horst Harnischfeger zum Generalsekretär des Goethe-Instituts. Harnischfeger war ein bewährter Fachmann für die Arbeit des Goethe-Instituts. Er war Mitglied der SPD. Für mich war die Parteizugehörigkeit kein Problem, aber CDU und CSU waren durch diese Auswahl gereizt. Sie beobachteten die Arbeit der Goethe-Institute umso aufmerksamerer und kritischer. Der Bundeskanzler selbst schrieb Briefe, wenn ihm Missstände im Ausland bekannt wurden.

Bundesminister Genscher hatte auch hier ein feines Gespür für sich anbahnende Probleme. Er reiste im August 1985 zur Tagung der gesamten

Goethe-Institute in Süddeutschland, um persönlich mit den Institutsleitern aus dem Ausland zu diskutieren. Die Kulturabteilung hatte Weisung, den Minister sofort zu unterrichten, wenn die Programme der Goethe-Institute zu Auseinandersetzungen im In- und Ausland führten.

Am 13. Juni 1986 holte der bayrische Ministerpräsident Strauß auf der jährlichen Mitgliederversammlung des Goethe-Instituts in München zu einem großen Rundumschlag aus. In kraftvoller bayrischer Rhetorik – einige Teilnehmer fühlten sich an den Stil der Aschermittwochsreden in Vilshofen erinnert – kritisierte er die einseitige Darstellung unserer Kultur durch die Goethe-Institute im Ausland.

Strauß sprach von »Kulturschickeria, die sich zu einer konservativ-reaktionären Pseudo-Elite entwickelt« habe und fragte, ob ihr »die auswärtige Kulturpolitik als Spielwiese freigegeben« sein solle. Die hellen und festlichen Farbtöne, mit denen die DDR ihr Land im Ausland male, würden auf Dauer erfolgreicher sein als die düstere Götterdämmerungspalette der Bundesrepublik. Strauß forderte eine Kurskorrektur in der auswärtigen Kulturpolitik.

Am 20. Juni 1986 gab es im Bundestag eine Aussprache über die Ausführungen des Bayerischen Ministerpräsidenten und über die Auswärtige Kulturpolitik. Bundesminister Genscher stellte sich vor die Goethe-Institute und verteidigte nachdrücklich die umfassende Darstellung von Licht und Schatten in unserer Gesellschaft.

Meine Gespräche mit Präsident v. Bismarck und Generalsekretär Harnischfeger am 10. Oktober 1986 in München standen noch unter dem Eindruck dieser Auseinandersetzung.

Ich habe versichert, der Bundesminister und das Auswärtige Amt seien entschlossen, eventuellen Versuchen entgegenzutreten, den Status des Goethe-Instituts zu ändern. Wir wollten an den gemeinsamen, überparteilichen Grundlagen der auswärtigen Kulturpolitik und dem bewährten Rahmen für das Goethe-Institut festhalten. Aber die Zentralverwaltung müsse ihre Steuerungsaufgabe gegenüber den Institutsleitern verstärkt wahrnehmen und diese für ihre tägliche Arbeit besser mit dem Wandel des politischen Bewusstseins in der Bundesrepublik vertraut machen. Es sei wichtig, die öffentliche Diskussion um das Goethe-Institut nicht von Seiten des Instituts anzuheizen. Ich empfahl, das Präsidium selbst solle gelegentliche Pannen, wie sie überall bei großen Behörden vorkommen, eingestehen und sofort auf die ergriffenen Gegenmaßnahmen hinweisen und dabei darstellen, wie relativ gering die Ausrutscher im Vergleich zur großen Zahl gelungener Veranstaltungen seien.

Bismarck verwies auf die einmütige Entschlossenheit des Präsidiums, das Goethe-Institut aus politischen Auseinandersetzungen herauszuhalten. Noch vor der nächsten Mitgliederversammlung wolle man mit den Vertretern der vier politischen Parteien im Kreis der Mitglieder sprechen.

Bundesminister Genscher lud das Präsidium am 13.11. in das Gästehaus Venusberg ein. Dort sicherte er zu, er sei bereit, wie die Botschaften auch das Goethe-Institut gegen unberechtigte Kritik zu verteidigen, aber er bitte, Anlässe für berechtigte Kritik zu vermeiden. Er nutzte das plastische Bild, man solle nicht der Neigung folgen, am Zaun zu lecken, nur um zu sehen, ob er geladen sei. Das Goethe-Institut müsse lernen, die Angriffsflächen zu verkleinern, ohne sich die innere Freiheit nehmen zu lassen.

Die gemeinsamen Bemühungen hatten Erfolg. Es gelang, die wertvolle und erfolgreiche weltweite Arbeit des Goethe-Instituts zu erhalten und die Sprachkurse sogar noch auszubauen. Bei den Instituten wuchs die Sensibilität für Entgleisungen. Die Auslandsvertretungen machten intensiven Gebrauch von den vor Ort vorgesehenen monatlichen Gesprächen zwischen AA und GI über das Programm der Institute.

1989 wurde der angesehene Publizist Hans Heigert Präsident des Goethe-Institutes. Wittmann wurde zunächst stellvertretender Leiter und dann Chef der Kulturabteilung. Barthold Witte ging in den Ruhestand, um sich noch stärker seinen Interessen als Synodaler der rheinischen Kirche zu engagieren. Mit unermüdlichem Einsatz rief er zudem die Initiative »Bürger für Beethoven« ins Leben und half so, für Bonn die Beethoven-Festspiele zu sichern.

Die deutsche Sprache – Die englische Sprache

Die weltweite Förderung der deutschen Sprache war ein wichtiger Bestandteil unserer Außenpolitik. Auch der Bundeskanzler setzte sich persönlich ein.

Die Zahl der Lehrer an deutschen Auslandsschulen und der Fachberater für Deutsch bei ausländischen Erziehungsbehörden stieg. Das Goethe-Institut weitete seine Spracharbeit aus. Mit ausländischen Fernsehanstalten verhandelten wir über die Ausstrahlung von Fernsehkursen für die deutsche Sprache, unter anderem mit einem Erfolg in China.

Der Bundeskanzler schrieb einen langen Brief an den Präsidenten der Europäischen Kommission, Gaston Thorn, über die Probleme bei der Verwendung der deutschen Sprache in der Europäischen Gemeinschaft.

Ich führte in Brüssel mehrfach eingehende Gespräche mit der Leiterin des Sprachendienstes der Kommission, Madame Renée van Hoof. Sie war eine erfahrene Dolmetscherin, gleichzeitig hat sie den Sprachendienst der EG-Kommission aufgebaut, zuletzt als Generaldirektorin.

Ich sagte, Deutschland könne seinen großen finanziellen Beitrag zur EG nur erbringen, wenn die deutsche Wirtschaft den Binnenmarkt voll nutzen könne, ungehindert durch sprachliche Nachteile. Sie erwiderte, der Vormarsch der englischen Sprache nach dem Beitritt Großbritanniens und die neuen Amtssprachen (der skandinavischen Länder, Spaniens und Portugals) erforderten tief greifende Umstellungen. Gleichwohl sagte sie mir die simultane Übersetzung in unsere Sprache zu – nicht nur wie bisher bei den Ministerkonferenzen, sondern auch in kleineren Kreisen von Beamten und Fachleuten. Sie versicherte, bei der Ausschreibung großer Vorhaben der Gemeinschaft solle die deutsche Übersetzung frühzeitig zur Verfügung gestellt werden.

Als Botschafter in London hatte ich mich immer wieder für deutschen Sprachunterricht in den britischen Schulen und Universitäten eingesetzt. Regelmäßig bin ich zu den Jahrestreffen des Verbandes deutscher Lehrer und Universitätsprofessoren gegangen, um sie zu bestärken. Ein Informationsgespräch mit den diplomatischen Korrespondenten vor einem Besuch von Dr. Helmut Kohl ist mir in Erinnerung geblieben. Frage: »Wird der Bundeskanzler bei seiner Begegnung mit Premierminister Thatcher wieder Deutsch sprechen, oder hat er inzwischen mehr Englisch gelernt?« Ich habe die Gegenfrage gestellt: »Großbritannien ist Mitglied der Europäischen Gemeinschaft. Wissen Sie, welches die in diesem Klub am weitesten verbreitete Sprache ist?« Als wir dann gemeinsam die englisch-, französisch- und deutschsprachigen Volksgruppen addierten, kam für die Engländer überraschend heraus, dass Deutsch die Muttersprache der größten Zahl der EG-Bürger ist.

Seit der Globalisierung, der weltweiten Vernetzung von Verkehr, Tourismus, Banken, Finanzen, Handel und Dienstleistungen treten selbst die großen und weltweit verbreiteten europäischen Sprachen wie Französisch, Spanisch und Portugiesisch zurück. Internet und Computer, die Fernsehproduktionen und Kinofilme aus Hollywood befördern den Siegeszug der englischen Sprache. Selbstverständlich müssen wir weiter für die deutsche Sprache eintreten. Die europäischen Sprachen sind Teil des kulturellen Erbes unserer Länder. Deutsch hat in der Mitte unseres Kontinents seinen festen Platz, den es weiter zu verteidigen und zu stärken gilt. Dabei müssten wir der Jugend aber schon frühzeitig die Gelegenheit geben, Englisch zu lernen.

Die Lösung der Zukunft kann allerdings nicht »Denglisch« sein, ein angelsächsisch verballhorntes Deutsch. Die Zukunft erfordert, dass ein großer Teil unserer Jugend von der Grundschule an zweisprachig aufwächst und in beiden Sprachen ohne Vermischung zu Hause ist. Studenten müssen mehr Gelegenheiten haben, an deutschen Universitäten auch englische Vorlesungen zu hören und Teilbereiche des Examens in Englisch abzulegen.

Warum Englisch? Bei der rasanten Verschiebung der weltweiten Kräfteverhältnisse hat Englisch die besten Chancen, als europäische Lingua franca international und auch zu Hause akzeptiert zu werden und zugleich den Vorteil, die Sprache unseres Hauptverbündeten, der USA, zu sein.

Mein Schlüsselerlebnis war eine Fernsehdiskussion von Experten der englischen Sprache, die ich im fernen Neuseeland hörte. Die Fachleute setzten sich für ihre Linie ein, jeweils im typischen Tonfall des King's English, mit der Stiff Upper Lip; mit dem leichtem Stottern von Oxford und Cambridge; dem schwer verständlichen Londoner Cockney; und im amerikanischen, australischen und neuseeländischen Englisch. Schließlich intervenierte ein Vertreter aus Auckland temperamentvoll: Die Engländer sollten nicht zu selbstsicher sein. Schließlich sei ihre Sprache aus Jütland und anderen germanischen Regionen des Kontinents auf die Inseln gekommen. Hätten die Angelsachsen sie nicht mitgebracht, würde man in England heute noch Keltisch sprechen wie in Irland, Schottland und Wales.

Englisch enthält angelsächsische Elemente aus Skandinavien und Deutschland, französische Elemente aus der normannischen Zeit und auch ein substantielles lateinisches Erbe. Es hat daher die meisten und besten Ansatzpunkte für eine europäische Lingua franca.

UNESCO

Der kalte Krieg hatte auf die Internationalen Organisationen ausgestrahlt. Besonders betroffen war die UNESCO in Paris. Unter dem senegalesischen Generaldirektor Amadou Mahtar M'Bow verfiel die Organisation durch Misswirtschaft und einseitige politische Ausrichtung. Die USA und Großbritannien waren aus Protest gegen die antiwestliche Schlagseite ausgetreten.

Die Bundesrepublik hatte sich diesem Schritt nicht angeschlossen, um dieses wichtige kulturelle Forum nicht kampflos dem Warschauer Pakt und insbesondere der DDR zu überlassen.

Nach dem Ausscheiden der angelsächsischen Länder war die Bundesrepublik in eine hervorgehobene Position gerückt. Bei der 24. UNESCO-Generalkonferenz Oktober/November 1987 in Sofia und in Paris leitete ich die deutsche Delegation.

In Sofia hatte ich deutliche Forderungen aufgestellt: Rückkehr der Kultur-, Bildungs- und Medienpolitik zu Ergebnissen, die alle Mitglieder mittragen konnten; Arbeitsprogramm und Haushalt müssten den Statuten entsprechen; gründliche organisatorische und personelle Veränderungen sollten zu mehr Transparenz, besserer Motivation und Leistungen der Mitarbeiter führen.

Aus Bulgarien war ich mit der Überzeugung zurückgekehrt, man müsse an der Reform dieser weltweiten Organisation weiterhin mitwirken. Die von mir in Bulgarien vorgetragenen Forderungen an die Generalkonferenz waren positiv aufgenommen worden. Der Reformprozess kam in Gang. Wir verfolgten aufmerksam die Einhaltung des so genannten »Reformkalenders«. Unter dem Generalsekretär M'Bow und im Rahmen der laufenden mittelfristigen Planung hatten Reformen in der Tat wenig Chancen. Wir hatten uns gemeinsam mit anderen Staaten um einen besseren, tatkräftigen Nachfolger bemüht.

Am 7. November 1987 wurde der Spanier Frederico Mayor auf der Generalkonferenz zum Nachfolger gewählt. Minister Genscher hatte mit vielen Amtskollegen telefoniert, unsere Botschafter hatten in zahlreichen Hauptstädten demarchiert, Herr Witte, unser UNESCO-Botschafter, Jens Petersen und ich hatten uns am Rande der UNESCO-Konferenzen und Sitzungen eingesetzt.

Die Konferenz in Paris und die Folgejahre bestätigten: Die positive Einschätzung des Auswärtigen Amtes war richtig gewesen und hatte zum Erfolg geführt.

Verabschiedung durch Minister Genscher

Im Frühjahr 1987 hatte ich mit dem Bundesaußenminister eine Reihe von Vorgängen erörtert, zu denen er »Rücksprache Staatssekretär« verfügt hatte. Als ich aufstehen wollte, blickte er mich mit seinen durchdringenden Augen an und fragte, ob ich bereit wäre, im Herbst die Nachfolge von Herrn van Well in Washington anzutreten.

Ich atmete tief durch. Dann antwortete ich: »Das ist ein sehr ehrenvolles Angebot. Nun weiß ich aus Londoner Zeiten – eine große, bilaterale Botschaft mit der Vielzahl der erforderlichen gesellschaftlichen Kontakte ist für den Botschafter und seine Frau eine anspruchvolle Herausforderung. Wir hätten daher eher an eine multilaterale Vertretung gedacht wie die NATO oder die UNO, die nach der großen Belastung als Staatssekretär weniger gesellschaftliche Aufgaben mit sich bringt.« Genscher: »Noch ist Zeit.« Er bat nachzudenken. Ich berichtete Karin von dem Gespräch, ohne dass wir einen Beschluss fassten.

Genscher ließ nicht locker. Wenige Tage später saßen wir mit Freunden in der Bar seines Hauses.

Er setzte sich zu Karin. »Frau Ruhfus, Ihr Mann hat mir angedeutet, Sie hätten Bedenken gegen eine Versetzung nach Washington.« Karin antwortete spontan: »Ich habe keine Vorbehalte gegen Washington und Amerika.« Genscher: »Das trifft sich gut.« In den nächsten Tagen sprach ich mit dem Minister ab, dass Karin und ich im Herbst für drei Jahre nach Amerika gehen würden. Sollte die Belastung sich als zu groß erweisen, würde das Auswärtige Amt danach den geruhsameren Posten am Vatikan für uns freihalten. Je näher der Zeitpunkt der Ausreise kam, desto mehr freuten Karin und ich uns auf unsere gemeinsame neue Aufgabe.

Am 3. November 1987 lud Außenminister Genscher erneut zu einer Amtsübergabe in den Weltsaal des Auswärtigen Amtes ein. Gleiche Veranstaltung, gleicher Rahmen, gleiche Teilnehmer wie im Jahre 1984. Der Bundesminister hatte Staatssekretär Lautenschlager, der in den letzten Jahren als Botschafter bei den VN in New York tätig war, dafür gewonnen, seine frühere Position als Europa-Staatssekretär noch einmal zu übernehmen. Es war keine revolutionär neue Idee, aber eine ausgezeichnete Entscheidung. Sieben Wochen später begann die neue deutsche Präsidentschaft, und Lautenschlager war der erfahrenste Experte. In warmen Worten dankte Bundesminister Genscher ihm für die Bereitschaft, seine große Erfahrung in der Europa-Politik für die schon sehr bald beginnende deutsche Präsidentschaft in der Europäischen Gemeinschaft ab 1. Januar 1988 zur Verfügung zu stellen.

Ich wusste, was das an Arbeit und Einsatz erfordern würde und war voller Hochachtung für das Pflichtbewusstsein und das große Europa-Engagement unseres Kollegen.

Karin und mir gab Genscher die besten Wünsche für die neue Aufgabe in Washington – »einen der wichtigsten Posten, den die Bundesregierung zu vergeben hat« – mit auf den Weg. Er skizzierte einige der Hauptaufgaben, die mich in den letzten drei Jahren in Trab gehalten hatten.

»Ihr wertvoller Beitrag für die europäische Integration«; »Die Erweiterungsverhandlungen der Gemeinschaft mit Spanien und Portugal«; »Der Dooge-Ausschuss hat unter Ihrer maßgeblichen Beteiligung die Grundlage für die Erarbeitung der einheitlichen europäischen Akte gelegt.« – »Wir hatten die gemeinsame Genugtuung, diesen Fortschritt der Entwicklung Europas vollenden zu können.« – »Sie haben exemplarisches Verständnis für unsere Wirtschaft im Außenhandel gezeigt und selbst den Dialog mit Industrie und Handel gesucht.« – »Erfolgreich haben Sie sich der Bereiche der Zukunftstechnologie angenommen.«

Besonders gefreut hat mich sein Hinweis auf den mir so wichtigen »gemeinschaftlichen Arbeitsstil«: »Sie haben in diesem Haus vorbildliche Leiterqualitäten bewiesen und Menschenführung im besten Sinne praktiziert. Bei Ihnen ist ›Teamwork‹ kein leerer Begriff. Sie haben die Mitarbeiter angesprochen und motiviert.« Er schloss ab: »Sie können auf Ihre frühere Tätigkeit als Botschafter in Nairobi und in London, auf Ihre Jahre im Kanzleramt und im Auswärtigen Amt stolz und befriedigt zurückblicken.«

Bundesminister Genscher verabschiedet Staatssekretär Jürgen Ruhfus und führt Hans Werner Lautenschlager ein für die Nachfolge

USA (1987-1992)

Am 16. November 1987 saßen Karin und ich dann in der Maschine der Lufthansa Frankfurt-Washington. Unser Umzug war verladen, unser Haus vermietet. Die Hunde flogen in der gleichen Maschine im Transportkorb mit uns.

Es war die erste Auslandsversetzung, bei der die Versorgung unserer Töchter keine Probleme machte. Maren und Antje studierten in Bonn und Berlin. Andrea arbeitete in der Abteilung Vermögensverwaltung der BHF-Bank in Frankfurt. Alle freuten sich auf einen baldigen Besuch in Amerika.

Bei den Abschiedsbesuchen hatten die Bundestagspräsidentin Frau Süssmuth, Bundespräsident v. Weizsäcker und der Bundeskanzler uns die besten Wünsche für die neue Aufgabe mit auf den Weg gegeben. Sie hatten zugleich baldige Besuche in den USA angekündigt. Der Bundeskanzler hatte mir besonders nahe gelegt, mich um den Austausch der Jugend, der Universitäten und der Wissenschaft zu kümmern.

Der Anfang

Mein Ständiger Vertreter und Geschäftsträger Karl Paschke und seine Frau Pia hatten gute Vorbereitungen für einen glatten und schnellen Start getroffen. Karl Paschke hatte schon früher als Leiter des Pressereferats an der Botschaft Washington gearbeitet, er war Generalkonsul in New Orleans gewesen. Er liebte Land und Leute und als Hobby-Musiker besonders den Südstaaten-Jazz.

Schon drei Tage nach unserer Ankunft luden wir die Mitarbeiterinnen und Mitarbeiter der Botschaft mit ihren Partnern zu einem Abendempfang ins Auditorium der Botschaft ein. Uns ging es darum, mit den Botschaftsangehörigen frühzeitig bekannt zu werden und ihnen unsere Vorstellung von unserer gemeinsamen Aufgabe gleich zu Beginn darzulegen. Karin und ich legten größten Wert auf gute Zusammenarbeit. Wir wollten auch die Freuden teilen. Wenige Wochen später luden wir alle Mitarbeiterinnen und Mitarbeiter mit Angehörigen erneut ein, zur gemeinsamen Weihnachtsfeier.

Ausklang der Amtszeit von Präsident Reagan

Die Mitarbeiter in der Botschaft

Washington ist eine Hauptstadt mit faszinierendem politischem Leben; der Südstaatencharme Virginias und die herrliche Landschaft zwischen der Atlantik-Küste und den Blue Ridge Mountains machen sie zu einem Ort mit höchster Lebensqualität. Überdies hat ein erfolgreicher Einsatz in Washington sich in den Personalakten für die Karriere stets gut gemacht.

So war es nicht schwer, im Lauf der Zeit in Washington eine Spitzenmannschaft zu versammeln. Von Karl Paschke und später Fridtjof v. Nordenskjöld als Vertreter und Geschäftsträger über die Gesandten für Politik und Wirtschaft, zunächst Gerhard Walter Henze, dann Gunter Pleuger, zunächst Dietrich von Kyaw und später Hagen Graf Lambsdorff, die Pressereferenten Hennig Horstmann und Gottfried Haas bis zu den jüngeren Mitarbeitern Klaus Peter Brandes, Reinhard Schweppe, Blomeyer, Matthias Mühlenstedt, Klaus Peter Gottwald, Anne Ruth Herkes, Andreas Klaaßen und andere – alles Kolleginnen und Kollegen, die ihren Weg gegangen sind und von denen viele angesehene Missionschefs wurden, Gunter Pleuger dazu ein profilierter Staatssekretär und Botschafter bei den Vereinten Nationen.

Motivation und Einsatzbereitschaft waren vorbildlich. Mein Vertreter und ich mussten nur gelegentlich eingreifen, um die vielfältigen Initiativen, die an Vorschlägen reichen Berichte aufeinander abzustimmen und sicherzustellen, dass die Botschaft in ihrem Auftreten nach außen, in den USA wie in der Berichterstattung nach Bonn, ein einheitliches, abgerundetes Bild abgab.

Ich habe Initiativen und Kreativität ermutigt. Durch eingehende Diskussionen bei der Erarbeitung einer einheitlichen Linie und durch gelegentliche Vier-Augen-Gespräche habe ich dahin gewirkt, dass der gemeinsam abgesteckte Rahmen – bei aller Vielfalt der Ideen und Freude an Eigenverantwortung – in der praktischen Arbeit der Botschaft eingehalten wurde.

In den ersten Monaten habe ich, wie früher in Nairobi und London, Karl Paschke als meinen Vertreter gebeten, zunächst auf der bewährten Linie weiterzumachen und mir den Kopf für die notwendigen neuen Verbindungen freizuhalten. Selbst bei der Beschränkung auf die wichtigsten Kontakte gab es eine Fülle von Antrittsbesuchen bei der Spitze des State Department, im Weißen Haus und bei den wichtigsten Ministerien und Botschafterkollegen.

Antrittsbesuche

Der Termin für die Übergabe des Beglaubigungsschreibens an den Präsidenten war an die Reihenfolge des Eintreffens neuer Botschafter gebunden. Aber ich hatte schnell einen guten Zugang zu den Sicherheitsberatern im Weißen Haus.

Präsident Reagan hatte Frank Carlucci als neuen Sicherheitsberater berufen, nachdem die eigenmächtige Politik des Vorgängers Pointdexter im Iran und in Mittelamerika zu großer Kritik in der Öffentlichkeit geführt hatte. Carluccis Vertreter, und schon bald darauf sein Nachfolger, war General Colin Powell.

Mit Carlucci sprach ich über die gemeinsamen Anstrengungen in Portugal, nach dem Ende der Diktatur Salazar eine kommunistische Machtübernahme abzuwenden. Carlucci war US-Botschafter in Lissabon gewesen, als Henry Kissinger als Außenminister schon dazu neigte, Portugals Chancen für den Übergang in eine demokratische Entwicklung abzuschreiben. Carlucci kannte und würdigte aus persönlicher Erfahrung die erfolgreichen Bemühungen der Bundesregierung und der deutschen Stiftungen, Präsident Soares und den demokratischen Parteien in Portugal innenpolitische Unterstützung beim Kampf gegen die kommunistische Partei und die »roten Generäle und Admiräle« zu geben.

General Powell und ich blickten zurück auf unsere gemeinsamen Sorgen um die Absicherung der »Fuldaer Senke«, das potentielle Einfallstor für einen Panzerangriff des Warschauer Paktes in Mitteleuropa. Powell hatte viel dazu beigetragen, den deprimierenden Zustand der amerikanischen Truppen in Deutschland zu überwinden, den wir bei dem Besuch von Präsident Carter erlebt hatten. Er hatte auf Grund seiner positiven Erfahrungen in Frankfurt und seines klugen politischen Urteils Verständnis für die Probleme Deutschlands, die sich aus der exponierten Mittellage unmittelbar am Eisernen Vorhang zwischen Warschauer Pakt und NATO ergaben.

Beseitigung der Mittelstreckensysteme

Am 7. Dezember 1987 wurde das Diplomatische Corps zur Unterzeichnung des INF-Abkommens (Intermediate Nuclear Forces) ins Weiße Haus eingeladen. Das Abkommen sah vor, dass die Waffensysteme mittlerer Reichweite auf beiden Seiten völlig beseitigt werden sollten, im Fachjargon bezeichnet als »Doppelte Null-Lösung«.

Gespräch im Frühjahr 1990 im Pentagon mit General Collin Powell, Sicherheitsberater von Präsident Reagan und späterer Vorsitzender der Joint Chiefs of Staff

Die Stimmung war aufgeräumt. Während die Delegationen sich gegenseitig beglückwünschten und die Teilnehmer applaudierten, gingen meine Gedanken zurück zu den Befürchtungen im Kanzleramt über den bedrohlichen Aufwuchs der SS-20-Raketen, zu Brzezinskis kritischer Reaktion aus dem Weißen Haus auf die Rede des Bundeskanzlers vor dem International Institute for Strategic Studies in London. Keine zehn Jahre später nun beschlossen die beiden Supermächte, die Mittelstreckenraketen zu verschrotten. Es hat in diesem Jahrhundert selten eine Lage gegeben, bei der die Betrachtungsweise und die Interessen im Abrüstungsbereich sich innerhalb von weniger als einem Jahrzehnt so drastisch geändert haben.

Als ich drei Tage vor Weihnachten Gelegenheit hatte, mein Beglaubigungsschreiben Präsident Reagan zu übergeben, habe ich ihm zu dem erfolgreichen Gipfeltreffen mit Gorbatschow gratuliert und ihm geschildert, wie beglückt wir Deutschen über den Abschluss des INF-Abkommen waren.

Der Präsident dankte erfreut. Er äußerte sich in wohlwollenden Worten zu den freundschaftlichen Beziehungen zwischen unseren Ländern und wünschte mir guten Erfolg für meine Tätigkeit.

Als Präsident Bush im Jahr darauf die Botschafter einlud, der ersten Zerstörung amerikanischer Mittelstreckenraketen in Ost-Texas beizuwohnen, bin ich der Aufforderung mit Freuden gefolgt. Bei wärmender texanischer Frühlingssonne verfolgten wir, wie einfach es war, die Raketen, die uns jahrelang in Angst und Schrecken versetzt hatten, aufzuschweißen und außer Betrieb zu setzen.

Präsident Ronald Reagan

Mein erstes Jahr in Washington war das letzte Jahr der Amtszeit von Präsident Reagan.

Reagan konnte auf große Erfolge in seiner Amtszeit zurückblicken. Er hatte die Spaltung des Landes nach dem Vietnamkrieg überwunden und der amerikanischen Nation ihr Selbstvertrauen zurückgegeben.

Reagans Politik der Eindämmung des sowjetischen Machtstrebens hatte dazu geführt, die Gefahren der atomaren Rivalität der beiden Supermächte zu reduzieren und die amerikanisch-sowjetischen Spannungen im Wettbewerb um die Dritte Welt abzubauen.

Der andere große Schwerpunkt von Reagans Politik waren die wirtschaftspolitischen Ziele: durch massive Steuersenkungen die Konjunktur zu beleben, den Anteil des Staates an der wirtschaftlichen Betätigung des Landes drastisch zu senken und den Einfluss der Gewerkschaften zurückzudrängen.

Seine Auseinandersetzung mit den Fluglotsen war ein couragiertes und riskantes Spiel: Reagan gab den Lohnforderungen der Gewerkschaft der zivilen Fluglotsen nicht nach. Sie wurden durch militärische Luftexperten ersetzt. Es war nicht auszudenken, was passiert wäre, wenn eine zivile Passagiermaschine verunglückt wäre. Reagans Erfolg dämpfte das Machtstreben der Gewerkschaften. Die Wirtschaft boomte, allerdings wuchs die Verschuldung des Staates besorgniserregend. Die Schere zwischen Arm und Reich öffnete sich.

Präsident Reagan hielt bis zum Ende unerschütterlich an seiner Grundhaltung fest. »Strengthen defence and cut taxes.«

Der Präsident war im direkten, persönlichen Umgang ganz anders, als ich ihn mir vorgestellt hatte. Er trug nicht wie Margret Thatcher seine politischen Ziele entschlossen und mit steter Bereitschaft zu streitigen Auseinandersetzungen vor sich her. Er war kein Politiker, der wie Helmut Schmidt in so unterschiedlichen Bereichen wie Wirtschaft, Finanz, Verteidigung und Außenpolitik brillieren konnte. Er war freundlich, höflich, humorvoll und liebte es, seine Ansichten mit Anekdoten und Witzen zu untermalen.

Ich habe wiederholt Freunde in der Administration gefragt, was die Grundlagen seiner großen Erfolge waren. Übereinstimmend wiesen sie auf die Fähigkeit hin, sich auf ganz wenige Ziele zu konzentrieren, auf die Gabe, Mitarbeitern, denen er vertraute, die Ausformung dieser Politik zu überlassen und ihnen dabei freie Hand zu geben. Colin Powell beschrieb, wie Carlucci und er sich als Sicherheitsberater öfter bemüht hätten, eine Entscheidung über Einzelheiten der Politik zu erhalten. Der Präsident gab keine detaillierte Festlegung. Aber er war ein unerreichter Meister, seine Ziele der Öffentlichkeit nahe zu bringen, in seinen Fernsehansprachen die Bürger persönlich anzusprechen und zu erreichen.

Das letzte Jahr der Amtszeit stand im Zeichen eines zufriedenen Rückblicks auf das Erreichte. Zugleich richtete sich der Blick nach vorn auf die Wahlen. Wie würde es nach acht Jahren erfolgreichen Wettbewerbs mit dem »Empire of Evil«, nach den wirtschaftlichen Umwälzungen der »Reaganomics« und der meisterhaften Kommunikation mit den Bürgern des Landes weitergehen?

Besuch des Außenministers

Bundeskanzler Kohl und Außenminister Genscher hatten zu Präsident Reagan und zu Außenminister Shultz – nach ihrem großen persönlichen Einsatz für den Doppelbeschluss der NATO über die Nachrüstung – gute und vertrauensvolle Beziehungen, die auch unterschiedliche Standpunkte in der Haltung zum Projekt »Krieg der Sterne« überdauerten.

Das gute Klima zwischen Bonn und Washington wurde in einer intensiven Reisetätigkeit sichtbar.

Vom 18.-21. Januar 1988 kam Bundesminister Genscher zu seinem ersten Besuch. Bei der Abholung vom Flughafen ließ er sich über meine ersten Eindrücke unterrichten. Er fragte: »Wer wird der Nachfolger von Präsident Reagan bei den Wahlen im Herbst?« Ich antwortete: »Nach dem ersten Eindruck von den Primaries in Iowa scheint Senator Dole aus Kansas gute Chancen zu haben.« Genscher korrigierte mich: »Ich sehe eher Vizepräsident Bush als Kandidat der Republikaner.« Er hatte mit seiner Antenne für politische Entwicklungen das richtige Gespür. Ich sah, dass ich mich mit dem komplizierten System des monatelangen Prozesses für die Auswahl der Kandidaten und des anschließenden Wahlkampfes besser vertraut machen musste.

Der Besuch verlief freundschaftlich und problemlos. In meinen Gesprächen während der ersten Monate in Washington hatte ich gelegentlich Zweifel oder Fragen zu der sicherheitspolitischen Haltung des Bundesaußenministers gehört. »Genscherismus« stand als Stichwort für eine als zu vorsichtig empfundene Haltung gegenüber dem Machtstreben der Sowjetunion. Ich hatte aber auch erlebt, dass ich mit sachlichen Informationen über den Lebenslauf und die Persönlichkeit des Bundesaußenministers Zweifel verhältnismäßig leicht ausräumen konnte. Die Hinweise auf seine Verbundenheit mit seinem Geburtsort Halle, mit den Landsleuten in der DDR, auf sein Schicksal als politischer Flüchtling, der die Freiheit im Westen gewählt hatte, auf seinen großen persönlichen Einsatz in der Frage des Doppelbeschlusses der NATO durch den Wechsel der Regierungskoalition – all das verfehlte selten seine Wirkung. Auf der andern Seite hätte ich mir gewünscht, dass der Bundesaußenminister die große Hilfsbereitschaft für den Nächsten, die idealistische Grundeinstellung, das feste Eintreten für Menschenrechte, Freiheit und Demokratie im Mittelwesten der USA persönlich näher kennen lernte – so wie ich sie während meiner Studienzeit in Illinois und Colorado erlebt hatte.

Wir hatten in der Botschaft ein konzentriertes, auf wenige Tage begrenztes Programm ausgearbeitet, um einerseits dem Minister die positiven Aspekte des komplexen, vielschichtigen American Way of Life näher zu bringen und um andererseits die führenden politischen Gruppen des Landes und der Öffentlichkeit mit dem großen Engagement Genschers für Freiheit und Demokratie, Menschenrechte und Bürgerrechte besser vertraut zu machen. Die dreifache politische Belastung des Außenministers, Vizekanzlers und Parteivorsitzenden ließen dafür leider keinen Raum.

Besuch des Bundeskanzlers

Vier Wochen später, am 17. Februar, waren Karin und ich wieder am Flughafen, diesmal, um Bundeskanzler Kohl und seine Frau zu ihrem ersten Besuch in unserer Amtszeit abzuholen.

Die amerikanische Presse hatte im Vorfeld des Besuchs die Erwartungen betont, dass die Bundesrepublik, zusammen mit Japan, wirtschaftliche Maßnahmen ergreife, um der stagnierenden Weltwirtschaft neue Wachstumsimpulse zu geben.

Ich empfahl dem Bundeskanzler, sich nicht auf die Rolle Deutschlands als weltwirtschaftliche Lokomotive einzulassen. Stattdessen bestärkte ich ihn in seiner Absicht, über den erfolgreichen Europäischen Rat zu berichten, der einige Tage zuvor unter deutscher Präsidentschaft stattgefunden hatte. Dem Bundeskanzler war es mit großem Einsatz gelungen, über die seit langem umstrittenen Vereinbarungen und Programme, wie die Einheitliche Europäische Akte, die Gemeinsame Außen- und Sicherheitspolitik, die neue Finanzordnung der Gemeinschaft, eine Einigung herbeizuführen; noch im Dezember war der Europäische Rat unter griechischer Präsidentschaft ein Fiasko gewesen.

Bei meinen Antrittsbesuchen hatte ich den Eindruck gewonnen, dass Regierung und Parlament über die Fortschritte in der europäischen Einigung zu wenig wussten. Der Bundeskanzler hat bei den Gesprächen im Weißen Haus und auch bei der Begegnung mit der Presse die wachsende Einheit und die Erfolge des letzten Gipfeltreffens unter seiner Leitung in den Vordergrund gestellt. Er wurde als deutscher Fürsprecher der Europäischen Union anerkannt und gefeiert. Das große Abendessen im Auditorium der Botschaft, an dem Außenminister George Shultz und andere Spitzenvertreter aus Regierung, Kongress, Parteien und Medien teilnahmen, verlief angenehm.

Am Rande des Besuchs sprach ich mit dem Bundeskanzler über den umfassenden Bericht, den die Botschaft schon bald nach meiner Ankunft auf seine Bitte hin zu möglichen Verbesserungen des deutsch-amerikanischen Jugend- und Wissenschaftsaustauschs vorgelegt hatte. Die Generation der deutschen Emigranten, deren Wirkung auf die Lehre der amerikanischen Universitäten nicht hoch genug eingeschätzt werden kann, trat ab oder starb allmählich aus.

Obwohl Deutschland fast 70 % der Kosten in beide Richtungen trug, stagnierte der Austausch und war in Teilen sogar rückläufig. (1990 nahmen 6.000 Amerikaner und 12.000 Deutsche am amtlich geförderten Jugendprogramm teil, wurden 3.000 Wissenschaftler aus USA und Deutschland ausgetauscht.)

Der Bundeskanzler wollte im Sommer des gleichen Jahres eine Spitzengruppe von Universitätspräsidenten als seine persönlichen Gäste nach Deutschland einladen. Er bat um meinen Einsatz und den der Botschaft für Vorschläge und die Überbringung der Einladungen.

Weitere Einladungen des Bundeskanzlers folgten in den nächsten Jahren für die Leiter von Stiftungen und wissenschaftlichen Einrichtungen, für Herausgeber und führende Vertreter der Medien, für Vorsitzende großer Unternehmen, für Gouverneure wichtiger Staaten und für Senatoren.

Für die Botschaft war es sehr befriedigend, dass wir mit der Rückendeckung des Bundeskanzlers, mit dem starken Einsatz des Koordinators für die deutsch-amerikanischen Beziehungen Professor Weidenfeld und mit der Hilfe des Auswärtigen Amts ein Programm ins Leben rufen konnten, das unter anderem »Centers of Excellence for German and European Studies« in Spitzenuniversitäten des Landes schuf, jedes Jahr 80 hoch qualifizierte »Bundeskanzler-Stipendiaten« nach Deutschland brachte und Pläne für die Arbeit an einer »Akademie für Geistes- und Sozialwissenschaften« vorsah.

Weitere Besucher und Delegationen

Der Strom offizieller Besucher hielt an. Die Bundesminister Gerhard Stoltenberg, Theo Waigel, Klaus Töpfer, Rupert Scholz, Christian Schwarz-Schilling, Manfred Wörner und Otto Graf Lambsdorff trafen in Washington ein, es kamen der Regierende Bürgermeister von Berlin Eberhard Diepgen, Bundestagspräsidentin Rita Süssmuth, Bundesratspräsident Bernhard Vogel, der bayrische Ministerpräsident Josef Strauß sowie Delegationen von Bundestagsabgeordneten und Gruppen führender Politiker der Parteien.

Für die Programme gab es bewährte Standardelemente: nach Ankunft möglichst sofort eine informelle Begegnung mit der Delegation, um Programm und Gespräche vorzubesprechen, ein offizielles Abendessen, Mittagessen oder Empfang des Botschafters je nach Größe und Gewicht der Delegation und dem Kreis der amerikanischen Gesprächspartner, Vortrag der Gäste – oft organisiert von der Vertretung der jeweiligen Stiftung: Friedrich-Ebert-Stiftung, Konrad-Adenauer-Stiftung, Friedrich-Naumann-Stiftung oder Hanns-Seidel-Stiftung – Gespräche mit den entsprechenden Kabinettsmitgliedern der Administration, Gegenessen der amerikanischen Seite und eine Begegnung mit der Presse in der Botschaft.

Ich machte es mir zum Prinzip, Kabinettsmitglieder und führende Vertreter der Länder und der politischen Parteien am Flughafen abzuholen. Dieser persönliche Einsatz hat sich bewährt. Damit erledigten sich von vornherein Diskussionen, ob die Gäste von der Botschaft gebührend wahrgenommen wurden oder nicht.

Die dreiviertelstündige Fahrt vom Flugplatz Dulles bot die Möglichkeit, die letzten Details des Programms abzustimmen, dem Besucher einen Überblick über die aktuelle Situation in Washington zu geben sowie Anliegen und Vorschläge der Botschaft für die Gesprächsführung anzubringen.

Mittagessen des Bundeskanzlers Kohl mit Präsident Reagan im Weißen Haus, 19.2.1988. Von links: Prof. Weidenfeld, Botschafter Ruhfus, BK Kohl, BM Genscher, Dolmetscher Weber, Horst Teltschik, Volker Rühe, James Baker, Außenminister George Shultz, Präsident Reagan

Mit einigen Besuchern, wie Minister Stoltenberg und Minister Wörner, waren die Gespräche so intensiv, dass wir sie oft noch nach der Ankunft im Hotel fortsetzten. Die Termine mit den Fachministerien wurden oft schon zwischen den Häusern direkt vorbereitet. Schwieriger war es, zusätzliche Gespräche im Weißen Haus, mit dem Sicherheitsberater oder gar dem Vizepräsidenten oder Präsidenten zu arrangieren.

Während eines Wochenendbesuchs bei amerikanischen Freunden in Florida habe ich fast die ganze Zeit am Telefon verbracht, um den Besuch von Bundeswirtschaftsminister Jürgen Möllemann in Washington vorzubereiten. Der Botschaft war es gelungen, neben Gesprächen im Wirtschaftsministerium, mit der Handelsbeauftragten Carla Hills und mit Industrieminister Bob Mosbacher, auch einen Termin beim Vizepräsidenten zu erreichen. Das war nach üblicher Praxis ein günstiges Ergebnis. Das Wirtschaftsministerium und der Minister selbst aber bestanden in Telefonaten auf einer Begegnung mit dem Präsidenten. Schließlich schaltete sich auch der Bundesaußenminister und FDP-Vorsitzende Genscher persönlich ein und rief mich an. Ich habe ihm unsere Bemühungen bei den Freunden im Weißen Haus und im State Department geschildert und zugesagt, noch einmal alles zu versuchen. Es blieb – nach fast zweitägigem Telefon-Marathon – bei der erreichten, ohnehin schon günstigen Abmachung.

Für das Weiße Haus stellte sich neben der großen terminlichen Belastung das Problem der Präzedenz gegenüber anderen Besuchern aus Deutschland und vor allem der aus anderen Ländern.

Präsident Reagan und später Präsident Bush haben diese Problematik gelegentlich überspielt, indem ein Termin beim Sicherheitsberater vereinbart wurde, zu dem der Präsident dann »überraschend« hinzustieß.

Mindestens ebenso schwierig war es, hochrangige Gespräche im Kongress zu arrangieren. Die Senatoren und Abgeordneten waren auf ihren Wahlkreis und auf ihre Wiederwahl konzentriert. Auslandskontakte waren hierfür wenig hilfreich. Die Botschaft hat sich bemüht, über den Aufbau der Study Groups on Germany im Abgeordnetenhaus und später im Senat besseren Zugang zu den Parlamentariern zu finden.

Die Mitarbeiter in der Residenz

Während der dienstliche Betrieb der Botschaft sich reibungslos umstellte und weiterhin auf hohen Touren lief, mussten Karin und ich im privaten Bereich des Haushalts, der Residenz und der Familie einige größere Herausforderungen bestehen.

In der Residenz gab es eine eingearbeitete philippinische Mannschaft. Allerdings war bei einem Einbruch in der Vergangenheit der Verdacht geäußert worden, es könnte Unterstützung durch Insider-Kenntnisse gegeben haben.

Von Anfang an hatten Karin und ich uns in der Residenz um gute Zusammenarbeit bemüht. Ende Januar rief Karin mich im Büro an: »Bitte komm sofort in die Residenz. Die philippinische Mannschaft will uns unter Druck setzen.« Da saßen Leonardo, Clarissa und Helen auf der einen Seite des Tisches. Ihnen gegenüber Karin allein. Ich hatte auf dem Wege zur Verstärkung noch den Kanzler Herrn Kobold zugezogen. Mit entschlossener Miene verkündeten die drei: »Botschafter, wir sind unterbezahlt, wir wollen 15 % mehr Gehalt und einen zusätzlichen freien Nachmittag in der Woche.«

Der Zeitpunkt war geschickt gewählt. Zweieinhalb Wochen später, am 18.2.1988, war ein großes offizielles Abendessen für Bundeskanzler Kohl, seine Frau und für Graf Lambsdorff mit den Spitzen des politischen Lebens in Washington vorgesehen. Für den 3. März hatte das Protokoll der Botschaft die gesellschaftliche und kulturelle Prominenz Washingtons zu einem Abendessen nach dem Konzert mit Anne-Sophie Mutter und Maestro Rostropowitsch, dem Chef des Orchesters im Kennedy-Center, eingeladen. Über 100 Zusagen lagen bereits vor. Der Kanzler und ich rieten: »Hinhalten, verhandeln, Bedingungen hinnehmen, und nach den großen Veranstaltungen neue Lösungen suchen.«

Karins holsteinisches Gemüt war empört. »Ich bin nicht bereit, mich erpressen zu lassen!« Wir lehnten ab. Die Philippinos sagten: »Dann müssen wir kündigen.« Karin und ich: »Die Kündigung ist mit sofortiger Wirkung angenommen.« Am Abend des gleichen Tages zogen sie aus. Da saßen wir. Unsere beiden ersten spektakulären Auftritte in der Washingtoner Saison ohne die eingearbeitete Mannschaft. All dies, während der Einzug und die Einrichtung der Residenz noch lange nicht abgeschlossen waren.

Es begann eine fieberhafte Suche nach qualifizierten Caterern, die die Termine noch frei hatten, und nach neuen Hilfskräften.

Wir hatten großes Glück. Dorothee Hartmann, die früher schon für Botschafter Pauls gearbeitet hatte, war bereit, als Köchin einzuspringen. Wir fanden mit Kumar einen indischen Butler, der schon für Botschafter Dirk Oncken in Ankara gearbeitet hatte, und Rosie, eine freundliche, hilfsbereite Philippinin. Sie sind noch heute in der Botschaft tätig.

Beide Veranstaltungen waren ein voller Erfolg. Bei der glanzvollen Soiree für Rostropowitsch und Anne-Sophie Mutter zeigte sich allerdings, dass die gemütliche Residenz, die den Charme eines luxuriösen Einfamilienhauses hatte, für einen Kreis von hundert Gästen zu klein war. Schon die hygienischen Einrichtungen waren unzureichend: nur eine Gästetoilette in der Garderobe und ein Bad im Souterrain. Das führte zu Warteschlangen, auch wenn wir unsere privaten Bäder einbezogen. So machten wir uns Gedanken über einen bescheidenen Ausbau der Residenz.

Die Azaleen-Königin

Gleichzeitig mit dem Bundeskanzler war unsere Tochter Antje aus Deutschland eingetroffen. Sie hatte am 19. Februar eine große Pressekonferenz in Norfolk/Virginia, um dort als Azaleen-Königin 1988 vorgestellt zu werden. Das NATO-Kommando Atlantik, eine der drei Säulen der Allianz, feierte in jedem Jahr am Ort des Hauptquartiers in Norfolk/Virginia das große Azaleen-Fest. Hierzu wurde eine Azaleen-Königin aus einem der Mitgliedstaaten ausgewählt. 1988 war Deutschland an der Reihe. Schon vor unserer Abreise nach Washington hatte der Marinestab der Botschaft angefragt, ob eine der drei Töchter des Botschafters bereit sein würde, diese Ehrenrolle anzunehmen.

Unsere jüngste Tochter Antje hatte Auslandserfahrung. Sie war sattelfest im Englischen aus ihrer Schulzeit in Nairobi und in London.

Wir hatten gewusst, dass es sich um eine bedeutende Veranstaltung des Bündnisses handelte. Aber das volle Ausmaß der Anforderungen wurde uns erst klar, als wir das seitenlange Programm des Festkalenders in der Hand hatten. Viertägiger Einsatz von morgens bis abends, vom Einlaufen in den Hafen von Norfolk an Bord der »Deutschland«, von Flaggenparaden, Banketten des Oberkommandierenden und des Bürgermeisters, bis hin zu Besuchen in Altersheimen, Schulen und Kindergärten. Der Militärattachéstab der Botschaft half vorbildlich.

Karin und Antje durchsuchten Mamas Kleiderschrank, um für jedes Ereignis im Voraus die passende Kleidung festzulegen. Ende April reisten Karin und ich, begleitet vom Marinestab der Botschaft, nach Norfolk. Das Fest trug seinen Namen zu Recht. In der kurzen Übergangszeit zwischen den Kälteeinbrüchen der Wintermonate und dem urplötzlich einsetzenden, schwülheißen Virginia-Sommer explodiert die Pflanzenwelt. Norfolk war ein Meer blühender Azaleen.

Das Programm war mit der Präzision amerikanischer Militärübungen vorbereitet. Gleichwohl gab es Überraschungen. »Königin Antje« sollte mit dem Schulschiff »Deutschland« einlaufen. Ein Sturm mit hohem Wellengang machte es aber riskant, Antje mit einer Barkasse zur »Deutschland« zu bringen. Die deutsche Marine wollte die Azaleen-Königin unbedingt an Bord haben. Der Hafenkommandant wollte die Verantwortung nicht übernehmen.

Antje kam mit einem gewagten Manöver und der Hilfe eines feschen Kadetten an Bord. Der Einlauf war spektakulär, der Hafenkommandant verärgert.

Am nächsten Abend waren Karin und ich Gastgeber eines großen Empfangs auf dem Schulschiff »Deutschland«. Die Marine hatte den Ruf, unter den Streitkräften die beste Gastronomie zu haben. Die Kadetten gaben ihr Bestes. Der milde Frühlingsabend an Bord des festlich geschmückten Schiffes war ein Erfolg: für Deutschland, für das Schiff, letztlich auch für Botschaft und Azaleen-Königin. Der Marinestab, die Mannschaft der »Deutschland« bis hinauf zum Kommandanten, der Antje zugeteilte persönliche Adjutant – alle überboten sich, ihr zu helfen. Ihre Tage waren von morgens bis spätabends ausgefüllt. Sie schlug sich tapfer.

Tochter Antje als Azaleenkönigin beim traditionellen Azaleenfest des Nato-Kommandos Atlantik in Norfolk, Virginia 1980

Ein kritischer Punkt kam, als zwei deutsche Kadetten über Nacht mit einem Mietwagen nach Washington düsten und auf der Rückfahrt verunglückten, einer tödlich, der andere schwer verletzt. Karin und ich gingen frühmorgens in Antjes Hotel, um ihr die erschütternde Nachricht zu überbringen. Das Frühstücksfernsehen von Norfolk war leider schon vorher am Ort und überfiel Antje mit der Frage: »What do you say to last night's terrible accident?« Antje meisterte die Situation: »Wir alle teilen die Trauer und den Schock über dieses furchtbare Ereignis.«

Es wurde erwogen, das Fest abzubrechen, aber der Commander in Chief Atlantic, die Stadt und die deutschen Kommandanten entschieden, das Azaleen-Fest weiter durchzuführen. Am letzten Tag hielten der Oberbefehlshaber und der deutsche Botschafter die Abschiedsreden. Für Karin und für mich war es ein großes Ereignis, im Kreis von Vertretern der sechzehn verbündeten Nationen unserer Tochter zu danken. Wir waren stolz und glücklich.

Auch die Schwestern Maren und Andrea kamen nach Norfolk. Unser Freund Willy Korff hatte uns in sein nahe gelegenes Ferienhaus in South Carolina eingeladen. Der Verwalter Alex Chandler war der Familie zugetan.

Antje benötigte drei Tage, um ihre tiefe Erschöpfung zu überwinden. Die ganze Familie erlebte gemeinsam schöne Tage an der herrlichen Atlantikküste.

Die Residenz brennt

Anfang Juli 1988 hatte der Bundeskanzler eine Gruppe von Universitätspräsidenten zu einem Besuch nach Deutschland eingeladen. Gruppe und Programm konnten sich sehen lassen. Ich sollte die Gruppe begleiten. Karin und ich flogen nach Deutschland.

Am 4. Juli nachts rief mich Karl Paschke im Rheinhotel Dreesen an: »In der Residenz hat es ein großes Feuer gegeben.« Das Feuer war mit einem Aufmarsch zahlreicher Feuerwehreinheiten und viel Wasser gelöscht worden. Das Dach war total ausgebrannt. Auch in der Privatwohnung des Botschafters hatten die Flammen gewütet. Die offiziellen Repräsentationsräume standen unter Wasser.

Ich rief als erstes Karin an, die bei Freunden war. Ihre Reaktion: »Wir müssen sofort zurück.« Juliane Weber, die persönliche Assistentin von Dr. Kohl, half und erklärte dem Bundeskanzler unsere Lage. Wir flogen mit der nächsten Maschine nach Washington. 60 Prozent unserer persönlichen Dinge waren verbrannt oder durch Löschwasser zerstört.

Die Helvetia-Versicherung, bei der unser Hausrat versichert war, wollte sofort einen Schätzer für den Schaden entsenden. Ich bat um 48 Stunden Aufschub.

Dann standen Karin und ich entsetzt vor der Brandstelle. Wir wühlten mit unserem Angestellten Limukuki, der uns seit Kenia treu geblieben war, in der prallen Sonne in den Trümmern, um den Schaden zu sichten und um eine Liste der verbrannten Dinge zu erstellen. Es gab keine Klimaanlage. Es war über 40° im Schatten in der heißesten Zeit des Virginia-Sommers. Limukuki wischte sich den Schweiß aus dem Gesicht: »Mbana, moto sana (Chef, sehr, sehr heiß).«

Wir listeten alle Schäden auf. Die Helvetia war glücklicherweise kulant. Aber die Erinnerungswerte, wie Ikonen aus Griechenland, wie Makonde-Skulpturen und Jagdtrophäen aus Kenia, waren unersetzlich.

Dann wandten wir uns den praktischen Problemen zu. Wo konnten wir wohnen? Wo sollten wir unsere gesellschaftlichen Veranstaltungen durchführen?

Der Besuch von Ministerpräsident Strauß stand vor der Tür.

Brand in der Residenz, 4. Juli 1988

Wir fanden für uns schließlich eine Unterkunft im Chevy Chase Country Club in Bethesda.

Für das offizielle Essen für Ministerpräsident Strauß gab es in der heißen Sommerzeit so kurzfristig keine adäquaten Gesellschaftsräume. Alles war belegt oder wegen der Ferien geschlossen.

Schließlich hatte Karin die rettende Idee. Vor einigen Wochen hatte die National Gallery die Ausstellung »Masterworks from Munich« eröffnet. Der Präsident der Gallery Carter Brown musste helfen. Er war dazu bereit. Die National Gallery organisierte das übliche Abendessen, mit dem sie die reichen amerikanischen Mäzene pflegte und verwöhnte: livrierte Angestellte, die den Ankommenden die Wagen abnahmen und parkten, zur Begrüßung Champagner, Melodien von Mozart und Haydn, gespielt von einem Quartett im Vorhof der National Gallery: Das opulente Abendessen fand im Ausstellungssaal zu Füßen der Meisterwerke aus München statt.

Ich begrüßte den bayrischen Ministerpräsidenten inmitten der aus seinem Lande ausgeliehenen Werke der Pinakothek. Dank an Bayern. Würdigung der großen politischen Leistungen von Ministerpräsident Strauß für sein Heimatland und den Bund.

Strauß antwortete, sichtlich angetan von dem einmaligen Ambiente – die National Gallery war das angesehenste Kunstmuseum der amerikanischen Hauptstadt – mit einer längeren Rede über Geschichte und Wesen der Bayern, über die Kunst und die kulturellen Leistungen, aber auch über die modernen wirtschaftlichen Entwicklungen des Landes unter seiner Regierung in München. Strauß stellte bei der Förderung der Künste die bayrische Landesregierung und den Ministerpräsidenten in eine direkte Linie mit dem Mäzenatentum der Wittelsbacher Herrscher. Als er sich unter großem Applaus setzte, flüsterte Karin ihm zu: »Sie haben weder die Bundesregierung noch die Botschaft erwähnt.« Nach einem Augenblick des Staunens über die couragierte Kritik lachte Strauß schallend – und zustimmend.

Das Abendessen war dank der erfahrenen Hilfe der National Gallery eine der schönsten und erfolgreichsten Veranstaltungen, die Karin und ich in Washington organisiert haben. Allerdings entsprach die Rechnung den hohen Leistungen. Für das Abendessen mit 70 Gästen mussten wir den verfügbaren Gesamtaufwand des Botschafters für mehrere Monate bezahlen.

Strauß starb einige Monate später auf einer Jagd. Unser Gedanke war: Schön, dass wir ihm in Washington noch diesen eindrucksvollen Abend organisieren konnten.

Für ein Essen zu Ehren der Bundestagspräsidentin Rita Süßmuth mussten wir zur gleichen Zeit ebenfalls eine Lösung suchen. So zeigte sich, dass es unabdingbar war, bald einen Ersatz für die abgebrannte Residenz zu finden. Karin und ich besichtigten mit verschiedenen Maklern in drückender Sommerhitze mehr als 15 Villen und Häuser, die als Residenz für einen Botschafter angepriesen wurden. Teilweise war die Lage ungünstig, einige fielen aus wegen zu kleiner Repräsentationsräume, bei anderen wunderte man sich, dass der Eigentümer den Mut hatte, das verfallene Bauwerk überhaupt anzubieten, oder das Preis-Leistungs-Verhältnis war außer Proportion. Bei einer großen Villa in herrlicher Lage direkt am Potomac wollte ich zugreifen. Alles schien maßgeschneidert für unsere Bedürfnisse. Der Preis war günstig. Karin kam aus dem Kellergeschoss mit großen Sporträumen, Sauna, Billardzimmer – mit dem Gefühl: Dieses Haus hat keinen guten Geist.

Enttäuscht verzichtete ich. Wenige Wochen später teilten uns Washingtoner Insider mit, dass diese Villa dem Mafia-Chef von Washington gehörte und von ihm auf den Markt gegeben worden war, da die Staatsanwaltschaft einen Prozess mit Konfiskation seines Vermögens gegen ihn angestrengt hatte.

Schließlich vertröstete man uns auf einen besseren Markt nach der Sommerpause.

German-Americans in Jasper/Indiana

Nach diesen Überraschungen freuten Karin und ich uns auf den Sommerurlaub. Wir hatten Flüge gebucht, um uns in Deutschland zu erholen.

Eine Woche vor Abflug fragte Karl Paschke: »Jürgen, könnt ihr eure Ferien noch drei Tage verschieben? Der Abgeordnete Lee Hamilton möchte, dass der Botschafter an dem jährlichen Straßenfest in seinem Wahlbezirk in Jasper/Indiana als Ehrengast teilnimmt. Hamilton ist nicht nur ein langjähriger Freund Deutschlands. In den letzten Tagen hat die Presse spekuliert, dass er gute Aussicht hat, bei einem Wahlsieg des demokratischen Präsidentschaftskandidaten Dukakis zum Außenminister berufen zu werden.«

Aus Kenia und England wussten wir, wie hilfreich es ist, über Besuche im Wahlkreis gute persönliche Verbindungen zu führenden Politikern herzustellen. Karin war enttäuscht über die Verschiebung der lang ersehnten Ferien, sah aber die Bedeutung und stimmte zu. In einigen hektischen Stunden änderte unser Büro das Programm in Deutschland, buchte unseren Flug um und verlegte ihn von Washington nach Chicago. Hamilton hatte ein lokales Unternehmen gewonnen, das uns mit dem firmeneigenen Flugzeug von Jasper nach Chicago bringen würde.

So trafen wir am 5. August mit großem Urlaubsgepäck in Jasper ein. Wir wurden von dem Abgeordneten Hamilton und einem Komitee des Straßenfests am Flugplatz begrüßt, die Herren in echten Lederhosen mit Trachtenhemden und Stutzen an den Beinen, die Damen in Dirndlkleidern, die jeder bayrischen Volkstrachtengruppe Ehre gemacht hätten. Es folgte ein zweitägiges, dichtes Programm, Ansprachen zur Eröffnung des Straßenfests, Barbecues mit den Honoratioren der Stadt, ein großer Tanzabend mit einem lauten »Umthatha-Blasorchester«, am nächsten Tag ein langer Corso durch die Stadt und ihre Vororte, den Karin und ich in einem offenen Cabrio anführten.

In der Nacht schliefen wir auf dem Fußboden. Die antike Bettstelle war voll gestopft mit selbst gehäkelten Decken und Spitzendecken und reichte nicht einmal für einen von uns beiden.

Hamilton zeigte uns, dass Jasper viele deutsche Einwanderer hatte, die als Facharbeiter und als kleine und mittelständische Unternehmer eine gesunde, prosperierende Wirtschaft geschaffen hatten. Die German-Americans trafen einmal im Jahr zusammen, um mit viel Bier und reicher Auswahl an Wurstsorten ihr Straßenfest zu feiern. Die Kenntnisse der aktuellen Situation in Deutschland waren eher begrenzt, aber die Pflege der Erinnerungen und auch das Interesse, mehr über Deutschland zu erfahren sowie über die Region, aus der ihre Vorfahren in Deutschland stammten, waren spürbar.

Lee Hamilton war angesehen und hatte einen sicheren Wahlkreis. Gleichwohl wusste er die gemeinsamen Auftritte mit dem deutschen Botschafter und dessen Frau bei dem Straßenfest wenige Monate vor den Wahlen im Herbst zu schätzen.

Die Reise mit der kleinen Maschine nach Chicago wurde spannend. Als wir auf dem riesigen Flugplatz O'Hare landeten und dann versuchten, quer über das große Flugfeld zur Abfahrtsposition der Lufthansa zu rollen, wurde unsere Fahrt immer wieder unterbrochen von Starts und Landungen der großen transkontinentalen Jumbo-Jets.

Wir waren erleichtert und froh, als wir schließlich in der Boeing 747 der Lufthansa saßen und nach Deutschland abhoben. Die Verschiebung unseres Urlaubs hatte sich gelohnt. Zwar verlor Dukakis gegen George Bush und Hamilton wurde nicht Außenminister. Aber er machte seinen Weg bis zum Vorsitzenden des Foreign Relations Committee des Abgeordnetenhauses. Er blieb Deutschland verbunden und übernahm später den Vorsitz der Study Group on Germany des Abgeordnetenhauses.

Der Besuch hatte gezeigt, dass die German-Americans im Wahlkreis ein handfester Anknüpfungspunkt für gute Zusammenarbeit mit den jeweiligen Abgeordneten sind und dass viele Deutsch-Amerikaner trotz der etwas antiquiert-folkloristischen äußeren Form des Straßenfestes lebendiges Interesse an Deutschland haben.

Der Start von Präsident George Bush

Im November 1988 gewann der Vizepräsident George Bush die Wahl zum Präsidenten der Vereinigten Staaten.

Am 18.1.89 begann die große, dreitägige Siegesfeier für George Bush. Das Diplomatische Corps saß mit den Spitzenvertretern des politischen Lebens bei eisigen Wintertemperaturen auf der großen Eingangstreppe zum Lincoln-Memorial. Mit Glückwunschadressen, Militärmusik und Solistendarbietungen wurde Bush gefeiert. Es war bitterkalt. Kenner Washingtons hatten Karin und mir geraten, uns sehr, sehr warm anzuziehen.

Während die Kälte langsam an Beinen und Armen hoch kroch, musste ich unwillkürlich an die langen Zeremonien denken, bei denen ich mit dem Diplomatischen Corps in Nairobi unter der brennenden Äquatorsonne Afrikas geschwitzt hatte. Unsere Geduld wurde reich belohnt durch ein nicht enden wollendes, grandioses Feuerwerk unter dem sternenklaren Winterhimmel von Washington.

In den nächsten Tagen folgten die feierliche Vereidigung des Präsidenten durch den Präsidenten des Supreme Court im Capitol, ein Mittagessen im Blair House – dem Gästehaus der amerikanischen Regierung gegenüber dem Weißen Haus – und eine eindrucksvolle militärische Parade.

Am Abend zuvor hatte es eine amerikanische Kuriosität gegeben. Zu dem Galaabend im Washingtoner Konferenzzentrum waren die Spitzen des ganzen Landes aus Politik, Wirtschaft, Industrie und gesellschaftlichem Leben zusammengeströmt. Jeweils zwanzig Minuten präsentierten Stars aus Oper und Unterhaltungsindustrie das Beste, das Amerika an Unterhaltung zu bieten hatte. Der Galaabend wurde von den großen Fernsehanstalten live übertragen. Jeweils nach zwanzig Minuten wurde die Galavorführung für fünf Minuten unterbrochen. Die Spitzen des Landes saßen im dämmerigen Halbdunkel, das nur von Notlampen erleuchtet wurde, in dem nüchternen Konferenzzentrum. Dann gingen die hellen Scheinwerfer wieder an und die Show ging weiter. Die Unterbrechung wurde alle zwanzig Minuten wiederholt. Niemand erregte sich über die Zwangspausen. Auch die Hautevolee war an die Gesetze der Fernsehwelt gewöhnt. Werbespots waren unvermeidlich, um das teure und aufwendige Galaprogramm zu finanzieren.

Den Abschluss der Feierlichkeiten bildete der große Inaugural-Ball im Weißen Haus, stilvoll, festlich, diesmal ohne Unterbrechungen für Werbespots.

Der Start der neuen Administration war eine erstklassig organisierte, eindrucksvolle Selbstinszenierung des siegreichen republikanischen Establishments.

Die neue Mannschaft

In den nächsten Monaten verfolgte ich, wie Bush sich mit einer kleinen, ihm nahe stehenden brillanten Mannschaft umgab, von denen viele Kenntnisse und Erfahrungen von Europa und Deutschland hatten.

Der National Security Adviser Brent Scowcroft war Berater unter Präsident Gerald Ford und Henry Kissinger gewesen. Er war ein erstklassiger Organisator, hatte langjährige Erfahrungen aus seiner Zeit als Militärattaché in Belgrad und Verständnis für mögliche Konflikte in Mittel- und Osteuropa.

Colin Powell, der als ehemaliger NATO-Kommandeur persönliche Kenntnisse der militärischen Situation in Europa hatte, wurde der neue und zugleich der jüngste Vorsitzende der Joint Chiefs of Staff.

Im Weißen Haus war Bob Blackwell Karrierediplomat. Er brachte aus seiner Zeit als Botschafter für Abrüstungsverhandlungen in Wien persönliche Erfahrungen aus Mittel- und Osteuropa mit und ein gutes Verständnis für die besonderen Probleme Deutschlands.

Condoleezza Rice war eine in Fachkreisen angesehene junge Wissenschaftlerin mit besonderen Kenntnissen der Sowjetunion.

James Baker war seit 25 Jahren der engste Freund Bushs. Er hatte dessen Wahlkampf organisiert. Er war unter Reagan erfolgreicher Chef des Weißen Hauses und Finanzminister gewesen.

In Bakers innerem Team im State Department war Robert Zoellick der persönliche Berater – ein vorzüglicher Manager, politischer Analytiker und Verfasser von Texten, ein Mann, bei dem sich der gesunde Menschenverstand des Mittleren Westens mit dem Intellektualismus der Eliteschulen Amerikas verband. Für Deutschland war wichtig, dass er gerne auf seine Vorfahren aus Mecklenburg zu sprechen kam und er sich stets für die letzte Entwicklung in Deutschland interessierte. Gespräche mit ihm waren immer präzise, knapp und auf Ergebnisse gerichtet.

Der Vertreter von James Baker, Larry Eagleburger, war ebenfalls ein langjährig erfahrener Diplomat, kenntnisreich im internationalen Geschäft unter anderem in Jugoslawien. Er war humorvoll, geistreich und kam in den Gesprächen schnell auf den Punkt. Dabei steckte er voller Witze – und seine Zigarette erlosch eigentlich nie.

Der Undersecretary for Political Affairs im State Department, Bob Kimmit, war Absolvent der militärischen Eliteschule Westpoint, Fallschirmspringer-Offizier, stolzer und engagierter Vater einer Familie mit fünf Kindern. Ein Multitalent mit großem Organisationsvermögen und großer Durchsetzungskraft. Er war später in der Wirtschaft ebenso erfolgreich wie vorher im State Department und auf seinem Wunschposten als Botschafter in Bonn. Karin und ich nahmen am Hearing im Senat vor seiner Bestätigung für den Posten in Deutschland teil. Bob, seine Frau Holly und wir wurden Freunde.

Raymond Seitz, der Leiter der Westeuropa-Abteilung im State Department, war kenntnisreich und erfahren. Seine Sicht von Europa war durch seine langjährige Tätigkeit als Ständiger Vertreter des Botschafters in London angelsächsisch geprägt. Seine Leistungen wurden später damit belohnt, dass er als Karrierebeamter den begehrten Londoner Botschafterposten erhielt, der sonst meist Freunden und Förderern des Präsidenten vorbehalten war.

Nach diesem schnellen Start folgte eine mühsame und schleppende Zeit des Übergangs. Rund 2.500 Posten in der Administration mussten neu besetzt werden. Dieser Wechsel führte dazu, dass die Administration in weiten Bereichen noch nicht voll handlungsfähig war oder auf alten Gleisen weiterarbeitete.

Als Bush die Präsidentschaft übernahm, hatte Gorbatschow in Moskau und im Warschauer Pakt die Tonlage verändert. Perestroika und Glasnost machten ihn zum Hoffnungsträger für weite Kreise in Europa. Die innenpolitische Szene in Polen und Ungarn war in Bewegung geraten.

Kritische Punkte zwischen Deutschland und den USA waren in jener Zeit die Beteiligung deutscher Firmen am Bau einer chemischen Anlage in Rabta/Libyen, vor allem aber die Modernisierung in Deutschland stationierter Kurzstreckenraketen.

Reagan hatte die Sowjetunion mit Erfolg dazu gedrängt, die Mittelstreckenraketen in Europa zu verschrotten. Die verbleibenden Lance-Kurzstreckenraketen waren vor allem in Deutschland stationiert. Die NATO überlegte, diese Nuklearwaffen zu modernisieren. Die Deutschen fragten sich, warum sie, westlich und östlich der Elbe, die Hauptlast und das größte Risiko der von der NATO geplanten Modernisierung tragen sollten.

Die von Präsident Bush angekündigte Überprüfung der Außenpolitik und die neuen Ansätze ließen auf sich warten. Wenn wir die Berater Bob Blackwill und Robert Hutchings im Weißen Haus oder Zoellick und Kimmit im State Department fragten, wann die Ergebnisse der Revision kommen würden, erhielten wir ausweichende Antworten. Die langjährige Politik hoher Rüstung und starker Absicherung gegenüber dem Warschauer Pakt war in der Beamtenschaft im Pentagon, aber auch in Teilen des State Departments noch fest verwurzelt.

Baker musste sich seiner Haut wehren, um Freiraum für neue politische Überlegungen zu gewinnen. Er setzte durch, dass Kissingers erste Aufträge, in Moskau zu sondieren, abgebrochen wurden. Er erreichte, dass das Weiße Haus sich von Ausführungen des neuen Verteidigungsministers Richard B. Cheney distanzierte, in denen dieser im Fernsehen den Fall der Regierung Gorbatschow voraussagte.

Unterkühlter Empfang in Washington

Anfang 1989 plädierten weite Kreise in USA und in Großbritannien noch immer für eine sofortige Modernisierung der Lance-Raketen. Sie fürchteten, Verhandlungen über den Abbau der SNF (Shortrange Nuclear Forces) könnten dem Ziel der Sowjetunion in die Hände arbeiten, Europa zu entnuklearisieren.

In Deutschland gab es harte Auseinandersetzungen innerhalb der Koalition. Genscher, unterstützt von seiner Partei, wandte sich gegen die sofortige Modernisierung. Er trat dafür ein, die Entscheidung bis 1991/92 zu verschieben und die Zeit für Verhandlungen über die Reduzierung der Kurzstreckensysteme zu nutzen. In Kreisen der CDU wurden Forderungen laut, auf die dritte Null-Lösung bei Kurzstreckensystemen zu verzichten. Die Spitzen der Regierungskoalition rauften sich zusammen: Genscher/Kohl fanden einen Kompromiss: »… Die Entwicklung einer neuen Kurzstreckenrakete ist und bleibt einseitige Angelegenheit der USA. … Sollte sich eine solche Notwendigkeit (der Modernisierung der Kurzstreckenraketen) herausstellen; wird eine Entscheidung über Lance erst 1991/1992 zu fällen sein. Zwischenzeitlich … ist über gleiche niedrigere Obergrenzen bei den Systemen bis zu fünfhundert Kilometer (zu verhandeln).«

Am Wochenende 22./23. April erhielt die Botschaft die Nachricht, der Bundesaußenminister und der Bundesverteidigungsminister würden am nächsten Tag nach Washington kommen, um die Administration zu informieren.

Auf der Fahrt vom Flugplatz berichtete Minister Genscher mir, der Bundeskanzler habe den Besuch in einem Telefonat mit Präsident Bush angekündigt. Ich schilderte den beiden Ministern, das Ziel, jetzt Abrüstungsgespräche über Kurzstreckensysteme ins Auge zu fassen, sei weit entfernt von der noch vorherrschenden Meinung in der Regierung Bush.

Und in der Tat: Die Meinungen prallten unvereinbar aufeinander. Der Empfang in Washington war das Kühlste, was ich in den deutsch-amerikanischen Beziehungen erlebt habe. Ich wusste, dass die Texaner rigorose Härte an den Tag legen können. Aber ich hätte nicht erwartet, dass dies bei den deutsch-amerikanischen Kontakten so brutal passieren würde.

Am 24. April saß ich neben den beiden Ministern im Konferenzzimmer in der obersten Etage des State Department. Die gegenüberliegende Tischseite war leer. Nachgeordnete Bedienstete des State Department hatten uns zum Konferenzraum geführt und uns unsere Sitze zugewiesen. Auch nach 10 Minuten waren die Stühle gegenüber noch frei. Die Minister Genscher und Stoltenberg wurden ungeduldig und unruhig. Ich fragte beim Protokollbeamten nach. Er versicherte kühl: »The Secretary of State and the Secretary of Defence will come.«

Nach 15 Minuten gelang es nur noch mit Mühe, die Minister im Raum zu halten. Dann kamen, mit frostiger Miene, Baker und Cheney. Cheney kündigte schon zu Beginn an, er werde die Sitzung wegen einer Redeverpflichtung vorzeitig verlassen müssen. Baker ließ während des Gesprächs durch eine Pressesprecherin verlautbaren, dass Abrüstungsgespräche über Kurzstreckenraketen derzeit falsch wären.

Während der Sitzungspause wurden auf der Terrasse über den Dächern Washingtons Drinks gereicht. Genscher und Baker führten an der Brüstung ein Gespräch unter vier Augen. Über den Inhalt des Gesprächs schrieb Genscher in seinen Erinnerungen: »Wir sollten doch hier draußen, schlug ich vor, in Ruhe und Sachlichkeit über die Dinge sprechen. Wir seien auf gar keinen Fall gewillt hinzunehmen, dass im Bündnis und im deutsch-amerikanischen Verhältnis in solcher Weise miteinander umgegangen werde. Hier stünden zwei Minister einer Regierung, die aus den Wahlen hervorgegangen sei, den NATO-Doppelbeschluss durchzusetzen. Ich hätte damals sogar meine politische Existenz für dieses Vorhaben aufs Spiel gesetzt.«

Baker wiederum schrieb: »Einige Wochen später stand ich mit Genscher auf der Galerie im 8. Stock des State Department und fragte ihn: ›Hans-Dietrich, wie kommt es, dass dich hier jeder für einen schlechten Kerl hält? Ich finde dich gar nicht so übel.‹ Genscher trug es mit Humor. Im Laufe der Zeit wuchs mein Respekt vor ihm.«

Bei jenem Vier-Augen-Gespräch gab es keinen Zeugen, geschweige denn einen notetaker. Aber die unterschiedlichen Versionen ergänzen sich zu dem Bild, das ich mir auf Grund meiner Kenntnis der Ausgangspositionen beider Seiten von dem Gespräch gemacht hatte. Es bestätigte unsere Überlegungen in der Botschaft, dass der Minister sich die Zeit nehmen sollte, sein persönliches Engagement und seine politische Einschätzung der Veränderungen in Mittel- und Osteuropa einem größeren Kreis in Regierung und Parlament in Washington offensiv vorzutragen, und dass der Hinweis auf den Wechsel der Bonner Koalition, um den Doppelbeschluss der NATO durchzusetzen, seinen Eindruck nicht verfehlen würde.

Diese Begegnung war der absolute Tiefpunkt der Beziehungen zwischen der Administration Bush/Baker und der Regierung Kohl/Genscher. Der Delegationsbesuch blieb ergebnislos.

Aber hier wurde der Samen gelegt für die später so vertrauensvolle Freundschaft Genscher/Baker. Schon in ganz kurzer Zeit wurde die neue Administration vor die Frage gestellt, ob sie den konservativen Hardlinern in den eigenen Reihen und dem Beharren von Margaret Thatcher folgen wollte oder ob sie eine neue Linie einschlagen würde.

Im Mai 1989 fand das erste NATO-Gipfeltreffen statt, an dem Bush erstmals mit den Regierungschefs des Bündnisses zusammentreffen sollte. Großbritannien und USA plädierten noch immer für eine sofortige Modernisierung der Lance-Raketen. Die neuen Gesprächspartner der Botschaft im Weißen Haus und im State Department blieben einsilbig und ausweichend. Es gab auch keine Reden von Bush oder Baker zur Außenpolitik, in der die Ansätze der neuen Administration dargelegt oder angedeutet wurden.

Es blieben keine vier Wochen, um im Kampf um die öffentliche Meinung im freien Europa dem Reformwirbel von Gorbatschow mit neuen amerikanischen Ansätzen entgegenzuwirken.

Nun zeigte sich die Fähigkeit der amerikanischen Demokratie, schnell auf veränderte Situationen einzugehen und neue Wege einzuschlagen. Entscheidend waren die Eindrücke, die Baker auf seiner Blitzreise in die Hauptstädte der NATO-Länder im März gewonnen hatte, und sein Bericht über die Begegnungen mit Gorbatschow und Schewardnadse in Moskau im Februar des Jahres.

Jetzt konnte der kleine, brillante Kreis neuer Mitarbeiter zur Wirkung kommen, Blackwell im Weißen Haus, Ross, Zoellick, Kimmit im State Department, vor allem aber die schnelle Analyse und die pragmatische Politik des Trios Bush, Baker und Scowcroft.

Am 12. Mai hielt der Präsident seine lang erwartete Rede mit grundsätzlichen Aussagen zur Außenpolitik gegenüber der Sowjetunion. Doch diese Rede war enttäuschend. Zwar sagte der Präsident, dass die USA nun über die Eindämmungspolitik »hinausgehen müsste«, aber außer der Neuauflage des Ladenhüters für »open skies« (Vorschlag, dass beiden Seiten die Luftaufklärung gestattet werden sollte) gab es nichts Neues. Die Presse reagierte kühl und ohne jede Begeisterung.

Jetzt war der Administration klar, dass sie Gorbatschows geschickten und attraktiven Vorschlägen nicht tatenlos zusehen konnte. Sie musste eigene Ideen bringen, um der positiven Reaktion auf Gorbatschows Reformen gegenzuhalten und um der wachsenden Skepsis in Mitteleuropa entgegenzutreten, die sich gegenüber den nuklearen Modernisierungsplänen der NATO aufbaute. Die Ereignisse folgten Schlag auf Schlag.

Erster konkreter Schritt war der Vorschlag von Bush auf dem NATO-Gipfel am 31. Mai 1989, die konventionellen Truppen in Europa drastisch zu verringern. Er musste hierfür den hartnäckigen Widerstand des Vorsitzenden der Joint Chiefs of Staff, Admiral William Crowe, und auch von Verteidigungsminister Cheney überwinden.

Der neue Ansatz sah so aus: Statt der russischen Vorschläge für parallele Verringerungen in Ost und West zielten die amerikanischen Vorschläge darauf ab, das Übergewicht der Sowjetunion in Europa auf westliches Niveau herabzusenken. Damit gelang es auch, das Problem der nuklearen Kurzstreckensysteme zu entschärfen.

Zweiter Schritt: Die Bewegungen für Demokratie und politische Unabhängigkeit in Osteuropa sollten ermutigt werden, vor allem in Ungarn und Polen. Bush wählte hierzu das stärkste außenpolitische Instrument, das dem amerikanischen Präsidenten zur Verfügung stand, einen offiziellen Besuch in Warschau und Budapest im Juni 1988.

Das Ziel von Präsident Bush war, den europäischen Kontinent »whole and free« zu machen. Hierbei erkannte die neue amerikanische Regierung immer mehr die wachsende Bedeutung Deutschlands. Blackwill im Weißen Haus und Zoellick im State Department drängten Präsident und Außenminister, stärker auf die deutschen Anliegen einzugehen und eventuellen Plänen von Gorbatschow für Deutschland zuvorzukommen.

Der wichtigste neue Ansatz war die Rede von Präsident Bush während des Deutschland-Besuches am 31.5.1989 in Mainz.

Die herablassende Behandlung von Außenminister Genscher und Verteidigungsminister Stoltenberg in Washington am 24. April lag noch keine sechs Wochen zurück. Jetzt nannte Präsident Bush die Vereinigten Staaten und die Bundesrepublik Deutschland »Partners in Leadership«! Bei der Pressedurchsicht am Frühstückstisch las ich mit wachsender Begeisterung den Text der Rede. Bush hatte gesagt, »wie in Ungarn müssen überall in Osteuropa die Grenzen fallen« und, anknüpfend an Ronald Reagans Forderung vor dem Brandenburger Tor, »let Berlin be next, nirgends wird die Grenze zwischen Ost und West deutlicher als in Berlin. Dort trennt die bru-

Einladung von Präsident Bush und Barbara Bush zu einem texanischen Barbecue im Garten des Weißen Hauses am 25.6.1990

tale Mauer Nachbar von Nachbar, Bruder von Bruder. Diese Mauer ist ein Monument des Versagens des Kommunismus. Sie muss fallen.«

Im Pressereferat und im Kanzleramt hatte ich immer wieder beobachtet, welch große Wirkung visionäre Reden und griffige, prägnante Formulierungen für die Entwicklung der Beziehungen zwischen den Staaten haben.

In der anschließenden Morgenrunde sagte ich, die Einschätzung »Partners in Leadership« solle nunmehr die zentrale Aussage aller Reden und Stellungnahmen der Botschaft sein.

Diese Formulierung zeigte enge Verbundenheit zwischen Deutschland und den Vereinigten Staaten. Sie war aber auch ein deutlicher Hinweis auf die Verschiebung der Kräfte in Europa.

Jahrelang hatte ich in London mit Bewunderung und manches Mal mit einem Schuss Eifersucht die besonderen Beziehungen und die erstklassige Zusammenarbeit zwischen London und Washington beobachtet. Gelegentlich kam mir der Gedanke, wie schön wäre es, wenn wir auch etwas Ähnliches haben könnten. Jetzt verlagerte sich für Washington das Schwergewicht von der Themse an den Rhein bzw. die Spree.

Bemerkenswert war die Reaktion der Presse. In Deutschland fanden die anerkennenden Worte von Präsident Bush Beachtung und freundliche Aufnahme, schon weil die Rede vor deutschem Publikum gehalten worden war. Interessanter aber war für mich das Echo in London, entfernt vom Mainzer Ort des Geschehens. In Schlagzeilen und nachdenklichen Kommentaren registrierten die britischen Medien die neue Rolle der Bundesrepublik und betonten die Anzeichen für eine Verschiebung der Kräfte im Nachkriegseuropa.

Ziel der USA war es, Europa in Frieden und Freiheit zusammenzuführen. Die Regierung Bush wollte dies Schritt für Schritt erreichen. Ihr lag daran, nicht alte Wunden wieder aufzureißen, keinen neuen Vertrag von Versailles zu schaffen. Die USA wollten Deutschland als starken demokratischen Partner für den Bau eines neuen Europas und einer neuen transatlantischen Partnerschaft gewinnen. Ein Kuhhandel – Einschränkungen der deutschen Souveränität im Austausch für die Wiedervereinigung – kam für die Bush-Administration nicht in Betracht.

Der Durchbruch in den Beziehungen zu der Regierung Bush war gelungen. Ich nutzte in den folgenden Tagen jede Gelegenheit, unseren Freunden Kimmit, Zoellick und Blackwill, die sich aktiv für diesen neuen Weg eingesetzt hatten, unseren Dank und meine persönliche Freude mitzuteilen.

Aber ich wusste auch, die Basis für diese neue Verbundenheit war noch nicht sehr belastungsfähig. Für die Administration hatte der 24. April gezeigt, dass es selbst innerhalb von State Department und Weißem Haus beharrende Kräfte gab, die an der alten Linie festhalten wollten – enger Schulterschluss mit London, Skepsis gegenüber der Entspannung.

Noch im Oktober 1989 konnte Baker nur mit Mühe eine große Rede verhindern, in der der frühere stellvertretende Direktor der CIA und jetzige Stellvertreter von Scowcroft im Weißen Haus, Robert Gates, sich sehr skeptisch zur Überlebenschance von Gorbatschow äußern wollte.

So dachte ich mit den Mitarbeitern darüber nach, wie die Botschaft dazu beitragen könnte, eine festere Grundlage für unsere Beziehungen zu schaffen.

Die Study Groups on Germany

Das erste Ziel war der Kongress. Er war ein ebenso machtvolles Verfassungsorgan wie der Präsident der Vereinigten Staaten. Anders als Administration und Weißes Haus war der Kongress schwerer ansprechbar. Die Abgeordneten und Senatoren waren ausgerichtet auf ihre Wahlkreise und auf ihre Wiederwahl. Außenpolitische Themen und Anliegen waren hier nur in Ausnahmefällen hilfreich.

Die Beeinflussung des Kongresses war eine Geheimwissenschaft, eine lukrative Tätigkeit, die viel Erfahrung und persönliche Beziehungen auf dem Hill voraussetzte.

Die Japaner wandten riesige Summen auf, um ihre Interessen zu schützen, vor allem, um gesetzgeberische Maßnahmen gegen asiatische und japanische Exporte abzuwehren.

Die beste Lobby hatte Israel. Viele jüdische Bürger in den Vereinigten Staaten sahen es als ihre Pflicht an, dem exponierten Staat im Nahen Osten in seiner bedrängten Lage beizustehen.

Das Netz der AIPAC (America Israel Public Affairs Committee) war im ganzen Land sehr einflussreich. Ich habe von Abgeordneten in entlegenen Staaten der Rocky Mountains gehört: Sobald sie öffentlich skeptische Äußerungen über Israel machten, meldeten sich schnell darauf jüdische Vertreter aus ihrem Wahlkreis mit der Bitte, sie wollten gerne die Äußerungen des Congressman zu Israel mit ihm diskutieren.

Wir haben in der Botschaft die Arbeit der Lobbyisten studiert. Wichtigster Ansatzpunkt waren jeweils die persönlichen Interessen der Congressmen: ihr Ansehen, ihre Bekanntheit und die Chancen für ihre Wiederwahl.

Die Tätigkeit der Lobbyisten war nach amerikanischem Recht zulässig und legal. Nur musste jeder, der die Abgeordneten beeinflussen wollte, sich in das öffentliche Register der Lobbyisten eintragen lassen. Die Botschaften waren von diesem Erfordernis befreit. Das Wochenende im Wahlkreis von Congressman Lee Hamilton war für mich eine gute Lehre gewesen. Hamilton war und blieb ein jederzeit ansprechbarer und für Deutschland aufgeschlossener Gesprächspartner.

Es gab im Abgeordnetenhaus eine kleine Gruppe, die sich »Study Group on Germany« nannte. Mein Ziel war es, diesen Kreis auszubauen. Sobald das Parlament sich konstituiert hatte, lud ich die Mitglieder im März 1988 mit ihren Damen zu einem großen, offiziellen Abendessen in der Residenz ein.

Anschließend hatten meine Kollegen und ich ein langes Gespräch über die Ausweitung der Study Group und die Verstärkung der Zusammenarbeit mit den Abgeordneten und ihren Mitarbeitern. Wir boten an, die Botschaft und die politischen Stiftungen – Konrad-Adenauer-Stiftung, Friedrich-Ebert-Stiftung, Friedrich-Naumann-Stiftung, Hanns-Seidel-Stiftung – könnten helfen, Besuche von Abgeordneten der Study Group und ihren Mitarbeitern in Deutschland zu arrangieren, Begegnungen mit und Vorträge von hochrangigen deutschen Besuchern aus Politik und Wirtschaft vor der Gruppe auf dem Hill in die Wege zu leiten.

Wir hatte das Glück, in Congressman Thomas Coleman und Congressman Tom Petri zwei engagierte Vorsitzende der Gruppe zu haben. Am 1. August 1990 habe ich Congressman Coleman für seine Verdienste um die deutsch-amerikanischen Beziehungen das Große Verdienstkreuz des Bundesverdienstkreuzes überreicht.

Jed Johnson, ehemaliger Congressman, leistete als Geschäftsführer der Gruppe wichtige Beiträge, um neue Mitglieder anzuwerben, ein attraktives Programm zu sichern und deutsche Firmen für die finanzielle Unterstützung zu gewinnen. Seine Mitarbeiterin, Diana Reed, war der ruhende und immer ausgeglichene Pol in dem hektischen Büro. Neben den Congressmen selbst waren deren »staffer« – die Mitarbeiter in ihren Stäben – interessante und oft einflussreiche Gesprächspartner.

Die Congressmen und ihre Staffer reisten zu Besuchen in die Bundesrepublik Deutschland. Der Bundeskanzler, der Bundesaußenminister und andere führende Besucher kamen zu den Gruppen auf den Hill und berichteten dort über die Bundesrepublik Deutschland. Die Study Group leistete einen bedeutenden Beitrag, die German-American-Days jedes Jahr auf den 6. Oktober festzulegen und sie dann auf dem Hill festlich zu begehen.

Diese Gruppe wuchs schnell. Das große Interesse während der Zeit der deutschen Vereinigung gab Rückenwind. Es hieß gelegentlich, dass die Study Group mit über hundert Abgeordneten die größte ihrer Art war. Jedenfalls lagen wir mit der Gruppe »Israel« an der Spitze.

Auch im Senat hatten wir eine Study Group ins Leben gerufen. Der Vorsitzende der demokratischen Fraktion, Senator Mitchell, die angesehenen Senatoren Richard Lugar und Sam Nunn waren aufgeschlossen für deutsche Interessen.

Senator William V. Roth Jr., Delaware, war bereit, den Vorsitz zu übernehmen. Karin und ich hatten zu Bill Roth und seiner Frau, die eine angesehene Bundesrichterin im Staate Delaware war, ein gutes persönliches Verhältnis.

Es war wichtig und hilfreich, dass der Bundeskanzler eine ausgewählte Gruppe von Senatoren nach Deutschland einlud. Die selbstbewussten und individualistischen Senatoren waren nicht ohne weiteres für eine »Gruppenreise« zu gewinnen. Mit dem Ansehen des Bundeskanzlers konnten wir gleichwohl einen prominenten Kreis zusammenstellen.

Diese Bemühungen trugen später gute Früchte. Als der Zwei-plus-Vier-Vertrag über die deutsche Einheit von den Parlamenten der sechs Teilnehmerstaaten – Bundesrepublik, DDR, USA, Frankreich, Großbritannien und die Sowjetunion – ratifiziert werden sollte, legte der Senat großen Wert darauf, als erste Volksvertretung abzustimmen.

Das schnelle Wachstum der deutschen Kontakte zu Regierung und Kongress fand in Washington Beachtung. Der Washingtoner Korrespondent der britischen Zeitung »Observer« schrieb am 2. April 1990: »Bush has brought with him a ruthless efficient cliquish pragmatism. The German Ambassador Juergen Ruhfus recognized that immediately and has worked hard to forge a new relationship … suddenly Germany has become the favourite European power and the hard diplomatic craft of the German has payed.«

Karin tat das Ihre für die guten Beziehungen zum Hill. Sie bot den Mitarbeiterinnen in den Vorzimmern des Botschafters an, ihre ständigen Gesprächspartnerinnen in den Büros der Senatoren und Abgeordneten, im Weißen Haus und in den Ministerien, zu einem Mittagessen in die Botschaft einzuladen.

Das Essen war ein voller Erfolg. Es war anrührend, wie die Damen, die seit Jahren miteinander telefonierten, sich hier zum ersten Mal persönlich begegneten.

Karins Wirkung ging weit darüber hinaus. Das Netzwerk der Frauen in Washington war wichtig und einflussreich. Ich habe mich oft gewundert, ob und wie Junggesellen als Botschafter diesen Teil der lebenswichtigen Verbindungen über die Ehefrauen kompensieren konnten.

Karin wurde von Collin Nunn, der Frau des angesehenen Senators Sam Nunn – langjähriger Vorsitzender des Armed Service Committee –, für ihren International Women's Club II geworben.

Diese Frauenclubs hatten das Ziel, persönliche Verbindungen zwischen den Ehefrauen prominenter Politiker und den Ehefrauen der Botschafter herzustellen.

Als das Protokoll der Botschaft sich noch um Termine für meine Antrittsbesuche auf dem Hill bemühte, hatte Colleen Nunn Karin schon in den Senate Dining-Room eingeladen. Karin kam begeistert zurück. Sie hatte bei dem gemeinsamen Mittagessen einen größeren Kreis führender Senatoren und Ausschussvorsitzender im Abgeordnetenhaus kennen gelernt. Karin fand in ihrer direkten, offenen Art Anklang und schnellen Zugang.

Aber es brauchte mehr, um die im gesellschaftlichen Wettbewerb der Hauptstadt erfahrenen Frauen endgültig zu gewinnen. Sie luden Karin zu einem Wochenende in einem der »Senate Hideaways« (abgelegene Landhäuser für die private Nutzung der Senatoren in den Blue Ridge Mountains) ein. Zunächst machten sie eine Wanderung. Dann verzehrten sie bei viel Wein das Abendessen, zu dem jede ihre Spezialitäten mitgebracht hatte.

Nach dem Essen folgte ein Gespräch bis weit in die Nacht. Nach teilweise harten Diskussionen galt: Karin hat den Mut, auch über schwierige Fragen offen und ehrlich zu sprechen. Sie hatte Freundinnen gewonnen, die ihr während der Jahre in Washington hilfsbereit zur Seite standen.

Bei Abendessen oder Empfängen zu Ehren von Ministerpräsidenten und Bundesministern, selbst für den Bundeskanzler oder Bundespräsidenten, war es nicht leicht, die viel beanspruchten Senatoren und Abgeordneten zu gewinnen. Wenn nur Absagen kamen, wandte sich das Protokoll der Botschaft an Karin: »Frau Ruhfus, uns fehlen noch Senatoren und Abgeordnete.« Karin wandte sich ihrerseits an das Netzwerk der Damen. Colleen Nunn, Mary Johnston und die Frauen anderer Senatoren stellten dann im Stab ihrer Männer sicher: Der und der Abend muss für ein Abendessen in der deutschen Residenz freigehalten werden.

Die Zwischenresidenz

Wichtige Voraussetzung für die Ausstrahlung der Botschaft waren geeignete Räume für die gesellschaftliche Repräsentation. Im Herbst konnten wir mit Genehmigung des Auswärtigen Amts und des Bundesfinanzministeriums das Haus 2500 Foxhall Road kaufen. Diese Villa war, nach dem Brand der alten und bis zur Fertigstellung der neuen Residenz, eine günstige Zwischenlösung. Mit ihrer Lage in direkter Nähe der Botschaft war sie später geeignet als Haus für den Ständigen Vertreter.

Karin hatte mit Kanzler Ernst August Kobold das Haus gefunden. Sie hat mit großem persönlichem Einsatz, mit begrenzten Mitteln und guter Unterstützung von Kanzler und Verwaltung das Haus in wenigen Wochen zu einer annehmbaren Ersatzlösung eingerichtet.

Wichtiger Bestandteil war die »Weinstube«. Karin und ich hatten im Souterrain, dessen Fensterfront auf den Garten ging, Eichenbalken eingezogen, die Seitenwände mit Eichenpaneelen verkleidet, rustikale Eichenmöbel in West-Virginia gekauft und den Räumen das Flair einer süddeutschen Weinstube gegeben; alles in Eigeninitiative der Botschaft, mit Hilfe von Kanzler Kobold und den Architekten der Bundesbaudirektion.

Wenn wir anboten, für Senatoren oder Abgeordnete ein Abendessen zu geben, kam die Antwort: »Ja gerne, aber bitte in der Weinstube.«

In Washington luden Restaurants mit einer »Happy Hour« nach Ende der Arbeitszeit die Bediensteten zum Ausklingen des Arbeitstages ein. Mit Hilfe ihrer Freundinnen aus dem Club etablierte Karin – während der Sitzungswochen des Kongresses – die »Happy Hour« in der deutschen Residenz. So hatten wir alle paar Monate ein offenes Haus für Politiker vom Hill.

Als der Dollar zur Zeit von Präsident Reagan Rekordhöhen erreichte, hatte der langjährige Fahrer der Botschaft, Alois Bruckbauer, seine Begabung für bayerische Volksmusik entdeckt. Ein Kollege und er unterhielten die Gäste bei Rheinwein und deutschem Bier mit Melodien aus dem Alpenvorland. Karin hatte einen deutschen Schlachter in Baltimore gefunden, der erstklassige Weiß- und Nürnberger Bratwürste herstellte.

Das Ganze war für den feinen Geschmack aus München oder Düsseldorf eher folkloristisch bieder. Aber in Washington war es einmal etwas anderes als die vornehmen diplomatischen Dinners, wo der Politiker zwei Stunden lang zwischen den vom Hausherrn ausgewählten Nachbarn oder Nachbarinnen festgenagelt war. In der Weinbar konnte er seine Gesprächspartner frei auswählen, auch mit Vertretern der Opposition sprechen – und das Ganze im Rahmen der in USA geschätzten ungezwungenen »German Gemütlichkeit«.

Der Bundeskanzler hatte Karin und mich gebeten, uns den Plan für die neue Residenz genau anzusehen und eventuelle Änderungsvorschläge zu machen. Wir fanden das Konzept für den Neubau, die Form der römischen Basilika mit freiem Blick auf Potomac, Washington Monument und Capitol Hill gelungen. Unser Ergänzungsvorschlag war: »Es müsste eine deutsche Weinstube oder ein deutscher Bierkeller vorgesehen werden.« Schon meine Vorgänger hatten die Erfahrung gemacht, dass die wichtigen Gespräche am leichtesten im Weinkeller geführt werden können.

Der Raum wurde geschaffen. Aber – in welcher Form! Karin und ich waren schockiert. Die Bar aus schwarzem Marmor, die Wände anthrazitgrau, dazu eine Bestuhlung mit Stahlmöbeln in den gleichen Tönen.

Karin und ich fragten uns bei der ersten Besichtigung, wie kann hier ein Gefühl warmer Gastfreundschaft aufkommen.

Die Botschaft gewann mit dem Wiederaufbau der ausgebrannten Residenz die Möglichkeit, die gesellschaftliche Betreuung erheblich zu erweitern. Das Auswärtige Amt hat uns weitgehend freie Hand gelassen.

Nach den guten Erfahrungen in London habe ich mich auch in Washington dafür eingesetzt, eine ansprechende Kantine für die Mitarbeiter zu schaffen, die zugleich als stadtnaher Treffpunkt, umgeben von großzügigen Parkmöglichkeiten, nach Dienstschluss für die gesellschaftlichen Veranstaltungen der Angehörigen der Botschaft zur Verfügung stand. Die Botschaft hat in eigener Regie, mit Hilfe der Architekten der Bundesbaudirektion in Washington, den neuen Bau, den wir Embassy House nannten, erheblich preisgünstiger und schneller fertig gestellt als es nach dem üblichen Ausschreibungsverfahren der öffentlichen Hand die Regel war. Das Embassy House wurde sofort angenommen, ausgiebig genutzt, und von amerikanischen und deutschen Gästen wegen der guten Lage und schönen Umgebung geschätzt.

Die deutsch-jüdischen Beziehungen in den USA

Die deutsch-jüdischen Beziehungen waren von Anbeginn der Bundesrepublik Deutschland an wichtiger Bestandteil der deutsch-amerikanischen Beziehungen. Adenauer hat seine entscheidenden Gespräche über die Wiedergutmachung in den USA geführt. Bundeskanzler Kohl setzte den intensiven Dialog mit den jüdischen Verbänden fort.

In der Botschaft haben sich Karl Paschke und Wolf Calebow besonders stark für die Beziehungen zu den jüdischen Verbänden engagiert. Sie arbeiteten mir ein umfassendes Programm für Begegnungen mit den wichtigen jüdischen Gruppen aus. Schon bald nach Beginn meiner Tätigkeit sprach ich in der Botschaft zu Vertretern von B'nai B'rith, flog ich zu Besuchen beim American Jewish Congress, beim World Jewish Congress und dessen Präsidenten Edgar Bronfman, dem American Jewish Committee und bei Rabbi Schneyer nach New York. Mit Rabbi Schneyer haben wir dort eine große Gedenkveranstaltung durchgeführt, bei der Bundespräsident von Weizsäcker geehrt wurde.

Bei Reisen ins Land bin ich, wo es größere jüdische Gruppen gab, mit ihnen zusammengetroffen. Diese Begegnungen waren oft sehr bewegend, vor allem, wenn die Gesprächspartner über ihr persönliches Schicksal berichteten oder über den großen Kreis der Verwandten, die in Konzentrationslagern umgekommen waren. Manche hatten sich nach der Zeit im KZ geschworen, nie wieder deutschen Boden zu betreten.

Die Gespräche boten aber auch die Möglichkeit, über den demokratischen Aufbau in Deutschland zu berichten, die ausführliche Behandlung des Holocaust im Schulunterricht darzutun und vor allem die umfassende deutsche Hilfe für Israel zu schildern. Dass die Bundesrepublik zum wichtigsten europäischen Verbündeten dieses Landes geworden war, wurde weder von den jüdischen Verbänden noch von der israelischen Botschaft in Washington herausgestellt. Es machte besonderen Eindruck, wenn ich aus den Brüsseler Konferenzen berichtete, dass die deutsche Delegation für Verhandlungen der EG oder der EU mit Israel die generelle Weisung hatte, den israelischen Interessen möglichst aufgeschlossen entgegenzukommen.

Ich bin vielfach von deutschen Jugendlichen gefragt worden, wie sie sich bei Begegnungen mit jüdischen Amerikanern verhalten sollten. Mein Rat war: Unsere Generation – bei Kriegsende war ich 14 Jahre alt – trägt keine persönliche Schuld, aber wir müssen uns immer bewusst sein, dass das furchtbare Verbrechen des Holocausts für lange Zeit eine schwere moralische Hypothek auf dem internationalen deutschen Ansehen sein wird. Unser Land bemüht sich, dieser Verantwortung gerecht zu werden, indem es die Erinnerung an die Gräueltaten und an die Leiden wach hält und indem es nach den USA der loyalste Verbündete Israels ist. Wenn diese Grundlage zu Beginn der Gespräche klargestellt wurde, konnte man in der Diskussion über Einzelfragen sehr offen und pragmatisch sprechen und auch skeptische Gegenfragen stellen.

Die breite Grundlage von persönlichen Kontakten zu den jüdischen Organisationen sollte sich später sehr bewähren: bei den Diskussionen in den USA über die deutsche Wiedervereinigung.

One in four Americans are of German descent

Karin und ich waren 304 Jahre, nachdem am 6. Oktober 1683 die ersten deutschen Familien aus Krefeld in Philadelphia eine neue Heimat gefunden hatten, in den USA eingetroffen.

1987 hatte Präsident Ronald Reagan in der Proklamation 5719 vom 2. Oktober verkündet: »More Americans trace their heritage back to German ancestry than to any other nationality. More than 7 million Germans have come to our shores through the years, and today some 60 million Americans – one in four – are of German descent.«

Schon während der Studienzeit hatte ich mit Interesse gesehen, wie die verschiedenen Volksgruppen in den einzelnen Staaten ihrer Herkunft gedachten. Am St. Patrick's Day trugen die irischen Amerikaner in der United States National Bank in Colorado grüne Schlipse. Enthusiasten in New York gingen so weit, das Fell ihrer weißen Pudel grün zu färben.

Aus der Zeit bei Familie Ropp in Illinois und an der Universität Denver, die viele Studenten aus den nördlichen Staaten um die großen Seen hatte, wusste ich, wie stark dort der deutsch-amerikanische Anteil war.

Ich hatte mit Freude und Spannung verfolgt, wie Bundeskanzler Kohl mit Präsident Reagan die Feier des 300. Jahrestages der Ankunft der ersten deutschen Siedler aus dem Rheinland in Pennsylvania vorbereitete und wie Bundespräsident Carstens bei seinem Staatsbesuch am 6. Oktober 1983 an dieses historische Ereignis der deutsch-amerikanischen Beziehungen erinnerte.

Mir war es ein persönliches Anliegen, auf dieser Grundlage weiterzuarbeiten. Mit Karl Paschke in der politischen Abteilung, mit Gunter Pleuger und vor allen Dingen Reinhard Schweppe hatte ich Mitarbeiter, die mich ermutigten und mit großem Einsatz unterstützten.

Nichts lag uns ferner, als irgendeine fünfte Kolonne für subversive Aktionen in den Vereinigten Staaten zu schaffen. Aber wir sahen Millionen von Deutsch-Amerikanern, die begeisterte Bürger ihres Landes waren. Wir wollten sie darin unterstützen, ihre Erinnerungen, ihre Verbindungen zu dem Land, aus dem ihre Vorfahren stammten, zu pflegen.

Reisen ins Land zeigten mir, wie reich deutsche Traditionen in Clubs, in Büchereien, in Kirchen und Universitäten bis zum Ersten Weltkrieg gewesen waren.

Hier wurde überdeutlich, wie verblendet die Entscheidung gewesen war, diesem Deutschland gegenüber aufgeschlossenen und wohlgesonnenen Land den Kriegseintritt mit der Versenkung amerikanischer Schiffe im Ersten Weltkrieg aufzuzwingen, und welche Konsequenzen diese Entscheidung für die Millionen deutscher Einwohner in USA hatte. Die German-Americans wurden gezwungen, ihre Herkunft zu verleugnen und mit aller Kraft möglichst schnell zum mustergültigen amerikanischen Bürger zu werden.

Im Zweiten Weltkrieg war die Entscheidung noch irrsinniger und verantwortungsloser. Die Hitler-Regierung nahm Präsident Roosevelt die Initiative ab und erklärte den großen Vereinigten Staaten den Krieg unmittelbar nach dem Überfall des japanischen Achsenpartners auf Pearl Harbour.

Vier Jahrzehnte nach dem Zweiten Weltkrieg hatte Deutschland nun endlich seinen Platz im Kreis der westlichen Demokratien gefunden. Jetzt konnten sich die German-Americans wie die anderen Minoritäten in den USA ohne Bedenken zu ihrer Abstammung bekennen und ihre Traditionen pflegen.

1988 arbeitete die Botschaft mit aller Kraft daran, diese Entwicklung fortzusetzen, nach dem amerikanischen Motto: »Ein Ereignis, zweimal hintereinander gefeiert, ist der Beginn einer Tradition.«

Die beiden wichtigsten Verfassungsorgane der Vereinigten Staaten anerkannten und würdigten den Beitrag der German-Americans mit dem Beschluss des Kongresses, den 6. Oktober 1987 zum »German-American-Day« zu erklären und mit der Proklamation 5864 des Präsidenten vom 23. September 1988: »Our national character and way of life have been deeply influenced by Americans of German heritage. They have made indelible imprint on the life, culture, progress and prosperity of the United States in areas such as the arts, scholarship, religion, commerce and industry, science and engineering, government, sports and entertainment. This is why Benjamin Franklin (said) long years ago ›America cultivates best what Germany brought forth‹ ...«

Die Proklamation des Präsidenten fand markige Worte für die Leistungen der deutschen Einwanderer. Zugleich würdigte der Präsident die enge Zusammenarbeit zwischen den Regierungen und beiden Ländern: »Today German-American bonds of international friendship are stronger than ever.« 1952, als Student in Denver, hätte ich mir ein solches Dokument des amerikanischen Präsidenten in meinen kühnsten Träumen nicht vorstellen können.

Präsident Reagan empfing eine Delegation der Deutsch-Amerikaner zu einer Feier im Roosevelt-Room des Weißen Hauses und anschließend im Rosegarden. Mit einer Festveranstaltung auf dem Hill und einem Empfang in der Botschaft wurde der German-American-Day gefeiert. Für die Bundesrepublik war Bundesratspräsident Dr. Vogel nach Washington gekommen. Auf amerikanischer Seite war die Study Group on Germany erstmals einer der einladenden Gastgeber.

Der deutsch-amerikanische Freundschaftsgarten

In der Proklamation hatte Präsident Reagan die Schaffung des deutsch-amerikanischen Freundschaftsgartens in der historischen Mall von Washington durch CIA-Chef Charles Vick und den deutschen Botschafter angekündigt: »The recently completed German-American Friendship Garden … symbolizes the close and friendly (relations) between the Federal Republic of Germany and the United States.« Beim Besuch des Bundeskanzlers in Washington im November 1998 haben Charles Vick, der Direktor des USIA (United States Information Agency) und ich am 16.11. diesen Garten eingeweiht. Frau Hannelore Kohl, die den Bundeskanzler begleitete, nahm teil und verlieh der Eröffnung zusätzlichen Glanz.

Der Freundschaftsgarten war ein Projekt der Presidential Commission für die German-American Tricentennial-Feier gewesen, finanziert durch private Spenden, angeregt von Horst und Ruth Denk. Der Garten ist nicht groß. Er hat auch keine spektakuläre Bepflanzung. Aber die Lage hinter dem Weißen Haus in der Mall, auf dem historischen Gelände des Washington Monuments, macht ihn zu einem Kleinod im Herzen des politischen Washington. Sondergenehmigungen von dem Advisory Council on Historic Preservation, der Commission of Fine Arts und der National Planning Commission sowie von anderen Washingtoner Institutionen und Bürokratien waren erforderlich, die wohl so schnell nicht wieder von den Behörden erteilt werden.

Die Botschaft hat sich bemüht, den Friendship Garden zu einem Treffpunkt für deutsch-amerikanische Festlichkeiten in Washington zu entwickeln. Die einmalige Lage erinnerte mich an die populäre Hyde-Park-Corner, an der ich in London oft vorbeigefahren bin.

Über die Deutschen ist scherzhaft gesagt worden, »drei Deutsche gleich vier Vereine«. Die deutschen Einwanderer haben diese Liebe für Vielfalt mit nach USA gebracht. Der Kreis der verschiedenen German-American Associations und Vereine mit sehr unterschiedlichen Zielsetzungen, die manchmal miteinander konkurrierten, machte es schwer, zu einer zusammenfassenden Organisation zu kommen.

Der Zeitpunkt der Auswanderung war von großer Bedeutung. Das Gros der deutschen Auswanderer hatte schlicht eine neue Heimat gesucht, Arbeit, Freiheit und eine Zukunftsperspektive für sich und die Familie. Es gab die enttäuschten Revolutionäre von 1848, es gab die Auswanderer zur Zeit des preußischen Kaisertums vor dem Ersten Weltkrieg, die Notleidenden der Weltwirtschaftskrise, die große Schar der Verfolgten des Nazi-Regimes und schließlich die Emigranten, die sich vor dem Entnazifizierungsverfahren absetzten.

Es erforderte erheblichen Einsatz, diese Gruppen, die völlig unterschiedliche Erinnerungen an Deutschland hatten, die sich teilweise gegenseitig bekämpften, an einen Tisch zu bringen oder gar unter einem gemeinsamen Dachverband zu vereinigen.

Mit dem persönlichem Engagement der deutschen Missionschefs in Botschaft und Konsulaten sowie anderer angesehener Persönlichkeiten bestand durchaus eine Chance, die Differenzen zu überwinden. Das einigende Band konnte die Pflege der Erinnerung an das Land der Herkunft sein, an die Beiträge der Emigranten aus Deutschland für die Entwicklung der Vereinigten Staaten von Amerika zu einem einmaligen Kraftzentrum von Freiheit und Demokratie. Solches Erinnern lag auch im Zug der Zeit, wie die große Wirkung zeigte, die der Erfolgsroman »Roots« für die Erinnerungen afroamerikanischer Bürger hatte.

German-American-Day 1989

1989 zahlte sich die harte Arbeit der Botschaft aus. Erstmals traten die drei bestehenden deutsch-amerikanischen Dachverbände DANK (Deutsch-

Amerikanischer Nationalkongress), Steuben-Society und VDAK (Vereintes Deutsch-Amerikanisches Komitee) gemeinsam auf, nach jahrzehntelanger Konkurrenz und Streitigkeiten. Mit Hilfe und auf Drängen der Botschaft hatten sie sich im German-American Joint Action Committee (GAJAC) zu einem Spitzengremium für die gesamte USA zusammengeschlossen.

Während die German-American-Day-Feiern zuvor weitgehend von der Botschaft und Freunden Deutschlands im Weißen Haus initiiert und vorbereitet wurden, ging die Initiative 1989 bereits stärker auf die Verbände über. Die Mitglieder der deutsch-amerikanischen Vereinigungen haben tausende von Briefen an ihre Senatoren und Abgeordneten geschrieben und zur Zeichnung der Resolution zum German-American-Day 1989 aufgefordert. In jenem Jahr sprachen die deutsch-amerikanischen Vertreter direkt mit dem Amt des Präsidenten über dessen Proklamation und die Feier im Weißen Haus. Präsident Bush hatte, wie in den Vorjahren Präsident Reagan, zur feierlichen Unterzeichnung der Proklamation aus Anlass des German-American-Day ins Weiße Haus eingeladen.

Der Präsident sagte bei dieser Gelegenheit: »Our great nation is strong because we Americans are united by our common belief in individual liberty and the rule of law as well as by faith and family ties. Today as we celebrate the many contributions that Americans of German descent have made to our country let us rededicate our service to promoting the same kind of unity in their ancestral homeland.« Seine anschließenden Worte zur unhaltbaren Flüchtlingssituation in Deutschland und in der Deutschen Botschaft in Prag fanden weite Verbreitung durch die Fernsehanstalten. Neben dem Präsidenten waren die Führer der deutsch-amerikanischen Dachverbände auf dem Fernsehschirm sichtbar.

Die Feier auf dem Hill im größten Saal des Kongresses wurde auf amerikanischer Seite von den Congressional Study Groups getragen und auf deutscher Seite von der deutsch-amerikanischen Parlamentariergruppe des Deutschen Bundestages. Unter den über tausend Gästen waren zahlreiche Abgeordnete und Senatoren. Der Präsident des Abgeordnetenhauses, Speaker Tom Foley, der Vorsitzende der Study Group on Germany, Coleman, sowie die Bundestagspräsidentin Rita Süssmuth und die Vorsitzende von DANK, Frau Elsbeth Seewald, sprachen zu den Gästen. Die festliche Veranstaltung wurde von privaten deutschen und amerikanischen Sponsoren finanziert. Bemerkenswert war der Beitrag der großen Brauerei Anheuser-Busch, die deutsch-amerikanische Belange zum letzten Mal 75 Jahre zuvor unterstützt hatte. Im Vorstand von Coca Cola hat uns Klaus Halle großzügig geholfen, der für den dynamischen internationalenAusbau seines Konzerns verantwortlich war.

Es war für mich beglückend, im traditionellen Caucus Room im Senat und unter den Klängen der Nationalhymnen (die von einer aus Deutschland eingeflogenen Militärkapelle gespielt wurden) die Gäste aus den USA und aus Deutschland zu begrüßen und den herzlichen Dank an alle auszusprechen, die dieses Ereignis mit privaten Spenden und großem persönlichen Einsatz möglich gemacht hatten.

Der neue deutsch-amerikanische Freundschaftsgarten wurde in die Feiern einbezogen. Die Militärkapelle spielte, ein deutsch-amerikanischer Chor sang deutsche und amerikanische Weisen.

Erstmals wurden die Feierlichkeiten 1989 auch auf die Staaten der Union ausgedehnt. Die Botschaft hatte schon im Frühjahr Verbindungen aufgenommen: mit der US-Conference of Mayors, dem wichtigsten amerikanischen Gemeindeverband, und mit der National Conference of State Legislatures, dem Zusammenschluss von mehr als 7.300 amerikanischen Landtagsabgeordneten in allen Bundesstaaten. Mit den Präsidenten der beiden Verbände hatte ich an deren Mitglieder geschrieben und ihnen eine Informationsbroschüre mit Vorschlägen für Aktivitäten zum German-American-Day zugeschickt. Die Fachleute vom Bertelsmann-Verlag in New York hatten ein anziehendes, werbewirksames Faltblatt beigesteuert. Die Reaktion hat unsere kühnsten Erwartungen übertroffen. Etwa 400 Städte und Gemeinden haben den German-American-Day in der einen oder anderen Form begangen. Die Liste der Städte, die Resolutionen erlassen oder Feiern abgehalten haben, füllte vier Schreibmaschinenseiten.

Die Botschaft berichtete damals: »Viele bei der Botschaft eingegangene Schreiben, etwa von deutschstämmigen Bürgermeistern, zeigten, dass das Bewusstsein der deutschen Herkunft lebendig ist und die emotionale Bindung vieler Amerikaner an die alte Heimat für unsere USA-Politik von großem Nutzen sein kann.«

Fernsehen und Zeitungen der USA haben wesentlich mehr über die Feiern berichtet als in den Vorjahren. Das German Information Center hatte einen Film mit Interviews von Bundeskanzler Kohl und Präsident Bush zum German-American-Day produziert. Eric Braden hatte die Moderierung der Interviews übernommen. Dieser Film wurde von 130 Fernsehanstalten ausgestrahlt. Die geschätzte Zuschauerzahl allein für dieses Videoband betrug rund 9 Millionen.

Der Rückenwind der neuen Vorzugsstellung »Partner in Leadership« bot die Möglichkeit, mit dem German-American-Day die Zusammenarbeit in den vielen getrennten Gruppen und Organisationen besser zu bündeln und die Verbindung zwischen unseren beiden Ländern zu aktivieren.

Wir sahen aber auch die großen Probleme: Zunächst mussten die weiteren Proklamationen für den German-American-Day für die nächsten Jahre vom Kongress und Weißen Haus gesichert werden. Fernziel war: nicht eine jedes Jahr zu erneuernde Resolution, sondern die permanente Einrichtung des German-American-Day zu einem festen Datum, wie etwa der Columbus-Tag es für die Italiener und Latinos war.

In der Botschaft stellten wir uns die Fragen: Warum betreiben wir solchen Kraftaufwand? Sprengen diese Bemühungen nicht den üblichen Rahmen einer Auslandsvertretung?

Amerika war für mich ein Sonderfall. Der deutsche Anteil an der Entwicklung dieses großen Landes war durch die verblendeten und verantwortungslosen Kriegserklärungen an die USA in den beiden Weltkriegen jahrzehntelang überschattet und verschüttet worden. Jetzt, da Deutschland endlich seinen Platz in der Gemeinschaft westlicher demokratischer Staaten gefunden hatte, galt es, Erinnerungen und Kenntnisse aufzuarbeiten. Ich sah die Chance, neben der rationalen Verbindung der beiden Regierungen durch gemeinsame globale Ziele und neben der festen Bindung im gemeinsamen Bündnis auch eine stärkere emotionale Komponente der Verbundenheit durch die Herkunft zu entwickeln.

Ich war überrascht und erfreut über das Interesse der Menschen an ihrer Abstammung. Auf den Straßenfesten gab es Zelte, in denen man Auskunft über Namen, Familie und örtliche Bezüge in Deutschland erhalten konnte; die Menschen standen Schlange.

Gemeinsam mit den deutsch-amerikanischen Verbänden und mit Hilfe der deutsch-amerikanischen Industrie haben wir auf Ellis Island Computer mit Passagierlisten des 19. Jahrhunderts aufstellen lassen. So konnten Interessenten nachforschen, mit welchem Schiff und über welche Ausreisehäfen, Hamburg oder Bremen, ihre Vorfahren in die Vereinigten Staaten ausgewandert waren.

Straßenfest in St. Louis

Bei den Dienstreisen ins Land waren die Regionen mit starkem deutsch-amerikanischem Anteil vorrangige Ziele.

Im Juli 1989 feierte die Stadt St. Louis das 30. Jubiläum des jährlichen Straßenfests. Illinois und Missouri waren in der Mitte des 19. Jahrhunderts beliebte Anlaufstellen für deutsche Emigranten, viele fanden dort eine neue Heimat. Unter ihnen befanden sich zahlreiche Deutsche, die nach der gescheiterten Revolution 1848 der Heimat den Rücken gekehrt hatten. Einige von ihnen wurden einflussreiche Berater von Präsident Abraham Lincoln.

Dem Organisationskomitee gehörten publizistisch und politisch erfahrene Persönlichkeiten an. George F. Stammler vom Vorstand hatte viele Jahre als Public-Relations-Experte seinen Lebensunterhalt verdient. Schon gleich bei meiner Ankunft auf dem Flughafen und auf dem Wege in die Stadt hatte er eine Reihe von Kurzinterviews für Funk und Fernsehen arrangiert.

Es folgten Begegnungen mit dem Bürgermeister, mit den Vertretern deutsch-amerikanischer Unternehmen, ein Besuch bei dem eindrucksvollen Präsidenten der Universität Danforth.

Bei meiner Ansprache zu dem großen Kreis der Teilnehmer an dem Straßenfest stießen die Grüße aus Deutschland, die besten Wünsche für den Erfolg des traditionsreichen Festes auf lebhaften Beifall.

Ich gewann einen persönlichen Eindruck von der umfassenden Organisation. Ein Fest von beinahe Münchner Dimensionen, aber nicht im Oktober, sondern bei sengender Hitze in der feuchten Senke des Mississippi. Die Stimmung war gleichwohl ausgelassen, voll herzerfrischender Fröhlichkeit.

Nach eingehenden Gesprächen mit dem Komitee des Straßenfestes und den Vertretern der führenden German-American Verbände über eine engere Zusammenarbeit wurde beschlossen, in St. Louis eine German Heritage Society zu gründen. Ein Nachfahre des berühmten Pfälzer Revolutionärs Hekker sollte den Vorsitz übernehmen.

Es folgte ein Besuch bei Anheuser-Busch, der größten Bierbrauerei der Welt, gegründet von Einwanderern aus Bayern. Die Familie Busch hatte Anfang des 20. Jahrhunderts bei Kontakten mit dem Kaiserhaus schlechte Erfahrungen mit sichtbarem deutsch-amerikanischem Profil gemacht. Seitdem hatte sie sich in der Öffentlichkeit sehr zurückgehalten. Sie war aber gleichwohl bereit, die Heritage Society zu unterstützen und auch sonst bei konkreten Anlässen Hilfe zu leisten.

Die German Heritage Society in St. Louis wurde für uns zum Vorbild, auch in anderen deutsch-amerikanischen Ballungsräumen Zusammenschlüsse anzuregen.

Philadelphia

Im Sommer 1990 begann meine Reise in Philadelphia. In der Hauptstadt von Pennsylvania hatte im Parlament die denkwürdige Abstimmung stattgefunden, ob Deutsch oder Englisch Amtssprache des Staates werden sollte.

Ich war tief beeindruckt von der German Library und von den in ihr noch vorhandenen Zeitungsartikeln in deutscher Sprache zu Verfassungsfragen und politischen Problemen des jungen Staatswesens.

In meiner Rede vor der German-American Business Association of Philadelphia habe ich über die Feiern des 6. Oktober berichtet.

»Our Embassy has given a major support to such activities because we believe that they will be a boon to our bilateral partnership. The German-American community in the United States will be a reservoir of goodwill and support for the future relations between our two countries. Let me clearly state, we are not looking for a political lobby, a pressure group, a caucus, but for natural allies in our efforts to foster and intensify the ›human side‹ of the linkage between our two countries. We want to prove what President Bush said when signing the proclamation honoring the German-American-Day of 1989: ›German-Americans are a vital part of this country's heritage‹.«

German Festival in Milwaukee – Eric Braden wirkt in Los Angeles

Die Stadt Milwaukee feierte am 29. Juli ihr 10. German Festival Milwaukee. St. Louis und Milwaukee hatten schon länger konkurriert, wer das größere und bessere Straßenfest organisierte. Milwaukee, die deutsche Stadt des Mittleren Westens, war nach dem Krieg von Erhard, Adenauer und Ernst Reuter besucht worden. Es wurde begrüßt, dass nach acht Jahren erstmals wieder ein Botschafter kam. Governor Tommy Thomson reiste aus der Landeshauptstadt Madison an.

Die Atmosphäre hat mich stark beeindruckt. Es wurden viele deutsche Lieder gesungen, teils aus länger vergangenen Zeiten. Ich stand einen Moment etwas verlegen auf dem Podium, als der Bürgermeister John Norquist und sein Vorgänger Henry Meyer zusammen mit den Teilnehmern kräftig und mit Begeisterung »Oh du lieber Augustin« intonierten. Bei Strophe 2 und 3 konnte ich mangels Kenntnis des alten Textes nur noch mitsummen. Der Governor fand in seiner Ansprache warme Worte für die German Heritage in Wisconsin, die mit 51 % den größten Anteil der Bevölkerung stellte.

German Heritage war auch das Stichwort für anschließende Gespräche. Milwaukee hatte mit seinen vierzig deutschen Vereinen, dem Goethe-Haus, dem deutschen Sprach- und Schulverein, den deutschstämmigen Bürgermeistern Zeitler und Meyer, mit aufgeschlossenen Deutschabteilungen an beiden Universitäten der Stadt eine gute Grundlage für eine verstärkte Zusammenarbeit der German-Americans in einem größeren Rahmen. Man hörte interessiert zu, als ich von der Gründung der German Heritage Society in St. Louis berichtete.

Einen eigenen Weg gingen Deutsche und Amerikaner in Los Angeles. Hier war unser Freund Hans-Jörg Gudegast, amerikanischer Künstlername Eric Braden, die treibende Kraft.

Hans-Jörg war der Star des Empfangs beim ersten German-American-Day in Washington. Er war extra aus Hollywood angereist. Karin und Hans-Jörg entdeckten mit Freude, dass sie beide aus der gleichen »Ecke« von Holstein stammten. Hans-Jörg war mit jungen Jahren nach Hollywood gekommen und hatte dort aus eigener Kraft seinen Weg gemacht. 1992 erhielt er den Emmy Award als populärster Schauspieler für seine Rolle als Victor in der Daytime-Fernsehshow »The Young and the Restless«. Wann immer wir mit ihm durch die Straßen Washingtons, Los Angeles' oder anderer Städte gingen, folgten begeisterte Fans, die ihn als »Victor« kannten und um Autogramme oder gemeinsame Fotos baten.

Hans-Jörg hat sich mit großem persönlichem Einsatz, mit politischem Fingerspitzengefühl und telegenem Talent in vielen Interviews und Vorträgen für die deutsch-amerikanischen Beziehungen eingesetzt. Er hat es meisterhaft verstanden, in Los Angeles einen Kreis von Persönlichkeiten zusammenzuführen, in dem gerade auch Emigranten der Nazi-Zeit mit anderen German-Americans zusammenkamen und die Verbindung zwischen Deutschland und den USA pflegten.

Karin und ich haben seinen Kreis unterstützt, wir haben vor dessen Mitgliedern gesprochen und haben uns in der heterogenen, anregenden und sympathischen Gruppe besonders wohl gefühlt.

Die deutsche Einheit

Die Mauer fällt

Am 9. November 1989 war ich auf dem Weg nach Santa Fe. Nach einem Vortrag vor dem World Affairs Committee in San Antonio wollte ich mit Karin ein Wochenende bei Marlies Ruhfus verbringen, der Frau meines verstorbenen Bruders, und ihrem neuen Mann Caprice Hatchett. Ich wollte Karin, die mich dort schon erwartete, die herrlichen Berge von New Mexiko zeigen und die Erinnerung an die Studienzeit in den Rocky Mountains in Denver auffrischen.

Kurz nach dem Abflug kam die Stewardess: »Sind Sie Botschafter Ruhfus? Hier ist ein Gespräch für Sie.«

Karin sprach mit aufgeregter Stimme: »Hast du die letzten Nachrichten gehört? In Berlin geht es hoch her, die Mauer wird geöffnet! Die Journalisten wollten unbedingt Interviews mit der Frau des deutschen Botschafters haben. Ich habe sie auf deine Ankunft vertröstet. Mach dich auf was gefasst.«

Die Flugzeugbesatzung ermöglichte ein Gespräch mit dem Pressereferenten der Botschaft. Henning Horstmann bestätigte die dramatischen Meldungen. Wir besprachen den Inhalt einer ersten Reaktion. Als die Maschine landete, sah ich eine Schar von Reportern und Kameraleuten. Jeder wollte möglichst ein gesondertes Interview.

Ich sagte, wie glücklich mich die aufregenden Nachrichten machten. Ich würde mich sofort mit Bonn in Verbindung setzen, um mehr zu erfahren. Sodann versicherte ich, dass die Bundesrepublik Deutschland unverbrüchlich an ihrer Zugehörigkeit zum Lager der westlichen Staaten und Demokratien festhalten werde.

Die technischen Bedingungen auf dem Flugfeld und im Flughafengebäude waren schlecht, die Fragen der Interviewer aus Washington oder aus New York kaum zu verstehen. Karin und ich entschieden, ich würde über Nacht nach Washington zurückfliegen. Sie würde zwei Tage später nachkommen und die Tage allein mit unseren Verwandten verbringen.

In Washington hatte Henning Horstmann eine ganze Reihe von Interviews zugesagt. Wir fuhren im Großraum Washington von Studio zu Studio, um die Fragen zu beantworten. Der Duktus der Antworten war gleich: Freude über die Ereignisse, Dank für das große Interesse und die Sympathie in den Vereinigten Staaten, Bitte um weiteres Vertrauen, dass Deutschland friedlich und unverändert als zuverlässiger Partner des Bündnisses, als loyales Mitglied der Europäischen Gemeinschaft und als treuer Freund der Vereinigten Staaten seinen Weg gehen wird.

Bei Kurzinterviews von drei bis fünf Minuten musste man die wichtigsten Elemente, auf die es uns ankam, konzentriert rüberbringen – auch ohne sich immer ganz an die Fragen zu halten.

Bei McLaughlin, der bekannt und gefürchtet war wegen seiner aggressiven, bohrenden Interviews, habe ich auf seine in schneller Folge abgefeuerten Fragen nach Deutschlands Zuverlässigkeit und Bündnistreue seine Skepsis mit Gelassenheit und voller innerer Überzeugung zurückgewiesen und seine Fragen beantwortet. Während der Pause ermutigte er mich, »lassen Sie sich durch meine harten Fragen nicht abschrecken, antworten Sie weiter so klar und bestimmt und selbstsicher für Ihr Land.« Am nächsten Abend hatte ich einen gemeinsamen Auftritt mit Außenminister Baker in der angesehenen Nachrichtensendung McNeil-Lehra des Public Broadcasting System.

Das letzte Interview war abends um 22.30 Uhr, mit dem bekannten Fernsehkorrespondenten Ted Koppel. Am Wochenende ging es weiter. Am Sonntag war das schwierigste Interview vorgesehen, in der im ganzen Land beachteten Sendung von CBS »Face the Nation«.

Insgesamt acht teilweise lange Interviews in zwei Tagen. Allmählich wuchsen Vertrauen und Routine. Henning Horstmann arbeitete Tag und Nacht, um mich über die Entwicklungen und die amtlichen Äußerungen der Bundesregierung und der politischen Führer auf dem Laufenden zu halten. Wenn er mich morgens um 6.30 Uhr abholte, um mit mir zu den Frühstücksinterviews zu fahren, hatte er sich schon seit 4.30 Uhr in Bonn unterrichtet und mit dem Pressereferat des Auswärtigen Amtes und dem Bundespresseamt abgestimmt.

Nie vergaß ich zu danken: für die große Sympathiewelle der amerikanischen Bürger zugunsten der mutigen Demonstranten in Ostdeutschland, für das Vertrauen und Verständnis der Regierung von Präsident Bush.

Im Pressereferat hatte ich gelernt, dass Fernsehinterviews wirksam und hilfreich sind, aber dass sie auch riskant sein können. Ich hatte im Hinterkopf zum einen die Erfahrung eines meiner Vorgänger in Washington, dem von mir hoch geschätzten Prof. Dr. Wilhelm Grewe. Er hatte sich in den 60er Jahren in einem Frühstücksinterview skeptisch zur Nuklearpolitik der Kennedy-Administration geäußert. Der Präsident hörte das Interview. Wenige Monate später wurde Prof. Grewe von seinem Posten abberufen.

Auf der anderen Seite erinnerte ich mich an die Serie von Interviews, mit denen der britische Botschafter in Washington die Intervention seines Landes auf den Falkland-Inseln erläutert hatte. Trotz der zur Unterstützung Argentiniens neigenden Organisation of American States (OAS) gab Washington der britischen Expedition wichtige Hilfe, vor allem im Bereich der Aufklärung.

Es war für mich beruhigend, als Präsident Bush mich einige Tage später bei einer gemeinsamen Einladung für die drei europäischen Botschafter von Großbritannien, Frankreich und Deutschland anerkennend ansprach: »Juergen, in these days you are more often on TV than I.«

Deutsche Einheit

In den folgenden Monaten war der Weg zur deutschen Einheit das alles überschattende Thema unserer Arbeit. Es gibt kein Ereignis in den deutsch-amerikanischen Beziehungen, das so wohl dokumentiert und beschrieben ist wie diese dramatischen Wochen.

Die Hauptakteure, Kohl, Genscher, Baker und Gorbatschow, haben ihre Erinnerungen über die verschiedenen Etappen der Gipfeltreffen, Konferenzen und Verhandlungen geschrieben. Die engsten Mitarbeiter haben ihre Impressionen und die praktischen Abläufe auf hunderten von Seiten geschildert.

Die Botschaft Washington war in den inneren Kern der Verhandlungen nicht einbezogen.

Bei den entscheidenden Gesprächen von Präsident Bush und Bundeskanzler Kohl in Camp David (Februar 1990) waren die Botschafter beider Länder auf deutschen Wunsch ausgelassen worden. Auch bei den Gesprächen Genscher-Baker im gleichen Monat war ich nicht beteiligt. Der Leiter von Genschers Planungsstab Frank Elbe hatte darauf bestanden, schon seine vorbereitenden Gespräche mit Zoellick ohne jegliche Beteiligung der Botschaft zu führen.

Dramatische Ereignisse, die mehrere Staaten umfassen und sich in atemberaubendem Tempo entwickeln, können nur im kleinsten Kreis vorangetrieben werden, ohne dass Indiskretionen und sensationelle Presseberichte die Entwicklung behindern. Aus meiner Zeit als Staatssekretär und als Berater des Bundeskanzlers waren mir diese Zwänge nicht fremd. Hinzu kam möglicherweise noch Konkurrenzdenken der Koalitionspartner und ihrer Stäbe, wer würde im geschichtlichen Bild die größte Rolle bei diesem historischen Prozess haben.

Es blieb genügend Arbeit für die Botschaft: Unterrichtung der Regierung in Bonn über die Kontakte der US-Regierung mit anderen Ländern zu der deutschen Frage, insbesondere mit der Sowjetunion, aber auch mit den westlichen Verbündeten, über die Stimmung im Kongress, in den Parteien und in den Medien. Hinzu kamen Bemühungen in Washington und im ganzen Land, um die große Unterstützung unseres wichtigsten Verbündeten zu sichern.

Im Rückblick stellt es sich für mich so dar: Während die politischen Kreise in Deutschland im Frühjahr und Sommer 1989 darauf konzentriert waren, die Reisebedingungen und die technischen Kontakte sowie die wirtschaftliche Zusammenarbeit zwischen den beiden deutschen Staaten zu verbessern und die Lage der Deutschen in Ostdeutschland zu erleichtern, wurde in Washington, im Weißen Haus und im State Department, von einer ganz kleinen Gruppe engagierter und überaus kreativer Berater über konkrete Schritte nachgedacht, wie die Teilung Europas und Deutschlands überwunden werden könnte.

Zoellick und Blackwill sprachen vertraulich darüber, im kleinsten Kreise werde über Schritte zur deutschen Einheit nachgedacht. Der amerikanische Botschafter in Bonn, General Vernon Walters, äußerte sich im August 1989 öffentlich über eine baldige Vereinigung. Er wurde von Außenminister Baker zurückgepfiffen, der nachteilige Reaktionen in Moskau befürchtete. In seinen Erinnerungen schreibt Baker, dass er Bush bereits in seinem Gespräch am 17. Mai 1989 darauf aufmerksam machte, das deutsche Thema werde wieder auf den Tisch kommen.

Präsident Bush selbst sprach gegenüber der Öffentlichkeit von »Einheit« für die Deutschen beim German-American-Day am 6. Oktober 1989. Und in einem Interview am 24.10.1989 mit Apple von der New York Times sagte er, er erwarte »major changes in Germany's status« – »I don't share the concern that some European countries have about a reunified Germany.« Bush ging mit seinen Äußerungen über eine deutsche Wiedervereinigung voraus. Der Bundeskanzler sprach von der »deutschen Wiedervereinigung« zum ersten Mal in den zehn Punkten seiner Rede, die er am 28. November 1989 vor dem Bundestag hielt, also nachdem die Mauer gefallen war.

Für mich sind unvergessliche Eindrücke:

– Der nachhaltige persönliche Einsatz von Bush und Baker für die deutsche Wiedervereinigung gegenüber Gorbatschow und Schewardnadse, vor allem beim stürmischen Gipfel in Malta, beim Gipfel im sonnigen Frühlingswetter in Washington und bei dem Besuch von Baker in Moskau.

Diese Unterstützung von Bush ist besonders bemerkenswert nach seinen persönlichen Erfahrungen in Deutschland: 1983, auf dem Höhepunkt der Massendemonstrationen gegen die Mittelstreckenraketen, besuchte er als Vizepräsident Krefeld. Dort geriet er mitten in gewaltsame Demonstrationen, ohne dass die Sicherheitskräfte Gegenmaßnahmen ergriffen. Er musste mit Bundeskanzler Kohl in einer Garage Schutz suchen. Bush sagte später: »Our Secret Service would have shot them.« Andere wären über eine solche Behandlung gekränkt gewesen. Bush sagte rückblickend, er habe damals gesehen, dass Deutschland bereit war, den Preis für die freie Meinungsäußerung zu bezahlen. Damit habe es den Beweis erbracht für eine solide und fest fundierte demokratische Ordnung.

- Der Einsatz der Regierung Bush gegenüber Alliierten und europäischen Nachbarn für die deutsche Einheit und für den Zwei-plus-Vier-Vertrag, bei den Gesprächen mit Premierministerin Thatcher und Präsident Mitterrand, bei den NATO-Gipfeln im Dezember 1989 und im Sommer 1990, beim Treffen der Außenminister aus Ost und West in Ottawa im Februar 1990
- Die große Kreativität, dokumentiert in einem Vorschlag für die Zwei-plus-Vier-Verhandlungen, in den »Neun Punkte(n) für eine Reform des NATO-Bündnisses und seiner Strategie«
- Die Sensibilität und die Fähigkeit, sich in die Lage der anderen Supermacht einzufühlen, das Nachdenken, mit welchen Argumenten man auf sowjetische Überlegungen und Befürchtungen eingehen könne
- Die eindrucksvolle Vision für ein grundlegend verändertes Europa
- Der Mut zum Risiko, bekundet in der Standfestigkeit, mit der die Bush-Administration für den Verbleib des vereinten Deutschlands im NATO-Bündnis eingetreten ist
- Die Begeisterung der amerikanischen Bevölkerung. Viele Deutsche wurden von amerikanischen Freunden angesprochen, wie sehr sie sich freuten, dass die deutschen Demonstranten sich zusammentaten und die kommunistischen Machthaber überwanden.

Karin hatte ein besonders eindrucksvolles Erlebnis. Zwei Tage nach dem Fall der Mauer fuhr sie durch die einsamen und finsteren Wälder West-Virginias, um amerikanische Freunde auf ihrem Landsitz zu besuchen. Ein großer amerikanischer Überland-Truck verfolgte sie. Schließlich blockierte er sie auf einem Parkplatz. Als der bärtige, vierschrötige Fahrer ausstieg, wurde Karin etwas ungemütlich zu Mute. Er kam auf sie zu und fragte: »Are you German?« Als Karin bejahte, sagte er: »I want to congratulate you on the bloodless revolution.« Karin: »Kennen Sie Ostdeutschland?« Seine Antwort: »No idea! But the events are great.«

Der Beitrag der Botschaft

Die deutsche Botschaft wurde vor allen Dingen in der Diskussion über die deutsche NATO-Mitgliedschaft und über die Oder-Neiße-Grenze gefordert. Im Januar 1990 kochte in der öffentlichen Meinung in Washington die Frage hoch, welchen Status wird das vereinigte Deutschland im Bündnis einnehmen.

Bei der Gründung des Diplomatic Press Club am 5. Februar 1990 war ich als Hauptredner vorgesehen.

Auf der Pressekonferenz habe ich herausgestellt, auch das größere Deutschland würde voll zur Demokratie stehen, zu wirtschaftlicher und politischer Einigung in Europa und zur Nordatlantik Pakt Organisation. »Leaving NATO is out of question as a price for unification.«

Das Interesse war groß.

Die Washington Times brachte am nächsten Tag als Aufmacher: »West German official vows not sacrificing NATO role.«

Die nächste Herausforderung war die deutsche Haltung zur Oder-Neiße-Grenze. Beim Besuch des Bundeskanzlers in Camp David im Februar 1990 verfolgte die Botschaft die Abschlusspressekonferenz im CNN-Fernsehen. Wir beobachteten die drängenden Fragen der Korrespondenten, hörten die ausweichenden Antworten des Bundeskanzlers, der an den konservativen rechten Flügel seiner Partei denken musste.

Kritische Reaktionen in der amerikanischen Öffentlichkeit waren voraussehbar. In Telefonaten mit dem Auswärtigen Amt stellte ich fest, dass das Problem dort gesehen wurde.

Es begann ein Wettlauf mit der Zeit. In Bonn drängte Minister Genscher die Bundesregierung, eine Erklärung abzugeben. In USA wuchs die Kritik an der zögerlichen Haltung Bonns. Die Experten waren sich einig: Die Oder-Neiße-Grenze würde ein unvermeidlicher Preis für die Vereinigung sein.

Am 21. Februar 1990 hatte der polnische Premierminister Tadeusz Mazowiecki eine große diplomatische Initiative gestartet. In Briefen an Bush, Gorbatschow, Thatcher und Mitterrand forderte er eine endgültige Anerkennung der Oder-Neiße-Linie. Er bat um die polnische Teilnahme an den Zwei-plus-Vier-Verhandlungen.

Die Polnisch-Amerikaner waren eine vorzüglich organisierte Minderheit, konzentriert um die großen Seen um Chicago. Sie unterstützen das polnische Anliegen in tausenden von Briefen an ihre Abgeordneten und Senatoren.

Im Foreign Affairs Committee des Senats wuchs der Druck. Der Stab des Ausschusses arbeitete bereits an einem Resolutionsentwurf, der die Bundesrepublik nachdrücklich zur Anerkennung aufforderte. Ich telefonierte mit dem befreundeten Senator Dick Lugar und unterrichtete ihn über die Diskussionen und Pläne in Bonn für eine Erklärung des deutschen Bundestages.

Senator Lugar und ich besprachen, dass die Botschaft den Ausschuss so schnell wie möglich über die Entwicklung in Bonn auf dem Laufenden halten werde. Lugar wollte versuchen, einen Beschluss des Ausschusses zu verzögern. Gunter Pleuger und seine Mannschaft standen in ständiger Verbindung mit den Mitarbeitern des Ausschusses. Die Zeit wurde immer knapper. Endlich, am 8. März 1990, kam die Resolution des Bundestages zustande, in der bestätigt wurde, »das polnische Volk soll wissen, dass sein Recht, in gesicherten Grenzen zu leben, durch uns Deutsche mit territorialen Forderungen nicht in Zweifel gezogen wird, weder jetzt noch in Zukunft.« Der Bundestag versprach ferner, die Grenzfrage in einem Vertrag zwischen der gesamtdeutschen Regierung und Polen definitiv zu regeln.

Die die Bundesrepublik kritisierenden Resolutionsentwürfe im Auswärtigen Ausschuss des Senats waren damit Makulatur. Die schnelle Unterrichtung des Senats und auch der amerikanischen Medien über die Resolution des Bundestages half, eine Zuspitzung dieser Frage zu verhindern.

Am 17. Juni 1991 unterzeichneten der polnische Ministerpräsident und der Bundeskanzler den polnisch-deutschen Freundschaftsvertrag. Der polnische Botschafter in Washington, Kazimierz Dziewanowsky, und ich hatten bei einer gesellschaftlichen Begegnung wenige Tage zuvor spontan verabredet, wir wollten in Washington eine gemeinsame Pressekonferenz geben, um die historische Bedeutung des Vertrags für unsere Länder zu erläutern.

Jüdische Bedenken

Die deutsche Wiedervereinigung hat die amerikanischen Juden zutiefst berührt. Sie rief die grausamen Erfahrungen in Erinnerung, die die Juden in der Nazizeit gemacht hatten. Sie hatten Angst vor einem neuen deutschen Nationalismus und vor einem in Europa wirtschaftlich übergewichtigen Deutschland.

Befürchtungen und Ängste, die die deutsche Einheit auslöste, wurden in Resolutionsentwürfe gefasst, und es wurden Vorbehalte gegen die deutsche

Einheit geäußert. In dieser aufgeregten Zeit bewährten sich die Kontakte, die die Botschaft in vielen Jahren zu den jüdischen Verbänden aufgebaut hatte. Unsere Bemühungen um Gespräche über die Entwicklung in Deutschland wurden von den jüdischen Verbänden positiv aufgenommen. Sie waren ihrerseits bemüht, die Thematik zunächst zu erörtern, vorschnelle Reaktionen und Festlegungen zu verhindern. Sie legten Wert darauf, dass der Botschafter oder Mitarbeiter der Botschaft zu den Kongressen und Symposien kamen. Ich selbst oder meine Vertreter haben an allen größeren und wichtigen Konferenzen teilgenommen, bei denen die Frage der deutschen Einheit auf der Tagesordnung stand.

In extrem orthodoxen Kreisen wurde gesagt: Deutschland ist für den Holocaust mit der Teilung bestraft worden. Warum soll das jetzt aufgehoben werden? Atlanta Jewish Times schrieb am 2.3.1990: »A criminal who is sentenced by the acknowledged authority of justice has never been given the right to appeal his sentence. It was the allies' intention that the split-up of Germany after it started two world wars was punitive. So how can the Germans decide they are ready to unite.«

Anfang März führte ich ein langes Gespräch mit dem Direktor der Anti-Diffamation-League von B'nai B'rith International, Abraham Foxman, einem erfahrenen Experten für Öffentlichkeitsarbeit. Er riet, Deutschland müsse sich der zentralen jüdischen Anliegen »Erinnerung« und »Erziehung« annehmen und der Sorge entgegentreten, dass die Erinnerung an den Holocaust in einem wiedervereinigten Deutschland verblasse. Danach haben wir in der Botschaft einen Katalog von Argumenten für die Diskussion mit den jüdischen Gruppen zusammengestellt:

- Die Bundesrepublik wird ihre 40-jährige demokratische Tradition in die Einheit einbringen und auch für ein geeintes Deutschland prägend machen.
- Die Bundesrepublik wird ihre offenen Auseinandersetzungen mit der NS-Vergangenheit einbringen und auch ihre Darstellung im deutschen Schulunterricht sichern.
- Der Gedenktag des Falls der Berliner Mauer am 9. November darf und wird nicht die Erinnerung an die Kristallnacht am gleichen Datum verdrängen.
- Die bisher sehr engen Beziehungen zwischen der Bundesrepublik Deutschland und Israel werden auch von einem geeinten Deutschland fortgeführt werden.

Diese Argumente waren fester Bestandteil unserer Reden. Sie haben uns in unseren Auseinandersetzungen geholfen. Wir haben sie auch sofort nach Bonn durchgegeben für die am 6. April geplante Rede von Bundesminister Genscher in Washington und für die Rede des Bundeskanzlers auf dem World Jewish Congress am 8. Mai 1990 in Berlin.

Es war wichtig, dass diese Grundsätze schon bald bestätigt wurden: Das demokratische ostdeutsche Parlament erkannte in seiner ersten Resolution die Verantwortung für die gemeinsame deutsche Geschichte an und entschuldigte sich bei allen Opfern, vor allem den Juden.

Der American Jewish Congress hatte am 19. Februar 1990 sein Halbjahrestreffen in West Palm Beach. Der deutsche Botschafter war als Hauptredner vorgesehen. Die Diskussion mit über 500 jüdischen Vertretern aus dem ganzen Land dauerte bis in die späten Abendstunden. Am Ende standen Teilnehmer um das Rednerpult: »Botschafter, meine Angehörigen sind in Auschwitz umgekommen. Wir möchten Ihnen gerne glauben. Welche Garantien können Sie uns geben?«

Ich habe ihnen mit all meiner Überzeugungskraft gesagt, ich sei sicher, dass die deutsche Jugend, die jüngere Generation, unsere Kinder fest verankert seien in der Demokratie, sie seien über den Holocaust und die schrecklichen Ereignisse eingehend unterrichtet worden; ich hielte es für unmöglich, dass sich die Ereignisse der Nazizeit wiederholen würden.

Das wichtigste Ergebnis dieses Treffens war, dass es keine Resolutionen gab, die sich kritisch oder negativ zur deutschen Einheit äußerten. Die Delegierten des Treffens des American Jewish Congress in West Palm Beach verzichteten auf eine zunächst erwogene Resolution.

Vice-President Henry Siegman erklärte im Anschluss an die Vortragsveranstaltung vor der Presse: »To the extent that a Jewish audience can be reassured that the German political leaders understand their concerns and recognize therefore a serious responsibility to act in a manner that allays them … The ambassador's presentation was extremely well received and considered reassuring.«

Andere, ähnlich bewegende Begegnungen folgten. Am 7. März hatte ich eine stundenlange Diskussion auf einer Seminarveranstaltung des American Jewish Committee in New York. Weitere Veranstaltungen fanden mit B'nai B'rith International und der Conference of Presidents statt.

So konnten wir in den ersten stürmischen Wochen helfen, den Damm zu halten. Allmählich setzte sich eine weniger emotionsgeladene Haltung durch. Der Vorsitzende von B'nai B'rith, Seymour D. Reich, schrieb einen Brief an den Bundeskanzler, in dem er einen positiven Ton zur Einheit anschlug und mit dem Appell endete, auf die vier Hauptsorgen einzugehen:

Reparationen, Antisemitismus, Israel und Holocaust-Erziehung. Brücken müssten gebaut werden, und B'nai B'rith wolle helfen, sie zu bauen.

Die große Rede des Bundeskanzlers auf dem jüdischen Weltkongress in Berlin, in der er ausführlich auf all diese Sorgen einging, hat entscheidend dazu beigetragen, die Diskussion zu versachlichen und Ängste abzubauen.

Begeisterte Feiern zum Tag der Einheit in Washington

Für Millionen Deutsche war der Tag der Einheit, der 3. Oktober 1990, ein Glückstag in ihrem Leben. Für Karin und mich war es der Höhepunkt unserer beruflichen Tätigkeit.

Vor Jahresfrist hatte ich mit Bundesminister Genscher besprochen, dass Karin und ich auf die von ihm für uns vorgesehene Anschlussversetzung an den Vatikan verzichten und unsere Dienstzeit in Washington verlängern würden. Damals war nicht vorauszusehen, dass sich gerade im Herbst 1990 die dramatischen Ereignisse in Deutschland überstürzen würden.

Am 1. Juli trat die Währungs-, Wirtschafts- und Sozialunion zwischen der Bundesrepublik Deutschland und der DDR in Kraft. In Wallstreet haben selbst die hartgesottenen, vorsichtigen Börsianer die D-Mark in ihrem Wert um 1 Cent höher gehandelt. Bei ihrem Gipfeltreffen im Kaukasus (14. bis 17. Juli) verkündeten Bundeskanzler Kohl und Staatspräsident Gorbatschow, sich über die äußeren Aspekte der deutschen Einheit einig zu sein. Am 31.8. wurde der Einigungsvertrag zwischen den beiden deutschen Staaten unterzeichnet. Am 12. September 1990 unterschrieben die Außenminister bei dem letzten Zwei-plus-Vier-Treffen in Moskau den Vertrag »über die abschließende Regelung in Bezug auf Deutschland«. Am 3. Oktober 1990 trat die DDR der Bundesrepublik Deutschland bei gemäß Artikel 23 des Grundgesetzes.

In Washington zeichnete sich ab, dass zwei wichtige und glückliche Ereignisse zu einem Höhepunkt zusammenkommen würden: Der von Präsident Bush proklamierte, jetzt schon traditionell für den 6. Oktober proklamierte German-American-Day 1990 und der Tag der deutschen Einheit sollten in einem gefeiert werden.

Die Botschaft schlug vor, Bundesaußenminister Genscher sollte das vereinte Deutschland bei den Feiern vertreten und entwarf ein attraktives Programm mit vielen großen Feiern. Wer konnte den Dank des vereinten

Bei der Feier im Rosegarden im Weißen Haus dankt Botschafter Ruhfus als Vertreter des vereinten Deutschlands Präsident Bush für die Hilfe der Vereinigten Staaten

Deutschlands besser überbringen als der Vizekanzler aus Halle, der so viel für die deutsche Einheit erreicht hatte.

Aber die innerdeutschen Anforderungen ließen dem Außenminister und Vorsitzenden der FDP keine Luft und erforderten seine Anwesenheit in Deutschland.

So hatten Karin und ich das unerwartete Glück, unser vereintes Land bei den Feiern mit unseren amerikanischen Freunden in Washington zu vertreten.

Am 2.10. luden Karin und ich die Mitarbeiter der Botschaft und ihre Partner ein, um ihnen für die harte Arbeit zu danken und sie auf die Feiern dieses historischen Ereignisses einzustimmen.

Der 3. Oktober war ein strahlender Sonnentag. Als ich im Rosegarden des Weißen Hauses eintraf, füllten sich die Reihen. Ich sah viele Vertreter der Gruppen, um die ich mich in den letzten Jahren besonders bemüht hatte: in

Präsident Bush gratuliert Karin bei der Feier im Weißen Haus zum großen Tag der Deutschen

den ersten Reihen Senatoren und Congressmen, vor allem aus den beiden Study Groups, die führenden Vertreter des German-American Joint Action Committee, Frau Seewald, Herr Krüger und Herr Theune; viele Repräsentanten deutsch-amerikanischer Unternehmen, der Universitäten und der Think Tanks, die sich beständig mit Deutschland beschäftigt hatten. Hinter ihnen saßen die amerikanischen und deutschen Journalisten und Fernsehkorrespondenten.

Bush kam pünktlich, federnden Schrittes und mit strahlendem Lächeln. Die deutsche Nationalhymne wurde von einer US-Marine-Kapelle gespielt, die amerikanische Nationalhymne von einer Kapelle der Bundeswehr.

Der Präsident unterzeichnete die Proklamation für den German-American-Day 6. Oktober 1990. Ich übergab dem Präsidenten die Botschaften des Bundeskanzlers und des Bundespräsidenten.

Der Präsident sagte über die Vereinigung: »A wonderful moment delayed for almost half a century.« Er habe die Feiern in Berlin am Fernsehen gesehen und den Bundeskanzler angerufen, um ihm zu gratulieren. »I was very moved … It is the wall that lies in ruins and our eyes are open to a new world of hope.«

In meinen kurzen Worten übermittelte ich dem Präsidenten und den Amerikanern in diesem historischen Moment Grüße und Dank des ganzen deutschen Volkes:

»Heute ist ein Tag der Dankbarkeit. Unsere Dankbarkeit gilt zuallererst dem amerikanischen Volk und der amerikanischen Regierung. Seit den Tagen der Luftbrücke haben sie unsere Freiheit in langen Jahren der Spannungen und Gefahren geschützt. Wir erinnern uns sehr gut, dass Sie, Herr Präsident, schon bevor die Mauer eingerissen wurde, ihre volle und vorbehaltlose Unterstützung für ein vereintes Deutschland in der NATO erklärten.«

»Heute ist auch ein Tag der Rückbesinnung. Wir werden das grenzenlose Leid nicht vergessen, das im Namen Deutschlands den Nationen Europas und der Welt gebracht wurde. Wir erinnern uns besonders der Leiden des jüdischen Volkes. Deutschland ist sich einig in der Entschlossenheit, dass sich dies niemals wiederholen darf … Es ist ein glückliches Zusammentreffen, dass in den Tagen, in denen Deutsche in Berlin und im ganzen Land die Vollendung der nationalen Einheit feiern, die Amerikaner deutscher Abstammung hier in den USA den German-American-Day feiern. Ihre Vorfahren widmeten sich der Zukunft ihres neuen Vaterlandes und bereicherten so das amerikanische Erbe mit ihrer eigenen reichen kulturellen Identität. Dieser Gedenktag hält Erinnerungen an den großen Beitrag lebendig und stärkt die Verbindung zwischen den Amerikanern deutscher Abstammung und dem Land ihrer Vorfahren.«

Frau Seewald sprach anschließend für das German-American Joint Action Committee. Die Washington Post leitete ihren Bericht über die Feier »Bush & the jubilant Germans« mit den Worten ein: »Yesterday the cheers could be heard from the White House to Embassy Row.«

Nach der Feier im Weißen Haus hatten Karin und ich diplomatische Kollegen und Vertreter von Regierung und Politik in die Botschaft eingeladen.

Der Maestro des National Symphony Orchestra, Mstislav Rostropowitsch, hatte sich bereit erklärt, die Sarabande der Bach-Suite Nr. 3 zu spielen. Ich führte Rostropowitsch mit den Worten ein: »Wir könnten den Tag nicht besser feiern als mit der Musik, die Sie am 11. November des letzten Jahres vor der Mauer in Berlin gespielt haben.«

Dankgottesdienst in der überfüllten Washington National Cathedral

Deputy Secretary of State Lawrence Eagleburger überbrachte die Glückwünsche der amerikanischen Regierung: »We won! We won! It's a great day!« Allerdings erinnerte er sodann an die jüngste Irak-Krise und an die Beratungen der Vereinten Nationen in New York über die Entwicklung in der Golfregion.

Der denkwürdige Tag ging zu Ende mit einem feierlichen Gottesdienst zum Tag der deutschen Einheit in der Washington National Cathedral. Diese größte Kirche in Washington war überfüllt. Die Washingtoner Zeitungen sprachen von drei- bis viertausend Teilnehmern.

Pfarrer Bernd Wrede hielt die eindrucksvolle Predigt dieses Dankgottesdienstes. Die Gemeinde sang gemeinsam, in Deutsch und Englisch: »Ach bleib mit Deiner Gnade«, »Ein feste Burg ist unser Gott« und zum Abschluss Johann Sebastian Bachs »Nun danket alle Gott«. Es herrschte eine so ergriffene Stimmung, dass die Gemeinde spontan die deutsche Nationalhymne anstimmte »Einigkeit und Recht und Freiheit«. Für einige Deutsche kam dieser Abschluss überraschend, für die Amerikaner war er an einem solchen historischen Tag eine Selbstverständlichkeit.

Am nächsten Tag waren die Feiern auf dem Hill im Capitol. Nach einem Mittagessen mit den Vorsitzenden der beiden Study Groups on Germany, Senator Bill Roth und Congressman David Price, eilte ich zu einer Feierstunde, in der ein drei Tonnen schweres Originalstück der Berliner Mauer übergeben wurde.

George Mitchell, der Fraktionsführer der Demokraten, und ich eröffneten eine Ausstellung, die Fotos vom Fall der Mauer zeigte.

Um 17.00 Uhr folgte der festliche Empfang im größten Saal des Senats auf dem Capitol Hill. Die Congressional Study Group war Gastgeber, Speaker Foley und Bundestagspräsidentin Süssmuth hatten die gemeinsame Schirmherrschaft übernommen.

Walter Momper, der Regierende Bürgermeister von Berlin und zugleich Vorsitzender des Bundesrates, war unter großem Zeitdruck direkt von den Feiern in seiner Stadt zu dem Empfang auf den Hill gekommen.

Mich erfüllte ein tiefes Glücksgefühl, als ich den großen Kreis der prominenten Gäste im historischen Caucus-Room des Kapitols begrüßen konnte.

Regierender Bürgermeister Walter Momper hielt eine längere Rede, in der er den Dank der Berliner und der Deutschen für die unermüdliche Unterstützung der Amerikaner seit den Tagen der Luftbrücke aussprach. Helmut Krüger vom Joint Action Committee sprach für die Deutsch-Amerikaner. Es war ein großer Empfang, an dem viele Abgeordnete, Senatoren und Staffer der Parlamentarier teilnahmen.

Auf der Fahrt zurück zur Botschaft machte ich mir besorgte Gedanken, wie werde ich das Botschaftsgebäude vorfinden? Wir hatten zu dem besonderen Anlass von vornherein einen ungewöhnlich großen Kreis eingeladen – bis zum äußersten Fassungsvermögen der Botschaft. Dann kam die große Welle der Sympathie und Mitfreude.

Wir besprachen die Probleme in der Morgenrunde. Wir alle hatten in der einen oder anderen Form die Begeisterung der Amerikaner miterlebt. Wir konnten sie nicht abweisen, wenn sie mit uns feiern wollten.

Wir beschlossen, die Sicherheitskräfte zu verstärken. Ein höherer Beamter der Botschaft sollte ihnen beistehen und jeweils großzügig entscheiden, wenn Gäste kamen, die keine Einladung vorzeigen konnten.

Karin und ihr Stab sowie das Protokoll trugen die Hauptlast. Wir mieteten zusätzliche Zelte, um den großen Parkplatz zu überdachen, dazu Gläser, Tische und Stühle. Wir stellten den Weinkeller und unseren gesamten Vorrat an deutschem Bier zur Verfügung.

Anheuser-Busch lieferte amerikanisches Bier.

Der Regierende Bürgermeister Momper und ich hatten Mühe, durch die Menge hindurchzukommen und das Stimmengewirr mit unseren Ansprachen zu übertönen. Das Bad in der Menge machte Momper sichtlich Spaß. Die Volksfeststimmung währte bis in die späten Abendstunden. Am Ausgang verteilte National Geographic Magazine aus seinem neuesten Atlas, die Karte vom vereinten Deutschland: ohne innere Grenze an der Elbe.

Der Senat ratifiziert den Zwei-plus-Vier-Vertrag

Am 9.10. fuhren Karin und ich wieder zum Hill. Der amerikanische Senat hatte Wert darauf gelegt, den Zwei-plus-Vier-Vertrag als erstes Parlament zu ratifizieren.

Senator Clairborne Pell, der Vorsitzende des Auswärtigen Ausschusses, führte das Dokument 263101/20 »Treaty on the Final Settlement with Respect to Germany« ein. Pell berichtete über Inhalt und Verhandlungen des Vertrages. Er lobte die Regierung für ihren erfolgreichen Einsatz für die deutsche Einheit. Er fand anerkennende Worte für die Bundesregierung und das deutsche Volk.

Karin und ich folgten den Ausführungen aus der ersten Reihe des vornehmen, mit edlen Hölzern ausgekleideten Sitzungssaals des Senats. Die Stimmen der Senatoren waren gedämpft. Mir fielen die Worte von Helmut Schmidt ein: »Der Senat ist der nobelste und zugleich mächtigste Club der Welt.«

Nach Pell folgte der bekannte Hardliner von North Carolina, Senator Jesse Helms. Danach Paul Simon von Illinois, Dick Lugar von Indiana, Freunde Deutschlands, Senatoren, die viele German-American Wähler in ihrem Staat hatten. Arlen Spector aus Pennsylvania und Rudy Boschwitz aus Minnesota; Senator Boschwitz war nur wenige Monate später als ich in Deutschland geboren – aber welch unterschiedliches Schicksal, wie verschieden der Lebensweg. Er erinnerte daran, er habe, zwei Jahre alt, mit seiner Familie Deutschland verlassen. Von der großen Familie habe nur eine Großmutter den Holocaust überlebt. Er schilderte die Kriege seit der Bismarckschen Reichsgründung. In den 75 Jahren seien in den von Deutschland ausgelösten Kriegen 75 Millionen Menschen umgekommen. Das neue Deutschland habe sich verpflichtet, diese Geschichte werde sich nicht wiederholen. Er werde für den Vertrag stimmen. Das vereinte Deutschland möge sich aber erinnern, dass der Senat und der Senator von Minnesota die Politik des neuen Deutschlands mit Aufmerksamkeit verfolgen würden.

Der Führer der Republikaner Robert Dole, Kansas, und der Führer der demokratischen Mehrheit im Senat George Mitchell begrüßten den Vertrag mit starken Worten der Anerkennung für den Erfolg der amerikanischen Regierung, für die Leistung der Bundesregierung, des deutschen Volkes und mit besten Wünschen für das vereinte Deutschland.

George Mitchell, John Warner, Virginia, und weitere Senatoren fanden anerkennende Worte für die Arbeit der deutschen Botschaft und des deutschen Botschafters in Washington. Senator Nunn sagte: »I think we would all like to conclude that there was a job well done in the Federal Republic of Germany by Ambassador Juergen Ruhfus who has worked with the Senate for many years now and has the confidence and respect of this body unlike anything I have seen accorded to men in comparable position … I do not think the country of Germany could have been better represented during this crucial period here in the Congress than it was by the Ambassador. He also has a very charming wife who is a good compliment to his team. We congratulate him.«

Andere Senatoren nickten uns zustimmend zu. Diese Worte hier im Senat freuten mich besonders auch für Karin. Es war die wohlverdiente Anerkennung für ihre harte Arbeit in Washington, aber auch für ihren großen Einsatz während der letzten drei Jahrzehnte in Nairobi, in London und in Washington.

Der Senat stimmte ab: 98 Ja-Stimmen, keine Nein-Stimme, 98:0; R 43:0 D 55:0. Fast alle Senatoren waren zu dieser Abstimmung gekommen. Keine Gegenstimme, keine Enthaltung, wie uns Senatoren hinterher beglückwünschten: ein ungewöhnliches und eindrucksvolles Ergebnis.

Der Golfkrieg

Am 16.1.91 abends erhielt mein Vorzimmer einen Anruf aus dem Büro von Außenminister Baker: »Kann der Botschafter sofort zum Außenminister kommen?«

Ich fuhr durch die nächtlichen Straßen von Washington. Im State Department herrschte geschäftiges Treiben. Ich wurde ohne die üblichen Formalitäten und Sicherheitsüberprüfungen direkt ins Büro von Außenminister Baker geführt. Baker teilte mir in knappen Worten mit: Nachdem Saddam Hussein das Ultimatum der Vereinten Nationen, Kuwait zu räumen, nicht befolgt hätte, würden die USA gegen Irak militärisch vorgehen. Die Vereinigten Staaten hofften auf die Unterstützung ihrer Verbündeten.

Die Miene Bakers war ernst. Er bat um Verständnis für die Kürze des Gesprächs. Weitere dringende Gespräche und Telefonate warteten.

Die Entwicklung kam nicht überraschend. Die irakischen Truppen waren am 2. August 1990 in Kuwait einmarschiert. Der Irak hatte Kuwait erobert und annektiert. Monatelang hatten die USA eine Droh- und Druckkulisse aufgebaut, um die irakische Regierung zum Rückzug zu bewegen: eine gewaltige Konzentration von Truppen in der Golfregion, ein immer engeres Netz von Resolutionen und Beschlüssen der Vereinten Nationen, die schließlich in dem Ultimatum gipfelten, spätestens bis zum 15.1.91 Kuwait zu verlassen.

Ich schaltete nach Rückkehr sofort den Sender CNN ein. Karin und ich verfolgten am Fernsehen den spektakulären und präzisen Ablauf der militärischen Aktionen gegen Irak.

Die amerikanische Regierung und die Medien betonten, dass die USA diesen Krieg nicht alleine führten. Bush und Baker hatten eine Koalition von 26 Staaten in Europa, Amerika und auch aus der arabischen Welt zusammengebracht.

Es folgten aufregende Tage, in denen der Vormarsch der amerikanischen Truppen alle Gespräche in Washington beherrschte.

Ein wichtiger Brennpunkt war Israel. Als irakische Raketen in Israel einschlugen, begann das diplomatische Ringen zwischen Washington und Tel Aviv, ob die israelischen Streitkräfte entsprechend der ständigen Strategie des Landes sofort energisch zurückschlagen würden oder ob Israel es den USA und der von Washington gebildeten Koalition überlassen würde, Saddam Hussein niederzukämpfen und zu besiegen. Der Druck aus Tel Aviv wuchs ernorm, als weitere Scud-Raketen in Israel niedergingen.

Karin und ich waren in jenen Tagen mit dem Israelischen Botschafter Salman Shoval und seiner Frau zum Abendessen verabredet. Salman schilderte, wie hart es für Israel sei, sich zurückzuhalten, während die Raketen eine tödliche Bedrohung für die Zivilbevölkerung im Lande brachten. Karin und ich waren besorgt, ob weitere Enthüllungen in der internationalen Presse über deutsche Zulieferungen zum Bau der Raketen folgen und unserem Land eine Mitverantwortung für die Gefährdung Israels zuweisen würden.

Wir vier nahmen uns bei den Händen und vereinten uns in der Bitte, dass die Patriot-Raketen, die die Amerikaner zur Abwehr entsandten, helfen würden, größeren Schaden von der israelischen Bevölkerung abzuwehren.

Für den 3. Februar 1991 hatte ich schon lange einen Vortrag vor dem Combined Breakfast Forum der israelitischen Gemeinde von der Synagoge EMANUEL in New York zugesagt. Mit der steigenden Bedrohung Israels wuchs meine Nervosität über die bevorstehende Begegnung mit den Mitgliedern einer der führenden jüdischen Gemeinden von Manhattan.

Ich nahm an dem Gottesdienst in der Synagoge teil. Ich war stark beeindruckt: Der gesamte Gottesdienst nahm Bezug auf Israel, das Land, seine Geschichte, seine Menschen in der Vergangenheit und in der Gegenwart.

Als ich zum Vortrag in den großen Gemeindesaal schritt, kreuzte eine Dame im Rollstuhl meinen Weg. Sie hatte ein fein geschnittenes Gesicht, weiße Haare, gerade Haltung des Oberkörpers; sie sah mich mit klaren und freundlichen Augen an: »Ambassador, this is not easy for you. I have lost many members of my family in concentration camps. But you still represent a great country.« Ihr Schlussappell: »Stand tall for your country!« ist mir unvergesslich.

Ihre Worte machten mir Mut für den Vortrag. Am Ende einer langen Diskussion hatte ich den Eindruck, es war gelungen, einige Informationen über das demokratische Deutschland überzubringen und vor allem unsere große Hilfe an Israel – und auch unsere enge Verbundenheit mit dem jüdischen Staat zu verdeutlichen.

Gottlob stellte sich später heraus, dass die Zielgenauigkeit der irakischen Raketen überschätzt worden war und der Schaden begrenzt blieb.

In jenen Wochen zeigte sich die Verbindung »Partners in Leadership« in neuem Licht. Sie war nicht nur eine privilegierte Einstufung Deutschlands. Sie umfasste auch konkrete Erwartungen an Deutschland im Bereich weltweiter Aufgaben und Lasten. Die Hochstimmung gegenüber Deutschland wandelte sich. Es gab herbe Kritik an deutschen Zulieferungen zu den Scud-Raketen, es gab ein weit verbreitetes Gefühl der Enttäuschung. Abgeordnete im Kongress und Senatoren sagten: »Gerade erst haben wir euch zur Einheit verholfen und mit euch gefeiert. Wo seid ihr jetzt in der Stunde der Not?«

Deutsche Soldaten waren im Irak nicht beteiligt. Die Botschaft hatte 1990 tagtäglich hautnah die Sympathie und Unterstützung der amerikanischen Bürger und der Öffentlichkeit auf dem Wege zur deutschen Einheit erlebt. Anfang 1991 standen meine Mitarbeiter und ich in nun vorderster Linie, um der schnell wachsenden Skepsis und Kritik entgegenzutreten.

Nach dem 16.01. hüllte die Bundesregierung sich in Schweigen. Es dauerte Tage, ehe es eine Äußerung aus Bonn zum Golfkrieg gab. In Washington wurde unter Journalisten und Kennern Deutschlands die Frage gestellt, ob der Wahlkampf in Hessen die führenden Bundespolitiker so beschäftigte oder ob sich eine Stellungnahme so stark auf das Wahlergebnis auswirken könnte, dass aus Bonn nichts zu hören sei.

Die Botschaft sandte dringende Berichte, in denen sie auf die wachsende Enttäuschung hinwies und nachdrücklich für entlastende Hilfsmaßnahmen eintrat. Ich suchte in Telefonaten mit dem Staatssekretär des Auswärtigen Amts und mit meiner früheren Abteilung im Bundeskanzleramt das Bewusstsein für die negative Entwicklung zu schärfen.

In Gesprächen mit den amerikanischen Journalisten, mit Regierung und Parlament wiesen die Mitarbeiter und ich darauf hin, dass die Bundesrepublik Deutschland im Golfkrieg von Anfang an die gemeinsamen Erklärungen der NATO und der EU sowie die Resolutionen des VN-Sicherheitsrats voll mitgetragen und unterstützt hatte. Aus verfassungsrechtlichen Gründen aber könnten wir nicht wie andere Europäer Truppen an den Golf entsenden.

Dass ein wiedervereinigtes Deutschland zögere, sich an Kriegen in der Dritten Welt zu beteiligen, sollte nicht nur kritisch gesehen werden, sondern auch Anlass zum Verständnis für die friedliebende Haltung des vereinten Deutschlands sein.

Ende Januar flogen Bundesminister Genscher und Bundesminister Spranger nach Israel. Das Bundeskabinett verabschiedete nach deren Rückkehr sofortige Hilfsmaßnahmen für die Sicherheit Israels und seiner Bevölkerung. Innerhalb kürzester Zeit entsprach die Bundesregierung den Bitten von Präsident Bush um finanzielle Beiträge in Milliardenhöhe. Damit entspannte sich die kritische Diskussion.

Mitte Februar kam Graf Lambsdorff. Er war von der verschlechterten Stimmung so beeindruckt, dass er sich gegenüber deutschen Journalisten hierzu deutlich äußerte. Dies war eine wichtige Bestätigung der alarmierenden Berichterstattung der Botschaft.

Bundesminister Genscher kam – nach Besuchen in Ägypten, Syrien und Jordanien Mitte Februar – am 28. Februar und 1. März erstmals zu Gesprächen nach Washington. In seinen Begegnungen mit Präsident Bush, Außenminister Baker und Verteidigungsminister Cheney konnte er darauf hinweisen, dass Deutschland die Vereinigten Staaten und auch Israel umfassend unterstützt habe (die gesamten deutschen Unterstützungsleistungen an die Allianz in den Jahren 1990/1991 für die Golf-Region betrugen über 17 Milliarden Deutschmark, mehr als 10 Milliarden an die USA, andere finanzielle Zahlungen an Großbritannien, Frankreich, die Türkei und weitere Verbündete. Hinzu kamen die indirekten, in der Öffentlichkeit weniger beachteten Beiträge, die Deutschland als strategischer Umschlagplatz für amerikanische und britische Streitkräfte geleistet hatte).

Ich habe manches Mal nachgedacht, wie viele Milliarden unser Land hätte sparen können, wenn wir wie die Italiener oder andere Verbündete mit einigen Flugzeugen, mit Minensuchbooten, Spürpanzern Fuchs oder selbst mit Lazarettflugzeugen unsere Solidarität durch sichtbare Präsenz in der

Kampfzone unter Beweis gestellt hätten. Aber das innenpolitische Verständnis war noch nicht vorhanden.

Jedenfalls hatten die enorm hohen Zahlungen ihre Wirkung getan. In den Gesprächen mit Minister Genscher wurde die vorausgegangene Enttäuschung über die fehlende deutsche Beteiligung an den militärischen Auseinandersetzungen nicht zur Sprache gebracht. Der umfangreiche deutsche Beitrag wurde dankbar vermerkt.

Werben für das vereinte Deutschland

Nach den ausgedehnten Feiern des großen internationalen Erfolges der Regierung Bush im Golfkrieg wandte sich das politische Leben in Washington schnell wieder den innenpolitischen Aufgaben und den Haushaltsproblemen zu.

Die Botschaft stand vor der Aufgabe, das Bild des vereinten Deutschlands von Schatten zu befreien. Die gemeinsamen Erfolge von Washington und Bonn bei der deutschen Einheit und der Beendigung des kalten Krieges hatten unserem Ansehen einen großen Sympathiezuwachs gebracht. Im Golfkrieg aber hatten wir unser Goodwill-Konto kräftig abgeräumt.

Die Administration wusste die 17-Milliarden-DM-Hilfe zu würdigen. Doch trotz großer Anstrengungen von Botschaft und vom German Information Center konnte diese rational wichtige Tatsache nicht die emotionalen Reaktionen ausräumen: »Wo waren die deutschen Freunde, denen wir gerade erst geholfen haben, als wir in der Wüste kämpften?«

Bei der Werbung um Verständnis und Sympathie für unser Land leistete der große Kreis von amtlichen Außenstellen, Kammern, Instituten, Unternehmen und Gesellschaften, die Deutschland und den deutsch-amerikanischen Beziehungen nahe standen, wertvolle Hilfe.

Wir haben dieses lockere, aber weit gespannte Netzwerk, das die Möglichkeit bot, auch auf entlegene Teile des weiten Landes auszustrahlen, gepflegt und ausgebaut.

In den USA gab es über 30 Honorarkonsuln, von Anchorage (Alaska), Honolulu (Hawaii) bis Christ Church (Texas) und Florida. Sie waren oft einflussreiche Persönlichkeiten, die bei nur geringen Zuschüssen für ihre Bürokosten großen Einsatz vor Ort entfalteten. Manche von ihnen hatten einen lebhaften Austausch mit der lokalen Presse. Wir luden sie regelmäßig zu Treffen nach Washington ein, um sie eingehend zu informieren (oftmals mit Ehefrauen und einem attraktiven Programm).

In New York gab es einen sehr lebendigen Wirtschaftskreis der Vertreter deutscher Firmen und Gesellschaften.

Das jährliche Treffen in Washington mit den Chefs der in USA tätigen deutschen Unternehmen hatte großes Gewicht. Deutschland war Handelspartner Nr. 2 der USA. Viele von diesen CEOs wurden schon bald in führende Positionen ihres Konzerns nach Deutschland zurückgerufen. Die Liste dieses Kreises las sich einige Jahre später in Bonn wie ein Almanach der Chefs führender deutscher Unternehmen: Dormann von Hoechst, von Wittgenstein von Mannesmann, Struwe von BASF, Woessner von Bertelsmann und andere mehr.

Diese Persönlichkeiten waren seit Jahren von dem amerikanischen System geprägt, »good governance« und »good corporate citizenship« waren für sie selbstverständliche Anliegen.

Die Gespräche mit ihnen zählten für meine Mitarbeiter und mich zu dem ergiebigsten Erfahrungsaustausch eines jeden Jahres.

Noch bedeutender waren die jährlichen deutsch-amerikanischen Unternehmergespräche der Vorsitzenden führender Konzerne in beiden Ländern. Ich erhielt Zugang zu diesen Gesprächen, als ich dem Präsidenten des angesehenen New Yorker Bankhauses JP Morgan Lou Preston bei einem Jahrestreffen das Bundesverdienstkreuz überreichte. Karin und ich gaben bei den jährlichen Begegnungen Abendessen in der Residenz.

Als Preston bald darauf zum Leiter der Weltbank berufen wurde, übernahm der Engländer Dennis Weatherstone den Vorsitz von JP Morgan, der Deutsche Kurt Viermetz wurde sein Vertreter. Eine derartige Führung von ausländischen Experten wäre für deutsche Großbanken in Frankfurt in jenen Jahren undenkbar gewesen. Seit damals sind Kurt Viermetz und ich durch unser persönliches Engagement für eine enge deutsch-amerikanische Zusammenarbeit verbunden.

Die Verflechtungen zwischen den Unternehmen der Industrie, des Handels und der Finanzwelt waren in meinen Augen ein besonders wichtiger Aktivposten der deutsch-amerikanischen Beziehungen. Es galt, die Mitarbeiter der betreffenden Unternehmen für die Sicht zu gewinnen, dass sie sich nicht als Abhängige ausländischer Kapitaleigner empfanden, sondern als Bindeglieder zwischen zwei befreundeten Ländern.

Unter Edzard Reuter begann Daimler-Benz ein umfassendes Programm für Austausch und direkte Verbindungen zwischen Arbeitern und Angestellten des Konzerns in Deutschland und in den USA.

Nach meiner Rückkehr nach Deutschland habe ich mich als Mitglied des Aufsichtsrats der Adam Opel AG, in den mich der Vorsitzende von General

Motors Jerrry Smith und der Vorstandsvorsitzende der Adam Opel AG Lou Hughes beriefen, in diesem Sinne eingesetzt.

Im kulturellen Bereich waren die Jahreskonferenzen der Goethe-Institute und anderer deutscher Mittlerorganisationen wesentliche Veranstaltungen des Netzwerks. Auf amerikanischer Seite war die einflussreiche und schnell wachsende »German Studies Association« von Hochschul-Dozenten, die sich mit Deutschland beschäftigten, ein wichtiger Partner. Mein Vertreter oder ich haben regelmäßig auf den Jahrestagungen gesprochen.

Bedeutende Beiträge leisteten der Verein »Atlantik-Brücke« unter dem engagierten Vorsitz von Walter Leisler Kiep und Beate Lindemann, der American Council on Germany sowie das American Institute for Contemporary German Studies.

Von den Referaten auf Konferenzen und von den Ansprachen bei akademischen Feiern haben sich zwei Begegnungen besonders in mein Gedächtnis eingeprägt:

Idealismus und Moral

Für den 16. Juni 1989 hatte ich zugesagt, auf einem Bankett des amerikanischen Friedensinstituts anlässlich des jährlich ausgeschriebenen Wettbewerbs von Beiträgen von Schülern aus den verschiedenen Staaten der Vereinigten Staaten über ein Thema der Friedenspolitik zu reden. Als deutscher Vertreter sollte ich über die Errungenschaften der KSZE berichten.

Die Sieger des Wettbewerbs und Vertreter aus vielen Staaten der USA waren zu einem dreitägigen Seminar in Washington eingeladen worden. Mich hat tief beeindruckt, mit welchem Einsatz diese 17- bis 18-jährigen jungen Menschen Ansätze für weltweite friedliche Lösungen diskutierten. Diese idealistischen Amerikanerinnen und Amerikaner aus den entfernten Städten und Provinzen des Landes waren ein sehr attraktiver Teil des amerikanischen Lebens, ein Teil, der sich nicht aufdrängt, sondern erst bei persönlicher Begegnung erschließt und von dem auf Macht und Erfolg ausgerichteten Wettkampf in Wirtschaft und Politik häufig überschattet wurde. Die ersten Preisträger kamen aus Virginia, aus Oregon und New Mexico. Ihre leuchtenden Augen, der Stolz über die Auszeichnung durch das Friedensinstitut sind mir unvergesslich.

Einen weiteren unvergesslichen Einblick in diese idealistische, auf moralische Werte ausgerichtete Welt der USA gab mir die Commencement-Feier des Moravian College in Pennsylvania. Am 31.5.1992 hatte ich es übernommen, die Festrede bei der Commencement Ceremony des Moravian College in Bethlehem, Pennsylvania, zu halten.

Moravian College war 250 Jahre vorher von Graf Zinzendorf, dem Begründer der Herrenhuter Gemeinde, ins Leben gerufen worden. Es ist eine der Inseln beschaulicher Ausbildung und Forschung mit idealistisch gesonnenen Lehrern und Studenten, die man in USA immer wieder antrifft und die in großem Kontrast stehen zu den Zentren wirtschaftlicher »Deals in New York oder politischer Hektik und Wahlkampfneurose in Washington«, so schrieb ich damals unmittelbar unter dem Eindruck meines Besuches.

Bei der Feier beeindruckten mich der entspannte, freundschaftliche Umgang, die menschliche Art, in der der Präsident, die Dekane und Lehrer ihren Studenten und Absolventen ohne erhobenen Zeigefinger praktische Ratschläge für ein von moralischen Werten getragenes Leben mit auf den Weg gaben. Stolze Fotos, strahlende Absolventen, glückliche Eltern, Verwandte und Freunde.

Ich dachte an meine Universitätszeit in Deutschland zurück – wie ich nach meinem juristischen Staatsexamen beim Justizprüfungsamt anrief, um in einem unpersönlichen Telefonat mein Prüfungsergebnis herauszufinden.

Bei der Promotion an der Universität Münster hatten die prüfenden Professoren mir anschließend sehr freundlich zu dem Doktortitel gratuliert. Ich habe ihnen herzlich für die verständnisvolle Behandlung meiner Promotion gedankt, die ich neben der intensiven Belastung im Pressereferat fertig gestellt hatte. Einer der Prüfer bemerkte scherzend: »Herr Ruhfus, wir haben gesehen, dass Sie mit Erfolg als Pressesprecher des Auswärtigen Amts arbeiten. Sie haben keine Frage eindeutig beantwortet, aber Sie haben die ganze Zeit geredet.«

Meinen Doktorvater, Professor Klein, und seine Sekretärin habe ich zum Essen eingeladen. Aber das war es dann auch. Mit der erinnerungsträchtigen Feier dieses Abschlusses im Moravian College in Pennsylvania – kein Vergleich.

Die EG-Vertretung in Washington

In Washington habe ich von Anfang an engste Zusammenarbeit mit der EG-Vertretung gesucht. Die Vertreter der Brüsseler Kommission wussten, dass sie stets auf die Hilfe der deutschen Botschaft bei Administration und Kongress zählen konnte. Dies galt umso mehr nach der deutschen Vereinigung.

Nach meiner Arbeit in Bonn für die Europäische Gemeinschaft habe ich mich in Washington mit ganzer Kraft dafür eingesetzt, dass die USA die europäische Integration förderten.

Kennedys Bild von den »zwei Pfeilern der Brücke über den Atlantik« war die plastischste und zugleich ehrgeizigste Vision. Dieses Konzept aktiver Unterstützung für ein zusammenwachsendes Europa war in den USA keineswegs selbstverständlich oder unumstritten.

Das Handelsdefizit der USA gegenüber den Ländern der Europäischen Gemeinschaft wuchs mit dem wirtschaftlichen Aufbau in Europa und der zusätzlichen Exportkraft der durch den gemeinsamen Binnenmarkt gestärkten Unternehmen. Vor allem die amerikanische Stahlindustrie, das Rüstungsestablishment, die Textilproduzenten und die Agrarvertreter antichambrierten massiv bei Kongress und Administration um Schutz für ihre Interessen.

Die Europäische Kommission hatte in Washington frühzeitig eine eigene Vertretung aufgemacht. Schon die protokollarische Einordnung des Chefs der EG-Mission – er rangierte hinter allen nationalen Botschaftern – zeigte, dass die Stellung der Europäischen Gemeinschaft in Washington gestärkt und ausgebaut werden musste.

Die Kommission hatte ihre Vertreter mit Geschick ausgewählt. Bei meiner Ankunft war Sir Roy Denman, früherer Generaldirektor der EG-Kommission, der »Mr. Europe« in Washington. Roy Denman war ein erfahrener Fachmann in europäischen Wirtschaftsfragen. Als Brite war er frei von dem Verdacht, ein Vorkämpfer überzogener europäischer Utopien zu sein. Andererseits gehörte er zu den Engländern, die sich nach ihrem Wechsel von London zur Gemeinschaft in Brüssel mit Engagement, Ausdauer und Pragmatismus für die europäische Integration einsetzten. Auch, wenn sie Gefahr liefen, in Widerspruch zu den Zielen der britischen Regierung in London zu geraten.

Sein Nachfolger war Andries van Agt. Als früherer niederländischer Premierminister brachte er großes persönliches Ansehen mit.

Die gemeinsame Vertretung gemeinsamer europäischer Interessen war in Washington keineswegs selbstverständlich. Nationale Eigeninteressen und Eitelkeiten – vor allem der größeren europäischen Partner – spielten in der Hauptstadt der westlichen Supermacht nach wie vor eine erhebliche Rolle.

Nach den Gesprächen prominenter deutscher Regierungsvertreter mit der amerikanischen Regierung habe ich stets sofort eine ausführliche Unterrichtung im Zwölferkreis gegeben.

Umgekehrt hat auch die EG-Vertretung uns wertvolle Schützenhilfe geleistet. Bei Handelshemmnissen und Zollproblemen sah ich schnell, wie wichtig es ist, dass Handelskonflikte Vertragsmaterie der EG sind.

Bei der Abwehr von Luxussteuern auf BMW, Daimler Benz und Porsche, bei diskriminierenden Abgasrichtlinien machte es viel aus, dass Deutschland sich nicht alleine wehrte, sondern dass wir das Gewicht der 320 Millionen europäischer Verbraucher hinter uns hatten.

Zu Beginn meiner Tätigkeit in Washington veröffentlichten die amerikanischen Behörden eine lange Beschwerdeliste über GATT-widriges Verhalten in der Handelspolitik der Europäischen Gemeinschaft. Sir Roy Denman und ich stimmten überein, die Gemeinschaft könne dies nicht unwidersprochen hinnehmen. In gemeinsamer Arbeit mit den Regierungen der Mitgliedsländer hat Brüssel die GATT-Verletzungen der US-Regierung und der Einzelstaaten der Union minutiös zusammengetragen.

Zu unserer Verwunderung, und zum noch größeren Erstaunen der Administration, kam ein sehr viel längeres und substanzreicheres Beschwerde-Weißbuch der Europäer zusammen als das der USA.

Während meiner ganzen Zeit in Washington habe ich, wo ich konnte, die amerikanischen Medien, Unternehmen und Verbände immer wieder ermutigt, ihre Vertretungen von London zum Zentrum der zusammenwachsenden Europäischen Union in Brüssel zu verlegen.

Dankesbesuche

Nach den Schritten zur Verwirklichung der deutschen Einheit im Inneren, der Entscheidung über die deutsche Hauptstadt, Berlin, und nach dem erfolgreichen Abschluss des Golfkrieges kam die Zeit für deutsche Dankesbesuche in den USA.

Es ist oft darauf hingewiesen worden, dass die deutsche Einheit zu einem Zeitpunkt günstiger außenpolitischer Konstellation möglich geworden ist. Unser Land hat zugleich eine glückliche Kombination führender Persönlichkeiten gehabt, die diese Chance beherzt und umsichtig genutzt haben. Bundeskanzler Kohl, der mit scharfem Blick für machtpolitische Entwicklungen und politische Möglichkeiten seinen Willen entschlossen für die deutsche Einheit einsetzte; Bundesaußenminister Genscher, der sein meisterhaftes Geschick in bilateraler und multilateraler Diplomatie und sein großes persönliches Ansehen in Verhandlungen nutzte, um die vertraglichen Regelungen in Zwei-plus-Vier und in der KSZE in der kurzen zur Verfügung stehenden Zeit unter Dach und Fach zu bringen; und schließlich Bundespräsident von Weizsäcker, der als Staatsoberhaupt sein großes moralisches Ansehen, verbunden mit brillantem rhetorischem Geschick in der deutschen und der englischen Sprache, einbrachte.

Diese drei waren in den USA bekannt und angesehen als die treibenden und entscheidenden Kräfte für die deutsche Einheit. Deshalb waren sie auch besonders geeignet, unseren Dank zu bekunden.

Genscher vertritt das vereinte Deutschland am German-American-Day 1991

Anfang Oktober 1991 erfüllte sich mein Wunsch, Bundesminister Genscher für einen längeren Besuch in Washington zu haben. Er war der deutsche Spitzenvertreter beim ersten Jahrestag der Deutschen Einheit in Washington. Er wurde von Ministerpräsident Werner Munch, Landtagsvizepräsidentin Cornelia Pieper und anderen Kabinettsmitgliedern seines Geburtslandes Sachsen-Anhalt begleitet.

Der frostige Empfang im April 1989 lag Welten zurück. Genscher wurde bei seinen Gesprächen mit dem Präsidenten, mit Baker und anderen Vertretern der Administration als alter Freund begrüßt.

Der Sprecher des Abgeordnetenhauses, Tom Foley, würdigte die große Rolle des Bundesministers in dem Prozess der deutschen Wiedervereinigung, aus der Sicht ganz Amerikas eines der wichtigsten Ereignisse nach dem Krieg.

Der Vorsitzende des Ausschusses »Kooperation in Europa«, Stenny Hoyer, hob später besonders die Leistung des Bundesministers für die KSZE und die Menschenrechte hervor.

Der Bundesminister dankte bei all diesen Gelegenheiten unermüdlich für die Unterstützung der USA bei den Verhandlungen auf dem Weg zur deutschen Einheit und betonte, er habe großen Wert darauf gelegt, den ersten Jahrestag in Washington zu feiern.

Es gab eine Fülle von gesellschaftlichen Veranstaltungen. Karin und ich luden ein zu einem stimmungsvollen Abend für den Außenminister in der Residenz mit Außenminister Baker und anderen Regierungsvertretern und vielen Senatoren und Abgeordneten.

Der Glanzpunkt war der große Empfang, den Bundesminister Genscher im Marriott Hotel im Herzen Washingtons gab. Er war gleichzeitig eine eindrucksvolle Werbeveranstaltung für seine Heimatstadt Halle, für Sachsen-Anhalt. Im Flugzeug hatte die Delegation Sekt und Wein von Saale und Unstrut und Bier der lokalen Brauereien mitgebracht, dazu sächsische Spezialitäten. Es war ein großes Fest.

Genschers Besuch galt dem Tag der Deutschen Einheit, war aber gleichzeitig verbunden mit dem German-American-Day 1991. Die deutsch-amerikanischen Verbände und die Botschaft hatten erreicht, dass Abgeordnetenhaus und Senat den German-American-Day mit Public Law 102-117-102nd Congress vom 3. Oktober 1991 für den Rest der Legislaturperiode auf den 6. Oktober 1991 und 1992 festlegten. Das war kein Durchbruch für eine Dauereinrichtung, aber immerhin ein erster Teilerfolg.

Besuch des Bundeskanzlers und des Bundespräsidenten »Die deutsch-amerikanischen Beziehungen waren noch nie so eng und herzlich«

Auch der Besuch von Bundeskanzler Kohl vom 20.-22. März 1992 stand ganz im Zeichen der Dankbarkeit, der Unterrichtung über die politischen Ziele des vereinten Deutschlands und der Betonung der starken Verbundenheit zwischen Deutschland und den Vereinigten Staaten. Der Bundeskanzler wurde im Weißen Haus und auf dem Hill gefeiert als der Regierungschef, der die deutsche Einheit herbeigeführt hatte.

Anfang April 1992 machte Bundespräsident von Weizsäcker den ersten Staatsbesuch als Präsident des vereinten Deutschlands.

Höhepunkte waren die Ansprache des Bundespräsidenten vor den beiden Häusern des Kongresses und das festliche Bankett im Weißen Haus.

Bush erweiterte in seiner Rede die Formel »Partners in Leadership« auf das vereinte Deutschland, »so wie sich Deutschland gewandelt und seine Vergangenheit triumphal überwunden hat, so haben die deutsch-amerikanischen Beziehungen die Bürde des historischen Erbes abgeworfen. Das vereinte Deutschland, Champion eines vereinten Europas, ist unser Partner in der Führerschaft.« Bundespräsident und Bundesminister Genscher, der ihn bei diesem Staatsbesuch begleitete, stimmten den Worten von Präsident Bush zu. »Die deutsch-amerikanischen Beziehungen waren noch nie so eng und herzlich.«

Für Minister Genscher, der vor dem Besuch seine Rücktrittsabsicht bekannt gemacht hatte, war dies der letzte Besuch in Washington als Außenminister. Ein Leitartikel in der Washington Post widmete ihm, der noch vor einiger Zeit als zu russlandfreundlich angesehen worden war, eine eindrucksvolle Laudatio.

Bundeskanzler Kohl, begleitet von seinem neuen Kabinettsmitglied Angela Merkel, Bundesministerin für Familie und Jugend, auf der Pressekonferenz im Watergate-Hotel

Die Botschaft wollte den Besuch des Staatsoberhaupts nutzen, um die deutsch-amerikanischen Vereinigungen näher zusammenzubringen.

Der Bundespräsident hatte ein Essen mit bedeutenden Deutsch-Amerikanern im Blair-House, dem offiziellen Gästehaus der amerikanischen Regierung für Staatsbesuche.

Neben den führenden Vertretern der drei großen deutsch-amerikanischen Organisationen VDAK, DANK und Steuben-Society waren prominente Vertreter aus der Wirtschaft wie Kurt Viermetz von JP Morgan und Frau Ruth Denk, aus der Wissenschaft wie Prof. Stern, gekommen. Der Schauspieler Eric Braden hatte den langen Anflug aus Kalifornien nicht gescheut, um dabei zu sein.

Der Gedankenaustausch kreiste um die Arbeit des German-American Joint Action Committee, die Ausgestaltung des jährlichen German-American-Tages und die stärkere Einbeziehung der Jugend in den neuen deutschen Ländern in den Austausch und die Verbindung zwischen den beiden Staaten.

Bundespräsident von Weizsäcker und Frau von Weizsäcker mit Karin Ruhfus bei Rodeo und Barbecue in Texas während des ersten Staatsbesuchs für das vereinte Deutschland im Sommer 1992

Der Kreis der teilnehmenden Persönlichkeiten hätte ein ideales Dachgremium für die vielfältigen deutsch-amerikanischen Vereinigungen werden können. Nach der jahrzehntelangen Aufsplitterung war dies immerhin ein erster wichtiger Ansatz.

Die Besuche des Bundespräsidenten in Georgia und Texas standen weiterhin im Zeichen des Dankes und des Bemühens um noch engeres Zusammenwachsen zwischen den USA und dem vereinten Deutschland. Vor dem Abflug dankte Bundespräsident von Weizsäcker Karin und mir mit herzlichen Worten für den besonders gelungenen Staatsbesuch.

Deutsches Kulturfestival im Kennedy Center

In der Botschaft hatten wir darüber nachgedacht, wie das vereinte Deutschland seine große Dankbarkeit am besten zeigen konnte. Wir waren immer noch so beeindruckt von der Unterstützung der amerikanischen Regierung und der amerikanischen Bürger, dass wir anspruchsvolle Projekte erwogen.

Wir diskutierten über ein Monument, wie etwa das Luftbrückendenkmal in Berlin, oder wie die Freiheitsstatue, die Frankreich den Vereinigten Staaten zur Unabhängigkeit geschenkt hatte. Wir haben schließlich Bonn den Vorschlag vorgelegt, eine Kopie des Brandenburger Tors in Originalgröße in Washington zu errichten. Dieses Monument sollte eine Aussichtsplattform haben, um für Bürger und Touristen interessant zu sein, und eventuell auch ein Museum für deutsch-amerikanische Geschichte in seinen Räumen beherbergen. Leider fiel der Vorschlag in die Zeit des Golfkrieges und wurde deshalb in Bonn nicht weiter verfolgt.

Wir haben auch mit Vertretern der deutschen Industrie gesprochen. Das Echo im Auswärtigen Amt, im Bundeskanzleramt und bei den deutschen Firmen in den USA war gerade in jenen Monaten des Golfkrieges wenig ermutigend. Ein bleibendes, würdiges Geschenk erforderte viel Geld, die Staatsfinanzen aber wurden mit den Kosten der Einheit schnell immer knapper.

Einen größeren Brocken der Mauer hatte ich schon bei der Feierstunde im Kongress im Oktober 1990 übergeben. So kamen wir bei unseren Überlegungen immer mehr auf eine musikalische Festwoche als Dank an Amerika.

Präsident Bush hatte den angesehenen Wallstreet Investment-Banker Jim Wolfensohn gebeten, das Kennedy-Center zu übernehmen und dessen miserablen Finanzen zu sanieren.

Wolfensohn war gern bereit, seine Tätigkeit mit einer spektakulären Kulturwoche zu beginnen. Die Botschaft bemühte sich angesichts der schlechten Kassenlage in Bonn, möglichst viele Kräfte und Institutionen, auch außerhalb der Regierung, für Beiträge zu gewinnen. Es gelang uns, ein umfangreiches deutsches Kulturfestival ins Leben zu rufen, das in den Monaten April und Mai 1992 in Zusammenwirken des Kennedy-Centers, der Deutschen Botschaft, des Goethe-Instituts, der Washington Performing Arts Society, der Library of Congress, der National Gallery of Art und des German-American Cultural Fonds durchgeführt werden konnte. Ein breit gefächertes Angebot von Ausstellungen, Musik, Tanz, Kabarett, Film, Vorträgen, Symposien, auch deutschem Essen, präsentierte deutsches Kulturschaffen der Vergangenheit und Gegenwart.

Gemeinsame Bootsfahrt auf dem Snake River in Wyoming im Frühjahr 1992 mit dem Chef des FBI, Bill Sessions, und Naomi Wolfensohn, der Frau des Wallstreet-Bankers und Managers vom Kennedy Center.
4. von links: Antje, 5.: Sessions, 6.: Ruhfus, 8.: Naomi Wolfensohn, 12.: Karin Ruhfus

Der Präsident der Vereinigten Staaten und der Bundespräsident übernahmen die Schirmherrschaft.

Im Mai 1989 hatte die Botschaft zum 40sten Jahrestag des Grundgesetzes eine große deutsch-amerikanische Festveranstaltung im Kennedy Center organisiert. Die 9. Symphonie von Ludwig van Beethoven wurde vom Orchester der Staatsoper Berlin gespielt und von einem amerikanischen Universitätschor gesungen. Richard von Weizsäcker und Henry Kissinger hatten in eindrucksvollen Festreden die Aussöhnung und wachsende Verbindung zwischen unseren Ländern gewürdigt.

Drei Jahre später schloss sich jetzt der Kreis. Am 30. April 1992 wurde der erste Besuch von Richard von Weizsäcker, jetzt als Bundespräsident des vereinten Deutschlands, wiederum im Kennedy Center und wiederum mit einer musikalischen Festveranstaltung gekrönt – diesmal mit dem Gastspiel des angesehenen Stuttgarter Balletts.

Parallel zum Staatsbesuch fanden von April bis Ende Mai eine Vielzahl von Vorträgen, Ausstellungen und Konzerten statt.

Durch die Konzerte der Dresdner Staatskapelle unter André Previn waren die neuen Länder vertreten; die National Gallery zeigte eine Ausstellung der Zeichnungen und Skulpturen von Käthe Kollwitz.

Acht Wochen lang hatten wir in Washington eine reiche Palette deutscher und amerikanischer Veranstaltungen. Die Kulturabteilung des Auswärtigen Amtes und deutsche Unternehmen haben mit großen Zuschüssen geholfen.

Der Abschied

Im Sommer 1991 hatte ich bei Bundesminister Genscher den Antrag gestellt, in den Ruhestand gehen zu können. Nach 37 Jahren hoher Belastung wollte ich Platz machen für jüngere Kollegen.

Einen Augenblick noch wurde ich schwankend. Als Klaus Kinkel im Sommer als neuer Bundesaußenminister nach Washington kam, sprach er mich an, er sähe mich gerne noch einige Zeit als Deutscher Botschafter in Washington. Ich erinnerte mich an die enge und gute Zusammenarbeit, die wir über Jahre gehabt hatten.

Fast vier Jahrzehnte lang hatte ich während meiner Zeit im Auswärtigen Dienst allen Außenministern in der einen oder anderen Form direkt zugearbeitet, nun könnte ich diese persönliche Verbindung noch einige Jahre für die deutsch-amerikanischen Beziehungen nutzbar machen. Aber nach einigem Nachdenken und Besprechungen mit meiner Familie habe ich an dem ursprünglichen Entschluss festgehalten.

Nach dem Ende des Festivals legte das Protokoll der Botschaft mir zwei Schreibmaschinenseiten mit Abschiedsveranstaltungen vor, die für Karin und mich vorgeschlagen wurden. Die Fülle der Festlichkeiten ließ kaum Zeit, Luft zu holen, geschweige denn Abschiedsschmerz aufkommen zu lassen.

Unter den dankbaren Erinnerungen sind für mich die Worte meines Vertreters Fridjoff von Nordenskjöld bei der Verabschiedung von den Botschaftsangehörigen, die mich besonders gefreut haben. Er betonte, Karin und ich hätten den Mitarbeitern und ihren Frauen durch unseren starken persönlichen Einsatz »das Gefühl vermittelt, an einer großen gemeinsamen Aufgabe mitzuwirken«.

United States of America

Congressional Record

PROCEEDINGS AND DEBATES OF THE 102^{d} CONGRESS, SECOND SESSION

Vol. 138 WASHINGTON, FRIDAY, JULY 24, 1992 No. 106

Senate

TRIBUTE TO AMBASSADOR JUERGEN RUHFUS ON THE OCCASION OF HIS RETIREMENT FROM THE GERMAN FOREIGN SERVICE

Mr. JOHNSTON. Mr. President, on behalf of all my colleagues, I extend a reluctant farewell to Ambassador Juergen Rufhus upon the occasion of his retirement from the German Foreign Service—a man who, during his tenure, I am very proud to say has been an excellent representative of Germany, an ardent supporter of United States interests globally and a close personal friend.

Ambassador Rufhus' retirement from the Foreign Service marks the end of 37 years of illustrious service for the Republic of Germany. He studied law and economics at the Universities of Munich and Muenster, during which time he received the prestigious Fulbright Scholarship and studied at the University of Denver/Colorado. After receiving a doctorate of law at the University of Muenster, he entered the Foreign Service and received assignments in Geneva, Dakar, and Athens.

He later was head of the Political Directorate for the Western Hemisphere, adviser to the Federal Chancellor on Foreign Affairs and Security matters, Ambassador to the United Kingdom of Great Britain and Northern Ireland, head of the Political Directorate-General for Third World countries, State Secretary of the Federal Foreign Office, and finally, from 1987 to present Ambassador to the United States of America.

The fall of the iron curtain, the reunification of Germany, the collapse of communism—these events were largely unforeseen and unanticipated and yet Ambassador Rufhus responded to each with a great deal of wisdom and vision.

Speaking to a meeting of the Board of Governors of B'nai B'rith, the world's largest Jewish organization, he sought to ease the fears that the prospect of a reunified Germany posed for the Jews and indeed many people around the world. "A democratic Germany will pose no threat to anyone," Rufhus said, emphasizing that Germany would remain firmly anchored in the West—that it would not be neutralist—and would continue its commitment to NATO as a political alliance.

Ambassador Ruhfus strived to ensure that during the often difficult process of reunification, the interests of the United States were always fully represented while maintaining a tireless dedication to his own country as well. He has earned the enduring respect of the citizens of Germany and of people throughout the world whose lives have been touched and enriched by his service to his fellow man.

Mr. President, the sweet sadness of the Ambassador's retirement is made especially acute by the fact that he will be accompanied in his departure by his wife, Karen. The Ruhfuses were truly a team in much of the official diplomacy of the German Embassy. In this regard, Mrs. Ruhfus had few peers in the diplomatic world. She will leave a huge vacuum in the lives of so many in this city who love her and who will miss her warmth, her sense of humor, and her zest for life.

with congratulations on an extraordinary career

With appreciation to Juergen and Karin for your service and friendship — a job well done!

Our thanks to each of you for being gracious hosts and good neighbors — Ted and Catherine Stevens

Die Erklärung des Senats vom 24. Juni 1992 zum Abschied von Botschafter Jürgen Ruhfus und Frau Karin Ruhfus

Klaus Kinkel als Bundesaußenminister und Dieter Kastrup als Staatssekretär des Auswärtigen Amts bedankten sich für den Einsatz von Karin, »...an deren Beispiel sich manche junge Ehefrau von heute orientieren sollte«.

Mehr als drei Jahrzehnte hatte Karin für die Bundesrepublik oft weit über normale Arbeitzeiten hinaus gearbeitet: von der Betreuung der freiwilligen Helfer des Deutschen Entwicklungsdienstes in den entlegenen Außenposten in Kenia bis zu den Mammutveranstaltungen zur Feier der deutschen Einheit in den USA. Von der ersten Gastfreundschaft in einem kleinen Gästezimmer in Dakar 1958 bis hin zur Betreuung von mehr als 8.000 Gästen in Washington im Jahr 1990. Es wurde damals selbstverständlich angenommen, dass dieser Einsatz ganz ehrenamtlich geleistet wurde. Umso mehr freuten wir uns über die in diesen Briefen zum Ausdruck kommende Anerkennung.

Festlich war der Abschied von den europäischen Kollegen, gegeben von der Vertretung der Europäischen Gemeinschaft. Deren Leiter, Andries van Agt, unterstrich unsere enge, freundschaftliche Zusammenarbeit und die stets zuverlässige Unterstützung der gesamten Botschaft für die europäische Integration und für die Arbeit der EU-Vertretung in Washington.

Ein Abschiedsessen mit vielen »big shots«, Senatoren, Congressmen und Kabinettsmitgliedern, gaben unsere Freunde Colleen Nunn und Sam Nunn. Der erfolgreiche Unternehmer Joe Roberts versammelte Vertreter der Banken und Geschäftswelt in seinem Haus.

Die letzten Tage in USA verbrachten wir auf dem idyllischen Landsitz Fairview unserer Freunde Franz und Christa Burda an der Chesapaeake Bay in Maryland.

Während der Abschiedswochen wurde die gute persönliche Verbindung mit den deutschen Korrespondenten in Washington sichtbar: Leo Wieland, FAZ, Dietrich Zweetz, Handelsblatt, und andere erinnerten in freundlichen Berichten und Kommentaren an unsere erfolgreiche Arbeit in den USA.

Gerd-Rüdiger Helbig vom ZDF überraschte Karin und mich mit einem Film über unsere vielfältigen Feierlichkeiten und Auftritte zum Tag der Deutschen Einheit 1990.

Fritz Wirth, mit dem ich an mehreren Posten zusammengearbeitet hatte, gab in der »Welt am Sonntag« einen längeren Rückblick unter der Überschrift »Ein außerordentlicher Diplomat – Jürgen Ruhfus nimmt Abschied von Washington und Karriere«.

Die Senatoren haben in einer ausführlichen Erklärung vom 24. Juni 1992 zum Ende unseres Dienstes Karin und mir ihren Dank und ihre Anerkennung ausgesprochen.

Die Familie beim 60. Geburtstag von Jürgen Ruhfus, 1990 auf Burg Rheineck

Schlussgedanken

Am 1.10.2005 ist ein halbes Jahrhundert vergangen, seitdem meine Lehrgangskollegen und ich unseren Dienst im Auswärtigen Amt angetreten haben.
Deutschland feiert den 15. Jahrestag der Deutschen Einheit. Unser Land hat, wie der Historiker Heinrich August Winkler schreibt, nach langem Weg seinen festen Platz in der westlichen Gemeinschaft gefunden – »als demokratischer Nationalstaat unter anderen«, »eingebunden in die Atlantische Allianz und die Europäische Union«.

Die Bundesrepublik ist in der auf 25 Mitglieder und auf über 450 Millionen Einwohner angewachsenen Union nach Zahl der Bevölkerung und nach Wirtschaftskraft der größte Staat Europas. Berlin ist mit der Ausbreitung der freiheitlich-demokratischen Staatsordnung nach Mittel- und Osteuropa stärker in die Mitte dieses in der Geschichte größten freiwilligen Zusammenschlusses demokratischer Staaten gerückt.

Diese zentrale Lage gibt uns keine besonderen Rechte, aber Herausforderungen, Chancen und Aufgaben, die die unmittelbare Interaktion mit einer einmalig großen Zahl von Nachbarn mit sich bringt.

Deutschland hat nach dem zweiten Weltkrieg ein halbes Jahrhundert lang von der Bereitschaft zur Aussöhnung, zur Hilfe, dann zu Partnerschaft und zu freundschaftlicher Verbundenheit der demokratischen Staaten profitiert. Die Bundesrepublik hat ihrerseits Unterstützung an andere Nationen gegeben, als Griechenland, Portugal und Spanien die freiheitliche und demokratische Staatsordnung suchten. Das vereinte Deutschland war eine treibende Kraft, um 10 neuen Mitgliedern vor allem in Mittel- und Osteuropa zu gesicherter Demokratie und Freiheit zu verhelfen, und es unterstützt die demokratischen Bewegungen in der Ukraine und andern Ländern.

Deutschland ist dabei, seine Außenbeziehungen den Herausforderungen der Globalisierung und der sich ändernden Verteilung der Kräfte in der Welt anzupassen. Die neuen Mächte China und Indien sind wiederholt das Ziel von hochrangigen Besuchen des Bundeskanzlers mit führenden Vertretern der deutschen Wirtschaft gewesen. Zu Russland wurde auf höchster Ebene der Regierungschefs eine enge, persönliche Verbindung geschaffen. Im Nahen Osten bemühte sich der Bundesaußenminister um eine aktive Rolle. In New York engagierte er sich in der Diskussion über die Reform der Vereinigten Nationen. Deutschland beteiligt sich an den Friedensmissionen im Balkan und in Afghanistan.

Die Kenntnis der weltweiten Veränderungen wächst in breiten Kreisen unseres Landes nur langsam. Bei Wirtschaftsführern, Wissenschaftlern, bei Künstlern und Sportlern sind umfassende Auslandserfahrungen für den beruflichen Erfolg selbstverständlich und unverzichtbar. Für die Innere Verwaltung, bei Parlamentariern der Gemeinden, der Länder und selbst im Bundestag sind Ausbildung im Ausland, internationale berufliche Praxis oder sonstige längere persönliche Erfahrungen in anderen Ländern noch unüblich. Es hat lange gedauert, bis Presse und Fernsehen sich bemühten, uns in systematischer Berichterstattung darzulegen, was wir für die in Deutschland notwendigen Reformen von unseren Nachbarländern und Verbündeten lernen können. Es ist ein besonderer Glücksfall, dass Deutschland einen Bundespräsidenten gewählt hat, der über große persönliche internationale Erfahrungen verfügt.

1992, als ich meinen letzten Posten innehatte, war das vereinte Deutschland Amerikas »Partner in Leadership« und »Champion of a United Europe«. Die deutsch-amerikanischen Beziehungen, so Präsident Bush senior, waren »so eng und herzlich wie noch nie«. Danach sind sie auf einen Tiefpunkt abgesunken.

Es hat in den USA empört, dass ein deutsches Kabinettsmitglied Vergleiche zwischen dem amerikanischen Präsidenten und Adolf Hitler zog, dass der Standpunkt der Bundesregierung zum Einmarsch in den Irak in einer lokalen Wahlveranstaltung mitgeteilt wurde statt über den direkten Draht, dass Deutschland mit Aplomb auf den kritischen Pariser Kurs einschwenkte.

Auf deutscher Seite war man aufgebracht, dass Mitglieder der Administration die Europäer in »alt« und »neu« aufteilten und alte Verbündete mit Kuba und Libyen verglichen.

Die Beziehungen EU-USA litten des Weiteren darunter, dass ein Teil der alten wie neuen EU-Mitglieder in einem gemeinsamen Brief ihre Unterstützung der amerikanischen Irakpolitik ausdrückten und so einen abgrundtiefen Riss in der Gemeinschaft der Europäer deutlich machten.

Inzwischen gibt es verschiedene Bemühungen für eine bessere Zusammenarbeit. Präsident George W. Bush hat seine zweite Amtszeit mit einer Reise nach Europa begonnen. Deutsche Truppen spielen eine wichtige Rolle in Afghanistan, die Bundesregierung hilft der irakischen Regierung, Experten auszubilden.

Hier soll nicht überlegt werden, wo und auf welcher Seite der größere Teil der Verantwortung liegen könnte. Ich möchte aber in dieser Lage die in der Nachkriegspolitik entwickelten Grundlinien in Erinnerung rufen, mit denen wir in vier Jahrzehnten so große Erfolge hatten. Es waren:

- Niemals wieder ein deutscher »Sonderweg«, Stetigkeit und Berechenbarkeit der deutschen Außenpolitik
- Besondere Pflege der Beziehungen zu den kleineren europäischen Partnern
- Keine Entwicklung zulassen, die Deutschland vor den Zwang stellt, sich zwischen Washington oder Paris zu entscheiden
- Umfassende Unterstützung der Vereinten Nationen bei der Lösung der globalen Probleme

Um mit dem letzten Punkt zu beginnen: Unsere Mitwirkung in der VN-Familie stand früher oftmals im Schatten deutsch-deutscher Rivalität. Jetzt kann Deutschland mit vereinten Kräften seinen Beitrag bringen, unbehindert von Querelen, gegenseitigen Blockaden und aufwendiger Konkurrenz.

Die Tatsache, dass Deutschland mit 8,6 % des UNO-Budgets der drittgrößte Beitragszahler ist und einer der größten Truppensteller, bietet uns in der Weltorganisation einen respektierten Platz und eine gute Position, um unsere Vorstellungen für eine bessere internationale Ordnung einzubringen und die gemeinsame europäische Position zu vertreten.

Die traumatischen Erfahrungen mit dem »Besonderen Weg Deutschlands« sind auf beiden Seiten der Elbe unvergessen. Als die Führung der SPD in der Vorwahlphase 2002 betont von einem »deutschen Weg« in der Innen- und auch in der Außenpolitik sprach, gab es viele kritische Reaktionen, und dieser Akzent wurde schnell wieder fallen gelassen.

In der Europapolitik ist die Bundesrepublik stets gut damit gefahren, einen beständigen und dichten Dialog mit den kleineren Partnern zu führen. Nach der letzten Erweiterung der Europäischen Union ist Deutschland – abgesehen von der neutralen Schweiz – jetzt ganz von Partnern der EU umgeben.

Der intensive Gedankenaustausch ist daher noch wichtiger geworden. Wir haben ein besonderes Interesse, ihnen die deutsche Europapolitik verständlich und berechenbar zu machen – und die Sorgen und Interessen der Partner frühzeitig zu erspüren.

In den ersten Jahrzehnten der Bundesrepublik gab es heiße Auseinandersetzungen zwischen »Atlantikern« und »Gaullisten«. Aber es war gemeinsame Basis, dass Deutschland nicht in die Lage geraten darf, sich zwischen Frankreich und den Vereinigten Staaten entscheiden zu müssen.

Es ist das Vermächtnis dieser Nachkriegsjahre, dass die beiden Optionen für die Westbindung – »die transatlantische und die europäisch-integrative« (Joschka Fischer, Die Rückkehr der Geschichte, 2005) – nicht sich ausschließende Alternativen sind, sondern lebenswichtige Ziele, die beide angestrebt werden müssen.

Das Auseinanderbrechen der Sowjetunion hat Amerika einen enormen Machtzuwachs beschert und es zur einzig verbleibenden Supermacht gemacht. Das vereinte Deutschland hingegen steht vor riesigen ungelösten finanziellen, wirtschaftlichen und sozialen Problemen. Wir müssen die geänderten Kräfteverhältnisse zur Kenntnis nehmen. An die Stelle der »Partner in Leadership Bonn-Berlin/Washington« müssen jetzt die »Partner in Leadership Europäische Union und USA« treten.

Deutschland darf sich nicht ausklinken, sondern muss sich auf Grund seines vergrößerten Gewichts und seiner zentralen Lage in der EU dabei als treibende Kraft für dieses Ziel – auf beiden Seiten des Atlantiks – einsetzen.

In der Europäischen Union müssen wir für die Konsolidierung der Erweiterung und die Anpassung von Institutionen und Verfassung an den großen Kreis von 450 Millionen Bewohnern arbeiten, schon um ein attraktiver Partner der USA zu sein. Zugleich müssen wir alle Kräfte unterstützen, die in den europäischen Organen und Einrichtungen für eine proatlantische Haltung eintreten. Gerade auch aus dem Kreis der neuen Mitglieder ist hierfür aktive Unterstützung zu erwarten.

In den USA müssen wir die Kräfte stärken, die an Kennedys Bild von den beiden Pfeilern der atlantischen Brücke festhalten. Die EU muss die Kanäle möglichst aller ihrer Mitglieder nutzen, um die amerikanischen Bürger und die Administration in Washington für eine schwankungsfreie Unterstützung des europäischen Einigungsprozesses zu gewinnen. Die German-Americans, die noch immer (Zensus im Jahr 2000) mit Abstand größte ethnische Gruppe, sind für diese Bemühungen ein wichtiger Ansatzpunkt.

Das Verständnis am Potomac wächst, dass die soft power, die Europa einbringen kann, für die Ergänzung und Sicherung der mit der amerikanischen hard power geschaffenen Erfolge immer bedeutender wird. Der spektakuläre Besuch von Präsident George W. Bush in der europäischen Hauptstadt Brüssel, die deutlichen Worte von ihm und seiner Außenministerin für eine Stärkung Europas sind ermutigende Zeichen.

Für Europa gilt: Mit den zunehmenden weltweiten Problemen und Gefahren wie Terrorismus, Massenvernichtungsmittel in Händen von Diktatoren, verfallende Staaten, Bedrohung der Energiereserven und Schädigung der Umwelt erhalten die transatlantischen Beziehungen eine neue, wachsende Bedeutung. Aber auch für die USA bleibt es dabei, dass Europa im Kreis der Weltmächte nach wie vor der wichtigste, durch gemeinsame Werte verbundene Partner ist.

Gegen allzu großen amerikanischen Pessimismus für die Zukunft Europas habe ich mir öfter mit der Geschichte des römischen Reichs geholfen:

Es war immer wieder populär, die Vereinigten Staaten als Nachfolger des Imperium Romanum zu betrachten. Staatliche Organisation, rechtliche Ordnung, militärische Macht lagen konzentriert in der westlichen Hälfte des Imperiums in Rom, die philosophische, religiöse und wissenschaftliche Ausstrahlung war aus dem antiken Griechenland und dem östlichen Teil des Reiches gekommen.

Ich konnte Gesprächspartner manchmal mit dem Hinweis überraschen, dass das mächtige Westrom dem Ansturm der Völkerwanderung im 5. Jahrhundert unterlag, die Osthälfte des römischen Reichs hingegen 1.000 Jahre länger existierte und sich bis zum Fall von Konstantinopel 1455 behauptet hat. Für beide wären die Überlebenschancen möglicherweise größer gewesen, hätten sie enger und fester zusammengehalten. Ein eindrucksvoller Anreiz für die gemeinsame transatlantische Zukunft!

Personenregister